PIOVONO
MANDORLE

ROBERTA CORRADIN

PIOVONO MANDORLE

La prima indagine
della commissaria Gelata

PIEMME

Pubblicato per

PIEMME

da Mondadori Libri S.p.A.
© 2019 Mondadori Libri S.p.A., Milano
Published by arrangement with the Italian Literary Agency

ISBN 978-88-566-6965-7

I Edizione settembre 2019

Anno 2019-2020-2021 - Edizione 1 2 3 4 5 6 7 8 9 10

«La verità resiste in quanto tale soltanto se non la si tormenta.»

FRIEDRICH DÜRRENMATT, *La morte della Pizia*

Alle donne che mi hanno aiutata a vivere di scrittura,
e in particolar modo:
mia madre che mi ha nutrita a pane e immaginario,
la maestra Egidia che mi fece scrivere
il primo racconto a sette anni,
Patrizia Avoledo e Fulvia Serra, le prime a investire
su di me,
Valeria Palermi che mi sciolse dai ceppi
della pseudopsicologia da parrucchiere,
Amalia Zordan che mi lasciò impazzare
in una rubrica di cucina fuori dai ranghi,
Ariane Batterberry che mi disse «Come to my office,
I want to make you a contract»,
Mariagiulia Castagnone e Francesca Lang,
senza le quali non mi sarei mai divertita tanto
scrivendo questo libro.

«Hanno ammazzato compare Turiddu!»

«Turiddu chi? Fai presto a dire Turiddu, chiami Turiddu e si volta mezza Scicli.»

«U' pissicologo, quello che venne di Nuova York.»

«Buono fecero, quello campava facendosi i fatti degli altri.»

Una notte di giugno, a Scicli

Il malore

«Cristo! È morto! E adesso?»

«Se siamo fortunati, al terzo giorno risuscita.»

«Dai. Cosa facciamo? Non possiamo metterlo su un aereo così.»

«Non ti agitare. È come al cinema. C'è sempre la controfigura.»

Il Defender

Bloccò il differenziale centrale e posteriore, inserì la prima ridotta, lasciò la frizione. Tutto come previsto. Lentamente, la macchina prese a muoversi. Sistemò le mani sul volante e saltò giù. Si avviò verso l'auto parcheggiata dietro le scupazze, le palme nane che generazioni di casalinghe a Scicli avevano usato per spazzare casa, prima che l'invenzione dell'aspirapolvere le gratificasse di un po' di tempo libero. Aprì il cofano, alzò le pipette, avvitò le candele, spinse le pipette in giù, richiuse il cofano.

Mentre saliva in macchina, sentì un tonfo sordo. Il Defender era sprofondato. Doveva sbrigarsi. Non aveva ancora fatto il check-in online.

Il debito

«I siciliani dicono "fai del bene e scordalo, fai del male e guardati". Non saprei dire di te se il problema maggiore è che hai fatto del male, o che non hai saputo guardarti. Forse il tuo problema è che non sai nemmeno tu se sei siciliano o cos'altro.»

PRIMA PARTE

I

Quarantuno giorni prima

Il 21 aprile: giorno, sera, notte fino all'alba

Scicli, Hong Kong, New York

Tutte le strade del mondo ritornano a Scicli

Amanda

Un silenzio lungo quaranta minuti. Un record.
Una quaresima.
«Pensi di usare così tutto il tuo tempo?»
«*You must take some time to enjoy silence.*»
Un altro silenzio. Più breve. Quel tipo di silenzio che precede e annuncia le logorree che in teatro si chiamano monologhi.
«Sono andata a Noto, per guardare il Silenzio, il venerdì di Pasqua. Dovresti vederlo anche tu. Alle cinque del pomeriggio la città ammutolisce, fino a un minuto prima c'era la vita, un attimo dopo tutto è morte. Persino i turisti ignari, persino chi non ci crede: tutti sono rapiti. Devi seguire la processione, con l'unico ruolo che ti è consentito: quello di spettatore muto. Tutti in nero, la Madonna in nero, la tromba cupa esala le note lunghe del silenzio, *tuu, tuuu, tuuuu*, il vescovo in nero sotto il baldacchino nero con i chierici in nero. Ragazzini che due minuti prima indossavano jeans e T-shirt sono irriconoscibili, le antiche divise delle confraternite calate sopra gli abiti scoprono sui loro volti lineamenti secenteschi che prima non avresti saputo indovinare. Tutto è sospeso in un silenzio di morte, il buio scongiurato solo da torce di carta bruciacchiata dai ceri.

Si vive sospesi così fino alla domenica mattina. Allora i cortei diventano due, uno col Cristo risorto e la trombetta che gli va dietro, *perepè-pè-pè*, l'altro con la Madonna che ancora non sa, e le note lunghe del lutto, *tuuuu, tuuuuu, tuuuuu*. Girano per ore in lungo e in largo per tutta la città, la Madonna addolorata, *tuu, tuu, tuuu*, il Cristo euforico che la cerca dappertutto, in ogni strada e vicolo, per annunciarle che è risorto, *perepè-pè-pè*.

S'inseguono a vuoto per tutta la mattina, finché a mezzogiorno si scorgono da un capo all'altro del corso, quasi davanti alla cattedrale, uno di fronte all'altra ma ancora lontani; si corrono incontro e tu non capisci come non rimangano feriti quaranta uomini nell'impatto ogni anno, perché dal posto che ti sei scelto, se sei stato previdente e un paio di ore prima eri già fermo sotto il sole sulla scalinata della cattedrale, vedi solo Madonna e Cristo che si abbracciano, ma sotto di loro ci sono quaranta uomini che si corrono incontro con il peso delle statue sulle spalle e come facciano a fermarsi in tempo, Dio solo lo sa. Il figlio si piega sulla madre per baciarla, un macchinario tira via il velo del lutto scoprendo la veste azzurra della Madonna, s'involano colombe, il *perepè* trascende in tripudio. In quel bacio tra due statue tu a un tratto vedi chiaro: Cristo, in Sicilia, non è risorto per mondare i peccati del mondo. È risorto per fare felice mammà. Questo la dice lunga sugli uomini siciliani.»

Aveva terminato il monologo, approntato a memoria nei quaranta minuti di silenzio. Ora attendeva muta un cenno di plauso al suo show.

«E tu? Cosa hai fatto tu, per fare felice tua madre?»

Amanda accavallò le gambe sulla *chaise-longue*.

«Che domanda di merda.»

«Che risposta sgarbata.»

«La sai, la risposta. La mia era solo un'allitterazione. Nel mio ambiente funziona.»

«Nel tuo ambiente... e nel nostro?»

Amanda rinunciò a rispondergli e consultò l'orologio. Era

un modello fine anni Ottanta, gliel'aveva regalato un orologiaio di Ginevra quando aveva curato la campagna di lancio del suo primo negozio monomarca a New York. All'interno della cassa c'erano tre diamanti non incastonati che rotolavano tra le lancette ogni volta che alzava il polso per leggere l'ora. Un flipper di lusso.

«Immagino che per oggi il tempo a mia disposizione sia terminato. Ti risponderò la prossima volta.»

Si alzò, raccolse da terra la borsa bianca, inforcò gli occhiali da sole con la grande montatura bianca coordinata, tirò vezzosamente fuori dalla borsa una coppoletta in lino bianco con cui intendeva affrontare il sole del mezzogiorno.

«Non ti disturbare ad accompagnarmi, conosco la strada.»

Si allontanò nel corridoio avendo cura di far risuonare i tacchi a spillo dei sandali, ovviamente bianchi, indossati perché sapeva che a lui piaceva osservare la fantasia policroma delle sue unghie smaltate mentre lei parlava, parlava, e parlava. Forse, più che al suo ascolto, Amanda teneva al suo sguardo.

Appena fuori in strada, sondò nuovamente le profondità della borsa e ne estrasse un paio di ballerine piatte di Longchamp. Bianche, perché a lei i luoghi comuni sulla carenza di gusto estetico dei suoi connazionali facevano un baffo. Sul passaporto era cittadina americana, segni particolari: *estremamente elegante.* Calzò le ballerine e fuggì agile e veloce giù per le scale di Chiafura, un tempo quartiere dei poveri e negletti rassegnati all'umidità stantia delle grotte, oggi parco archeologico sempre arduo da raggiungere a piedi, ma così chic. La bellezza di Scicli risiedeva in gran parte nell'essere architettonicamente scorretta, *sei disabile? Muori*, di sicuro pensavano questo gli urbanisti barocchi che avevano riempito di scale e scalette Scicli, Modica, Ragusa, Noto e tutte le città degli Iblei che aveva visitato. Ci si manteneva agili per forza sino a tarda età, ad abitare nelle grotte di Chiafura, o San Giuseppe, o San Bartolomeo. Oppure ci si murava dentro casa, e si usciva solo per il proprio funerale. A Palazzolo Acreide, nella cittadella arroccata sul colle, Amanda aveva percorso tutta una stradina lastricata, irretita dal nome sulla targa: via della Rupe di Sparta, strada senza uscita. Alla fine, il cul-de-sac si affacciava su un baratro, e Amanda aveva provato un brivido chiedendosi se il nome fosse connesso alla funzione, se via della Rupe di Sparta fosse mai servita a sbarazzarsi dei bambini imperfetti buttandoli giù nel precipizio, come nel mito.

Tutti i bambini sono imperfetti. Perché tutti i bambini sono diversi da come i genitori li hanno sognati. Il primo delirio di onnipotenza nella vita è quello della propria madre, incinta.

Squillò il cellulare.

«Amàààànda?»

«Sì.» Il mastro che le aveva ristrutturato casa non le dava tregua. La divertiva che la chiamasse così, con quella *a* lunga, interminabile. Il suo nome pronunciato all'italiana le sembrava quello di un'altra. Una volta aveva spiegato al mastro che in inglese si dice *Amèèènda*, con una *è* così aperta che sembra quasi una *a*. Lui ci era rimasto male: «Eh, ma così sembra una multa». Una multa? Si era stupita. Le aveva spiegato la storia dell'ammenda. Fare ammenda. L'aveva trovato divertente. In fondo, era quello che faceva lei nella vita.

«Amàààànda sono arrivati i campioni delle vernici per il salone, devi venire a scegliere.»

Eccola riportata a più terrene, materiche, concrete occupazioni. E che Salvo, con tutto il rispetto, imparasse a fare le domande giuste senza darle sui nervi scoperti.

Maria

«No, ma non se ne può più! Sono cose da minchia lire!»

«Si dice *amminchialire*, tutto attaccato, è un verbo» replicò una voce dalla cucina.

Maria non rispose, buttò la borsa sulla cassapanca della nonna che aveva voluto a tutti i costi accomodare in quel corridoio troppo stretto, troppo lungo, troppo fintamente moderno anni Settanta nel brutto appartamento del brutto condominio del quartiere Vinsi.

Vinsi, che nome! Vinsi un bel niente, quello era il posto dei perdenti. Come suo marito Laccio. Lui sì che aveva il nome giusto: Laccio. Un legame. Uno che sta lì. Ogni tanto gli devi rinsaldare il nodo. Per il resto, manco ti accorgi che c'è. In una decina di anni, il loro matrimonio si era ossidato come la cornice d'argento regalo di nozze della madre superiora che aveva dato uno straccio di educazione a suo marito, crescendolo in collegio.

«Cos'è successo?» Laccio venne fuori dalla cucina con un mestolo sporco di salsa in mano.

«Attento, che ti cola sul pavimento.»

Abbassò lo sguardo verso la minuscola chiazza di pomodoro. Sua moglie aveva il peggior difetto che possa avere un commissario di polizia: si perdeva appresso ai dettagli, quelli irrilevanti, poi. Le mancava la visione d'insieme. Leccò il mestolo e si chinò per terra a pulire la macchia con un lembo del grembiule. Maria stava per lasciarsi andare a una nuova reprimenda su chi lavava i grembiuli, ma si censurò. Doveva ancora sfogarsi per la giornata di lavoro.

La città transennata non resisteva più all'assedio. La bellezza di Scicli continuava a richiamare produzioni da tutto il mondo. Sei set cinematografici avevano invaso la città. "Scinecittà", l'avevano soprannominata le cittadine limitrofe, invidiose. I camion delle troupe, onnipresenti, bloccavano tutti gli accessi al centro. Maria era alle prese con un delitto chiarissimo che aveva rotto la pluridecennale quiete della cittadina. Aveva tutto chiaro, ma non riusciva a incastrare il colpevole, anzi *la* colpevole. Un infanticidio. Una madre ha due figli, presa da raptus ne uccide uno solo, il maggiore. Perché? Perché risparmia l'altro, lo porta via in un luogo protetto, lo lascia lì, senza apparente motivo? Potrebbe portare lì a giocare anche il fratello maggiore e sfogare su un cuscino di piume la sua ira; invece, chiude il primogenito in casa e lo uccide. Sforbiciandolo, come un cuscino. Perché? Perché, sentendo la furia montare, salva un figlio soltanto? Naturalmente non era affatto così semplice. C'era un alibi, confermato da svariate persone. Con tanto di stupore e disperazione inscenata dalla signora nel tornare a casa e trovare il ragazzo sforbiciato.

Maria aveva convocato un vicino di casa, un pensionato che, non avendo che fare nella propria vita, spiava da dietro i vetri quelle altrui. L'aveva convocato alle due del pomeriggio, si era presentato alle sei.

«Signor Baglieri, ma lei lo sa cos'è un mandato di comparizione?»

«Commissaria, certo che lo so, io è dalle dieci e mezza di stamattina che sto davanti all'ufficio suo.»

«Il mio ufficio è questo, sono le sei del pomeriggio e lei è arrivato tre minuti e mezzo fa.»

«Commissaria, cosa posso farci? A furia di vedere i film in tivù, mi sono sbagliato. Viene automatico andare nell'ufficio del commissario, ci ho pensato dopo, quando ho visto arrivare lui in persona, l'attore, voglio dire, ed erano ore che aspettavo, allora ho pensato che se *iddu* era lì, lei doveva essere qui.»

La spiegazione, data alla buona per rassicurarla, aveva sortito l'effetto opposto.

«Cioè, mi faccia capire, signor Baglieri, lei ha passato la giornata davanti all'ufficio del sindaco in via Mormino e non le è venuto in mente che lì c'è il municipio, non so, da quanto tempo, centoventi anni? E che solo nei film del commissario Montalbano il municipio di Scicli diventa, ripeto *solo* nella finzione cinematografica, la sede di un commissariato?»

«Commissaria, perché se la prende con me? Non mi sono sbagliato solo io, era pieno di poliziotti lì. O mi vuol dire che erano attori magari quelli?»

Si era sentita sola come non mai. Più sola di quand'era cresciuta a Gela, che con Scicli non aveva niente a che fare, non ne condivideva la bellezza e ne surclassava la criminalità, tradita dal falso mito del facile petrolio. Il nome greco, Gela, le suggeriva l'immagine di un riso di fanciulla raggelato a distanza di millenni in un polo petrolchimico. La ridente Gela fondata dai coloni greci, culla della civiltà e patria del primo gourmet dell'Occidente, il greco Archestrato, il primo pensatore che avesse sposato la filosofia alla tavola nella cultura occidentale, con un anticipo di oltre due millenni. Rivide la professoressa che spiegava in classe cercando i suoi occhi, gli unici sempre allertati. Maria studiava famelica, imparava tutto, era il suo atteggiamento nei confronti della vita: studiare era il suo visto per dire addio a Gela. Una fortuna insperata il trasferimento di suo padre a Torino, un grande liceo e poi l'università a Roma. Era al liceo D'Azeglio che aveva capito perché vale ancora e sempre la pena di conoscere i classici: sono archetipi, eterni. Figure che ti staranno accanto per sempre, per spiegarti la vita. La tua vita. Laio, Edipo, Giocasta, Ulisse, Cassandra, Medea e tutti i personaggi dei miti greci sono lì per parlarti di te... Aspetta un attimo: Medea. Doveva rileggere il mito di Medea. Medea uccide i figli in un raptus di gelosia, per vendetta contro il marito Giasone, un farfallone che con il pretesto di cercare il vello d'oro la lascia sempre a casa da sola e se ne va a gozzovigliare con una ciurma di smandrappati che si fan chiamare "argonauti".

Suo marito, intanto, stava scolando i cavati al sugo di pomodoro. Troppe calorie, ma come fai a lamentarti? Devi anche ringraziare perché tu sei stata tutto il giorno fuori casa a giocare a guardie e ladri, mentre la pila di biancheria da stirare aumenta sconsideratamente. La colf aveva ripetutamente bruciato un ferro da stiro via l'altro, e Maria l'aveva sollevata dall'incombenza, sotto cui ora era lei a sprofondare.

Cenarono in silenzio, ognuno perso dentro i suoi pensieri.

Poi il cellulare di Laccio squillò, lui si allontanò, Maria lo sentì discutere al telefono, sentì che usciva sbattendo la porta. Andò nello studio, rovistò tra gli scaffali, si maledisse perché non si concedeva mai il tempo di riordinare i libri, trovò la vecchia copia della *Medea* di Euripide con le sottolineature a matita del liceo e cominciò a sfogliare le pagine, si lasciò assorbire dalla lettura e tralasciò di farsi la domanda che parecchi sussurravano nel vicinato: dov'era che andava suo marito, quando spariva?

Elena

La finestra del suo ufficio a Kowloon sembrava un poster. L'aveva scelto per quello. Sembrava di vivere fuori dalla realtà, dentro un cartellone pubblicitario, uno di quelli studiati che ti fanno desiderare di essere lì, proprio lì, dentro quel posto che vedi sulla carta. A lei, Kowloon piaceva di più com'era dieci anni prima, quando dietro le quinte dei grattacieli si trovavano ancora i *dai pai dong*; le piaceva fare colazione o pranzo seduta ai tavolini improvvisati coperti da improbabili fantasie di tela cerata stinta dall'uso, e sorseggiare *ying yang tea*, un miscuglio di tè, caffè e latte condensato che l'aveva conquistata e negli anni le aveva generato dipendenza. Non sapeva più bere altro, la mattina; non l'aveva dissuasa nemmeno la scoperta che per filtrare il caffè venivano usati vecchi collant di nylon assai presumibilmente usati. Mano a mano che morivano nonni e padri intestatari dei chioschi, il governo ritirava le licenze. I nuovi *dai pai dong* erano delle specie di *food courts*, surrogati di centri commerciali con l'ossessione dell'igiene, a vantaggio dell'industria alimentare e a discapito del gusto. Turisti e *first-timers* li prendevano d'assedio. Elena invece non ci andava volentieri. Questo pianeta è fatto per i giovani, che non avendo conosciuto di meglio si accontentano di quello che trovano, e lo magnificano. Per fortuna c'era ancora un posto, il *suo* posto, Lang Fueng, un baretto a Graham Street dove la mattina indugiavano gli studenti e le coppie clandestine, e dove i manager come lei facevano colazione al volo con un *ying yang tea* e una tartina con il burro di arachidi. Lang Fueng era uno di quei baratri nel tempo che solo Hong Kong sa regalarti a quel modo, Hong Kong che non è Oriente, non è Occidente, è un luogo senza tempo per gente senza luogo. Per questo lei l'aveva scelta. Hong Kong era perfetta per chi come lei voleva osservare e mai appartenere. Al tavolino accanto c'era una coppia sulla quarantina. Lei aveva una gonna a tubino e un giacchino tradizionale in seta, attillato, cucito praticamente addosso. Sembrava la protagonista di *In the Mood for Love*. Si sfioravano le dita con lo smarrimento degli amanti per cui ogni istante è eterno. Elena guardò l'orologio. Di lì a quindici minuti aveva una *Skype call* con uno chef di Taormina che voleva aprire una sede del suo ristorante a Hong Kong. Un altro contagiato dalla febbre dell'avventura in Oriente: Elena avrebbe dovuto guarirlo almeno dai sintomi, tipo "tanto lì non capiscono niente, gli dài da mangiare la qualunque e fai soldi a palate", oppure "io faccio la mia cucina, non me ne frega niente se non la capiscono", due eventualità che portavano entrambe alla chiusura del locale a pochi mesi dal *grand opening*, causa latitanza clienti. La clientela top è top, in qualunque parte del mondo, e va rispettata.

C'erano tanti concetti da far assimilare agli italiani che volevano avviare un business in Oriente. Era il suo lavoro, la sua vita. O almeno, metà. L'altra metà, in quel momento, la teneva a distanza di sicurezza in Sicilia, a Scicli. Lasciò qualche moneta sul tavolino, diede un'ultima occhiata carica d'invidia alla coppia innamorata e si alzò. Come sempre, era nell'unico *mood* per cui era stata programmata: *in the mood for work*. Forza, al lavoro.

L'ho fatta andare via perché sono un idiota. La mia è la sindrome del primo della classe, la patologia infelice di quello che deve farsi notare per la domanda intelligente. Quello che deve prendere il massimo e la lode a ogni esame. Un idiota. Ho cinquantacinque anni e ho fatto tutta questa strada a ritroso per ritrovare lei, ho cinquantacinque anni e vivo per il momento in cui lei bussa alla porta, ho cinquantacinque anni e a diciannove sembravo così smart, così brillante, con la vita in mano e un biglietto di sola andata per Londra. E invece. C'era un idiota che cresceva in me. È cresciuto lui, e io sono rimasto infante.

Infante, infantile, infatuato. Fottuto. Detestava le parole oscene e provò fastidio per avere pensato quella. Per di più, riguardo a se stesso. Se c'era di mezzo un verbo del genere, lui doveva porsi come soggetto attivo. Si era sempre sentito protagonista della vita, ma ora no. Negli ultimi tempi, vecchie lettere e nuove mail lo facevano sentire giocato, gli insinuavano il dubbio che fosse stata tutta un'illusione, la sua vita. Partire per Londra a neanche vent'anni, e senza nemmeno dover fare il barista per mantenersi: gli era bastata la bellezza, dono di natura e della genetica. Sua madre era parrucchiera, lavorava in un salone a Taormina ai tempi d'oro del jet set, quando la salita per arrivare in città era percorsa da Maserati e Rolls-Royce, non da scie di torpedoni che vomitano giornalmente migliaia di turisti grassi e sudaticci, come ora. Taormina negli anni Settanta era meta di un'élite cosmopolita. Sua madre pettinava le dive, aveva pazienza per assecondarne i capricci e conoscenza dell'inglese, cosa rara a quei tempi, per comprenderne i desideri riguardo a taglio, colore, mèches, colpi di sole; lisciava capelli mossi e arricciava chiome lisce, e cambiando l'indole naturale del cuoio capelluto intascava mance sonanti che puntualmente confluivano nel vaso comunicante delle tasche di Salvo.

La proprietaria del salone conosceva bene le sue clienti.

Con il pretesto di fargli fare piccoli lavoretti, ingaggiava Salvo ogni estate. Le vedeva, miliardarie e maliarde, mangiarselo con gli occhi, quel ragazzo siciliano che sembrava il dio Nettuno adolescente. Salvo vammi a comprare le sigarette, Salvo mi porti un caffè dal bar, Salvo questa sera do una festa a casa, mi serve il tuo aiuto, sei libero? E fioccavano mance, che affluendo nelle paghette di sua madre, l'avevano messo prima alla guida di una Vespa, contribuendo a costruire il suo charme di *chauffeur* informale su e giù da Taormina al mare; e poi, con tanto di guanti in pelle – venerato dono di un'ormai anziana Ingrid Bergman, che in Sicilia tornava ogni anno da quando aveva girato *Stromboli*, e si lasciava pettinare solo da sua madre – Salvo era andato ad allungare la fila delle auto di culto che approdavano a Taormina, su una Lancia Fulvia con motore modificato *ad hoc* perché a quei tempi era così che si ragionava: il mio motore romba, dunque esisto.

Si sentiva padrone della vita, regista e attore, mentre loro, attrici più e meno famose, erano comparse di pochi giorni. Poi era arrivata lei. Gwenda. Non era un'attrice, e non aveva predisposizione a fare la comparsa. Era una docente di psicologia relazionale, studiava le comunità gay del primo Novecento a Taormina, alloggiava a casa Cuseni e gli aveva fatto provare la prima sindrome di Stendhal della sua vita, per sovraesposizione a una esorbitante quantità di opere d'arte contemporaneamente. Gwenda non era statuaria come Ingrid Bergman, non aveva il glamour di Audrey Hepburn, né la scompostezza disinibita di Brigitte Bardot. Ma l'aveva rapito: lo affascinava il fatto che lei trascorresse l'estate nella magica villa di Taormina a preparare i corsi che avrebbe tenuto a Oxford durante l'inverno. In quei corsi, pensava Salvo, ci doveva essere una traccia del sole e del calore della Sicilia, una traccia delle sue carezze sul corpo maturo di lei. Si sentiva orgoglioso, come se li avesse preparati e tenuti lui, quei corsi. Era stata Gwenda a invitarlo in Inghilterra, anzi, aveva fatto al contrario delle usanze: era andata a parlare a sua madre, che era, come si diceva all'epoca, una ragazza madre. Cioè una madre che era anche un padre e una sorella e un surrogato di famiglia. I nonni l'avevano cacciata da Scicli quand'era rimasta incinta, per vergogna di quella figlia quindicenne sverginata; non l'avevano più voluta vedere, né lei né il frutto del peccato. Gwenda si era chiusa per una interminabile mezz'ora insieme a sua madre nel salottino privé della parrucchiera, riservato alle attrici famose che non volevano che le loro chiome recise si confondessero a terra con quelle delle comuni mortali. Salvo, in piedi fuori, le sentiva parlare fitto, senza però indovinare il senso di quel che si dicevano. Sua madre era uscita pallida come un cencio ed era tornata al lavoro senza guardarlo in faccia. Incredibilmente, aveva acconsentito al distacco. Non ancora ventenne, Salvo aveva fatto le valigie e si era trasferito a vivere a Oxford a casa di Gwenda. Era uno scambio alla pari: lei gli avrebbe pagato gli studi fino alla laurea in psicologia, lui le avrebbe tenuto compagnia a letto. *Deal*, cioè, "affare fatto". A Taormina Salvo continuò a tornare tutte le estati, ma non metteva più piede nel salone dove lavorava sua madre. Era l'unica cosa che aveva chiesto Gwenda in cambio del suo mecenatismo. Forse non voleva rischiare che altre clienti alzassero la posta.

A Scicli, invece, non era tornato mai. Quella era una storia antica, buia, fatta di vergogne che non gli appartenevano. L'unica storia che sua madre non avesse mai voluto condividere con lui. E per ripicca, o forse solo per rivalsa, per riprendersi una vita sua, per cominciare davvero a essere attore, attivo, giocatore e non giocato, Salvo aveva lasciato l'avviatissimo studio di psicoterapia a New York ed era approdato là dove era cominciata la sua storia, prima ancora di nascere: era tornato a Scicli. L'aveva deciso dopo che era morta sua madre, dopo che della sua famiglia non era rimasto più nessuno. Era tornato per Amanda, e aveva trovato ad attenderlo un passato nuovo di zecca verso cui provava tanta curiosità quanta paura di fare conoscenza.

Soltanto quand'era solo con i suoi cristi stava bene. Sua moglie, con le sue cacce ai criminali di serie B, non la sopportava più. Si guardò intorno: nessuno. Girò la chiave e si rifugiò nella sua bottega, che aveva ancora dipinta sul muro sopra la porta, scolorita dagli anni, l'insegna del vecchio barbiere. Lì, finalmente solo, si accanì sul legno. Ogni legno ha il suo Cristo dentro, basta sapere come tirarglielo fuori. Ultimamente, però, non bastavano neanche più i cristi a pacificarlo. Troppi nodi, e nessuno che venisse al pettine: restavano lì, a intaccargli persino il piacere del legno.

Tutto era cominciato quando era arrivato a Scicli quell'accidente di strizzacervelli di lusso. Il gran strombazzamento che aveva fatto, come sanno farlo solo gli americani, o i siciliani poveracci emigrati in America che quando tornano devono farlo sapere a tutti, che han fatto fortuna. Si era inventato quella pacchianata della grotta analitica e aveva scomodato fior di architetti, il miglior studio di New York. Due figuri in bianco che aleggiavano sulle scale di Chiafura come spiriti di morti. E quelli naturalmente giù a strombazzare pure loro, si erano portati appresso dei giornalisti del «New York Times», e vai con i paginoni su Scicli, *Scicli Renaissance*, vai con gli americani e poi gli inglesi, i tedeschi, i milanesi che vengono a comprarsi tutto, anche i bassi e le grotte da dove negli anni Sessanta hanno fatto sfollare la gente perché erano ambienti malsani, e che oggi sono "location esclusive". Aggiungi trecentomila euro di ristrutturazione e automaticamente sottrai l'aggettivo *malsani*, tanto la povera gente ormai ha già venduto per un pezzo di pane ed è condannata a vivere come noi, come me, in un condominio di Vinsi. Naturalmente, i giornalisti erano venuti a scassare la minchia anche a lui. Avevano rimirato l'insegna scolorita, avevano esclamato «pittoresco» con una sola *t* oppure con tre, avevano infilato il naso dentro perché se c'è un'insegna sbiadita con su scritto BARBIERE e tu non hai fantasia, ti aspetti un barbiere – proprio per questo lui aveva lasciato le lettere a stampatello stinte sul muro, per distinguere subito a che categoria appartenesse chi entrava. I suoi lavori erano per chi sapeva immaginare i cristi nascosti nei legni e gli ebanisti nascosti nelle ex botteghe di barbiere.

Insieme ai giornalisti era arrivato lui, lo strizzacervelli. Bell'uomo. La prima cosa che ti colpiva, prima ancora dell'eleganza, era proprio questa: la sicumera fuori luogo con cui portava la bellezza. Come la porterebbe una donna, di più: una star. Era un divo, lo strizzacervelli. Gli aveva accordato una benevolenza divina, a lui povero oscuro mortale. Aveva lodato il suo lavoro, gli aveva commissionato un cristo dal carrubo, il legno più difficile, perché è duro da intagliare. Ma soprattutto, lo strizzacervelli l'aveva sconvolto. Possibile? Funziona così? Basta sapere che uno si occupa di psiche per sentirsi improvvisamente nudo quando ti guarda, anche se ti parla di cose neutre e tecniche, come la difficoltà di intagliare il carrubo? Io guardo cristi tutto il giorno e anche la notte, li scopro io, sono io che li libero dal legno che li tiene all'oscuro, prigionieri al suo interno. Quando escono dal legno e dalle mie mani, sono dèi, ma non mi mettono in imbarazzo neanche un decimo di quanto fa lui. Lo strizzacervelli, solo per il fatto di esistere, e di esistere qui, e adesso, mi ha aperto una faglia dentro. O forse la faglia c'era già e lui ci ha solo puntato il dito.

Laccio sentiva il maremoto incombere, e non aveva un riparo. Gli venne in soccorso un'immagine: un ricordo, che era stato un rifugio. Giovane, bella. Gli sembrava anche elegante, ma forse quella era una distorsione della memoria. Ricordava un cappotto giallo con la cintura così strizzata in vita che il corpo della signora sembrava diviso in due come una clessidra. La signora gli faceva una carezza e gli dava le caramelle che gli aveva portato. Pagava lei per il collegio, la scuola, i vestiti. Appena arrivava la signora, la madre superiora lo chiamava, anche se era durante la lezione; Laccio lasciava la classe sotto gli sguardi curiosi degli altri bambini, correva per le scale del collegio, si sentiva importante, non un orfano ma un bambino che riceveva visite, l'unico bambino a essere chiamato dalla madre perché c'era una visita. Gli orfani del collegio delle suore di Comiso non venivano richiesti, mai. Non c'era mai nessuno che li volesse adottare. Per madre, avevano la madre superiora. Per padre, chissà quale cristo.

Così lui si era messo a scolpirli, quei cristi, a intagliarli nel legno, forse per far venire a galla quel padre che anche lui doveva certamente avere, come tutti, solo che non l'aveva mai visto, e non lo sapeva immaginare. Di punto in bianco, la signora che pagava le spese del collegio smise di venire a fargli visita. L'ultima volta, solo che lui non sapeva che quella sarebbe stata l'ultima volta, se l'era messo sulle ginocchia e l'aveva stretto a sé, forte. Laccio aveva sentito una goccia sulla fronte, non aveva capito che cosa fosse, ma ripensandoci ora ne era certo: una lacrima. La signora aveva pianto una lacrima per lui. Gli aveva dato un regalo, una catena d'oro con una medaglietta e sulla medaglietta c'era un Cristo ma non in croce: un Cristo beato con l'aureola. La madre gli aveva detto: «Saluta e torna in classe, ma prima vai a mettere il regalo al sicuro nel tuo armadietto, e bada di non perderlo, mai». Ci aveva messo tutto l'impegno di cui era capace. A un certo punto la catena si era fatta troppo corta per il collo di un ragazzo; con i soldi del suo primo lavoro al mercato dell'ortofrutta, Laccio pagò l'orafo davanti al convento perché gliela allungasse. Una volta sola aveva osato chiedere alla madre chi fosse quella signora. La madre aveva risposto: «Una signora che ti vuole tanto bene, che ci vuole tanto bene, e noi dobbiamo pregare tanto per lei».

Non aveva mai più trovato il coraggio di chiedere altro. Quando sei un orfano, ti vergogni a fare domande, hai sempre paura che la risposta sia una punizione: non sei stato abbastanza buono e ti hanno abbandonato, non eri abbastanza bello e ti hanno lasciato qui, non ti hanno voluto perché non te lo meritavi. Allora, piuttosto di affrontare una realtà dura due volte, di per se stessa e perché ti punisce di colpe che non sapevi di avere, smetti di fare domande. Lasci sedimentare strati su strati di ignoranza di te. Dimentichi. *Ti dimentichi.*

Finché un giorno arriva uno strizzacervelli borioso. Entra nel tuo laboratorio con un seguito di discepoli-architetti-giornalisti, si mette a magnificare la tua arte con il tono di un dio sceso in terra e mentre lo ascolti pontificare ti sorprendi con lo sguardo incollato su una catena con un ciondolo che s'intravede dalla camicia che lui porta vezzosamente aperta, con la nonchalance di un dio fatto uomo, senza cravatta. E tu resti lì, ipnotizzato, come se avessi visto il dio che avresti potuto essere se non fossi stato un mortale, e non capisci più niente.

Bussarono alla porta. Ecco il dio che si manifesta all'uomo, e magari mi toccherà ringraziare. Si alzò per andare ad aprire, sbuffando. Nell'esatto istante in cui uscì dal retrobottega andò via la luce, e due braccia molto forti lo afferrarono, immobilizzando le sue. Una mano gli infilò in bocca un grosso pezzo di cotone di cedro, e una voce che credette di riconoscere, una voce carezzevole e rassicurante, gli sussurrò in un orecchio: «Tranquillo». Fece in tempo ad affondare un morso prima che le dita si ritraessero, il cotone si intrise di sangue, sapeva di amaro e di agrume. Sputò e svenne.

Angelino

In ospedale stava tra i tranquilli. I medici lo lasciavano uscire; sbrigava piccole incombenze per loro, portava caffè, acquistava sigarette. Una volta, tanti anni prima, qualcuno l'aveva picchiato; tutta la città si era sollevata per lui, e quando avevano trovato il disgraziato che l'aveva preso a botte per gioco, perché era un tranquillo e non poteva e non sapeva difendersi, gliene avevano date tante che lo avevano lasciato sul ciglio della strada, mezzo morto.

Angelino aveva passato tutta la vita in ospedale; quando Basaglia aveva fatto chiudere i reparti psichiatrici, si era trovato sfrattato dal giorno alla notte; non aveva dove andare e si era trasferito su un pagliericcio nella casupola abbandonata accanto al passaggio a livello, che si alzava e abbassava da solo, ma lui pretendeva di azionarlo lo stesso, munito di fischietto. A volte fermava gli automobilisti anche quando il passaggio a livello era alzato, con il disco verde; li lasciava andare solo se gli davano una sigaretta, o almeno una caramella. Allora insieme al fischietto teneva in bocca la sigaretta, e non era raro che soffiasse nella sigaretta e fumasse il fischietto.

Chi aveva bisogno di un servizio da lui sapeva sempre dove trovarlo: al passaggio a livello, oppure al bar dell'ospedale. Quelli erano i suoi posti di lavoro, e non li lasciava mai.

Quando arrivò 'u pissicologo di Nuova York, Angelino lo riconobbe subito, con quel fiuto particolare e infallibile che hanno i matti per chi li tratta da uguali. Si mise ai suoi servigi o, come diceva lui, «a disposizione». Allora, tra i posti in cui andare a cercarlo, se ne aggiunse un terzo: il terrazzino di Chiafura dove per alcune ore al giorno cercava sollievo sotto la pergola nella calura estiva, e nei rari giorni di pioggia si riparava sotto il grande ombrellone, dondolandosi sulla seggiola di vimini. In cambio, Angelino strappava con le goffe dita paffute gli sprovveduti fili d'erba che osavano spuntare nei vasi dei gelsomini e delle bougainvillee. Si era anche offerto di innestare il mandorlo per farlo diventare latino, ma 'u pissicologo aveva detto che a lui piacevano le mandorle amare, le metteva nella granita, sono cose strane che fanno i signori, mentre a noi poveri ci prende la paura di morire con le mandorle amare, e invece la paura di morire dovrebbero avercela loro, che fanno la bella vita, e non noi, che facciamo la vita grama. Quando 'u pissicologo aveva tempo, ad Angelino piaceva, oh, quanto gli piaceva, fargli domande e ascoltare risposte che non sempre capiva, ma che in qualche modo lo tranquillizzavano.

Quella sera, dopo avere faticato prodigandosi in servizi di vario genere giù nel paese, Angelino aveva raggiunto con respiro ansimante il terrazzino di Chiafura, e lì si era assopito sulla seggiola in vimini. Si svegliò al rumore di una porta che sbatteva. Vide correre un uomo, poi un'altra figura che non avrebbe saputo dire se fosse uomo o donna: aveva i capelli lunghi ma gli mancavano quelle cose belle e ballonzolanti che hanno le donne, davanti. Si alzò, e li seguì.

Laccio

Laccio fece per aprire gli occhi ma era come se gli avessero sostituito le palpebre con delle saracinesche di ferro massiccio. Era a terra. Sentì il fiato vicino. "Quello" si stava chinando su di lui. Udiva delle voci ma era troppo confuso per provare a riconoscerle. Pensò "Ascoltare, ricordare", e ripiombò nel torpore.

"Quello" posò le dita intorno al collo di Laccio e gli sfilò la catena. In Sicilia tutti i bambini avevano una catena, con una mediaglietta, con su un Cristo in croce oppure un Cristo beato con l'aureola. Solo io non ne ho mai avuta una. Mia madre non ci pensava mai, a me. Mi ha messo al mondo e mi ha dato via in cambio di un po' di benessere, povera ingenua, credeva di passare a miglior vita.

Bussarono alla porta. Era la terza volta. La gente è dura di comprendonio. Se bussi ed è tutto buio, e da dentro non viene nemmeno un rumore, cosa ti fa sperare che qualcuno verrà ad aprirti? Perché resti lì? Cosa aspetti che accada?

Restò ad ascoltare nel buio, con la catena stretta tra le mani, cercando se stesso nel volto di Laccio che era svenuto. Almeno per il momento, non sarebbe accaduto un bel niente.

Laccio passò dal torpore al sogno. Sognò che sua madre e Salvo erano venuti a trovarlo, insieme; sua madre somigliava alla signora con il soprabito giallo che veniva a fargli visita in collegio. Nel sogno, Laccio aveva perso la catena e piangeva, disperandosi a terra come un bambino. Salvo si levava la sua, gliela porgeva, gliela allacciava posandogli le mani intorno al collo; Laccio sentiva il suo fiato e ne era turbato, esitava se accettare il dono oppure no. Riconosceva che si trattava di un atto d'amore, e non c'era abituato, lui, all'amore. Né a provarlo, né a riceverlo, nella realtà come in sogno. Le suore gli avevano insegnato la buona educazione e le preghiere, ma ci sono cose che le suore proprio non sanno insegnare. E se non le impari da piccolo, da grande poi ti vergogni, e chiudi gli occhi per sempre su una parte di te.

Maria

Devo smettere di bere tisana di tiglio la sera. Oppure berne una tazza, e basta, una tazza soltanto. Maria si era di nuovo fatta una teiera intera, e lo stimolo l'aveva svegliata alle tre di notte, con un verso di Euripide in testa. Si era addormentata sulla brandina che teneva sempre aperta nel suo studio. L'ultimo verso della tragedia di Medea che ricordava di avere letto la sera prima ammoniva il lettore: «La passione è principio di sciagure per i mortali».

Meghìston kakòn, diceva il testo greco. Suonava minaccioso anche a non capire.

Tirò lo sciacquone e percorse il corridoio al buio. Suo marito non era rientrato. Non che gliene importasse qualcosa, ma poteva almeno avvertire. Accese la luce nello studio, aggiustò il cuscino e riprese la lettura interrotta dal colpo di sonno. Il monologo di Medea la avvinse nel dilemma tra passione e ragione. Impressionante che vincesse la prima, nonostante Medea sapesse definirne gli effetti rovinosi con raggelante chiarezza. La passione dà il lasciapassare alla vendetta, e poco importa che lo strumento siano i figli, uccisi per fare dispetto al marito. La ragione impone dei limiti: non si uccidono i figli per punire il marito fedifrago. In malora il mio piano!

La passione. Principio di sciagure.

Causa dei mali peggiori.

Io non ho mai fatto posto alla passione nella mia vita. Ed è vero, non ho avuto sciagure.

Si era diplomata al liceo classico con il massimo dei voti, si era laureata in lettere classiche con il massimo dei voti. Stava scrivendo la tesi di dottorato e a un certo punto aveva lasciato perdere tutto e si era iscritta alla scuola di polizia. Perché? Per fregiarsi del titolo di servitore di uno stato mafioso?

No.

Il vero motivo per cui aveva deciso di entrare in polizia era che una volta, anche se cercava di rimuoverne la memoria, una sola volta in tutta la vita, aveva creduto alla passione.

È bene fare errori quando sei giovane. Così hai tutta la vita per non ripeterli più.

Era cambiato tutto. Da lettere classiche, dove c'erano praticamente solo donne votate a una carriera nell'insegnamento, perfetta come occupazione part time per la stimata moglie di un libero professionista, era passata alla scuola di polizia dove per anni l'unica donna era stata lei. Lui era sparito, neanche fosse stato l'agente segreto addetto a reclutare novelle Nikita. Maria era atterrata in un mondo di uomini. Troppi uomini. È come quando c'è troppo brusio: i rumori si sommano e diventano un sottofondo equiparabile a un silenzio. Così era stato per lei. Troppi uomini uguale nessun uomo.

Non devo mai più farmi il tiglio la sera. Ché poi mi sveglio a metà notte con la mia solitudine, e mi metto a pensare minchiate.

Continuò a leggere fino alle prime luci dell'alba, cercando nel mito greco un qualche indizio che la aiutasse a capire la vita, la sua e quella degli altri – e magari anche la morte, quella degli altri possibilmente prima della sua. Chiuse il libro nell'istante stesso in cui sentì la serratura scattare. Pazienza fare la commissaria di polizia nella vita, ma farlo anche a casa... A casa, no. Il ruolo imporrebbe di alzarmi, chiedere spiegazioni, fare domande, osservare dettagli, dedurre il non detto. La passione.

È principio. Di sciagure. Per i mortali.

Spense svelta la luce, e fu così brava a fingere di dormire che finì per addormentarsi davvero.

Elena

Tancredi Bonaccorso la attendeva nervoso nella minuscola hall di Jia, la residenza disegnata da Philippe Starck che aveva quasi esclusivamente clienti parigini, gli unici che possono pensare di chiamare casa – in cantonese, *jia* – uno spazio di dodici metri quadrati. Bonaccorso aveva affittato una suite per una settimana per studiare il mercato, mentre il ristorante a Taormina era chiuso per lavori. «Lavori» aveva sottolineato, parlando con Elena su Skype. «Chiudere per ferie porta invidia, chiudere per lavori porta rispetto.» Aveva detto proprio così: rispetto. Una parola che i siciliani usano in un modo tutto loro, arrivando a ricamare tragedie su di un concetto esasperato.

«Sono venti minuti che la aspetto.»

Elena lo guardò incredula. Era la legge di Murphy in stile Trinacria: i siciliani sono sempre in ritardo, ma la volta che hanno un anticipo di quattro minuti e tu solo di due, si straniscono.

«Veramente avevamo appuntamento alle 10.30 e sono le 10.28.»

«Sì, ma a me avevano detto che lei è di Milano e i milanesi sono sempre in anticipo, quindi sono sceso mezz'ora fa, pensavo di trovarla già qui.»

Un bell'inizio, non c'è che dire. Elena non poté fare a meno di correggerlo.

«Non sono milanese, sono svizzera.»

«Allora dovrebbe essere ancora più in anticipo. Comunque fa bene, così le tasse le paga in Svizzera, almeno lì quando si rompe una strada la aggiustano. E risparmia pure un bel po'.»

Elena decise di soprassedere.

«Ho identificato tre location che potrebbero essere adatte alla tipologia di locale che lei vuole aprire, signor Bonaccorso. Possiamo andare a vederle subito, se crede.»

«Stanno nel budget?»

«Sì, nessuna delle tre supera i cinquantamila euro di affitto mensile. La più cara, e devo dire la più bella, parte con una richiesta di cinquantacinquemila euro al mese ma dovrebbero essere trattabili.»

«Bene. Andiamo a vedere questo posto per primo. È meglio se sto un po' sopra il budget.»

Curioso, pensò Elena. I suoi clienti in genere avevano il problema opposto, quello di non sforare il budget.

«Se vuole seguirmi, ho noleggiato un'auto per la giornata.»

Minchia se è legnosa questa, pensò Bonaccorso. Non sarebbe nemmeno male, se al posto del manico di scopa avesse una colonna vertebrale. Schioccò la lingua contro il palato per significare che annuiva se pur con riserva, e la seguì.

«Alle 17 però mi deve lasciare davanti agli studi di Food Channel. Mentre sono qui ottimizzo, la mia pr mi ha organizzato un'intervista, stanno traducendo in cinese il mio libro, anzi, questa è una copia per lei. In italiano, per il momento.»

Elena ringraziò e lesse il titolo. *Minchia che meusa*. Non commentò, aprì l'auto con il telecomando e posò il libro sul sedile posteriore, con la copertina rivolta verso il basso. Sul retrocoperta, Bonaccorso in tenuta sexy con la camicia aperta che lasciava intravedere il torso nudo faceva il gesto di leccare un panino con la *meusa*. Disgustoso.

Mise in moto. Bonaccorso le aveva suscitato perplessità sin dal primo contatto. In fondo, sapeva il vero motivo per cui aveva accettato quel lavoro: significava avere un po' di

Sicilia lì a Hong Kong. C'era del vero nella frase che ripeteva spesso per vezzo: «La Sicilia mi rende tollerabile Hong Kong, Hong Kong mi rende tollerabile la Sicilia». Quand'era in un luogo desiderava l'altro, quand'era con lui desiderava stare sola, quand'era sola si struggeva di nostalgia e desiderio. Aveva scelto Hong Kong perché la teneva sufficientemente lontana da tutto. Soprattutto da se stessa. La fine di un brusio di sottofondo la tolse ai suoi pensieri. Bonaccorso aveva continuato a parlare, e ora la guardava interrogativo. Una domanda. Cielo. Le aveva fatto una domanda e Bonaccorso non era uno a cui poter dire mi scusi, ero distratta, può ripetere.

«Non abbia paura se non mi capisce, non mi offendo, forse lo pronuncio male, 'sta minchia di caffè. Un mio collega di Modena mi ha raccomandato di provarlo, dice che è un caffè con dentro del tè, e che la prima volta che lo bevi lo sputi, ma poi diventa come una droga. Cocaina al prezzo di un caffè, minchia, è un affare.»

Elena si illuminò e gli elargì il primo sorriso della giornata.

«Ma certo, lo *ying yang coffee*. Facciamo subito una deviazione. La porto nell'ultimo posto autentico dove si prende lo *ying yang coffee* a Hong Kong.» Il sorriso non era per Bonaccorso, ma per la gioia di avere riacchiappato al volo il discorso senza far capire che non lo stava ascoltando. Bonaccorso aveva preso molto sul serio l'*heritage* del *Sicilian latin lover*. Sorrise anche lui, in fondo la legnosetta non è fatta di carrubo, è un legno morbido. Piccola, sai che ti toccherà farmi lo sconto se ti faccio divertire sulla mia giostra, vero? Gli aveva presentato un preventivo da brivido, ma qualcosa gli lasciava presagire che avrebbe potuto lavorarci su.

Tancredi Bonaccorso aveva appena vomitato l'anima contro un lampione a Graham Street. Elena rientrò nel caffè, si fece dare due bottiglie di acqua, dei tovagliolini di carta, e lavò il lampione. Non gli chiese come stava, ma Bonaccorso la informò comunque.

«Io gli faccio causa, a 'sto stronzo che mi ha detto di provare 'sta minchia di caffè, che chiamarlo caffè è far torto all'arabica e incasinarci ancora di più coi musulmani.»

Elena constatò che Bonaccorso aveva una percezione dell'attualità geopolitica leggermente distorta.

«Ha finito di fare le pulizie di Pasqua sul lampione?»

«Mi scusi, incorriamo in una multa di trecento euro se sporchiamo il suolo pubblico in questa città» rispose Elena, secca.

«Bella minchia» commentò Bonaccorso.

Con quel lessico limitato, l'interprete avrebbe avuto gioco facile, pensò Elena. Devo contrattare uno sconto sulla tariffa.

Trascorrere una giornata intera con Tancredi Bonaccorso le sembrò un'esperienza descrivibile soltanto attraverso una reminiscenza del catechismo: *via crucis*. Entrò nel bagno a vapore del fitness club con il solo desiderio di sudare tutta se stessa. Soltanto così avrebbe potuto ricominciare daccapo ad accumulare tossine.

Nessuna delle tre location selezionate da lei tra le quarantacinque che parevano avere i requisiti necessari era stata di gradimento dello chef siciliano.

«Non ci siamo, Milanese. Devi venire a Taormina a vedere il mio locale, così capisci cosa ho in mente.»

Era passato al "tu" e la chiamava Milanese nonostante lei avesse chiarito le sue origini svizzero-cinesi; la cosa le dava profondamente fastidio ma il mestiere di *coach* prevede nervi saldi, e lei li aveva.

«Va bene. Lo farò. Tra due settimane ho un seminario di *coaching* a Scicli, con l'occasione verrò a Taormina.»

Aveva imparato a esprimere il tempo in settimane invece che in mesi, in ore invece che in giorni, in minuti invece che in ore. Accorciava la percezione dell'attesa nei clienti.

«Quattordici giorni, mi fai aspettare? No, no, adesso tu fai come me. Io resto qui una settimana per cercare di capire qualcosa di questo posto del cazzo, per esempio se c'è anche qualcuno che sa fare un caffè decente. Quando riparto, tu vieni con me.»

«Non so se questo sarà possibile, ma cercherò un viaggio a ridosso della data in cui viaggia lei.» Non riusciva a immaginare Tancredi Bonaccorso come compagno di viaggio per tutto l'interminabile tempo di un volo intercontinentale. Non aveva commesso abbastanza peccati per meritarsi un simile castigo.

«Lei, chi? Milanese, mi fai torto.»

«Va bene. A fra una settimana.»

Aveva tagliato corto per non sentirsi chiamare più Milanese, né dare del "tu" da quel tanghero, almeno per la giornata in corso.

Se nonostante tutti i segnali negativi non stava rinunciando all'incarico, era solo per il pretesto che le forniva: anticipare il viaggio in Sicilia, rivedere lui.

II

Trentaquattro giorni prima

Il 28 aprile: notte, giorno, sera, ancora notte

Solitudini e imprevisti

Maria

Ma quali marito e moglie. Siamo due single che dividono le spese per la casa e si ricambiano qualche piccolo favore. Da una settimana, suo marito scivolava dentro e fuori casa come un'ombra. Lasciava la cena pronta e rientrava troppo tardi per consumarla insieme a lei, ma in tempo per mangiare gli avanzi ancora tiepidi, senza riscaldarli. Il nuovo tran tran sembrava improntato a una accorta economia di gas e di parole, tra loro sempre più rarefatte, a tratti infiammabili. Ripuliti gli avanzi in solitudine, Laccio si chiudeva nel mondo compreso dentro il suo cellulare, mentre a Maria toccava il conforto dei libri e della brandina nello studio. E della tisana di tiglio. Litri di tisana di tiglio. Aveva rinunciato al ragionevole proposito di prenderne modiche quantità: trangugiava una tazza via l'altra, come se fosse assetata di quiete. È noto per l'effetto calmante, e mi sveglia ogni due ore. Immagina se mi agitasse.

Infilò i sandali color balena a tacco alto e si diresse al buio verso il bagno. Odiava le pantofole. La infastidiva persino che Laccio le portasse. Le pantofole danno la misura della tua rassegnazione. Le calzi quando pensi che non possa accadere più niente. Valgono come una resa.

Al ritorno dal bagno indugiò nel corridoio cercando un

libro. Non voleva accendere la luce. Era una forma di arroganza, o di orgoglio: i libri li sposto io, il mio inconscio ricorderà dove li ha messi. Cos'era quel rumore sommesso? Rimase immobile. Dalla stanza da letto veniva un bisbiglìo continuo. Laccio era al telefono.

Al telefono, al buio, alle tre di notte?

Maria non bussò, non aprì, non fece domande, non ascoltò risposte. *Don't ask, don't tell*, le aveva insegnato al liceo la sua professoressa d'inglese, che si fregiava di avere vissuto tre anni nel New England e di potere quindi insegnare l'inglese che si parla in America, «quello che ha conquistato il pianeta». *Don't ask, don't tell.* Quella frase le si era scolpita nella memoria. "Non chiedere, non dire." È incredibile quanto gli americani possano somigliare ai siciliani. Il fatto poi che si mettano a predicare l'omertà valica i confini dell'immaginazione, a meno che non si voglia ravvisare in questo un segno della genetica, una traccia desossiribonucleica degli antenati siciliani immigrati negli Stati Uniti d'America con il silenzio nel cuore. Gente che abbandonava la bellezza selvatica delle Madonie, la calura africana di Pachino, le cube arabe di Marsala, inseguendo un sogno non di sopravvivenza, ché quella se la sarebbero potuta assicurare pure qui, no: era un delirio di ricchezza a metterli in mare, una bramosia di agio, un disperato bisogno di quel senso di riscatto sociale che fa da corollario all'abbondanza. Quand'era andata in vacanza a New York per festeggiare la laurea, Maria era stata invitata a pranzo nel New Jersey dai cugini di sua nonna, e lì aveva scoperto l'opulenza della cucina italoamericana: sono così ricco che il ragù lo trasformo in gigantesche polpette, e le affondo come macigni sui maccheroni. Sono così ricco che nelle fettuccine ci sbatto dentro piselli, panna, funghi, prosciutto e chissà che altro ancora, e poi le chiamo "Alfredo" per ricordarmi che una volta ero italiano. Sono così ricco che mi faccio costruire una villa che imita una dimora palladiana, anche se questo io lo ignoro, basta che ne sia a conoscenza l'architetto, già che lo pago una fortuna. Perché, fra i tanti lussi, i nuovi ricchi si permettono anche quello di restare ignoranti. Che ci pensino gli scagnozzi che tengono a libro paga a studiare per loro. Ai cugini della nonna, come a tanti altri immigrati di successo, bastava la soddisfazione di essersi fatti costruire una villa che costava un sacco di soldi, guarda, dove qui ci facciamo una cucina, voi in Sicilia ci fate vivere quattro famiglie.

E adesso, l'America ci sta restituendo la visita. Scicli se la stanno comprando loro, vedi Palazzo dei Turchi, che fino a qualche anno fa cadeva a pezzi e a passarci sotto ogni volta avevi paura che si staccasse un faccione di turco dai cornicioni delle finestre. Ma a noi siciliani restava almeno la speranza di poterlo recuperare, un giorno, chissà, con i fondi europei, con una sanatoria, con il lascito di uno zio d'America. Ora gli immigrati di lusso, com'è che li chiamano alla tivù? *Influencers*, rimettono a nuovo persino le grotte di Chiafura e ci sbattono in faccia l'onta e lo smacco di non averlo fatto prima noi.

Riescono a farci invidiare quel che è nostro, a farci dimenticare che glielo abbiamo venduto perché per noi non aveva valore.

Ed è proprio così: il valore gliel'hanno dato loro. E non è quello del denaro, dell'investimento, della ristrutturazione, del restauro concordato con la burocrazia e le Belle Arti, no. Il valore aggiunto è l'amore. L'amore del bello.

Il peso della bellezza di Scicli era tale che nessuno, nemmeno i nobili che l'avevano ereditata, voleva sostenerlo. Meglio chiudere tutto e speculare costruendo condomini condannati alla precarietà dall'argilla su cui sono stati edificati, raggirando perizie geologiche. A partire dagli anni Sessanta gli sciclitani avevano voltato le spalle a Palazzo dei Turchi, a Chiafura, alla via Mormino Penna, alla piazza del Benefattore, a Santa Maria delle Scale – in definitiva, a se stessi e al loro illustre passato. Avevano smesso di specchiarsi nella loro storia ed erano migrati oltre il ponte. Maria si infilò sotto le coperte sulla brandina. Com'era arrivata a quei pensieri?

Ah, sì. *Don't ask, don't tell.* Suo marito al telefono. Alle tre di notte. Ha un'altra? Tanto meglio. Avrò più tempo libero. Mi aiuta a non sentirmi in colpa per il poco spazio che gli dedico io.

Posò sul comodino un libro che aveva preso mentre rifletteva sovrappensiero nel corridoio. Le era sfuggito dalle mani, l'aveva acchiappato al volo prima che cadesse a terra mettendo sonoramente lei e Laccio davanti all'evidenza di un matrimonio ormai fallito. Gli diede un'occhiata.

Era un saggio sui programmi scolastici nell'antica Roma, con un'antologia di frammenti di testi didattici in latino.

Ricordò quando aveva dato l'esame. Il professore era un raro caso di uomo bello e coltissimo, un mix ammaliante. La fissava con occhi di bragia e lei provava un puro godimento nel consumarsi dentro quello sguardo torrido, tanto che terminava ogni risposta in modo da provocare nuove domande e riflessioni. Più che un esame, era stata una conversazione intima su un argomento che regalava a entrambi lunghe ore di piacere.

Spense la luce, e si masturbò.

Laccio

Non si può più stare tranquilli da nessuna parte, a Scicli. Nemmeno la sua bottega era più un posto sicuro. Qualche sera prima era andato a preparare un tronco di carrubo per lo strizzacervelli che gli aveva commissionato un cristo, e chissà come si era svegliato per terra vicino alla porta che quasi albeggiava, con uno sciame di domande che gli ronzava in testa: cosa ci faceva lì, come c'era arrivato, cos'era successo? Ricordava solo che mentre era immerso nei suoi pensieri aveva sentito bussare e poi si era risvegliato al buio per terra. Ma non era sicuro, forse si era addormentato e si era sognato tutto, e tra l'altro un pezzo del sogno era il contrario della realtà: perché nel sogno il dio fatto uomo, lo strizzacervelli, gli regalava la sua catena, mentre nella realtà, da quella notte, Laccio aveva perso la sua. Al suo risveglio, la porta della bottega era socchiusa; aveva un senso di disgusto in bocca, come se avesse sanguinato dalle gengive e si fosse sfregato i denti con il cotone del cedro. Era rientrato a casa e sua moglie aveva spento svelta la luce della biblioteca dove dormiva, e tutti e due avevano fatto finta di niente, lei di non sapere che lui era rientrato all'alba, lui di non sapere che lei lo attendeva sveglia.

A turbarlo non era tanto il fatto di avere ripreso i sensi per terra, quanto un sogno che gli si era impresso nella memoria persino più nitido di un ricordo vissuto. Cercava di non pensarci, ma da quella notte l'immagine gli si ripresentava di continuo, con i contorni netti di un ricordo reale. Provava disagio nel dirselo, ma almeno con se stesso doveva essere onesto: aveva una voglia matta di andare da lui, si sorprendeva con il dito sul cellulare pronto a chiamarlo... e ogni volta finiva per lasciar perdere. Ma poi il pensiero tornava sempre lì.

Per placare l'agitazione crescente, Laccio lavorava di fantasia. Simulava una realtà che non era ancora pronto ad affrontare. A notte fonda, quando la casa precipitava nel buio e sua moglie dormiva sulla brandina che le serviva a seppellirsi viva nella sua biblioteca, Laccio si metteva a sedere sul letto, senza accendere la luce, e fingeva di parlare al telefono. L'oscurità e l'orario lo aiutavano a trovare il coraggio. Stringendo in mano il cellulare spento, raccontava allo strizzacervelli tutte le sue emozioni, una per una. Il disagio della cena a Taormina con il collezionista di Cape Cod che trovava ogni pretesto per mettergli le mani addosso. L'imbarazzo di scoprirsi a pensare a Salvo. Lo shock dell'aggressione nel suo laboratorio proprio la sera che Salvo doveva andare a fagli visita per scegliere insieme il tronco di carrubo. Lo sgomento per la perdita di due semplici oggetti: una catena e una mediaglietta. Dentro quella catena con la mediaglietta c'era un pezzo della sua identità. Possiedo una catena con un Cristo con l'aureola e dunque sono. Grazie a quella catena e a quella medaglietta, sono un bambino come gli altri. È rassicurante essere come gli altri. Confondersi nel gruppo, né troppo alto né troppo basso, né troppo brutto né troppo bello. Né troppo adorno né troppo disadorno: anche lui aveva una catena e una medaglietta, come tutti. L'unica anomalia che non riusciva a dissimulare era il fatto di essere orfano. Troppo orfano per fare finta di niente. Crescere insieme a un gruppo di bambini privi come lui dei genitori non lo aveva aiutato ad attutire l'impatto di una condizione così diversa da non poter passare inosservata.

Strinse forte il telefono spento e compose per finta il numero sulla tastiera. Imparava sempre i numeri a memoria. Non si fidava delle rubriche degli smartphone.

«Ciao.» Non sapeva perché, ma non riusciva a pensare di chiamare Salvo per nome.

«Volevo dirti che quel tipo lì, quello di Cape Cod, non lo voglio più vedere. Come osa mettermi le mani addosso? Non penserà mica che sia gay?»

Si fermò. Era pentito di avere pronunciato quella parola. Buttò il telefono da parte, sul letto.

Sentì i passi di sua moglie nel corridoio, al buio. Strano, non aveva acceso la luce. Chissà se lo aveva sentito parlare.

Penserà che sono pazzo. No, penserà che sono stupido. Lei ha liquidato il nostro matrimonio decretando che io sono stupido.

Tanto vale che continui a parlare.

«Volevo chiederti se posso salire a Chiafura con Angelino. Voglio passare tutto il tempo possibile vicino a te, anche se sei impegnato, anche se non mi degni nemmeno di uno sguardo al tuo passaggio, come fai con lui. È confortante sapere che ci sei. E se poi trovi due secondi di tempo per parlare con me... lo so che la cena a Taormina è stata un disastro, lo so che volevi che ti raccontassi della mia infanzia, ma non trovo niente da dire, sulla mia infanzia. Per questo ho fatto muto atto di presenza. Ti ho deluso, e non sai quanto mi dispiace. Ci sarà un'occasione in cui io e te possiamo parlare da soli, e non di cristi di legno, ma di noi due, poveri cristi anche noi? Scusa se ho osato accomunarti a me. Immagino che tu non ami essere accomunato a un poveraccio, e che per questo tu mi stia aiutando a raggiungere il successo, per rendermi simile a te, degno di te. Vorrei soltanto guardarti più da vicino, per vedere se per caso un semidio e un povero cristo hanno qualcosa che li accomuna.»

Non ricevette risposta. Guardò il telefono, che aveva lasciato spento.

Domani salgo a Chiafura. E anche dopodomani, dopodomani l'altro, e tutti i giorni finché non mi caccia via.

Posò il cellulare sul comodino e si rimboccò le coperte.

Chissà se sua moglie era rimasta fuori, a origliare. Forse è per lei che parlo da solo. Per darle un indizio, qualcosa che la convinca ad ascoltarmi, almeno una volta nella vita.

Guglielmo

Awesome. Quanto gli piaceva quella parola: *awesome.* C'era dentro la meraviglia, la bellezza, lo stupore. *Awesome.* Così gli sembrava l'insegna del ristorante che aveva appena ritirato: *awesome.* C'era scritto: GORDONOMA. Come Gordon Ramsey e come Noma, i sei mesi più folgoranti della sua vita, tre in una cucina a Londra, tre in un'altra cucina a Copenaghen. Da stagista. A pelare patate e dire «Yes Chef!», spiando tutto quanto avveniva intorno a lui per imparare il più possibile. Quella era "La Cucina". E lui avrebbe diffuso il verbo di Gordon e Noma fino all'estremo sud d'Europa, a Scicli. Figurarsi. Scicli dove solo fino a dieci anni prima si mangiava pollo e patacche. Patacche! Alias topinambour. I suoi compaesani svilivano tutto, a partire dal nome. Gente incapace di valorizzare i propri prodotti. Patacche. Quelli ti rifilano patacche. Io, invece, cucinerò pollanca e topinambour. Trasfigurandoli. Partirò dall'identità gastronomica di

Scicli e la stravolgerò a mia immagine e somiglianza. Perché se c'era qualcosa che aveva imparato, è che i giornalisti non vengono a provare la tua cucina, se gli ammannisci pollo e patacche. Tu devi pescare nel caos della cucina tradizionale e ricomporla secondo l'ordine che ti gira in quel momento. Nei tuoi piatti devi metterci il tuo *mood*. Sei incazzato? Fai una tartare. Sei innamorato? Usa l'azoto liquido per sciogliere il suo cuore in una spuma e avvolgere la sua vista nelle brume che faranno di te il principe azzurro. Perché, riconosciamolo: se poi sei anche fico, i giornalisti, che sono praticamente tutte femmine, arrivano come mosche sul barattolo del miele. Ti invitano in tivù, diventi giudice a *Masterchef*. Strafico o strastronzo, o tutti e due. Era quella la chiave del successo. E Guglielmo aveva chiara una cosa: voleva il Successo. Voleva prendere la stella, e poi un'altra. Senza fretta. La prima, entro tre anni, perché porta fatturato. La seconda stella guadagnata piano piano col lavoro, se no poi la gente pensa che hai fatto chissà quali intrallazzi per averla. La gente non crede al talento. La gente preferisce pensare che se fai strada è perché hai pagato, perché sei raccomandato, o comunque non per meriti tuoi propri. Li aiuta a sopportare meglio la loro mancanza di qualità. La differenza tra me che brancolo nel buio e te che ce l'hai fatta non è che tu sei più bravo di me, giammai: è che tu sei raccomandato. Tirano un sospiro di sollievo e si sentono meglio, a pensarla così.

Prese l'insegna nuova di zecca, la liberò dell'involucro protettivo, la appoggiò per terra accanto alla porta e andò a prendere la scala. La aprì, la fissò con la sicura e salì sul primo gradino con l'insegna in mano.

Una berlina serie 7 rallentò in prossimità del ristorante e si fermò davanti alla scala. Doveva ricordarsi di presentare domanda al comando dei vigili per ottenere l'isola pedonale. Ci manca solo che gli esibizionisti a quattro ruote mi sgasino sui piatti che servo ai clienti. Sollevò l'insegna per scegliere il punto in cui appenderla. Dalla berlina scese un autista che si premurò di aprire la portiera posteriore.

«Complimenti, ho sentito che questa sera fa l'inaugurazione.»

La notizia si è già sparsa e non ho nemmeno un ufficio stampa, gongolò Guglielmo. Pensa quando potrò permettermi di pagare un pr. Si voltò, vide un tipo sui cinquanta abbondanti, di un'eleganza classica in doppiopetto grigio, rotta solo da una specie di parrucca bionda che gli copriva il viso. Una rockstar? Cioè, ho già centrato il target sin dal primo giorno? Un amico gli aveva detto che quando arrivano le celebrità nel tuo locale è fatta, hai il tutto esaurito per almeno tre mesi. Basta una rockstar a stagione e hai svoltato. Guglielmo stimò che l'interlocutore valesse la pena di sospendere l'affissione dell'insegna, scese la scala e la chiuse a lato dell'ingresso.

«Prego, posso farle visitare il locale?»

Posò l'insegna accanto alla porta e seguì all'interno l'eccentrico sconosciuto.

Un'ora. Quel tipo gli fece perdere una preziosissima ora. Una chiacchiera da stordirlo. Pur di farlo tacere un attimo, Guglielmo gli consegnò la lista degli invitati alla cena inaugurale.

«Il nostro è un target alto: professionisti, artisti, e molti tra gli stranieri che hanno scelto di trasferirsi a Scicli.»

«Mi rammarico di non essere tra gli invitati ma vedo che figura nella lista il mio buon amico e chiaro psicoterapeuta Salvo Diodato. Salvo adorerà questo tavolo accanto alla libreria, mi promette che lo farà sedere qui? Anzi, se permette, gli scrivo un biglietto.»

Contento che il tipo gli lasciasse un po' di tregua, Guglielmo gli fornì carta intestata e penna gadget a forma di sardina. Quello si sedette al tavolo vicino alla libreria e cominciò a scrivere, più che due righe, un poema. Guglielmo si scusò ed entrò in cucina, contrariato per l'interruzione.

Dopo circa mezz'ora, il tipo bussò alla porta a battenti della cucina.

«Posso prenotare per dopodomani sera? Saremo in due. Vorrei lo stesso tavolo di Salvo.» Guglielmo prese nota della prenotazione, e il tipo si congedò.

Rimasto solo, prese l'insegna, aprì la scala, salì e cercò il punto perfetto sul muro. Strano però. Alla fine, non gli aveva dato nessun biglietto per Salvo. Boh. La gente è come la pelle dei coglioni. Basta che 'sta prenotazione non sia una patacca. Patacche. L'interruzione lo riportò esattamente ai suoi pensieri. Doveva segnarsi la ricetta sul file dove annotava appunti e sperimentazioni. Avrebbe cucinato pollo e patacche, però il pollo in spuma, col sifone di Ferran Adrià che proprio quell'anno compiva vent'anni – un'altra bella storia per i giornalisti: il tuo piatto funziona mediaticamente, se c'entra una ricorrenza, un anniversario, un evento. Il sifone di Ferran Adrià compie vent'anni, e io regalo al pollo stopposo delle massaie sciclitane una consistenza aerea. Certo, mi serve carne tenera. Allora prendo il pollo di Bresse, che è famoso e lo sanno tutti, quindi la gente a vederlo sul menu si compiace. Lo cuocio sotto vuoto a bassa temperatura che fa sempre il suo porco effetto quando il cameriere lo racconta al tavolo, e poi lo servo in spuma, così dimostro a tutti che io me ne frego di come stanno le cose e so reinventarle a modo mio. Quindi il topinambour diventa croccante, e il pollo diventa spumoso, cioè è come se il contorno fosse il pollo – infatti posso metterne di meno, e risparmio anche sulla materia prima. Conservo i nomi e inverto le cose.

Suonò il telefono.

«Ristorante Gordonoma buon giorno, sono Guglielmo.»

Era Salvo Diodato. Voleva sapere se poteva portare un suo invitato. Tutti uguali. Inviti uno e ti tocca sfamarne cento. E io che devo fare, devo surclassare Gesù Cristo, moltiplicare pane, pesci, tavoli e sedie? Con il rischio che se gli dici di no, per stizza, quello disdice e non viene.

A Guglielmo, Salvo Diodato serviva. Si portava appresso tutto un entourage internazionale di pazienti straripanti di *cash* che si sarebbe riversato nelle casse del Gordonoma.

«Ma certo, dottore. È un piacere.»

Chiuse la telefonata e si accinse una buona volta all'affissione dell'insegna, determinato a non subire ulteriori interruzioni.

Pollo e patacche. La trasfigurazione degli ingredienti aviti. Che dico, trasfigurazione? Di più. La transustanziazione degli ingredienti aviti.

Qui si va verso il miracolo.

Peccato, peccato davvero, che un'idea così brillante gli fosse venuta proprio adesso che stava per finire aprile e le patacche dagli ortolani erano tutte avvizzite. Per realizzarla avrebbe dovuto attendere due stagioni e mezza. Scelse il punto perfetto sopra la porta, lo segnò con una matita da muratore, posò l'insegna a terra e andò a prendere il trapano.

Gordonoma. Era la storia di un successo annunciato. *Awesome.*

Katherine

Il galangal è il cugino effemminato dello zenzero: ne condivide l'accento piccante ma poi parla una lingua fiorita di frutti rossi e sottobosco. Fresco, a Parigi, era una vera rarità, bisognava andare fin giù nei grandi alimentari cinesi del $13^{\text{ème}}$ per trovarlo, se si aveva fortuna. Il suo pusher di spezie le aveva presentato due vasetti: «Questo posso darti, non di più, per questa volta». Il galangal era il segreto della sua *mousse au chocolat* che nel programma della scuola di cucina aveva ribattezzato "Aria di Modica". Non era altro che la classica mousse francese, resa più sensuale dalla nota acidula di hybiscus e galangal e naturalizzata modicana attraverso l'aggiunta di cioccolato di Modica a scaglie. Gli iscritti ai suoi corsi non badavano troppo ai dettagli, non si chiedevano com'è che anche in Sicilia si fa la mousse al cioccolato: si beavano della consistenza ruvida che punteggiava l'Aria di Modica, e tanto bastava per dare la cittadinanza modicana onoraria alla sua mousse. Solo Paulette aveva avuto da recriminare, tu e la tua cucina *gnè-gnè-gnè*, è tutto finto, come te, come questo posto dove mi hai portata a vivere che è Sicilia e si dà arie neanche fosse Saint-Tropez. Aveva rinunciato a contraddire sua figlia. Paulette aveva un carattere troppo forte per lei.

Katherine ripose il galangal sullo scaffale delle spezie nella grande cucina dove teneva le lezioni, col piano di marmo nascosto da una sottile lastra di acciaio per essere in regola in caso di controlli, e la grande spianatoia in legno incastrata giusto sotto il marmo, invisibile, pronta da tirare fuori per impastare ravioli e "scacce", così si chiamavano le focacce sugli Iblei: scacce, come se dovessero venire "scacciate" via dal forno a legna dopo solo pochi minuti di cottura; e impanate, un nome che era un omaggio ai dominatori spagnoli che avevano portato in Sicilia le loro *empanadas*. Sistemò tutte le altre spezie: il pepe di Sichuan verde con sentori di Earl Grey, il pepe Timut del Nepal con le note agrumate, il pepe Cubebe che ha una specie di codino e un sentore terrigno che sta così bene sulle *pommes rôties*, la rosa di Damasco che aveva pagato cara come la Germania, perché a Damasco adesso avevano ben altro da fare che coltivare rose, e Katherine pensava con struggimento ai roseti abbandonati e al cuore spezzato di chi doveva separarsene per fuggire e provare a sopravvivere altrove, in una terra che non era la sua. Il selezionatore aveva quintuplicato il prezzo già alto dei petali pestati: «È l'ultimo raccolto, *chérie*, la millenaria via della seta tra Damasco e Parigi è spezzata, e così pure quella della rosa». Si esprimeva a quel modo, come l'ultimo erede di una dinastia che da millenni percorreva caravanserragli per regalare alla Francia fasti e sensualità dall'Oriente.

Era caro come la Germania: Katherine aveva imparato quell'espressione a Scicli, le era subito piaciuta per le inusitate implicazioni di economia internazionale – cosa ne sapevano, in quel lembo estremo di Sicilia, di quanto costasse la vita in Germania? Per esprimere sconcerto per un prezzo troppo alto, gli sciclitani esclamavano «costa quanto la Germania!». Nessuno aveva saputo spiegarle perché.

La porta si aprì di colpo cogliendola in un istante di rapimento, intenta a odorare la rosa Afrodite, una variante di rosa di Damasco arricchita con zafferano persiano.

«Cosa fai, ti masturbi annusando le spezie? E poi le usi per cucinare con quei poveri illusi che si iscrivono ai tuoi corsi? Che schifo.»

«Paulette. Non si parla così a una madre.»

«Ad avercela, una madre. A me è toccata una rammollita, al posto di una madre. È arrivata questa per te.»

Sventolò una lettera raccomandata. Era vestita con una salopette nera troppo corta che lasciava intravedere i glutei e una canotta nera sgualcita e così scollata che quasi spuntavano i capezzoli. Gli occhi verdi erano cerchiati da un pugno di kajal. Le unghie erano disegnate con dei teschi in bianco su nero.

«Quando è arrivata?»

«Mentre eri a Parigi a sniffare roba dal tuo pusher.»

«Paulette. Questo linguaggio riservalo per i tuoi amici.»

«Volete che vi dia del voi, madre? A pensarci bene non sarebbe male tenere un po' le distanze.»

«C'è dell'altro che vuoi dirmi? Se è tutto, puoi tornare in camera tua.»

«Sì, c'è dell'altro. Ho visto il programma del tuo corso di primavera sul sito, non c'entra niente. Linguine alla carbonara e tiramisù. È la tua idea di scuola di cucina *extremely local*? È per cucinare come a Roma e a Venezia che mi hai portata a vivere fin quaggiù in questo pezzo d'Africa? Tanto valeva che mi lasciassi a Parigi, almeno avevo degli amici lì, gente che parla la mia lingua. E poi, mi sono informata. Con la carbonara si fanno i rigatoni, non le linguine. È tutto falso nella tua cucina, persino le ricette, sei *gnè-gnè-gnè* anche quando cucini, sei falsa, falsa!»

Paulette fendeva l'aria con la lettera raccomandata. Almeno ha delle emozioni, pensò Katherine. Almeno può provare rabbia. È già un progresso rispetto a qualche mese fa quando passava il tempo chiusa nella sua camera con le cuffie affondate nelle orecchie, apatica.

«Tesoro, chi si iscrive ai miei corsi vuole imparare i classici italiani, è un gioco, non un'accademia. Resteranno delusi se non troveranno almeno un piatto famoso, qualcosa di molto conosciuto con cui potranno stupire gli amici cucinando per loro, una volta tornati a casa. Con ingredienti facili da reperire nel paese dove vivono, come le linguine. Ma hai ragione, metterò una postilla e consiglierò di usare i rigatoni se reperibili.»

«*Gnè-gnè-gnè*. E non chiamarmi tesoro.» Paulette sbatté la raccomandata sul bancone della cucina e girò i tacchi. Katherine avrebbe voluto replicare, ricordarle che era grazie ai suoi corsi farlocchi che potevano permettersi quella casa con la piscina a sfrango sui tre valloni di Scicli, i viaggi a Parigi, l'insegnante privata per lei. Ma non sarebbe servito a niente. Non le restava che aspettare altri sette anni, nella speranza che l'adolescenza di Paulette, come la sua, avesse un termine.

«Non sbattere la porta» raccomandò inutilmente.

Finì di riporre le spezie e aprì la raccomandata. Cominciò a leggere e sbiancò in volto. Ci mancava solo questa. Paulette sarebbe stata contenta, finalmente. Basta ricette *gnè-gnè-gnè*, basta cucina farlocca. La sua scuola di cucina nuova di zecca poteva pure chiudere i battenti. Era la fine.

Maria

Era stata una notte pesante. La mattina, ci si mise anche Baglieri. Dai e dai, ce l'aveva fatta a venire a parlare con lei all'ora giusta, nel commissariato giusto.

È singolare come la vita abbia continuamente in serbo nuove sorprese. Tu guardi in una direzione, lei ti stupisce tamponandoti dalla direzione opposta. Maria guardava dalla parte di Medea: la madre infanticida aveva ucciso il figlio maggiore in un raptus per vendicarsi del marito *tombeur de femmes*. Ma allora, perché un figlio solo?

Perché il secondogenito non è figlio dello stesso padre.

Ogni mito, si era detta Maria, contempla un ventaglio di varianti. In questo caso, siamo di fronte a una Medea che ha tradito a sua volta.

La presunta infanticida, dal canto suo, perseverava a proclamarsi innocente, ed era stata vista fuori casa da almeno tre persone diverse all'ora presunta del delitto.

Maria guardava a Medea tradita da Giasone; la vita l'aveva sorpresa nottetempo, dandole l'aut aut: fare una scenata a suo marito, come Medea, il che significava addentrarsi a suo rischio e pericolo nella vita di un perfetto sconosciuto, o dedicarsi invece a uno dei vaticinanti volumi della sua biblioteca che il fato le aveva consegnato al suo passaggio? Al risveglio, la mattina, scelse quest'ultima, e la vita la premiò con l'apparente casualità di una pagina che si offre allo sguardo. Era un frammento di Igino, un bibliotecario del I secolo dopo Cristo raccomandato nientepocodimeno che dall'imperatore Ottaviano in persona, il quale gli aveva fatto affidare la direzione della biblioteca di Apollo, tanto per dire come andavano gli incarichi pubblici già nell'antica Roma. Igino si dilettava a scrivere testi scolastici di una noia pressoché mortale, tanto che persino i copisti medievali smisero di ricopiarli, probabilmente per mancanza di richieste. Uno di quei bignamini *ante litteram*, di cui restavano solo alcuni frammenti, illustrava i miti greci in versione semplificata per gli studenti. Eppure, per quanto noioso, Igino le rese un servizio. Maria posò lo sguardo sulla pagina che si era stropicciata quando lei aveva preso il libro al volo per non farlo cadere a terra, la lisciò con le dita, e un frammento di testo su cui si fissarono i suoi occhi le suggerì: dimentica Medea. Qui c'è l'astuzia di Sìsifo, c'è il dolore di Tiro.

Sìsifo e Tiro.

Non la violenza di una donna tradita, ma la disperazione di una donna che si scopre non amata. Che scopre di non essere stata amata mai. Da nessuno. Non dal padre, non dal marito. Che l'hanno trattata come un sigillo in una contrattazione privata.

Era tutto infinitamente più complesso e sfaccettato di come avesse immaginato. Per punire il fratello che gli ha usurpato il regno, Sìsifo sposa la nipote, Tiro: così, anche se non otterrà in vita il potere che gli spetta, quello stesso potere se lo riprenderanno, senza dover lottare, i suoi figli. Ma Tiro, quando capisce di non essere mai stata amata, né dal padre né dallo zio-marito, quando si rende conto di essere solo e soltanto lo strumento di un regolamento di conti tra due fratelli avidi di denaro e di potere, uccide la discendenza, che è l'unico vero interesse dei due uomini che le hanno rovinato la vita.

Baglieri si lasciò cadere sulla sedia come se il doppio sforzo di azzeccare ora e indirizzo l'avesse spossato.

«Commissaria, qui c'è di mezzo la roba!»

«Cosa intende dire, signor Baglieri? Traffico di sostanze stupefacenti? O semplice consumo?»

«Macché, commissaria, sta già tutto nei libri di Giovanni Verga, non il macellaio della strada nuova, lo scrittore. La roba! Quello era un matrimonio combinato, i fratelli si sono messi d'accordo per non disperdere la roba di famiglia e hanno sacrificato la ragazza, ma lei li ha coglionati per bene!»

«Baglieri, moderi il linguaggio e si spieghi.»

«Commissaria, io le scienze non le ho studiate, ma lei che è una persona istruita lo sa cosa succede se si sposa gente della stessa famiglia, vero? Che i figli poi sono...» gesticolò girando le mani davanti al viso.

La commissaria annuì e gli fece cenno di continuare.

«Ecco, io le dico, hanno fatto risultare nelle carte che erano cugini, ma è perché quelli il *canestro* ce l'hanno nel sangue!»

«L'incesto, Baglieri, penso che lei volesse dire incesto.»

«Io non ho studiato, commissaria, ma ci siamo capiti. E non è la prima volta che fanno di queste porcherie! Quelli, per tenersi la roba in famiglia, si sposano tra loro!»

«Quindi lei vuole dire...»

«Io non dico niente, commissaria, io le ho raccontato una novella del Verga che non ce n'è di bisogno perché lei è persona di cultura e la conosce meglio di me. E le dico che la ragazza è stata più furba, ma poi il padre ha avuto sentore e allora è successo l'inferno.»

«Cosa intende dire, la ragazza è stata più furba?»

Quello con Baglieri fu un interrogatorio sfiancante. Sapeva tutto ma voleva farsi tirare fuori ogni parola con la pinza, come un dente del giudizio. E non è che i denti del giudizio si possano levare tutti quanti insieme in un'unica soluzione, no: occorre aspettare ogni volta che l'anestesia venga smaltita prima di procedere all'estrazione successiva.

Alla fine, però, aveva in mano una parte della storia, quasi un copione.

Due fratelli, Don Carmelo e Don Corrado, sono eredi di quel che per loro è una fortuna: due masserie, una mandria di mucche, una di pecore, e perfino un palazzetto in città, come usava tra le famiglie dei massari più abbienti, che avevano il pied-à-terre per quando dovevano fermarsi a Scicli, andare al ballo, dal medico, o prendere la corriera per Catania; e con l'affitto dei bassi, trasformati in botteghe o rimesse, coprivano il costo di gestione della casa. Don Carmelo, il primogenito, è scapolo; Don Corrado è vedovo, con una sola figlia, a cui andranno dunque tutti i beni di famiglia. Perché lasciare che il patrimonio vada disperso con le nozze della ragazza? si chiede il padre. La giovane può sposare lo zio, per dare continuità al casato. Fanno risultare che i futuri sposi sono cugini di secondo grado e ottengono il nulla osta per le nozze. All'epoca dell'accordo la ragazza, che è muta dalla nascita, ha sedici anni ed esce di casa solo per andare a scuola e in chiesa, dove si guarda con un coetaneo alla messa delle dieci. Una domenica, lui le nasconde un bigliettino in mano mentre sono in fila per la comunione; lei arrossisce e abbassa gli occhi. C'è scritta una poesia con le rime quasi baciate, ma per la ragazza suona come la summa dei lirici greci. Per due dolcissimi anni, la notte si addormenta stringendo il bigliettino tra le mani. Quando alla vigilia dei diciott'anni le vengono annunciate le nozze, si dispera, cerca di impietosire il padre, ma Don Corrado è pragmatico e ha già preso la sua decisione. «Chi vuoi che sposi una muta?» butta lì, a mo' di arma di convinzione. Lo zio, che le portava le caramelle e la teneva sulle ginocchia quand'era piccola, la rassicura di nascosto: è solo una misura per dare continuità a un casato che altrimenti si estinguerebbe, ma alla fine lei sarà libera, e pure ricchissima.

Cosa vuol dire, libera? A sedici anni, a diciotto, credi nell'amore, nella fedeltà. Se ti dicono che sarai libera ti uccidono gli ideali; è peggio che se uccidessero te.

Passano gli anni e gli eredi non arrivano. Don Corrado guarda il fratello tra il sospettoso e il deluso, Don Carmelo allarga le braccia. La ragazza continua ad andare alla messa delle dieci, come pure il suo coetaneo, che non si sposa. Insieme, casualmente fianco a fianco, percorrono la lunghezza della navata verso l'altare, dove prendono l'unica forma di comunione che gli è consentita, e se la fanno bastare. O forse no. Qualcosa succede. Dopo dieci anni di smorfie di disapprovazione del padre a ogni nuova mestruazione, la ragazza resta incinta. Una volta. Poi un'altra. Due maschi. Don Corrado esulta, Don Carmelo è sollevato: lo sguardo del fratello era diventato un'accusa d'impotenza o sterilità, un'offesa che è contento di avere lavato via, in un modo o nell'altro. Un Sìsifo dei nostri tempi: più lucido, più concentrato sul risultato. Per dare una lezione al fratello minore arrogante e retrogrado non gli serve inseminarne la figlia: gli basta la soddisfazione che la nipote abbia portato in grembo due bastardi. Perché Don Corrado, se non avesse temuto nipoti sordi oltre che muti, e magari pure ritardati, sua figlia se la sarebbe messa incinta da solo, e in casa sarebbe rimasto tutto quanto, la roba, la figlia, e pure il seme: quello non spreca niente. Don Carmelo ha un po' più di cuore; o forse è sterile o impotente davvero, e più del cuore vale l'arguzia, per tacitare il fratello.

Anche la ragazza, che nel frattempo si è fatta donna, è una Tiro moderna: invece di infliggersi l'autolesionismo di uccidere quella parte di sé che è nei propri figli, per rinnegare il padre e lo zio, lei i propri figli li fa con un altro, con il ragazzo della messa delle dieci che nel frattempo è diventato un uomo. E quindi li ama, i suoi figli: perché malgrado tutto, nella sua vita è riuscita a dare spazio all'amore. E "la roba" tanto importante per suo padre Don Corrado, lei la darà all'uomo che ama, anche se solo attraverso i suoi figli. Tutto questo, senza che venga proferita parola.

Poteva essere una storia d'amore, invece diventa una tragedia. I figli crescono, e capiscono. Ha quasi dieci anni il maggiore, cocco del nonno, quando alla messa delle dieci percepisce un turbamento: c'è quel signore che li guarda insistentemente, e non è la prima volta. Chi è quel signore? Mi somiglia, forse è un nostro lontano parente? Vorrei conoscerlo. Per non turbare la madre, fa la domanda alla persona sbagliata. Lo chiede al nonno.

Il nonno, con la pulce nell'orecchio, lo chiede al fratello-genero. I due discutono, la discussione diventa animata, Don Carmelo mette Don Corrado alla porta, non ci venire più, qui. La tua roba è nostra. Mia e di tua figlia. E dei bambini.

Dice proprio così: "e dei bambini". Non dice dei miei figli, dei nostri figli, dei tuoi nipoti.

Don Corrado, che ai possessivi dà parecchia importanza, ci rimugina su nottetempo. Torna all'alba. Ha delle forbici per la potatura. Prende il nipote più grande dal letto, lo fa alzare. Don Carmelo è a mungere le mucche. La madre fa in tempo a prendere il bambino più piccolo, sale in macchina, lo porta via, lo mette al sicuro. Il bambino verrà ritrovato in una cava abbandonata, di proprietà della famiglia. Con sé ha una bottiglia di latte, dei biscotti, e un libro gioco comprato dal tabaccaio all'angolo di piazza Italia, che apre alle 4.30 per vendere biglietti e brioches a chi prende la prima corriera del mattino. L'autista della corriera ricorda di aver visto la donna con il figlio piccolo, un po' agitata, forse, ma una muta non lo capisci mai per davvero quand'è agitata, le donne si sa fanno rumore, ah, me la sposerei io una muta, che la mia mugliera la sera quando torno e ho guidato tre volte il Catania, mi fa magari una testa così. A ogni modo, veniva da casa sua ed era diretta fuori Scicli, in campagna, verso la cava. Si ferma col bambino a giocare, per farlo stare tranquillo, e rassicurarlo che il nonno era solo un poco arrabbiato per una marachella che ha fatto tuo fratello, ma ora vedi che tutto si sistema. Quando il piccolo gioca tranquillo sbocconcellando biscotti, lei lo lascia lì e torna a casa. Si ferma a prendere tre brioches, perché è una donna buona e ne vuole offrire una anche al padre che le ha rovinato la vita. Sarà quel gesto di bontà a salvarla dall'accusa di infanticidio: il tabaccaio, interrogato, testimonia di averla vista andare verso la cava, e anche tornare. Ma al ritorno, il secondogenito non è con lei.

Quando entra in casa, la donna trova il figlio grande sforbiciato dal nonno. Si accascia, si sporca di sangue, se potesse gridare griderebbe è mia la colpa, perché lei non è la protagonista di una tragedia greca e invece di credere al fato crede a se stessa e alle proprie responsabilità. Don Corrado se n'è già andato. Nessuno l'ha visto, tranne il nipote, che è morto, e sua figlia, che ora è sporca del sangue del ragazzo. E Baglieri, che non l'ha visto arrivare ma l'ha sentito, spiando a luci spente da dietro gli scuri, testimonia poi di averlo visto andare via, prima che la donna facesse ritorno.

Forse in qualche modo Don Corrado già aveva intuito. Era disposto a ignorare. Ma non poteva continuare a ignorare, se il nipote sapeva. Quello che uccide Don Corrado, o meglio, che metaforicamente lo uccide e di fatto lo porta a uccidere, è la consapevolezza. L'occhio sociale, lo chiamano qui. Non siamo stati capaci di darci una discendenza da soli, abbiamo dovuto far intervenire uno di fuori.

Va tutto bene, finché non vedi o finché fai finta di non aver visto.

Per questo a Maria piaceva Medea.

Ma non era andata così.

L'errore è che a volte ti innamori di una storia, di un mito, e la verità diventa sussidiaria. Ti resiste, o meglio, sei tu che resisti a lei. Ma alla fine la verità si fa valere, come una persona che non avevi visto e che ti strattona per farsi guardare in volto: ehi, sono io, mi riconosci?

Il signor Baglieri l'aveva aiutata a mettere a posto le tessere del puzzle. La sua testimonianza, vent'anni di orecchie tese attraverso i muri come rimedio alla solitudine di una precoce vedovanza, non bastava.

Maria aveva gli indizi, il movente, un testimone chiave. Le mancava una prova.

Ma aveva una mezza idea di dove andare a cercarla.

Salvo

L'ospite posò la tazzina da caffè sul tavolino. Non si curava di dissimulare la noia, ascoltava arrotolando una ciocca dei lunghi capelli intorno al dito indice e poi lasciandola andare di colpo, per ricominciare subito daccapo.

Salvo si spazientì.

«Quello che vorrei che tu capissi è che l'ostentazione dell'omosessualità è un errore strategico.

L'inclinazione sessuale è uno degli elementi che concorrono a formare l'identità dell'individuo. Uno degli elementi, ribadisco. Perché sbatterlo in faccia al primo venuto? Per *épater les bourgeois*? Tanto non si scandalizza più nessuno. Prova a presentarti al mondo attraverso la tua passione, la conoscenza e la sensibilità per l'arte contemporanea. Anche questo è uno degli elementi che concorrono a disegnare la tua identità.»

L'ospite non lo ascoltava più. Perché ho accettato l'invito di questo benpensante, il classico newyorkese arrivato che fa le scelte giuste, frequenta le persone giuste, e non guarda mai fuori dai propri goal? Che noia. Me ne vado di qui.

«Sai cosa è curioso di te? Fai lo psicanalista e non sai niente di te stesso. Chissà come le guarisci, le tue pazienti. Comunque smetto di infastidirti con la mia identità. Vado a Marzamemi, mi ha invitato un amico che non si fa tanti problemi se porto i capelli lunghi e mi trucco gli occhi, e ogni tanto mi vesto da donna.»

Si alzò, andò in camera a prendere il borsone che aveva già preparato, e si avviò lungo il corridoio a passi decisi.

«Non ti disturbare, conosco la strada.»

Salvo restò muto a guardare la scena. Doveva chiamare l'architetto e vedere se si poteva cambiare look all'ingresso di casa. In troppi si congedavano affermando di conoscere già la strada. Sentì la porta sbattere in fondo al corridoio.

Chissà chi si crede di essere. Uomo quando gli serve, donna quando gli fa comodo.

Si era persino preso il disturbo di telefonare allo chef del Gordonoma per annunciare che avrebbe portato un ospite alla serata di inaugurazione. Contava molto sul fatto che il suo amico avrebbe trasceso, e che lui scusandosi avrebbe dovuto portarlo via, sottraendosi così ad altri eventuali incontri a cui non era ancora preparato.

Ma chi pensa di essere, quella specie di rockstar appassita.

Il telefono che suonava nello studio gli diede la scusa per pensare ad altro.

Elena

Elena mise il naso fuori dalla grotta, coprendosi gli occhi con le mani a visiera per far fronte al sole. Dovevano essere le tre del pomeriggio, a giudicare dalla calura e dalla luce.

«Dove sono le mie scarpine da scoglio?»

«Te le ho nascoste» rispose Nino. «Metti i piedi nudi sulla roccia e ascolta le storie che ha da raccontarti questo scoglio. Sentilo respirare. Ce l'ha una sua umanità. Lui.»

«Cosa vuoi dire?» chiese Elena, poi pensò che forse non voleva ascoltare la risposta e implorò: «Almeno gli occhiali passameli, ti prego».

Era una pessima attrice: il tono tradiva l'impazienza.

«Sono belle le donne con le rughe, specie intorno agli occhi» disse Nino, ma le passò gli occhiali, per non tirare troppo la corda mentre Elena lanciava gridolini scottandosi la pianta dei piedi sulla roccia resa rovente dal sole. «Vuol dire che nella vita hanno visto il sole, il vento. Vuol dire che hanno riso. E pianto. E che hanno fatto il caffè.» Ammiccò. Elena fece finta di non capire.

«Mi devi sempre far fare la parte della Melato?» si lasciò sfuggire, sedendosi su un sasso a massaggiare "i miei poveri piedini arrostiti". Si pentì subito di avere citato un film che sicuramente lui non aveva visto. Allungò una mano per prendere gli occhiali che Nino le porgeva, con un sospiro di sollievo.

«Ah, vuoi dire che io somiglio a Giannini?»

«No, tu sei più bello» si aprì in un sorriso inaspettato. Nino conosceva la filmografia della Wertmüller?

«Mi piace quando riesci a provare sentimenti. Vedi che sei umana anche tu.» Nino prese una manciata d'acqua dal secchio che aveva portato su dal mare per tenere in fresco le albicocche e gliela buttò sui piedi.

«È gelida!» protestò Elena.

«Vedi? Non sei mai contenta. Dobbiamo andare via, qui dopo le cinque cambia il turno.»

«Cosa vuoi dire?»

«Che arrivano gli omosessuali e non vorrei che qualcuno di loro vedendoti cambiasse idea.»

Elena lo osservò, muta. Quell'uomo aveva il coraggio della banalità. «Dammi ancora un'albicocca salata.» L'essenza della relazione tra loro: lei chiedeva, lui dava. Nino le faceva scoprire cose semplici. Come le gocce d'acqua di mare che imperlano di sapidità la dolcezza succosa della polpa dell'albicocca. Al diavolo. La semplicità è una cosa di una complessità inaudita, quasi incomprensibile, e non si trova nessuno che abbia il coraggio di ammetterlo, tutti a osannarla, «la semplicità, la semplicità», sì, come no, ma vi rendete conto di cosa stiamo parlando, dello sforzo immane che ci vuole per raggiungerla? O anche solo per concedersela. Ipocriti. Nino le mise in mano mezza albicocca e la imboccò con l'altra metà invitandola con un gesto a fare lo stesso con lui, incrociando gli avambracci. Con ogni altro uomo al mondo avrebbe declinato, avrebbe lasciato cadere il frutto e se ne sarebbe andata via, piuttosto di prestarsi a quella pacchianata. Ma quella era la sua scuola della banalità. O della semplicità? Chiuse gli occhi e si ripromise di diventare un'allieva migliore. Non ci riuscì: mise punto a capo alla magia del momento e si alzò di scatto per cercare le scarpine da scoglio nella grotta. Le trovò e le infilò, compiaciuta.

«Sei la prima donna che conosco che si mette i preservativi sui piedi» rise Nino, osservando le scarpine da scoglio in plastica trasparente, ingiallite per l'azione del tempo e dell'acqua di mare. Poi le fece strada e si fermò per farla arrampicare su per le rocce per prima, davanti a lui. «Così se scivoli ci sono io per salvarti.» Banalità. Si può essere banali e felici? Almeno per un po'. Elena non sapeva se si era fatta una domanda o se si era data una risposta, ma non era il momento di pensarci, adesso. Nino le indicava con estrema precisione dove mettere i piedi sulla roccia. Un passo falso e si cadeva nelle acque della Pisciotta. In primavera, sono ancora troppo fredde, rabbrividì Elena, impegnandosi nella scalata con tutta la concentrazione che in genere riservava ai suoi *coaching*. I *coaching* erano l'altra sua metà, con cui si sarebbe ricongiunta di lì a poco, portando un pezzo di Hong Kong a Taormina. Quella sera era attesa per cena nello stellatissimo locale dello chef Tancredi Bonaccorso.

Salvo

«Il dottor Diodato?»

«Sono io.»

«Dottor Diodato, le abbiamo fissato l'appuntamento a Taormina, questa sera.»

«Perché di sera? Avevo chiesto che fosse di primo pomeriggio. E poi perché mi avvertite all'ultimo momento? Ho un impegno questa sera.»

«La persona ci ha risposto solo oggi e può incontrarla solo dopo le 19.00.»

«La persona sta per costarmi svariate migliaia di euro, potrebbe rendersi un poco più disponibile.»

«Le ricordiamo che l'arredo va ritirato subito.»

«Può stare nel bagagliaio?»

«È un baule nobiliare da corredo. Anche per ragioni di discrezione, necessita di un furgone.»

«Bene. La persona mi riconoscerà?»

«No. Rispetti il luogo e l'ora dell'appuntamento che le invieremo su WhatsApp.»

Salvo chiuse la telefonata e giocherellò con le mandorle che teneva in un vassoio a centrotavola. Ignazio.

Mando Ignazio al mio posto.

Il giovane meccanico lo aveva chiamato quella mattina per informarlo che aveva sistemato il Defender. Si erano dilungati in chiacchiere e Ignazio gli aveva confessato che avrebbe dato qualunque cosa per poterlo guidare.

Lo chiamò.

«Una macchina straordinaria, dottore! Il Defender è una delle meraviglie dell'ingegno umano. Sono troppo onorato di portarlo fino a Taormina, non c'è problema, sarò all'indirizzo che mi farà sapere all'ora che lei desidera, non so come ringraziarla. Ma... almeno all'andata posso fare un po' di fuoristrada?»

Salvo fece per rispondere ma l'icona di Skype che lampeggiava lo distrasse. Congedò Ignazio con un «Ci devo pensare» e prese la chiamata di Elena.

Ignazio

Lo stato arraffava già abbastanza da lui, e in cambio gli dava solo nuovi guai e nuove leggi, una più ostrogota dell'altra. Per questo lavorava metà giornata a serrande abbassate. La commissaria lo sapeva. Sterzò nello spiazzo. Lo faceva sempre, per essere subito pronta a ripartire in caso di necessità. Meglio fare retromarcia in anticipo, a mente lucida. Ignazio non ebbe bisogno di affacciarsi dal finestrino del bagno per riconoscere la manovra su quattro ruote sterzanti della Honda. La commissaria che veniva a cercarlo era *quite a news*, come diceva suo fratello che viveva nel New Jersey. Corse al lavandino a lavarsi faccia, mani e ascelle, si rese conto che non aveva una maglia pulita da mettersi, si rivestì con la tuta da meccanico indossata al contrario, si pettinò con le dita bagnate, diede un'occhiata radar per verificare che non ci fosse in giro niente che era meglio che la commissaria non vedesse. Bella donna, ma restava pur sempre una poliziotta, nonostante insistesse a guidare la sua pseudo-macchina da corsa privata anche quando era in servizio, il che rendeva arduo pronosticare la ragione delle sue visite. Un guasto, o un'indagine? Ignazio azionò la serranda elettrica e cominciò a comparire dalla punta delle scarpe in su.

«Buona sera commissaria, tutto a posto?»

«Io sì, tu devi avere qualche problema di lavanderia, usi la tuta da meccanico al contrario per risparmiare un lavaggio?»

Ignazio arrossì. In effetti lo faceva, ma l'osservazione della commissaria gli insinuò il dubbio che sarebbe stato più virile infilare la tuta dal lato dritto anche se era sporca, piuttosto che fare la figura del massaio zitello tirchio col detersivo.

«Bravo, sei ecologico. Consumi meno detersivo, meno acqua.»

L'approvazione della donna lo sollevò. «Cosa posso fare per lei, commissaria?»

«Ti ho detto mille volte di chiamarmi Maria e di darmi del tu. Se vengo qui in veste ufficiale ti devo arrestare. Motori truccati ed evasione fiscale.»

Era una donna troppo pratica. Ignazio non riuscì a trattenere l'eccitazione del pomo di Adamo. Quella femmina gli piaceva assai, era molto meglio continuare a darle del lei; se l'avesse chiamata Maria e le avesse dato del tu, poi sarebbe stata un'altra, ben più imbarazzante, la parte del corpo che non sarebbe riuscito a tenere al suo posto.

«Io mi difendo, commissaria. È lo stato che mi attacca.»

«Lascia perdere, o mi tocca dirti che lo stato sono io, con tutte le conseguenze annesse e connesse.» *Anche metonimiche*, pensò, ma questo non lo disse. La metonimia è una faccenda da liceali, meglio tenerla per sé, come pure la consapevolezza che Ignazio aveva un debole per lei: lui pensava che lei non si accorgesse dei suoi rossori e dei suoi gonfiori, Maria gli lasciava credere di farla franca. Proprio come lo stato tiranno, che usa quello che sa solo quando gli serve. Punisce alcuni colpevoli e altri fa semplicemente finta di non vederli. In un paese in cui lo stato è mafioso, la mafia può solo sfigurare. Fargli da vassallo, mettersi al suo servizio. Dare una mano a "punire" qualcuno, e in cambio tollerare qualcun altro. E lei di quello stato mafioso aveva voluto diventare servitore, con l'alibi di stare dalla parte dei buoni e dei giusti: dava una mano a trovare i colpevoli di crimini su cui nessuno aveva nulla da recriminare, delitti che strappavano il consenso dello scandalo. Come l'infanticidio su cui stava indagando. Fa rabbia a tutti che venga ucciso un bambino. Rassicura tutti che venga identificato e punito il colpevole. Forse aveva ragione Ignazio a non assecondarla, a continuare a darle del lei. Con il "tu", il loro sarebbe diventato un rapporto paritario e Maria non aveva rapporti alla pari, dava del lei a tutti tranne che a Ignazio e a suo marito, e tutti le davano del lei. Il "tu" a suo marito era ormai solo un fatto linguistico, il "tu" di Ignazio avrebbe rischiato di farla diventare reale, una donna – se ne rendeva conto in quel momento per la prima volta – non più commissaria ma Maria. Con tutti i cristi del caso.

Dovette arrendersi all'evidenza: quel ragazzo sporco di grasso col pomo d'Adamo troppo contento di vederla la sapeva più lunga di lei, sulle cose della vita.

«Vieni, ti porto a fare un giro in macchina. Devo farti vedere una cosa che non capisco.» Il signor Baglieri le aveva dato una bella mano a ricostruire il puzzle. Ora le serviva l'aiuto di quel ragazzo che sapeva raccontare la storia di un'auto meglio di un cane che annusa i pneumatici.

Ignazio avrebbe voluto chiederle di aspettarlo mentre andava a cambiarsi, ma non osò farle perdere tempo. Uscì dietro di lei, abbassò la serranda col telecomando, e la seguì.

«Posso guidare io?»

«Perché, non ti fidi?»

«Non mi permetterei mai, commissaria. È solo che così facciamo anche un check-up alla macchina.»

«No, non puoi guidare tu. E poi non è la mia macchina che voglio farti controllare, ma un'altra, a una mezz'oretta da qui. Tra meno di un'ora ti riconsegno alle tue riparazioni in corso.»

Ignazio si guardò bene dal dirle che di lì a un'ora doveva partire per Taormina. Vorrà dire che mi divertirò un po' di meno con il Defender, recupero il ritardo rinunciando all'*off road*. Avrebbe voluto farle una domanda ma si trattenne anche da questo; si diede la risposta da solo mentre prendeva posto in auto accanto a Maria. A volte anche i commissari di polizia hanno qualcosa da nascondere. Si sentì onorato: stava per essere messo a parte di qualcosa che forse sarebbe stato anche più intimo che darle del tu. E tu, amico mio là sotto, stai al tuo posto, pensò, buttandosi il berretto in grembo per mascherare le male figure.

Elena e Salvo

Quaranta minuti di silenzio.

Da quando erano partiti, Salvo non aveva proferito parola. Piuttosto inusuale, per lui. Fuori dalla pratica analitica, Salvo era l'ultimo appassionato seguace della conversazione galante. Muoveva passi leggiadri da un argomento all'altro con la grazia e la rassicurante prevedibilità di un minuetto di Mozart.

Elena guardava il mare dal finestrino e pensava all'altra mezza se stessa, la mezza Cenerentola relegata sugli scogli della Pisciotta, non ammessa ai *coaching* né alle cene di gala e men che meno a quelle di lavoro.

Sbirciò Salvo con la coda dell'occhio.

Questo lungo silenzio non è da lui. Ultimamente è schivo. Vuoi vedere che finalmente ha quagliato con una donna? Elena sorrise. O magari con un uomo, chissà. Lei e Amanda avevano coniato per Salvo la definizione di "seduttore precoce", perché non concludeva mai le sue numerose conquiste con una schermaglia amorosa. Era un nevrotico funzionale che si era scelto la professione perfetta per la sua patologia: il transfert delle pazienti lo incoronava principe azzurro *ad perpetuum*, bramato bene impossibilitato a concedersi, grazie all'alibi della deontologia.

Una volta soltanto, Elena era riuscita a farlo parlare di seduzione.

«La seduzione è un'arte incantevole. Richiede un dispiego di ingegno, fantasia, creatività.»

«A me piace di più quel che viene dopo» l'aveva stuzzicato lei.

«Dopo non c'è niente.»

«Come sarebbe a dire, niente? E l'amplesso lo chiami niente?»

«Quella è materia, fisicità» aveva obiettato Salvo con un sussulto sdegnato delle narici. «La seduzione è ineffabile. È un assoluto.» Era l'orlo del precipizio su cui lui si fermava, ma forse ora non più, pensò Elena osservando la costa che scorreva veloce sotto i suoi occhi. Guardò il tachimetro. Duecentoventi all'ora.

Se cambia lui, potrei cambiare persino io, pensò Elena. Chissà, potrei portare Nino a Hong Kong e vedere che effetto gli fa. Sorrise tra sé e sé.

Salvo captò l'increspatura delle labbra.

«Fai sorridere anche me?»

Elena fu svelta a trovare l'argomento che ci voleva.

«Stavo pensando che stavolta ti porto dei bei bocconcini.»

«Ah, sì?»

«Vedrai. C'è un'imprenditrice che ha una piccola catena di boutique hotel in alcune capitali europee e resiste al contraccolpo dei grandi, eroica. Ha una sua idea di ospitalità basata sulla felicità. Donna splendida. Vuole aprire anche in Oriente, comincia da Hong Kong, e a ruota Singapore, Shanghai, Taipei. Poi c'è una designer che lavora solo con cachemire e pellicce, entrambi riciclati. Fa accessori fashion ma anche complementi di arredo. Viene con la sua socia che è anche la sua compagna e cura i tre showroom a Copenhagen, Shanghai, Hong Kong. La quarta è la futura imperatrice dell'alta gioielleria made in Italy. Figurati che mi paga con la sua spilla *signature*, a forma di pinguino, in diamanti, platino e pietre preziose. Prossimamente avrò diecimila euro di buonumore appuntati sul colletto. Lo sai che io non accetto mai cambio merce, con lei però ho fatto un'eccezione, ho barattato il professionale con il ludico. E dulcis in fundo abbiamo anche una produttrice, la stella nascente dell'industria cinematografica indiana. Da Bollywood a Scicli.»

«E quand'è che dovrò concedere le mie grazie a queste affascinanti signore?»

«Le conoscerai alla festa d'inaugurazione di Palazzo dei Turchi. Tieniti libero tutto il giorno seguente. Te le lascio la mattina, facciamo la presentazione, poi tu hai un tête-à-tête a turno con ciascuna di loro. Il tema del *coaching* è "*Finding your way to leadership. Don't play, just be*".

«Un tour de force. Mi sa che dovremo rivedere gli accordi.»

«Ci ho già pensato. Se qualcuna vuole approfondire con te, c'è tempo per organizzare incontri extra, a fine workshop, il sabato. Ti verranno pagati a parte, naturalmente. Poi la domenica tornano tutte all'ovile, tranne la produttrice che resta a studiare la fattibilità di una serie tv a Scicli.»

«Ancora? Non ce ne sono già abbastanza di troupe che paralizzano il traffico, a Scicli? A saperlo, restavo a New York.»

«Invece coccolatela per benino. Se la serie si fa, Shivani si trasferirà a Scicli per tutto il tempo necessario. Potrebbe diventare la tua nuova paziente top, adesso che hai finito con Amanda.» Salvo accese il lettore cd. Amava il pianoforte percussivo di Béla Bartók. Cosa sapeva Elena della sua relazione con Amanda?

Elena si chiosò da sola: «Intendo dire che con tutti i guai relazionali che ha, sarebbe una miniera d'oro per te».

«Sono impaziente. Ricordati domani di mandarmi una mail con il profilo di ognuna di loro.»

Silenzio. Béla Bartók e silenzio.

Elena si stava quasi pentendo di avergli strappato quel passaggio a Taormina. Salvo non aveva voluto dirle cosa ci andava a fare lui, a Taormina. Aveva acconsentito ad accompagnarla a cena, e aveva posto una condizione: fermarsi a pernottare lì.

«Siamo quasi arrivati. Ti lascio sulla terrazza del Bristol, ti prendi un aperitivo al sapore di celebrità, e ripasso a prenderti per andare a cena.»

E tu dove vai, nel frattempo?

Elena decise di tenersi la curiosità. Era già un successo

avere raggiunto il suo obiettivo: non cenare da sola con Bonaccorso. Poco ma sicuro, avrebbe mollato la cucina al suo *sous-chef* e sarebbe stato tutto il tempo a fare il farfallone. Potevo portare Amanda, ma puoi scommettere che l'Anthony Bourdain di Taormina l'avrebbe scambiato per un invito a fare il piacione con due dame. Salvo è la compagnia perfetta. Buona conversazione, almeno quando non è così inspiegabilmente taciturno, e zero insidie.

Dal canto suo, Salvo era leggermente seccato di aver acconsentito ad accompagnare Elena a cena. Ma qualcosa di buono ne veniva anche per lui: non sarebbe passato inosservato a Taormina insieme a lei. A volte è utile avere al proprio fianco una donna vera, invece di quel rammollito imparruccato che negli ultimi tempi gli si era incollato come un'ombra.

Laccio

Verde come l'erba. L'aveva letto in un libro di poesie che sua moglie aveva dimenticato aperto in bagno. C'era una donna che vedeva un uomo e un'altra donna insieme, ed era gelosa. La gelosia la faceva diventare verde come l'erba.

Vedere Salvo partire in auto con quella donna elegante e sorridente gli fece lo stesso identico effetto.

Verde come l'erba.

Aveva finalmente trovato il coraggio di andare a parlargli. O perlomeno, di chiedergli udienza. Così faceva la gente: in tanti si arrampicavano a Chiafura come se invece di uno psicoterapeuta lì ci fosse un mago, un indovino con la formula magica per lenire ogni dolore.

Voleva parlargli della medaglietta, e della sua infanzia, e di tante coincidenze e somiglianze a cui non aveva mai fatto caso prima.

Stava per svoltare dalla chiesa di San Matteo quando li vide uscire insieme dal garage scavato nella roccia. L'auto con la capote abbassata, pronta per una gita di piacere. La donna con occhiali scuri e foulard di seta gli ricordò Audrey Hepburn. Salvo era al volante con i guanti di pelle verde scuro abbinati al completo di lino.

Verde come l'erba.

Nella poesia di Saffo la donna era gelosa, ma non dell'uomo. Era gelosa dell'altra donna.

Laccio si voltò e corse via, nell'unico luogo al mondo dove si sentiva al suo posto: tra i suoi cristi.

Entrò, chiuse a chiave, andò nel retro e si guardò nel piccolo specchio appeso sopra il lavandino. Non sono mai stato così pallido, che cos'è questo incarnato verdognolo?

Verde come l'erba. Suo malgrado.

Salvo

La "persona" era una specie di figlia dei fiori avvizzita, ridicola, quasi fastidiosa nel suo non avere preso atto che gli anni Settanta erano finiti da quattro decenni. Vestiva nello stesso modo di allora: gonnellona ampia, T-shirt stinta, zoccoli ai piedi. Si pettinava con delle treccine che indosso a una ventenne potevano fare tenerezza; addosso a lei, sul suo viso volgare, solo pena, e noia.

La mai dismessa dipendenza dall'eroina la portava a provare a vendere qualunque oggetto, qualunque bene di famiglia il cui prezzo accorciasse il lasso di tempo tra il bisogno insorto e il prossimo buco.

Adeguatamente imbeccata, la persona avrebbe potuto vendergli non solo il baule da corredo del Settecento, ma tutta la casa che lo aveva ospitato.

Ignazio arrivò con mezz'ora di ritardo. Inutile controllare se ha perso tempo facendo *off road*, sarà stato bravissimo a nascondere l'evidenza. Gli fece caricare il baule sul Defender e lo rispedì a Scicli, con la promessa che non avrebbe fatto fuoristrada sulla via del ritorno.

Non si era trovata la chiave del baule. Il motivo che Salvo addusse per non forzarlo fu che non voleva romperne la bellezza. La ragione reale era un temporeggiamento che gli permetteva di stazionare in un limbo.

Il baule era appartenuto all'ostetrica che lo aveva fatto nascere.

La persona che glielo aveva consegnato non aveva voluto chiarire che relazione ci fosse tra loro. Speriamo non sia la figlia, povera donna, un castigo così.

Da tossica qual era, intascò i soldi senza contarli e sparì senza salutare. L'avidità dei tossicodipendenti. Salvo la conosceva bene. Molti tra i divi che erano stati suoi pazienti, e persino alcuni politici, ne erano affetti.

Si avviò verso la macchina. Girò l'angolo e sentì un rumore come di qualcuno che si schiariva la voce. Solo poche ore prima aveva sperato di esserselo finalmente tolto di torno, e ora invece era lì alle sue spalle, con la puntualità di un creditore.

«Cosa fai qui? Non ti hanno voluto a Marzamemi?»

«Sono venuto a prendere la mia parte.»

«L'avrai. Ne parliamo quando rientro a casa domani? Ora ho un impegno.»

«Non hai capito, allora. Non ci torno a casa tua.»

«E dove vai?»

«Te l'ho detto. Da amici. A Marzamemi.»

«Ti porterò la tua parte a Marzamemi, allora. Ti sono debitore, senza di te non l'avrei mai rintracciata.»

Salvo gli porse la mano per congedarsi.

«Aspetta. Non voglio soldi. Mi piace la tua Déesse.»

«E allora?»

«Io ne ho una uguale, solo con una immatricolazione più recente. Ma mi piace la tua. Se me la dai, siamo pari.»

Salvo lo guardò. Per quale motivo voleva la sua auto, se ne aveva una uguale? Strana coazione a imitarlo. Aveva voluto conoscere Laccio per commissionargli anche lui uno dei suoi cristi. Diceva di voler aprire una galleria d'arte a Scicli, di volersi trasferire anche lui dagli Stati Uniti. E ora, quella strana richiesta di scambiare l'auto...

Vabbe'. Risparmio e ci rimedio un'auto più giovane.

«Si può darle un'occhiata?»

«Ho delle foto.»

Salvo esaminò le immagini. Stimò che lo scambio si potesse fare.

«Io sono venuto con la Pagoda, però. Portamela tu a Scicli la settimana prossima e facciamo lo scambio, con tutti i documenti.»

«I documenti non servono. È una cosa tra noi.»

«Sei più italiano di me.»

«Metà come te.»

Salvo non ebbe voglia di chiedere spiegazioni. Elena lo attendeva sulla terrazza del Bristol per andare a cena insieme dal suo cliente. Fece un cenno con la mano e salì in auto, fiero del piccolo capolavoro: possedeva un vecchio baule che doveva ancora aprire, e una nuova auto di cui aveva visto solo una foto sfocata. *Don't ask, don't tell*. Era il suo motto riguardo a se stesso. Non fare domande, non dare risposte. Poteva sembrare strano, per uno psicoterapeuta. Ma quando sai tanto degli altri, ti viene voglia di ignorare te stesso.

L'unica cosa che non posso e non devo ignorare di me, ora, è il gran bisogno di soldi che ho, per far fronte a tutte le uscite. Accostò dietro i taxi di fronte al Bristol e chiamò Elena sul cellulare.

Tancredi Bonaccorso

La legnosetta gli aveva fatto lo sgarbo. Non era venuta da sola. Almeno avesse portato un'amica carina, un po' meno legnosa di lei, un poco più scosciata. No. Era venuta con un uomo. Un mezzo frocio, uno che non aveva ancora capito da che parte stava, uno di quei tipi vestiti tutti leccati che le donne si portano appresso per farci conversazione senza correre il rischio di ritrovarsi una mano tra le cosce. Che se le depilano a fare, allora, le cosce. Cosa le espongono a fare, perché diavolo investono centinaia di euro per comprare collant di pizzo che ti fanno venire voglia di inseguire i disegni con un dito fino alla cucitura che da qualche parte sarà, chissà dove, mmm, fammi indovinare. Dev'essere tutta colpa dell'educazione. La maestra delle elementari ripeteva sempre, ogni volta che andavano in gita al museo: «Guardare e non toccare è un insegnamento da imparare». Ecco, si vede che alle bambine questa cosa qui gli resta più impressa. Diventano donne e si considerano oggetti da museo, da guardare e non toccare.

Il criptogay gli aveva fatto antipatia. Gli aveva mandato all'aria tutto il suo bel piano: metto il secondo in cucina sull'attenti, io mi siedo a tavola con la legnosetta, mi alzo ogni tanto per andare a fare qualche salamelecco agli altri tavoli, per controllare un impiatto, per far vedere che qui l'armata la conduco io, e intanto le verso da bere. Bollicine siciliane perché una che ha girato tutto il mondo è inutile tentare di impressionarla con un Salon del '64. Sono sicuro che la stendo con la Riserva Cuvée che ha il Marsala trentennale nel *liqueur de tirage*. Poi non potrà guidare, le fisso una stanza in hotel, la accompagno... sarà talmente ubriaca che non riuscirà a sfilarsi il vestito da sola, mi toccherà salire su ad aiutarla.

Gli era andata buca. La milanese aveva già preso le sue precauzioni. Il criptocanedaguardia non beveva, solo un calice, perché poi doveva guidare. «Tornate a Scicli stanotte?» «No, abbiamo preso un hotel sull'Etna, per dormire al fresco, domani mattina facciamo un giro di cantine.» Compare, ci potessi arrivare morto, a domani mattina. Se non riusciva a odiare il criptocoso come da protocollo, era solo perché era siciliano anche lui. In fondo, se a farsi la milanese che volevi farti tu è un altro siculo, brucia di meno. Se poi il siculo le fa solo da cagnolino di compagnia, ti fa pure un po' pena, compare, ma come fu, che ti riducesti così?

All'inizio, quando gli era toccato stringere la mano al criptopinguino, Tancredi Bonaccorso aveva pensato "Sai il conto che gli presento io a questo qui, gli faccio passare la voglia di venire a rompermi i sacchetti a casa mia". Poi però, quando aveva saputo che era siciliano anche lui, che era cresciuto a Taormina, con la mamma parrucchiera, Bonaccorso si era ricordato di una storia che raccontava sua nonna che era stata ostetrica all'ospedale, la storia di una ragazza madre che faceva la parrucchiera e acconciava le dive. Il padre del bambino era un pezzo grosso e l'aveva mollata da sola a smazzarsi gravidanza, maternità e occhi della gente puntati addosso. Vuoi vedere che il criptocoso che se la tira tanto è il figlio del peccato?

Alla fine, aveva fatto il signore e li aveva invitati, tanto poi si sarebbe detratto l'importo della cena dal conto che la legnosetta gli avrebbe presentato per la consulenza in vista della doppia apertura a Hong Kong e a Shanghai. Forse non era neanche gay, rifletté, quando Salvo si mostrò uomo di mondo lasciando cinquanta euro di mancia. Bonaccorso li diede alla manager di sala perché pensasse lei a dividerli tra lo staff.

«Ah, il signore che è venuto tre settimane fa» disse lei, con un sorriso.

«È già venuto?»

«Sì chef, quando lei ha prolungato il soggiorno a Hong Kong e noi abbiamo riaperto per non bruciarci un'altra settimana di ferie. Era un tavolo da tre. Tre uomini. Be', diciamo...»

«Diciamo cosa?»

«Uno dei tre non avrei saputo dire se fosse uomo o donna. Aveva una parrucca, se l'aggiustava di continuo in modo che i capelli gli coprissero il viso, come una rockstar che non vuole farsi riconoscere.»

«E il terzo?»

«Il terzo aveva portato un pacco, l'hanno aperto a fine cena, dentro c'era un Cristo in croce scolpito nel legno, moderno, stilizzato. Strano, ma bello. L'hanno aperto mentre servivo la piccola pasticceria con il caffè, quando l'ho visto mi sono dovuta trattenere dal sorridere perché per tutta la cena sembrava che quello in croce fosse lui. Quello con la parrucca bionda continuava a stuzzicarlo, gli apriva la camicia per scherzo, gli infilava le dita giù per il collo... non capivo se era un gioco o se erano vere *avances*, ma poveretto, mi faceva una tenerezza... dava proprio l'idea di essere atterrato nel posto sbagliato. Ce l'abbiamo messa tutta per farlo sentire a suo agio.»

«Brava. Ottimo servizio, e ottime informazioni.»

Tancredi Bonaccorso si appuntò sullo smartphone: *passa a trovare la nonna, prima o poi.* Era almeno un anno che non andava a vederla nella casa di riposo dove viveva dopo che l'aveva colpita un ictus, sai che reprimende si sarebbe beccato. Ma qualcosa gli diceva che ne sarebbe valsa la pena, che avrebbe ricavato informazioni utili per stupire la legnosetta. Era una donna da prendere per stupore, la milanese.

Si versò un Haiti dell'84 e chiamò il bordello giù a Giardini Naxos. Chissà se ce l'avevano una cinese. Gli era venuta voglia di una scopata a mandorla. Magari era di buon auspicio per l'apertura a Hong Kong.

III

Ventisette giorni prima

Il 5 maggio

Chi pranza tardi, chi cena presto

*In ordine sparso tra le ore del giorno
(e della notte)*

Salvo e Laurel

«Com'è questo ristorante?» chiese Laurel, aprendo il menu.

«Adesso vedrai da te. Ha appena aperto. Sono stato invitato alla serata inaugurale.»

Veramente, all'ultimo momento aveva deciso di non presenziare all'inaugurazione e di andare invece a Taormina insieme a Elena. Aveva sentito dire che la serata era stata un flop, e si era sentito in colpa. Dal giorno successivo all'apertura, aveva pranzato al Gordonoma quasi ogni giorno, e lo aveva ritenuto ideale per la colazione di lavoro con Laurel.

«Ci vengo spesso, mi piace perché è sempre vuoto, e si può parlare.»

Aprì il menu. Sono tutti uguali i menu dei ristoranti, pieni di suffissi in *-ina*: insalatina, caponatina, salsina, pomodorino... Rispetto al decennio precedente erano spariti i letti di rucola e quant'altro, ora si sprecavano le riduzioni: di aceto balsamico, di vino rosso, di sciroppo di melagrana. Quelli più di tendenza cercavano di stupire con le fermentazioni, il che viene relativamente facile, se i tuoi clienti non sono mai stati in Corea, dove fermentare il cibo risponde alla necessità di conservarlo e nutrirsi, non a un vezzo modaiolo. A Scicli, per dirne una, non accadeva mai, proprio mai, che un oste, uno chef, un venditore ambulante, proponesse un classico sciclitano pari pari come lo cucinava sua madre, e probabilmente, prima di lei, sua nonna, che Salvo non aveva mai conosciuto. Adesso, per esempio, aveva voglia di pollo e patacche: ma anche trovando un cuoco che lo assecondasse, gli sarebbe toccato aspettare due stagioni e mezza per avere gli ingredienti freschi. Chiuse il menu, annoiato. L'insalatina di polpo croccante con mayo di fagioli di soia era l'unica scelta compatibile con il suo credo gastronomico. Da buon newyorkese, Salvo chiese una variante: «Vorrei un'insalata di polpo a forma di insalata di polpo, con olio, limone e prezzemolo invece della maionese di soia, è possibile?».

Lo chef, che era venuto di persona a prendere la comanda, domandò con tono fintamente neutro: «Nient'altro?».

Laurel Dufeller gli diede più soddisfazione. «Io prendo i gamberi rossi di Mazara con la maionesina di cioccolato di Modica.» Lo chef gli sorrise.

«Vino?»

«Solo due calici, dobbiamo guidare.»

«Benissimo.» Se devo pagare il mutuo con la comanda di questi due, sto fresco.

«Allora, chi è il mio target stavolta?» chiese Laurel.

«Sono cinque. Le vedrai tutte insieme sabato sera alla festa organizzata da Elena per l'inaugurazione di Palazzo dei Turchi. Quindi memorizzale bene una per una. Qui ci sono le foto. Appena mi arrivano le loro note biografiche te le inoltro, sono tutte primedonne, usa l'argomento su misura per avvicinarle ed è come se avessi indovinato la *password*, sei dentro. Ora, non per essere fiscale, ma devi ancora darmi la mia parte per le tre belle signore del mese scorso.»

«L'avrai, come sempre. Una delle tre è stata particolarmente *demanding*, non sai quanto mi è costato conquistarmela... per questo ho aspettato a farti il bonifico. Hai fretta? Sei corto di *cash*?»

«In italiano si dice "a corto di *cash*". Gli italiani sono gente di bassa statura, potrebbero prendersela se gli dai del "corto".»

Laurel lo guardò confuso.

Quest'uomo capisce soltanto il borsese, pensò Salvo. Fuori dai mercati azionari e dai fondi d'investimento è perduto. Ma del resto andava bene così, perché Laurel usava le sue competenze per aggirare la naturale diffidenza delle facoltose signore che corteggiava, seduceva, e da cui immancabilmente finiva per farsi affidare ingenti patrimoni.

«Non ti preoccupare, era solo una battuta. Comunque, in generale, io ho sempre fretta: sono eternamente a corto di *cash*.»

Il denaro che gli proveniva dalle belle signore se ne usciva rombante su meravigliose auto d'epoca, che a ben vedere erano la sua unica, vera passione. Chissà se Laurel avrebbe potuto afferrare concetti impalpabili come il fascino di una Jaguar E-Type che già prima di incantarti con la voce suadente del motore, ti ammalia con le sue linee sinuose, affusolate, con la coda tronca e al tempo stesso ricca di rotondità. Probabilmente si sarebbe mostrato insensibile anche all'equilibrio neoclassico della Mercedes Pagoda. Meglio tagliare corto, sorrise Salvo tra sé e sé, spostando il tovagliolo per fare spazio al piatto che lo chef in persona stava adagiando sul tavolo davanti a lui.

«La sua insalata di polpo, signore.»

Salvo apprezzò la sparizione del suffisso *-ina* dall'insalata. Cercò di essere gentile.

«Lei fa tutto da solo, avrebbe dovuto chiamare il suo ristorante "Dall'autarchico", sarebbe stato spiritoso. A proposito, come mai questo nome strano, Gordonoma?»

Dodici minuti dopo, Guglielmo terminò di rispondere alla domanda e scusandosi con un colpetto di tosse si congedò lasciandoli finalmente soli a parlare del loro argomento preferito: donne e denaro. Salvo aveva contestualmente imparato la lezione che non bisogna mai rivolgere una domanda di cortesia a uno chef: come molte altre categorie professionali, gli chef sanno cominciare una frase ma non sanno finirla e cincischiano, finché per grazia di dio gli suona un timer in cucina.

Maria

Il timer del forno non aveva funzionato. Si era messo a suonare quando ormai era tardi. Maria venne richiamata in cucina dall'odore di bruciato, aprì il portellone e fu accolta da una vampata di calore che le appannò le lenti degli occhiali da lettura. In quello stesso istante il timer scattò come una risata troppo a lungo trattenuta. Ah, ah, ah! La tua cena è bruciata! Ah, ah, ah! Sciagurata!

E adesso sai che lagna, mio marito. Laccio le aveva lasciato un biglietto: c'è la lasagna in forno con temperatura e timer preimpostati. Devi solo accendere. Esattamente quel che aveva fatto, e il risultato era lì mezzo carbonizzato tra le sue mani.

Meglio così, pensò. Troppa pasta. Mangiamo troppi carboidrati. Prese delle carote. Fanno bene, le carote. Vitamina C e betacarotene. Cominciò ad affettarle con gesti affrettati e col coltello sbagliato. A Laccio le carote non piacciono, ma chi se ne frega. Le preparo solo per me. Guardò la lasagna bruciata sul piano in finto marmo della cucina. Quando arriva può levare la crosta, sotto è buono. Ce ne sarà abbastanza per sfamarlo. E adesso cos'era quella chiazza rossa sulle carote? Sangue? Sangue!

Come le gocce di sangue di Urano schizzate a terra mentre il figlio Crono lo aggredisce e lo evira. Gocce feconde che ingravidano Gea, la terra. È così che vengono concepite le Erinni, le dee della vendetta.

Il sangue aveva sempre a che fare con "lui". Con il modo in cui "lui" era entrato nella sua vita, deviandola.

Maria posò il coltello lasciando una chiazza rossa lungo il manico. Aprì il palmo della mano: era insanguinato. Ma dove si era tagliata? Era così sovrappensiero che non se n'era nemmeno accorta. Tamponò la mano destra con uno strofinaccio. Il taglio correva sotto l'unghia del dito medio. Non sembrava profondo, ma gocciolava copioso. Andò in bagno a cercare disinfettante e cerotti. Pianse di rabbia. Era stato più violento di una violenza sessuale. Erano passati vent'anni e la ferita era ancora aperta e sanguinante. Più di quella che si era appena procurata.

In quel periodo viveva a Roma, sulla Prenestina. Preparava la tesi di dottorato e passava la quasi totalità delle sue giornate alla biblioteca vaticana, collazionando le diverse varianti riportate da quattro codici medievali che tramandavano, insieme ad altri testi, le elegie di Tirteo Siculo.

Lui era apparso una mattina, o forse era lì già prima di quel giorno, e lei se n'era accorta riemergendo a un tratto dai suoi libri. Aveva alzato gli occhi, e lui era lì che la fissava. Poteva essere un docente? O un ricercatore. Aveva un dito fasciato, proprio come lei. Si era tagliata la sera prima pizzicando il dito medio nella cerniera della borsa. Chissà come se l'era procurato lui, il suo taglio. Le sorrise, alzò il dito fasciato e accennò al suo, come per brindare all'incontro tra due dita gemelle. Quel gesto, col senno di poi, aveva contribuito a creare la sua personale variante al verso di Euripide: un dito tagliato è principio di sciagure per i mortali.

La sera prima, Maria aveva visto qualcosa che l'aveva scossa. Un incidente.

Un incidente di cui avevano parlato i giornali. Ma lei aveva visto, e sapeva.

Non era stato un incidente.

Uscita dalla biblioteca per ultima, aveva attraversato come ogni sera il centro di Roma a piedi, errando tra Borgo Pio, piazza Navona, la fontana di Trevi. Si beava della bellezza di quella città in cui sapeva che non sarebbe rimasta a lungo. Era entrata in un cinema d'essai attratta da una vecchia locandina di *Blow out*. Uscita dal cinema, aveva ripreso il cammino verso l'Esquilino e si era fermata a prendere un caffè d'orzo nel sontuoso bar di un grand hotel mentre rifletteva sul plot. Le piaceva John Travolta nel ruolo di Jack, testimone scomodo di un incidente che poteva porre fine alla carriera politica di un candidato. Le piaceva il fatto che non si fermasse davanti alle intimidazioni.

Aveva smarrito il senso del tempo; arrivata alla fermata alla stazione Termini, si era accorta di avere perso l'ultimo autobus per la periferia. Il taxi non era un'eventualità contemplata dal budget, ma in ogni caso la capitale le regalava una sorta di immunità: non correva pericoli perché era come se fosse invisibile. In più, si era messo a piovere, sempre più forte, e la città si era svuotata in un batter d'occhio. Aveva raggiunto la Prenestina e camminava sotto la pioggia senza ombrello, con gli occhi bassi per proteggersi dai goccioloni. Provò a ripararsi un attimo sotto la sopraelevata per scrollarsi la pioggia dai capelli. Cercò il fazzoletto nella borsa, chiuse la cerniera con uno scatto e si pizzicò un dito.

In quello stesso istante, un fracasso di lamiere sbattute contro il guardrail le fece alzare lo sguardo, in tempo per vedere un'auto precipitare giù dalla sopraelevata e una silhouette scura che correva lassù. Un'auto che veniva in direzione opposta si fermò, caricò la silhouette a bordo e sparì. Maria rimase pietrificata con il fazzoletto in mano. Non si era nemmeno accorta che il dito chiuso in mezzo alla cerniera aveva preso a sanguinare. Sentì la sirena dell'ambulanza e un'auto accostò al suo fianco. Le mostrarono tesserini che nell'oscurità non riuscì a leggere. Un uomo le disse: «Vai subito via di qui, esci da questa storia».

Maria non rispose. Attraversò la strada di scatto e prese a correre sotto il diluvio senza voltarsi indietro. Rientrò nel monolocale al piano seminterrato a centomila lire al mese, bagnata e infreddolita. Disinfettò il dito, lo incerottò e cenò come Bugs Bunny divorando carote con la voracità furiosa di un roditore mentre rileggeva gli appunti presi durante il giorno in biblioteca, per spazzare via la memoria di quel burrascoso rientro a casa.

Nell'auto, morto, c'era un cittadino americano. Un militare. Era in forza al comando americano a Comiso. I giornali dissero che era stato un incidente, che il militare soffriva di depressione con manie persecutorie, che era venuto a Roma per firmare dei documenti all'ambasciata americana e poi fare ritorno in patria.

Il giorno dopo, Maria aveva alzato lo sguardo su di lui in biblioteca. E lui l'aveva fatta ridere. Si era sentita lusingata che un uomo maturo e colto le dedicasse delle attenzioni. Nel giro di pochi giorni, il loro divenne un appuntamento non detto. Quello strano corteggiamento la faceva uscire dalla barriera di solitudine che aveva eretto intorno a sé a uso di fortificazione difensiva. Non volle mai dirle che mestiere faceva. «Sono qui, studio con te, mi occupo di farti ridere, questo è il mio mestiere.»

Finché un giorno sparì. Il cellulare risultava numero non assegnato. Era tutto quello che aveva per contattarlo. Non aveva un indirizzo, non sapeva dove abitasse. Aveva solo un nome e un cognome, ma chissà se erano veri.

Era un enigma che non poteva non risolvere, un labirinto in cui doveva giocoforza addentrarsi. Come Edipo e la Sfinge, come Teseo e il Minotauro. Quell'abbandono con relativa sparizione era stato più violento di uno stupro. Lasciò il dottorato e si iscrisse al concorso per entrare in polizia. Quando sostenne l'esame finale, ebbe due sorprese.

La prima fu che l'esaminatore era lui.

La seconda fu che erano state invalidate le domande di tutti gli altri candidati.

A sostenere l'esame, c'era lei sola.

Il concorso si tenne comunque, dando luogo a un'anomalia che qualcuno avrebbe potuto impugnare. Quando ritirò dalle sue mani il diploma che vedeva cominciare la sua carriera investigativa, Maria commentò amara: «Ero preparata. Lo avrei superato lo stesso, non c'era bisogno di fare una strage di candidati».

«Lo so che l'avresti superato. Ma così sei ricattabile. È un piccolo scambio tra noi.» Le aveva risposto in un sussurro, con un sorriso.

Una violenza che sarebbe durata per tutta la vita.

Poi era sparito di nuovo, come suo costume; il dubbio che nulla ci fosse stato di casuale nel suo comparirle davanti la prima volta in biblioteca divenne certezza, se pur non provata. Non aveva mai voluto dirsi, sino ad allora, che lo sconosciuto che l'aveva invitata a uscire da quella storia sotto la sopraelevata della Prenestina aveva una curiosa somiglianza con quello che, a distanza di anni, le proponeva sornione «un piccolo scambio» tra loro.

Vinto il concorso, Maria entrò in polizia gravata di un peccato originale che non era suo, ma che rischiava di insozzarla a vita, se fosse stato rivelato. Lo scambio era evidente: un silenzio lava l'altro.

Si era ritirata nel suo piccolo mondo di guardie e di ladri. Per ironia della sorte, era stata assegnata alla provincia di Ragusa, che comprendeva la base americana di Comiso, quella da cui proveniva il militare precipitato dalla sopraelevata.

Si era chiusa nel silenzio; indagava su delitti e reati di serie B, matricidi, uxoricidi, abigeati, casi che non avrebbero infastidito nessuno qualora li avesse risolti. Aveva sposato Laccio come si comprerebbe un tappetino da mettere davanti all'ingresso di casa, qualcosa che non ci interessa particolarmente ma che sentiamo di dover avere per non essere troppo diversi dagli altri.

Lo stramaledetto taglio non accennava a rimarginarsi. Avvolse la falange in uno strofinaccio pulito, la strinse con un elastico, prese le chiavi della macchina e uscì, diretta al Pronto Soccorso.

Passando da piazza del Benefattore vide il questore fermo davanti al monumento. Era con delle persone. Uno di loro aveva capelli lunghi biondi che bisticciavano con i tratti maschili, sembrava un travestito. O una rockstar? Maria fece un cenno di saluto al questore che guardava nella sua direzione. Il gruppo si voltò a osservarla. Uno di loro aveva un dito bendato. Lo alzò, come per brindare. Come no, all'incontro tra due dita gemelle.

Maria trasalì.

Era un copione già visto.

Un dito bendato è principio di sciagure per i mortali.

E adesso cosa stava succedendo? Il volante era umido. Mariamaria! Non voglio mica morire dissanguata per uno stupido taglio sotto l'unghia?! Strinse più forte lo strofinaccio intorno al dito e accelerò.

Vita

Stavano pelando le patate per gli gnocchi. Dieci chili di patate bollenti da pelare e ridurre in purea nel passapatate scottandosi le dita.

«Sono troppe, per dieci persone» ripeté Vita, per la decima o l'undicesima volta.

«Te l'ho detto: ognuno deve fare gnocchi per quattro, Vita. Devono avere tempo di esercitarsi per acquisire la manualità del gesto.»

«È che non so capacitarmi che siano così imbranati. Gente che ha studiato e viaggia per il mondo, e non gli basta veder fare due gnocchi per imparare.»

«Ma devono anche divertirsi un po', no? Pagano, per questo. E non hanno avuto la fortuna che hai avuto tu, di imparare l'arte della cucina da piccoli. Tu gli gnocchi sapresti farli anche a occhi chiusi, Vita, e sarebbero buoni e belli.»

Katherine possedeva l'arte della dolcezza, sapeva mettere una ciliegina sulla torta di ogni frase, addolciva ogni potenziale contrasto. Solo con Paulette perdeva il suo dono.

Vita gongolò per il complimento. Faceva sempre una faccia imbarazzata quando ne riceveva uno, come una bambina sorpresa con il dito nella ciotola della panna montata. Era un retaggio dell'educazione ricevuta: le avevano insegnato che è peccato darsi importanza per quel poco che si sa fare.

«Io non so fare niente di particolare» cominciò a schermirsi. «Qui tutte le donne sanno cucinare, anche meglio di me.»

«Non ricominciare, Vita, non ci casco. Secondo te, perché ti ho scelta come partner?»

Vita ammutolì. *Partner* era una parola pericolosamente in bilico tra sentimento e business. Difficile da maneggiare, per lei. Preferì continuare a pelare patate in silenzio.

Katherine e Vita si erano conosciute dal verduriere. Quintino era una lenza: se Katherine non opponeva rifiuti nettissimi, le rifilava l'intero negozio. Vita era intervenuta un pomeriggio, un anno prima. Era primavera, Katherine acquistava i tenerumi, Vita aspettava il suo turno ma alla vista delle verdure con le foglie ammosciate non si era trattenuta dal commentare: «I tenerumi te li devi comprare la mattina, figlia mia, appena raccolti. E te li devi cucinare subito. Se vieni il pomeriggio, li trovi con le foglie tristi. Tu la verdura te la devi comprare sempre la mattina, quando è allegra».

La teoria di Vita le aveva messo buonumore. Le aveva proposto una sfida: «Io cucino i miei tenerumi "tristi", lei cucina i suoi "allegri", e li assaggiamo insieme nella mia scuola di cucina». Vita aveva accettato, soprattutto per curiosità, per vedere come fosse fatta una scuola di cucina. Lei aveva tirato su quattro figli, tutti maschi, tutti sposati; sapeva macellare il maiale e l'agnello, faceva le focacce nel forno a legna, ma una scuola di cucina non l'aveva mai vista. Le sembrava un concetto un po' ridondante, come se ci fosse bisogno di una scuola per imparare a respirare.

Per Vita, cucinare era naturale. Sua madre e sua nonna cucinavano senza sosta, e quando non cucinavano conservavano, raccoglievano, essiccavano, e in tempi più recenti, congelavano. Vita, adolescente anticonformista nel pieno boom del dopoguerra, le osservava con commiserazione.

«Devi imparare a cucinare anche tu, o nessuno ti sposerà» la ammoniva la nonna.

«Meglio, perché io non mi voglio sposare, voglio diplomarmi e lavorare in banca e vestirmi bene e vivere del mio stipendio. E quando avrò fame, andrò al ristorante.» La nonna scuoteva il capo, come se avesse appena ascoltato la più grande fesseria di tutti i tempi. Il destino regalò alla nonna la soddisfazione di avere ragione: appena diplomata, Vita andò a lavorare da un ragioniere e lì incontrò Ninì, un cliente che dopo la sua assunzione divenne molto assiduo dello studio. Si sposarono nel giro di un anno. La madre di Ninì era morta di parto, e lui era stato allevato dalle quattro sorelle maggiori, vestali della cucina tradizionale. Era come avere un quartetto di suocere. Vita corse ai ripari e scoprì che tutti quei gesti di cucina, che da sempre rifiutava di compiere, lei li possedeva già, per il semplice fatto di averli visti replicare milioni di volte mentre studiava ragioneria, merceologia, e poi la sua materia preferita, la letteratura italiana, seduta al tavolo della cucina tra il dispiacere di sua madre e i rimbrotti della nonna. Si era iscritta a ragioneria per senso pratico, perché così sua madre, che era vedova, non avrebbe dovuto mantenerla oltre il diploma. Ma se avesse potuto, avrebbe scelto il liceo e poi la facoltà di lettere. Per amore di Ninì, Vita si rimangiò tutte le sue teorie femministe, e divenne a sua volta una vestale della cucina, sovrintendente al lievito madre, architetto delle strutture barocche dei turciniuna d'agnello pasquali e dei biscotti di mandorle e miele di Natale che avevano nomi poetici come nugatoli, jadduzzi, fiocchi di neve.

Vita, così la descriveva Katherine presentandola agli iscritti ai suoi corsi, era uno di quei preziosi strumenti umani che la tradizione culinaria usa per replicarsi da una generazione all'altra.

Quel pomeriggio, però, Katherine non gliela raccontava giusta. Era agitata, cosa che non le accadeva mai, in cucina. Vita si era accorta, frequentandola, che Katherine usava la cucina come un calmante. Esperta, la ragazza: si calmava, cucinava, mangiava e guadagnava, tutto in una volta.

«Senti, io quella parola che hai detto poco fa non la so pronunciare. Comunque penso che a una *pattern*, come sono io, puoi dirlo, se c'è qualcosa che ti angustia.»

«Non ti si può nascondere nulla, vero? Ti chiami Vita e hai la trasparenza, l'onestà e la schiettezza della vita vera.»

«E valgo una confidenza, uno sfogo? O non ti fidi?»

«Mi fido, cara Vita.» Katherine smise di cucinare e le prese le mani, guardandola negli occhi.

«Forse questa è la mia ultima, o una delle ultime, lezione di cucina. Ho ricevuto una diffida formale. Non posso più usare il nome "Caramano" per la scuola. Devo chiudere, trovare una nuova ragione sociale, rifare il logo, la carta intestata, il sito internet, i gadget, tutto. Ma in questo momento non mi posso permettere una spesa simile, dopo l'investimento che ho fatto per aprire la scuola.»

Vita non sapeva cosa rispondere, però voleva a tutti i costi consolare quella povera figlia.

«Ma in Sicilia, tutti quanti si chiamano Caramano! C'è l'arancino di riso Caramano, la scaccia Caramano, il B&B Caramano, la trattoria Caramano... non li faranno mica chiudere tutti?»

«Non so cosa faranno gli altri, Vita. Devo preoccuparmi di quello che faccio io. A me piace essere in regola. Non posso vivere con la paura che da un giorno all'altro venga un vigile a farmi chiudere la scuola, magari proprio mentre sto tenendo una lezione. È una vergogna che non potrei mai affrontare.»

«Sei una brava picciotta. Per quelle come te alla fine una buona soluzione c'è sempre. Vanno bene così i dieci mucchietti di patate?»

«Perfetto, Vita.»

Paulette entrò nella stanza con un bicchierone vuoto in mano, andò dritta verso Vita e le schioccò un bacio. Ignorò sua madre e si diresse verso il frigo per riempire il bicchiere d'acqua fresca e ghiaccio tritato.

«Tesoro, mi fa piacere che tu sia affettuosa con Vita, ma lo sai che quando si entra in una stanza è buona educazione salutare tutte le persone che vi si trovano. Compresa, in questo caso, tua madre.» Katherine abbozzò un sorriso e porse la guancia alla figlia, che le passò davanti come se non la vedesse.

«Picciotta...» Vita la rimproverò con un sussurro.

«Non cominciate.»

Paulette uscì sbattendo la porta. Vita si pulì le mani sul grembiule da cucina e la seguì. La raggiunse sul primo scalino e la fermò, costringendola a voltarsi.

«Lasciami in pace, Vita. Odio tutti.»

«Male, picciotta. Dovresti essere più selettiva.»

Paulette abbassò lo sguardo su Vita, disorientata. «Be', a te ti odio un po' meno, contenta? Anzi, se non fosse che io non voglio bene a nessuno, ti vorrei persino bene.»

«Aspetta aspetta, me lo scrivo sul curriculum. La madre mi ingaggia per tenere lezioni di cucina, la figlia mi ritiene addirittura degna di un pugno di affetto. A sessantacinque anni, un autentico salto di carriera, per una tranquilla casalinga come me.»

Imbarazzata per avere lasciato aperto uno spiraglio di sentimento, Paulette ignorò la risposta di Vita. Si era già rituffata su WhatsApp. Valter, il secchione della classe, aveva promesso di postare il compito di matematica per tutti entro le sette. Erano le sei e mezza e lui l'aveva già fatto. Schifoso. Non era neanche capace di fare un favore senza far pesare la sua superiorità. Con quella mezz'ora di anticipo, era come se li avesse schiaffeggiati taggandoli tutti con l'hashtag #IoSonoPerfettoVoiNo.

IV

Ventisei giorni prima

Il 6 maggio

Venti di festa

Maria

Maria era seduta alla scrivania nel suo ufficio e guardava il foglio che le aveva consegnato l'appuntato Comisso, in busta chiusa indirizzata a lei, riservata personale.

Riconosceva lo stile. Era quel "piccolo scambio" sussurrato il giorno che aveva superato il concorso. Lo avrei superato lo stesso ed è riuscito a fare in modo che figuri che ho avuto la posizione solo grazie al suo interessamento. Ha fatto di me una poliziotta di serie B e pensa che questo lo autorizzi a telecomandarmi in remoto.

E adesso cosa dovrei fare, prostrarmi? Ringraziarlo di essere tornato a occuparsi della mia piccola, trascurabile vita a caccia di malfattori di provincia? Chiedergli se c'è qualcosa che posso fare per lui?

Certo, qualcosa c'era, che poteva fare. Se no, non le avrebbero recapitato quella nota dal ministero. Che apparentemente la invitava a redigere una schedatura dei soggetti interessati nel recente fenomeno di immigrazione che stava cambiando il contesto anagrafico di Scicli.

Che ridere.

Era la mancanza di un aggettivo a farla ridere, il fatto che non ci fosse nemmeno un complemento di moto da luogo. Che tipo di immigrazione? Immigrazione clandestina? Immigrazione dai paesi dell'Africa subsahariana? Queste sono le prime cose a cui viene da pensare. Ma io so chi l'ha scritta, o l'ha dettata, questa nota. Perciò manca un aggettivo a circoscrivere l'immigrazione in oggetto. Fa parte del piccolo scambio.

Si alzò e si affacciò alla finestra del suo ufficio verso Santa Maria delle Scale. Un po' d'aria fresca. Il giorno prima era andata a fare due passi e aveva incontrato dei muratori che scendevano con un asino carico di detriti di muratura.

«Ma non vi viene più facile montare una gru?»

«Magari, commissaria. Quelli vogliono fare tutte cose come una volta.»

«Quelli chi?»

«Iddi, si sono accattati quindici grotte e deve vedere il progetto, commissaria, tutto come una volta, solo che oggi costa dieci volte tanto farlo così. Dice il mastro che sono architetti di fama mondiale. Gli piace far lavorare anche l'asino, come una volta, gli danno magari le carote e gli zuccherini quando vengono. A noi, invece, ci fanno faticare come nel Medioevo, tutto a mano. E allora, dico io, cosa è venuto a fare il progresso? Io il mio appartamento a Vinsi non lo cambierei nemmeno con trenta stanze qui. Ma vuole mettere le case moderne? Il parcheggio che arrivi fin dentro il garage, carichi tutto nell'ascensore e sali a casa senza una goccia di sudore? Qui a Chiafura se dimentichi di comprare le sigarette sono trecento gradini all'andata, e trecento al ritorno. Ma a quelli gli piace così, commissaria. Loro le sigarette le comprano a stecche e non le finiscono mai.»

Maria aveva fatto una carezza all'asino e aveva continuato la passeggiata.

Le piaceva tenersi aggiornata sui cambiamenti di fisionomia dei quartieri di Scicli. Una curiosità che negli ultimi tempi esigeva ricognizioni settimanali, per non perdere il passo. Quella che la settimana prima è una rovina, la settimana successiva espone un cartello di autorizzazione a lavori di consolidamento e restauro.

I telegiornali parlano solo di barconi. Barconi a Pozzallo, barconi a Sampieri, barconi a Marzarellì. Barconi. In passato hanno parlato di Chiantishire, di Langheshire, di Salentoshire. Nessuno parla degli Iblei. Ibleishire. Eppure il fenomeno è sotto i miei occhi, ogni santo giorno che Dio manda in terra. Si parla dei personaggi del cinema, certo: quelli riempiono pagine e pagine. Una bella croce piena di spine per il traffico e la viabilità, e che però ha fatto fiorire tante rose per l'economia locale. Chi sono gli adepti di questa nuova setta in cui si entra soltanto se si acquista l'immobile giusto, la proprietà giusta, se si ingaggia l'architetto giusto? Gente che oggi usa Scicli come in passato ha usato Cortina d'Ampezzo, Saint-Tropez e Sankt Moritz: posti inventati dall'élite per non avere tra le balle il volgo. E siccome la massa non desidera altro che di imitare il jet set, il gioco degli *influencers* si fa business. Chi sono questi immigrati di lusso che usano Scicli e la sua gente come una colonna sonora, un paesaggio?

Tornò a sedersi alla scrivania. Rimise la nota del ministero nella busta. Vediamo che altro c'è. Prese un foglio. Veniva dal comando dei vigili. Richiesta di interruzione del traffico il giorno 6 maggio dalle ore 18.00 nell'area delimitata tra piazza Italia e Palazzo dei Turchi causa ricevimento ospitato nel medesimo.

Adesso mi fanno arrivare le pratiche sul tavolo il giorno stesso, così non posso far altro che firmare il consenso. Hanno fatto di me una passacarte.

Firmò il nullaosta all'autorizzazione e la rimandò al comando dei vigili.

La festa

Amanda aveva strafatto, come al solito. Data la difficoltà di parcheggiare davanti a Palazzo dei Turchi il sabato sera, aveva invitato gli ospiti a lasciare l'auto in piazza Italia, e di lì aveva assoldato un cavallaro in costume bianco e nero con un biroccio da passeggio trainato da un bel cavallo baio con le zampe mosse da una balzana bianca, ornato di un'infiorata da fare invidia a quelle di san Giuseppe. Il cavallo che faceva la spola avanti e indietro le era parsa un'alternativa pittoresca al concetto di *valet parking.*

E poi, faceva così ballo del Gattopardo arrivare alla festa in calesse! Novanta invitati, non uno di più: era stata categorica con Elena. Quella sarebbe stata capace di stiparle la serata di inaugurazione del salone come il trenino che deporta i turisti da piazza del Benefattore a Santa Maria La Nova a Ferragosto. Amanda aveva opposto il più fiero veto al buffet: voleva inaugurare il suo bel salone appena restaurato con una cena *placée,* e novanta ospiti era un numero perfetto. Era vero che Elena le pagava per la location quindicimila euro per quindici ore, dalle 13 del sabato alle 4 della domenica notte, con una penale di mille euro per ogni ora in più. Palazzo dei Turchi era la sua pensione, e Amanda doveva essere accorta nel gestirla. Elena non prendeva in affitto solo una location mozzafiato, ma anche e soprattutto le relazioni della proprietaria: i contatti internazionali di Amanda avrebbero favorito il business di Elena e delle sue clienti. Era una sorta di percentuale sull'indotto, un po' come il biglietto esoso che le compagnie aeree impongono a chi viaggia in prima classe: non paghi solo per la poltrona in pelle o per lo champagne, paghi perché il tuo vicino di posto è il CEO della holding a cui volevi proporre una joint-venture... paghi per l'accesso che quel posto ti dà. Amanda aveva imparato nel tempo che le sue relazioni erano preziose quanto il suo know-how, e se le faceva pagare. Aveva tenuto separato il costo del catering dall'affitto della location, e quella era stata un'ottima mossa iniziale. Aveva affidato il menu a un giovane chef scicitano appena rientrato dopo una serie di stage in Nord Europa. Si erano accordati che lui avrebbe cucinato nel suo ristorante, e avrebbe usato la cucina di Palazzo dei Turchi solo per rifinire i piatti. Si era sorpresa di vederlo arrivare poco dopo le 13 senza nemmeno un aiutante. Al suo sguardo interrogativo, Guglielmo aveva risposto, sicuro di sé: «Fino a cento persone, posso fare da solo. Mi servono sei camerieri, e quelli arrivano alle 16.30. È tutto sotto controllo».

Cominciavano ad arrivare i primi invitati, da tutto il circondario degli Iblei. Avevano percorso strade ricurve costeggiate da muretti a secco e carrubi (quelli che venivano dalle campagne sciclitane), da muretti a secco e mandorli (quelli che venivano dalle campagne di Noto), da muretti a secco e ulivi (quelli che venivano da Ragusa e Chiaramonte).

Amanda aveva saputo che un sociologo francese, brillante saggista, stava trattando l'acquisto dell'ex convento delle Milizie, ma ci sarebbe voluto un bel po' prima che si installasse. A ogni modo, in mancanza di un sociologo, bastava lei per dire che quella festa era uno spaccato di come il tessuto sociale di quel pezzo di Sicilia stesse cambiando, e rapidamente. Gli stranieri non acquistavano case di vacanza, ma case dove trasferirsi a vivere. Lei era stata l'antesignana, e ora i suoi invitati fornivano un campione significativo della nuova società, bastava guardare i primi arrivati: un fotografo di Singapore con la moglie umbra, restauratrice specializzata in mascheroni e mensole barocche, che aveva ridato vita ai faccioni turchi del palazzo; il manager americano di una banca d'investimenti svizzera perdutamente single e perennemente impegnato a sedurre miliardarie d'ogni dove, neanche fosse un gigolo con l'acqua alla gola; un pittore svizzero-indiano che aveva lasciato Lugano per Scicli irretito dalla "scuola di Scicli", rappresentata da una generazione di giovani artisti che a giudicare dalle opere – corpi monchi, arti tumefatti, statue di donne piangenti che sembravano sgorgare da radici di ulivi millenari – doveva essere cresciuta a pane e angoscia; una elegante signora madrilena titolare di una "real estate boutique" a trattative riservate che si definiva «erede ed espiatrice degli antichi dominatori»... questi e tutti gli altri invitati alla festa dimostravano come la città, e con lei la gente, stesse cambiando pelle. Un certo mondo stava scegliendo di trasferirsi a vivere a Scicli. Il che aveva segnato la fine del declino e il principio del rinascimento per la più lungamente abbandonata tra le capitali barocche degli Iblei. Forse era stato proprio il lungo oblio a preservarne la bellezza, a regalare ai suoi vicoli le atmosfere struggenti che avevano stregato tanti registi. Il fatto che, dopo l'esordio con il commissario Montalbano, Scicli e gli Iblei avessero ispirato nomi del calibro di Coppola, Scorsese, Tarantino, Garrone e Virzì aveva contribuito ad accelerare il processo. Tra gli ospiti della serata c'era un'economista australiana che aveva visto per caso il sequel del thriller politico che Scorsese aveva girato ispirandosi alle canzoni di Gagà Caramano; la signora si era rifiutata di credere che potesse esistere tanta bellezza ed era venuta a verificare di persona che i monumenti barocchi fossero reali e non semplici fondali cinematografici. Aveva acquistato l'ex convento del Rosario per farne il suo buen retiro. Ognuno di loro aveva seguito una sua personalissima strada che dai più svariati angoli del pianeta portava a Scicli. Amanda sapeva cosa aveva portato lei a Scicli. Sarebbe stato interessante conoscere quali percorsi e sentieri avessero portato lì tutti gli invitati quella sera.

Ora stava per esibirsi nella sua specialità: mettere in relazione individui che avevano tra loro anche una sola cosa in comune. Si preparò a dare il benvenuto a ciascuno, aiutando ove necessario le conversazioni in fieri.

«E tu di che cosa ti occupi?»

«Oma è un pittore. Ta-len-tu-o-so.»

Amanda pensava fosse compito della padrona di casa rispondere in terza persona alle domande che gli invitati si rivolgevano l'un l'altro.

«Pensa che viveva a Lugano, e ha scelto di trasferirsi a Scicli!»

«Ah, davvero? Che cambiamento! E cosa ti ha ispirato, di questo territorio?» domandò Julia Perez Moncada. Anche lei aveva cambiato vita, folgorata dalla bellezza del paesaggio durante una vacanza sugli Iblei in seguito alla quale aveva lasciato Madrid per aprire a Modica la piccola, esclusiva agenzia immobiliare che lei chiamava "la boutique".

Oma si fece aggiungere un po' di Campari dal barman. «Più che un Campari Orange mi sembra un Campari Barbie» protestò. Soffriva in silenzio per la scelta della padrona di casa di servire un unico cocktail per l'aperitivo in terrazza. «Brindiamo a questo magnifico tramonto con un Campari Orange!» aveva squillato Amanda, invitando i presenti a imitarla col calice levato verso il disco rosso del sole.

Julia Perez attendeva la risposta alla sua domanda. Oma si ricordò del disappunto di sua madre quando non era educato. Amanda era già passata a presentare fra loro altri invitati e quindi ora toccava a lui rispondere in prima persona. «Scicli mi ricorda New Dehli negli anni Sessanta» disse. Poi, senza aspettare la domanda successiva, spiegò: «Tutto un fermento. Il cambiamento dietro l'angolo. Tutto può accadere». Julia Perez Moncada azzardò: «E da un punto di vista pittorico, immagino che anche la favolosa luce degli Iblei giochi la sua parte».

«Questo potresti constatarlo di persona se mi commissionassi un ritratto.» Estrasse dal taschino dei biglietti da visita. Erano acquerelli, ognuno diverso dall'altro. «Prego, scegli il tuo.» Julia rise.

«Decisamente originale. Ti chiamerò.» Fece un cenno a una persona che stava arrivando, ma sapevano tutti e due che in realtà stava solo ottemperando alla regola non detta che vuole che ogni conversazione a una festa duri non più di cinque minuti, per dar modo a tutti di dire una fesseria con tutti. Per questo Oma odiava le feste, tanto più quelle in cui non si serviva un Martini ben fatto ma solo un intruglio slavato che non imitava nemmeno pallidamente il colore inebriante del tramonto. Se resisto, però, a fine serata avrò un bel po' di ritratti commissionati. E il Martini andrò a prendermelo al Ritz a Parigi, in compagnia del fantasma di Hemingway.

«Cara, hai una faccia da funerale! Andiamo, questa è una festa e il momento del dolce sarà il tuo trionfo, ho visto i tuoi *macarons siciliens*... anzi ne ho anche assaggiato uno, quello alla melagrana, irresistibile. Ma non ti posso vedere così, vieni che ti presento qualcuno.» Amanda prese Katherine per mano prima che lei potesse opporre un rifiuto. Puntò dritta verso un tipo in pantaloni bianchi e camicia di lino azzurra con le maniche rimboccate che stava servendosi una tartina col capuliato. Era la versione magra di Depardieu. «Jean, ti presento Katherine, voi francesi siete tutti così sciovinisti, sono sicura che farete un enclave made in France chiuso ai non francofoni. Katherine, Jean è il discografico che ha lanciato in Francia le canzoni di Gagà Caramano, non è il tuo cantautore preferito? Pensa, Jean, Katherine è una tale fan di Gagà che ha intitolato la sua scuola di cucina al celebre cantautore gourmet.»

«Eccellente idea» disse Jean, a cui la tirata di Amanda aveva dato modo di finire la tartina e di evitare le presentazioni a bocca piena.

«Katherine ha fatto tutti i dolci che verranno serviti questa sera, grandi classici francesi in versione siciliana mediterranea... ti posso dare un'anteprima, ho sottratto in cucina un *macaron* alla melagrana, divino!» Amanda premette leggermente sulla schiena di Katherine per farla avvicinare a Jean, e scomparve.

«Davvero è stato lei a lanciare le canzoni di Gagà in Francia? Io le ascoltavo sempre quando vivevo ancora a Parigi, trovo che Gagà Caramano sia in bilico tra gli aedi omerici, gli *chansonniers* francesi e i cantastorie siciliani.»

«In un certo senso, lei ha proprio ragione» rispose Jean. Non era per nulla entusiasta di quella presentazione e avrebbe preferito tornare a concentrarsi sulle tartine al capuliato. Katherine colse l'occhiata laterale al vassoio e propose: «Le piace il capuliato? Le faccio assaggiare il mio *macaron* allo strattu». Il volto di Jean si illuminò di interesse.

«Davvero?»

«Ne ho fatti pochissimi, perché uso solo lo strattu fatto da me con i pomodori datterini, non mi fido di quello già pronto. Sa, gli ingredienti dello strattu devono essere pomodoro e sole, nient'altro.» Katherine guidò Jean per il passaggio della servitù che portava direttamente alla cucina. «Bello che lei viva in Sicilia, a qualunque altro francese dovrei spiegare che lo strattu è la salsa di pomodoro essiccata al sole» sorrise Katherine. Quando tornarono dalla cucina, Jean aveva avuto un poker di anteprime: *macarons* allo strattu, alla melagrana, alla carruba, alla confettura di azzeruole; e Katherine aveva il numero di cellulare personale di Gagà Caramano, il numero diretto, non quello del suo assistente, che era famoso per il cento per cento di successi nel filtrare l'intero mondo. Jean le assicurò che avrebbe chiamato il cantautore l'indomani stesso, per annunciargli la telefonata di Katherine. «Vedrà, Gagà è favoloso, non dico che riderà del suo problema ma saprà trovare una soluzione che la lascerà a bocca aperta. Sa che però questo le costerà una fornitura mensile dei suoi *macarons* al mio indirizzo» ammiccò, porgendole un biglietto da visita. Katherine lo prese, promise che sì, ma certo, con vero piacere, si scusò e tornò in cucina raggiante.

Laurel si muoveva con tatto. Gli approcci dovevano sembrare casuali, briosi e non invadenti, come richiedeva la circostanza del party. Più che contare sulle presentazioni a cura di Amanda o Salvo, doveva stare attento a cogliere il momento. Essere il primo a captare uno sguardo incerto in cerca di un ripiano dove posare un calice, essere pronto a sostituirlo con un sorriso complice e subito far scattare la prima battuta che avrebbe avviato la conversazione. Fare leva su un potenziale denominatore comune, rilevare un interesse che avrebbe acceso nella sua preda la rassicurante sensazione di appartenere allo stesso club. Esordire parafrasando un'aria della *Bohème* con la designer danese appassionata di

Puccini. Commentare la trama di una tenda con la produttrice cinematografica che secondo la scheda di Salvo sapeva riconoscere la composizione di un tessuto al tatto. La gente non può nemmeno immaginare quanto lavoro preparatorio ci sia in un mestiere come il mio. Ecco. È il momento. Shivani, la produttrice di Bollywood, aveva lanciato uno sguardo in cerca di qualcosa. Non qualcuno: qualcosa. Diede un leggero colpo di tosse. Ottimo, pensò Laurel. È stato il cucciddato che ha appena finito. Le è andato di traverso perché non si aspettava i grani di pepe al suo interno, e sta trattenendo la tosse. Prese una caraffa di acqua e un bicchiere di vetro soffiato azzurro in tono con il sari che indossava la donna.

«*Some water?*» versò senza attendere la risposta.

«*You must be the party's angel*» commentò Shivani, ripresasi dopo avere vuotato il bicchiere d'acqua tutto d'un fiato.

Step one, done, pensò Laurel incrociando lo sguardo di Salvo in lontananza. Un sopracciglio alzato. Significava: discrezione. Era la prima volta che Laurel interveniva in simultanea. In genere aspettava che le signore vedessero Salvo per quattro, cinque volte. Poi entrava in scena lui, con naturalezza o casualità. Ora però Salvo gli aveva messo fretta, gli serviva una grossa somma, non c'era tempo di procedere con la consueta lentezza e *understatement*. Dovevano agire all'insaputa di Elena, su questo Salvo era stato categorico. Non per moralità: per interesse. Se Elena avesse saputo del loro accordo, avrebbe voluto la sua parte, e Salvo aveva troppo bisogno di denaro. Laurel propose a Shivani di prendere un po' di fresco in terrazza, lei lo seguì. Diede un'occhiata a Salvo per rassicurarlo. *My friend*, pensò, riprenditi. Quella tua passione insana per i ristoranti gourmet e per le macchine d'epoca finirà per rovinarti. Guarda me. Laurel studiava con attenzione le start-up innovative nel settore food e ristorazione. La sua puntata più fortunata l'aveva fatta su una società che aveva sviluppato la tecnologia di un distributore di tranci di spigole, cernie e ricciole pescate all'amo nel Mediterraneo, spinati e cotti sotto vuoto con olio extra vergine di oliva, rosmarino e pomodori confit. Il distributore, collocato in un network di fitness club deluxe a New York, Londra, Parigi, Milano, Berlino, Mosca, Shanghai, Sydney, Hong Kong, conservava a meno 18 °C i tranci abbattuti, e una volta azionato, in quattro minuti li riportava a 65 °C, tagliava automaticamente la busta e restituiva nel piatto tutta la freschezza del pesce appena pescato, con la garanzia di un apporto ottimale di proteine, vitamine e grassi, astenersi carboidrati. Il risultato mandava in visibilio i maniaci del fitness gourmet e stava riscuotendo un successo planetario, facendo lievitare il valore delle quote di Laurel come la più soffice e regale delle brioches. Un'altra pescata interessante l'aveva fatta investendo in una start-up che si avvaleva di nuovissime tecnologie come le stampanti tridimensionali per riprodurre pezzi di automobili cult che facevano la gioia di collezionisti puristi, pronti a pagare decine di migliaia di euro per un volante, un sedile in pelle, una marmitta. Per ironia della sorte, erano le debolezze umane di Salvo a rendere Laurel ogni giorno più ricco.

Xenia coglieva spezzoni di conversazioni, saluti, baci, abbracci, complimenti, contatti che sarebbero presto diventati contratti. Le scivolava tutto addosso. Muoveva passi lenti fingendo di interessarsi a una tartina, posava un cocktail per poi prenderne subito un altro, tanto per avere un calice in mano, per dire sono qui, esisto. Odiava le feste. Non sapeva nemmeno dire perché avesse accettato l'invito, cioè sì: Amanda l'aveva minacciata di rappresaglie bibliche se non si fosse fatta vedere.

«Devi venire, c'è anche un editore inglese che ha appena preso casa a Noto, gli devi raccontare le tue favolette di animali della fattoria che racconti sempre a me, vedo già la copertina, sarà un successo.» Quella donna doveva essere caduta in un cocktail di antidepressivi da piccola. O forse la madre di Amanda usava cocaina invece del borotalco, son cose che lasciano il segno. Amanda pensava per dieci, mangiava per tre e beveva per cinque. Reggeva l'alcol come un militare in missione di guerra. Ma non c'era niente da fare, per lei, Xenia: ogni festa le tendeva un agguato per rimbalzarle addosso il suo nome: Xenia. La straniera. Sempre. Straniera a tutti, anche a se stessa.

«Odi le feste, vero?»

Oma, di fianco a lei, le porse un calice di Campari Orange. «Ho visto che hai appena posato il terzo, senza berlo. Il quarto è il poker, il nostro.» Alzò il calice in un brindisi. «Anche io odio le feste. Sei indiana?»

«No, sono di Mauritius, ma probabilmente i miei genitori erano di etnia indiana. Sono stata adottata da una coppia di londinesi in vacanza a Mauritius. Sono loro che mi hanno dato il mio nome. Xenia» porse la mano all'uomo come un migrante a chi lo accoglie in terra ferma.

«Il mio nome è Oma» disse lui. «Significa "colui che dona la vita".»

«Aspetta, tu sei il pittore svizzero-indiano! Amanda mi ha parlato di te, dice che sei divertentissimo, che racconti i monsoni con l'igienismo di uno svizzero e la Svizzera con il senso del tempo di un indiano. Ti trova esilarante.»

«Ah, dice questo di me?»

«Dice anche che sei un artista quotatissimo e che a Lugano hai una mostra personale permanente.»

«È una pr nata, la nostra Amanda. *Lovely* Amanda.»

«Sì, *lovely*. A parte per il fatto che mi ha costretta a venire qui questa sera.»

«Ma era perché sapeva che ti avrei fatto un ritratto!» Oma tirò fuori da una tasca una matita e dall'altra un piccolo album per gli schizzi. «Mettiti lì, contro il sole al tramonto. Lo offuschi, sai?» Xenia sentiva chiarissimi tutti i messaggi: mascalzone in arrivo, ti sedurrà, ti userà, ti occuperà come un esercito vincitore e poi ti abbandonerà come una terra straniera ormai sfruttata. Ma in quel momento, Oma era una dimostrazione vivente dell'adagio latino: *in nomine, omen*.

114

Le stava dando la vita, una vita a tre dimensioni in una festa che avrebbe rischiato di vederla appiattita a due, schiacciata sulla tappezzeria tra sorrisi e battute altrui. A volte non bisogna chiedersi il poi. Bisogna saper gustare il presente, anche se il futuro ti presenterà un conto esoso.

«Cos'è questo dito infiocchettato? Una nuova moda di voi giornalisti?»

«Ahimè, no. Il mio dito è l'ennesimo martire della passione per la cucina.»

«Hai fondato la corrente di cucina kamikaze?»

Elena guardava divertita il dito medio vistosamente bendato e infiocchettato che il suo interlocutore esibiva come un trofeo.

«Bella battuta. In realtà è successo dopo una lezione di cucina di Katherine, la conosci? In ogni caso la conoscerai, è suo il dessert che verrà servito questa sera, ha declinato i *macarons* parigini con gli ingredienti locali: strattu, melanzana, carruba, arancia, cioccolato di Modica.»

Come talvolta accade ai giornalisti, non controllava le fonti al momento di citarle. Di lì a mezz'ora, Katherine avrebbe corretto le inesattezze svelando gli ingredienti dei suoi *macarons* franco-siculi: ma vanamente, perché la sicumera non prende mai nota d'altro che di se stessa.

«E nelle sue lezioni fa cucinare gli allievi col machete?»

«No, lei è innocente. Sono io che ho voluto fare il pesto trapanese a casa. Invece di fare il battuto col coltello, ho pensato che avrei ottenuto un pesto più fine se avessi adoperato il mixer, e che avrei potuto congelarlo per poi adoperarlo alla bisogna.»

«Con scaglie di mandorle e dito medio... nutriente!»

«Veramente il dito è qui, tutto intero. Ma non è bello da vedere, perciò gli ho messo il papillon.» Amanda si intromise nella conversazione al momento giusto, quello in cui due ospiti che si conoscono poco hanno esaurito le spiritosaggini.

«Vai, martire della cucina, il tuo aperitivo ti aspetta di sopra in terrazza. Ci sarà un motivo se ti pagano per scrivere di politiche economiche, invece che per tenere una rubrica di cucina.»

Quella storia del pesto trapanese le sembrava assurda. L'idea di presentarsi al party con un papillon sul dito medio, poi, era orribilmente kitsch. Cosa non farebbero i giornalisti per farsi notare. Anzi, per diventare essi stessi notizia. Amanda era riuscita a far passare inosservato il fatto che non ricordava il suo nome, sai che schiaffo morale per un reporter blasonato. Doveva ricordarsi di chiederlo a Elena: di sicuro aveva il suo tornaconto, se lo aveva inserito nella lista degli invitati. Elena non era una donna, era una calcolatrice.

«Buona sera. Posso baciare la padrona di casa?»

Amanda si voltò, anche se non ce n'era bisogno. Aveva riconosciuto il possessore della mano che le aveva sfiorato la spalla dalla qualità del brivido causatole. Porse la mano a Salvo. Mentre lui si chinava leggermente per sfiorargliela, lei avrebbe fatto in tempo a smaltire il rossore. Erano passati quindici anni, dieci dei quali trascorsi nei salotti di analisi tra New York e Scicli, dove lei era scappata e dove lui l'aveva raggiunta; quindici anni, e vederlo fuori dalle sedute analitiche le faceva ancora quell'effetto. Non poteva farci più niente, ormai. Se n'era andata, aveva chiuso con New York e aveva deciso di cominciare una nuova vita lì, in quell'angolo di Sicilia benedetta, con la luce più incredibile del mondo e un mix ineguagliato di natura, cultura, arte, cucina. E vini. E pasticceria. Amanda stava collazionando tutti i cannoli siciliani e presto sarebbe stata in grado di pubblicare una guida ai cento migliori cannoli in Sicilia, "provati onestamente per voi". Altro che TripAdvisor.

Poi un giorno Salvo l'aveva raggiunta al telefono.

«Cara, se vuoi possiamo riprendere a vederci.»

«E come facciamo, organizziamo le sedute su Skype?»

«No, sono a Scicli, come te. Sto aprendo uno studio in una grotta a Chiafura, sarà la prima grotta analitica al mondo.»

«Tra noi due finisce che io dovevo fare la psicoterapeuta, e tu l'uomo del marketing.»

«È possibile. Ma intanto potremmo cenare insieme. L'analisi è finita e nessuna società psicanalitica al mondo avrà nulla da recriminare.»

Aveva accettato.

Non aveva funzionato.

Uno straordinario amore eternamente infelice: il pezzo forte della sua collezione.

Gli amori infelici sono i migliori: non devi viverli in due, te li godi da sola senza sconvolgere un filo della tua trama personale.

Avevano ripreso a vedersi nell'intimità onirica della grotta analitica. L'unico tipo di intimità possibile, per loro due. L'amore inventato del transfert, l'amore restituito del controtransfert. Di fisico, solo casti baci, guance sfiorate, baciamani e carezze affettuose. Corpi che si fronteggiavano, elegantemente abbigliati, nella strettoia del corridoio verso il portone d'ingresso. Proprio perché nulla sarebbe mai realmente accaduto, ogni sorta di fantasia era ammessa nel gioco. Tanto, fra una teorica degli amori infelici e un seduttore precoce, ogni fantasia era fatalmente predestinata a restare tale.

Salvo nel frattempo aveva preso a parlare con Elena, che li aveva raggiunti. «Vieni cara, ti presento Laurel, un mio amico americano che si occupa di investimenti.»

«Ci vediamo la settimana prossima in studio così commenteremo anche questa squisita serata» lanciò ad Amanda.

«Non credo proprio» sibilò lei. Bruciava ancora quella domanda: «E cosa hai fatto tu, per compiacere tua madre?».

Gli diede le spalle e chiamò gli ospiti a tavola. La sua festa sarebbe stata un trionfo.

117

Ma che cos'era quel fracasso? Il lastricato davanti alla bottega rimbombava come se stesse passando la sfilata di cavalli di san Giuseppe.

Laccio si affacciò sulla via. Altro che san Giuseppe: sembrava il ballo del *Gattopardo*! Stavano girando un altro film? Aveva ragione sua moglie a essere così spazientita. La vita quotidiana a Scicli era scandita dai «Ciack si gira» delle riprese. Un biroccio da passeggio trainato da un cavallo baio che muoveva le zampe percorse da una balzana come un'onda bianca, completamente ricoperto da un mosaico di fiori, stava sostando davanti all'ingresso di Palazzo dei Turchi. Il mosaico riproduceva sul fianco del cavallo l'immenso faccione di turco che sormontava le finestre del primo piano e che aveva dato il nome al palazzo. Ne scesero due coppie, gli uomini in completo di lino bianco che neanche nelle serie tv sulla mafia italoamericana nel New Jersey si vedevano più personaggi agghindati così; una delle donne, indiana, indossava un sari – almeno lei aveva la scusa dell'abbigliamento tradizionale del suo paese. L'altra lo abbagliò con una flashata proveniente da un gioiello appuntato sul colletto che riluceva in una maniera assurda, doveva essere tutto di diamanti e pietre preziose. Era grande quanto una manciata di mandorle. La donna si voltò per entrare nel palazzo e la luce svanì. Adesso mi toccherà sorbirmi tutta la processione dei pinguini in calesse. Ricordò che a pranzo sua moglie aveva bofonchiato qualcosa riguardo una festa a Palazzo dei Turchi. Doveva essere quella sera stessa, evidentemente. Laccio fece un rapido calcolo mentale: quattro pinguini per ogni calesse, ora che siano arrivati tutti, tra il rumore e la folla... ciao lavoro.

Era venuto a selezionare dei legni piccoli per fare dei cristi tra i quindici e i trenta centimetri. La gente li acquistava come souvenir. A volte, quando la via Mormino era assediata dai turisti richiamati dai set cinematografici a cielo aperto,

Laccio andava a vendere i suoi cristincroce davanti al municipio, cosa che faceva imbestialire sua moglie perché non è possibile che il marito di una commissaria di polizia svolga attività illecite come vendere i suoi cristi di legno senza licenza di occupazione del suolo pubblico. Che donna noiosa, lei e le sue regole. Pensare che solo pochi anni prima, Laccio era affascinato da Maria, soggiogato, persino. Si era sentito ormeggiato in un porto sicuro, aveva pensato di mettere su famiglia, una famiglia vera dove la madre non sarebbe stata una suora e il padre sarebbe stato un uomo in carne e ossa, non chissà quale cristo. Poi i figli non erano venuti, loro due avevano smesso del tutto di cercarli insieme e si erano messi a cercare ognuno per conto proprio, ma chissà che cosa, poi.

Radunò una dozzina di piccoli ceppi di carrubo, mandorlo, ulivo. I suoi cristi parlavano il legno degli Iblei, e lui non mancava mai di farlo notare a chi entrava nella bottega o a chi si soffermava davanti al suo banchetto abusivo in piazza. Non avrebbe mai fatto un cristo che si potesse trovare dappertutto, non avrebbe mai usato un legno ubiquo come il rovere, o fighetto come il faggio. Voleva fare una prova con il melicucco. Non sapeva nemmeno come si chiamasse in italiano, forse era un albero che non esisteva fuori dalla Sicilia. Se funzionava, avrebbe prodotto una intera serie: i cristi del melicucco.

Indossò la coppola a quadri bianchi e azzurri, sfilò la cintura e pizzicò le bretelle rosse sui pantaloni bianchi e la camicia azzurra; quello era il suo look per vendere, faceva personaggio; prese una seggiola e si sedette a cavalcioni fuori dalla bottega a scovare il cristo nascosto dentro un ceppo di mandorlo. Dopo nemmeno due minuti, il primo di una lunga serie di pinguini gli chiese se poteva fotografarlo. Sembrava indiano ma aveva l'accento tedesco. Chiese se poteva entrare nella bottega, vedere le sue opere. Si soffermò a lungo in silenzio davanti al cristo di carrubo che gli era stato commissionato dallo strizzacervelli.

«Quant'è la sua richiesta per questo?»

Chiese proprio così: non "quanto costa". Come se l'arte avesse un prezzo soggettivo che lui comprendeva ed era disposto a pagare.

«Questo non ha prezzo. È già venduto. Se le piace il cristo dal carrubo, posso fargliene un altro, ma ci vorrà tempo perché il carrubo è il legno più insidioso, pieno di nodi, tende a spaccarsi, e quando succede bisogna ricominciare daccapo. Se vuole, può scegliere il ceppo. Lei mi lascia un anticipo, e io libero il cristo che c'è dentro.»

«Quanto tempo le ci vuole?»

«Dipende dal ceppo che sceglie. Per un cristo di sei metri ho impiegato quasi un anno, per un cristo di trenta centimetri ci vogliono sei giorni.»

«Ha un bigliettino?»

Quella è roba da postmoderni come lei, avrebbe voluto rispondere Laccio. Ma si trattenne. «No, ma le incido il mio numero su questo pezzo di corteccia.»

«Vedo che lei ha fantasia in materia di supporti per biglietti da visita. Sarà una bella gara tra noi» lo sfidò porgendogli il suo.

Era un acquerello in formato biglietto da visita.

Toh. Anche i pinguini possono nascondere al loro interno persone interessanti. Oma, che razza di nome. Avrebbe voluto chiedergli da dove veniva, ma quello in tre falcate era già sparito dentro il palazzo.

«Can I take a picture? How much is this?»

I pinguini interessanti sono destinati a restare un'eccezione, chiosò Laccio alzando lo sguardo verso l'uomo che aveva pronunciato la domanda, e ora attendeva impaziente la risposta. Fece finta di non avere capito, provandoci pure gusto. Parlava e capiva perfettamente l'inglese, ma aveva promesso alla madre superiora che gli aveva fatto prendere lezioni da un tenente del comando americano distaccato a Comiso, che quello sarebbe rimasto il loro segreto.

V

Venticinque giorni prima

Il 7 maggio

Mattina, pomeriggio

*La poltrona del questore,
il divano dello psicoterapeuta*

Maria

Maria uscì dal palazzo di giustizia dove si era beccata l'ennesima reprimenda del questore. Oggetto apparente: non aveva disposto un servizio d'ordine per la fastosissima festa tenutasi a Palazzo dei Turchi; e conciosiacosacché le pregiatissime persone degli illustrissimi ospiti della nobile magione vanto della ridente cittadina avrebbero corso mille pericoli, cosa da far sfigurare il rischio di attentati nelle metropoli da cui i venerabili invitati provenivano: non Parigi, non New York, né Roma, Londra, Istanbul, Hong Kong, New Dehli, nossignori, il mirino dell'integralismo ora era puntato su Scicli, e lei non aveva fatto appostare cecchini sui tetti. Quale imperdonabile episodio di negligenza! Se continuava così, sarebbe finita a dirigere il traffico durante le riprese cinematografiche.

L'oggetto reale della reprimenda concerneva le regole, nonché il rispetto delle medesime. Maria ammirava la fissazione maschile di fare tutto secondo il protocollo, salvo poi slabbrare i regolamenti in extremis per stiparci dentro un po' di azioni scomposte. Alla scuola di polizia erano tutti così, allievi e insegnanti: tutti uomini, e per di più tutti uguali. Una lobby che si clonava di generazione in generazione. Lei, le regole, aveva stabilito di usarle quando le servivano. Un po' a immagine e somiglianza dello Stato di cui ufficialmente era al servizio. Qualcuno le aveva detto: «O dentro, o fuori». Maria aveva scelto fuori.

Per questo aveva eletto un meccanico evasore fiscale come consulente-confidente-informatore. Per questo ricorreva ai miti greci per spiegare l'insondabile, cogliere indizi, rileggere una morte, ricostruire un delitto. Il mito è solo un modo creativo di raccontare la realtà.

Anche quando era convinta di avere imboccato la strada giusta, Maria era sempre disposta a ritrattare, a tornare sui suoi passi, ad ammettere di essersi sbagliata. Cosa che agli uomini, compreso il questore, veniva troppo difficile. Per questo hanno bisogno delle regole. Poveretti, gli serve un appiglio.

Fece per salire in macchina. Ci ripensò. Non poteva tornare subito in ufficio, con quel cielo terso contro cui si stagliava come un fondale cinematografico l'orologio del circolo degli operai. Da quando la serie tivù del commissario Montalbano aveva reso Scicli famosa nel mondo, i camion delle troupe e il traffico paralizzato le rendevano la vita impossibile, ma doveva convenire con le produzioni cinematografiche che sempre più spesso sceglievano di girare a Scicli: la bellezza mozzafiato della sua città d'adozione era una scelta vincente. Lasciò l'auto dov'era e andò a sedersi al tavolino di un caffè in piazza del Benefattore.

«Un orzo, per favore. Con dentro una scorzetta di arancia piegata in due.»

Si lasciò riassorbire dai suoi pensieri. Agire secondo le regole richiedeva una lentezza che non le apparteneva. La chiamava "la teoria del condono": perché tormentarsi per rispettare la prassi, quando poi uscirà in ogni caso un condono, una sanatoria, un qualunque provvedimento grazie a cui i confini delle regole verranno dilatati quanto basta per farci rientrare comodamente anche te e le tue azioni?

Biip. Un messaggio sul cellulare. L'appuntato Comisso aveva gli sms gratuiti e siccome non li consumava mai tutti, li mandava dal telefono personale invece di fare chiamate a carico dello stato dal numero dell'ufficio. Era la sua personale, surreale e in certo qual modo nobile battaglia contro i gestori di telefonia mobile.

Sviluppi infanticidio. Morto anche l'altro bambino. Mariamaria, ma son notizie che si danno così? Lasciò due euro per l'orzo sopra lo scontrino sul tavolo e si alzò di scatto. Mariamaria! Questa volta gli torco il collo, a quel deficiente. Prese la chiave della macchina dalla tasca della giacca d'ordinanza. Non avrebbe dovuto tenere oggetti in quella tasca, le divise non sono tagliate per tenere oggetti, i taschini rigonfi diventano subito goffi. Arrivò in tempo per vedere la sua Honda carta da zucchero che veniva rimorchiata via. Preferiva muoversi sulla sua auto privata, le sembrava più discreto, aveva la sensazione che la rendesse come invisibile, il che è strategico quando sei tu che devi osservare gli altri. Quella mattina, aveva ardito parcheggiare a ridosso della transenna che delimitava le riprese di Montalbano. E pur riconoscendo la sua Honda color carta da zucchero, e pur potendo intravedere con la coda dell'occhio la sua persona intenta a sorbire una bevanda presumibilmente calda al tavolino del caffè, le vigilesse di Scicli, note per l'integerrima inflessibilità, non l'avevano ritenuta passibile della cortesia di un ragguaglio, Commissaria, ci scusi, dobbiamo rimuovere tutte le auto, per caso quella è la sua? Avevano disposto il rimorchio. Diceva bene Flaiano: «la società, o compagnia degli altri, è un vizio che ci si può togliere, ma si resta soli. Non si torna in compagnia quando si vuole. O sempre, o mai». Lei aveva scelto *mai*; e nessuno, men che mai le altre donne, glielo perdonava.

La macchina poteva attendere; al deposito del carro attrezzi sarebbe stata al sicuro. Girò sui tacchi diretta al commissariato a piedi, mentre cercava di ricordare quali strade fossero chiuse anche ai pedoni, durante le riprese. La vigilessa in fondo alla strada si stava predisponendo a darle i ragguagli necessari onde tornare alla guida del suo veicolo, ma questa volta toccò a lei restare sola. Maria correva in senso opposto, in testa un milione di domande.

La prima auto di serie nella storia con sospensioni idro-
pneumatiche. Una delle prime a usare la tecnica della bicro-
mia. Una delle prime, forse la prima, a giocare sulla leggerezza della fibra di vetro per realizzare un tettuccio altamente
dinamico, capace di ridurre significativamente i consumi
grazie alla riduzione della massa da spostare. Non un'auto:
una dea, e come tale, destinata all'eterna giovinezza. Era sua.
L'aveva acquistata su internet, dopo averla cercata per anni.
L'eterna ventenne, nata nel 1957, uscita di produzione nel
1977, attendeva sottomessa i suoi comandi. La Citroën DS
che in francese si pronuncia *déesse*, la dea, gli apparteneva.
Peccato che non ci fosse nessuno con cui condividere il piacere del possesso. Doveva mostrarla a Ignazio. Nel 1975, anno d'immatricolazione della sua dea, Ignazio non era sicuramente ancora nato, ma di certo si sarebbe commosso. Salvo
infilò i guanti da guida, mise in moto, regolò le sospensioni al
massimo dell'altezza per evitare i sassi sulle trazzere, e partì.
La sua dea gli aveva appena fatto dono dell'oblio di ogni
dolore e di ogni domanda che concernesse passato o futuro.

«Mariamaria, dottore! La Citroën Squalo!»
«La conosci?»
«Mariamaria, lei scherza se la conosco. La prima macchina di serie al mondo con le sospensioni idrauliche!»
Ignazio carezzava la Déesse come un pastore dell'Arcadia
avrebbe potuto sfiorare la prodigiosa apparizione di una
Ninfa. «Che coraggio i francesi, dottore! Un'innovazione
tecnologica pazzesca, per quei tempi. Gli diede pure un sacco di grattacapi, la Citroën fu costretta a creare un team apposta per riparare le Squalo che si rompevano – quando dico che sono nato nell'era sbagliata ho le mie ragioni, io
dovevo nascere quando le macchine erano fatte di meccanica, dottore! Come lei aggiusta cuori e cervelli, io sono fatto
per aggiustare macchine. Al posto della Citroën, tanti altri

avrebbero ritirato le auto dal mercato e mandato il progetto in malora. Invece i francesi, ossi duri, a mollare non ci pensavano manco per niente. Dagli e dagli capirono dove stava il problema: l'olio vegetale usato per le guarnizioni si ossidava e corrodeva la carrozzeria. Alla fine lo sostituirono con un olio minerale inossidabile, e così una tecnologia che altri avrebbero abbandonato alla prima difficoltà finì per imporsi e diventò il marchio di fabbrica. Mariamaria, che prodigio!»

Salvo lo guardava compiaciuto. Prese nota di quell'invocazione, "Mariamaria". Curioso. Di recente aveva incontrato un'altra persona che usava la stessa interiezione, una commissaria di polizia che era venuta a chiedergli un consulto per un caso spinoso, un infanticidio. L'aveva annotato perché Maria era il suo nome, e raddoppiandolo era come se invocasse se stessa due volte, come se invece di appellarsi a una divinità, la signora vivesse blindata dentro una solitudine che da ogni lato le restituiva un'immagine esponenziale di se stessa. Ignazio si chinò a guardare gli interni e Salvo gli fece segno di sedersi al posto di guida.

«Negli anni Settanta la DS era famosa per gli ammortizzatori, era la dea del comfort. BMW, Mercedes, Jaguar, gliela potevano sucare. Questa non è una macchina, dottore, è un mito!» Si lasciò sprofondare beato nella morbidezza del sedile.

«Vuoi fare un giro?»

«E me lo chiede? È un regalo che mi fa! La prossima riparazione per lei è gratis, mi pagherà solo il materiale, il lavoro ce lo metto io!»

«Dai che proviamo il giochetto sulle tre ruote.»

«Mariamaria, lei è sprecato ad aggiustare cervelli, dottore! Il pilota, doveva fare. Ma davvero mi fa guidare?» domandò incredulo, vedendo che Salvo si sedeva accanto al posto di guida. «Troppo onore, troppo onore.»

La DS era la metafora del suo modo di fare psicoterapia. Bella e senza schemi. Sospensioni regolabili, la bellezza del retrotreno più stretto dell'avantreno, la capacità di far fronte all'emergenza anche su tre sole ruote: tutto quanto da usare a sua discrezione, secondo quel che gli serviva al momento. Utensili. Strumenti. Proprio come Freud, Jung, Lacan, la Gestalt. Ignazio ha ragione a darmi dell'aggiustacervelli. Ho un approccio meccanico alla psicoterapia. Uso qualunque cosa serva per creare consapevolezza e guarigione. L'unico ambito della sua vita in cui lo si sarebbe potuto definire poco ortodosso era quello professionale. Sorrise, e il sorriso si specchiò in quello di Ignazio. Due felicità ugualmente intense e diverse.

La DS si alzò sulle sospensioni. Ignazio aveva messo in moto. Questo è un momento freudiano, di affermazione di sé attraverso la potenza sessuale.

Ma poi, quando la vedi in azione, la Déesse è l'archetipo di Jung, libido che non è solo potenza: è bellezza, conversione, è energia che si trasforma. Quest'auto è un simbolo della capacità del genere umano di innovare e rinnovarsi.

Ignazio imboccò una trazzera costeggiata da muretti a secco e carrubi. E sassi, molti sassi. Quel che serviva per fare il gioco delle tre ruote. Come l'inconscio, anche la meccanica della DS ha un suo linguaggio: conoscerne la struttura non è necessario, ma la storia della sospensione idraulica ci insegna che, se la conosci, la puoi riparare, e se la ripari puoi far leva su un difetto, una mancanza, sino a trasformarli in punti di forza nello sviluppo della personalità. Ignazio regolò lo specchietto retrovisore sulla propria altezza; quel gesto fece ricordare a Salvo il primo modellino che gli aveva regalato sua madre. Era una Jeep Willys. Seduto in macchina sul sedile posteriore, in pantaloni corti verde salvia e polo a righe bianche e gialle, Salvo se la rigirava incredulo tra le mani, «Ma la Willis è il fuoristrada in dotazione ai soldati americani in Sicilia, come hai fatto, mamma, dove l'hai presa?». Mentre fantasticava su quel modellino si era sentito osservato, aveva alzato lo sguardo: la mamma aveva spostato lo specchietto retrovisore e lo stava spiando, compiaciuta.

"Identificandosi con la madre nello specchio, il figlio assume come proprio il desiderio della madre." Probabilmente, almeno in questo caso, aveva ragione Lacan: la sua passione infantile per fuoristrada e decappottabili era una proiezione dei sogni materni, della vita che avrebbe desiderato sua madre, belle macchine e *American way of life* invece delle dieci ore al giorno 9-19 nel salone delle dive, con un figlio da crescere sola.

«Vado, dottore?» La voce di Ignazio tremava per l'eccitazione. Le tre ruote. Era il momento di mantenere la promessa e lasciargli fare il gioco d'equilibrio. La DS era un'auto speciale: se si bucava, e non si aveva la ruota di scorta, l'auto da sola riaggiustava le sospensioni in modo da proseguire su tre ruote. Certo, potrei dire a Ignazio di accostare e smontare una ruota, ma sarebbe come barare, come fare gli acrobati ipocriti garantiti dall'immunità della rete. Invece è proprio nell'emergenza che la DS esprime la sua eleganza tutta francese, *sans-souci*. E questo è un po' quel che avviene nella terapia della Gestalt: si ovvia al trauma del linguaggio codificato attraverso la tempestività creativa dell'improvvisazione. Funziona alla grande con le donne intellettuali, come Amanda, e con le auto innovative, come la DS. Spezza le catene narrative dentro cui s'imprigionano da sole scambiandole per fortezze che le proteggeranno.

Ignazio centrò un sasso con la ruota posteriore destra. Il pneumatico si afflosciò con un sibilo. Le sospensioni dell'auto reagirono, creando progressivamente un nuovo equilibrio.

«Dottore, ma la psicoanalisi è di qualcuno? Voglio dire, c'è uno che l'ha inventata prima degli altri, o sono stati gli antichi greci come per tutto?»

«Sai una cosa, Ignazio? La psicanalisi è di chi gli serve.» E io la uso, anzi le uso, tutte, tutti, e anche l'oroscopo e le previsioni del tempo, se mi servono. Uso anche le battute dei film, come la risposta che ho appena dato a questo ragazzo. Uso tutto così come uso le auto: quando mi servono, nel modo in cui mi servono.

Molte auto, molte scuole di pensiero, altrettante di psicanalisi.

«Mariamaria, dottore! Sente le sospensioni? Siamo su tre ruote sulla nuda terra!»

«Accelera, Ignazio, accelera.»

La stabilità è non fermarsi mai. Un altro precetto che andava bene per le auto come per le sue pazienti. E per se stesso, naturalmente. Ecco una frase a effetto da dire al giornalista che l'aveva ammorbato alla festa di Amanda per farsi concedere un'intervista, e lui pur di toglierselo di torno gli aveva detto di sì. Il tipo, di cui non ricordava il nome, si sarebbe presentato di lì a poche ore insieme a un fotografo per immortalarlo nel grembo fetale della sua grotta analitica.

Maria e Salvo

Si sentiva così insulsa. Salvo le aveva prospettato qualche difficoltà al telefono e lei aveva issato la bandiera dell'urgenza. Solo pochi minuti, aveva elemosinato. Senza curarsi delle regole, che avrebbero preteso una richiesta di perizia debitamente compilata e inoltrata.

Era venuta per parlare d'altro. Almeno, ufficialmente.

Ma quello che avrebbe voluto davvero era quel che non faceva mai: parlare di sé. Fu Salvo a recidere il silenzio.

«È ancora impegnata con il caso dell'infanticidio?»

«Sì... no...»

Eccone un'altra. Devo scriverlo sulla targa qui fuori, che c'è una differenza tra psicanalista e psichiatra. Chissà che faglia le si è aperta, e solo per il semplice motivo che io sono qui. In città. Raggiungibile in pochi minuti.

Per qualche motivo che non avrebbe saputo dire, Maria gli faceva tenerezza. La guardò, trincerata sul divanetto, chiusa a quattro mandate dentro la sua solitudine da difesa. Le sorrise.

«Mi piacerebbe poterle dedicare più tempo, ma come le

ho detto al telefono, sta venendo un giornalista per un'intervista. Non voglio metterle fretta, ma se volesse venire al dunque, è il momento propizio. Come posso aiutarla?»

«Mariamaria... mi deve scusare, le faccio perdere tempo, penserà che sono un'altra di quei matti che vengono a curarsi da lei...»

Ecco la conferma di quanto è urgente la targa che spieghi la differenza tra chi cura il dolore del vivere e chi la follia intrinseca del non essere come gli altri, pensò Salvo.

«Volevo domandarle se è possibile che tutta la vita di una persona venga influenzata da un solo evento casuale. Intendo, proprio tutto: la professione, lo stile di vita, il matrimonio.»

«Generalizzare, nel mio lavoro, è difficile e rischioso.» Salvo guardò l'orologio. «Ma certo non è infrequente che un evento traumatico condizioni in modo definitivo le nostre scelte e i nostri stili di vita. Ha un esempio pratico? Ci aiuterebbe a trovare una risposta più calzante...» Il display del cellulare si illuminò. Salvo rispose. Dall'altro capo, qualcuno annunciava che tra dieci minuti sarebbe stato lì.

Maria ebbe un sussulto. Le sembrava una voce nota.

«...Ma purtroppo questa risposta non possiamo cercarla qui e ora» concluse Salvo. «Come le ho detto, sta arrivando la persona che mi deve intervistare.»

«Mariamaria, sto andando, scusi il disturbo...»

Maria si alzò e uscì come un giocattolo a molla prossimo a esaurire l'energia della carica. Non sapeva perché, ma quand'era con Salvo esclamava in continuazione «Mariamaria». Come per prendere tempo, per raccogliersi, per darsi coraggio.

Scendendo dai gradini di Chiafura, vide un'auto che parcheggiava in lontananza. Ebbe la sensazione di riconoscere la silhouette che ne usciva. Girò a destra e imboccò le scalette che portavano a San Matteo. Non era in grado di confrontarsi con una certezza. Non in quel momento.

Bastava che avessi avuto il coraggio di farla a me stessa,

quella domanda, e mi sarei pure risparmiata la strada per salire a Chiafura.

La domanda che non era riuscita a rivolgere a Salvo, e nemmeno a se stessa, era che senso ha tutto ciò, perché quell'uomo compare di nuovo nella mia vita, quale rovinosa predisposizione ho io, cosa diavolo ci facevo sulla Prenestina quella notte, a farmi condizionare il resto dell'esistenza, ad abbandonare il sogno di una tranquilla vita di studi, a restare succube, ricattabile e quindi ricattata per sempre? Sembrava il gioco del polpo, della murena e dell'aragosta. Nessuno dei tre muove il primo passo perché ognuno teme di venire annientato dagli altri due. La risposta alle domande che non aveva il coraggio di farsi era che uno stato fondato sulla ricattabilità dei suoi funzionari ha necessità di rendere a sua volta ricattabile ogni cittadino. Lo strumento più idoneo alla ricattabilità collettiva è costituito dalle regole. Un ingorgo di norme in cui nessuno possa più districarsi, un groviglio che renda arduo al singolo individuo conservare una visione generale.

In questo, solo apparentemente sono sola. La mia è una condizione sociale, prima che esistenziale. Siamo tutti polpi, aragoste e murene immersi in un gigantesco acquario. Ci spiamo immobili, illudendoci di poter schivare il massacro che verrà.

VI

Venti giorni prima

Il 12 maggio

Marzamemi, Taormina, Scicli:
un triangolo che fa quadrato a New York

L'intervista

«Rachid, sono arrivati i giornali?»

«Sì, signore.»

«E perché non me li hai portati?»

C'è un motivo per cui nascono servitori. Non sanno discernere, non colgono le differenze, hanno continuamente bisogno di comandi. Non intessono i pur minimi nessi del pensiero sillogistico che ha permesso all'umanità di progredire *step by step*: sono arrivati i giornali, il signore legge i giornali tutte le mattine, dunque glieli porto. E invece no: attendono ordini, istruzioni, regolamenti; preferiscono obbedire e sottostare piuttosto che assumersi una pur minuscola responsabilità attraverso l'attuazione di un pensiero proprio. Le sinistre non l'hanno mai capito. Accecate dall'utopia dell'uguaglianza, non hanno mai davvero rispettato le differenze. La sinistra ha prodotto bambini di tre anni schiacciati dalla responsabilità di scegliere tra un gelato e un panino per merenda, perché gli educatori di sinistra non vogliono vedere l'evidenza che un bambino di tre anni non può ancora scegliere: ha bisogno che gli si dica cosa fare. Le sinistre non vedono che molti esseri umani restano bambini di tre anni per tutta la vita.

«Portami i giornali, Rachid.»

«Sì, signore.»
Rachid posò i giornali sul tavolino accanto alla poltrona.
«Sei felice, Rachid?»
«Non so, signore.»
«Sai cosa vuol dire "felice"?»
«No, signore.»
«Vuol dire che sei contento di quello che hai, quello che fai, quello che sei.»
Rachid mosse velocemente gli occhi, come per incamerare il nuovo concetto e confrontarlo alla sua personale condizione.
«Sono felice, signore.»
«Sono felice che tu sia felice, Rachid. Vai pure.»
Le felicità, per esempio, non sono tutte uguali. Fortunato chi è felice con poco, diceva suo nonno, mentre pagava le tasse.
Il titolo dell'intervista era strillato in copertina. *Un bue, un asinello, un terapeuta: in vacanza nella grotta analitica.* Bene. Voleva proprio vedere se aveva innescato la bomba.

Salvo Diodato, una laurea in psicologia a Oxford, un master in terapia della famiglia alla Columbia University, una carriera folgorante che lo ha portato a diventare lo psicanalista delle star e dei politici, ha abbandonato gli Stati Uniti dove ha conseguito lustro e fama per trasferire le sue competenze analitiche a Scicli, gioiello barocco della Sicilia sudorientale.

Diodato, noto per la disinvoltura nell'approccio terapeutico – abbraccia scuole psicanalitiche diverse con la facilità con cui un latin lover *consumato prende e lascia le donne – si ripropone di aiutare la cittadina siciliana, che vive oggi una fase di rilancio turistico. Già mecca degli appassionati di arte barocca – il più celebre monumento cittadino, Palazzo dei Turchi, è stato di recente acquistato e sapientemente restaurato da una pubblicitaria newyorkese –, già luogo di culto per il cinema contemporaneo – registi del calibro di Coppola, Tornatore, Paolo Sorrentino, Kubrick e Tarantino, ispirati dalla serie tivù del* commissario Montalbano, l'hanno scelta come set cinematografico negli ultimi anni causandole il soprannome di Scinecittà – Scicli sembra ora destinata a una nuova epoca grazie al turismo terapeutico. Trascorso il decennio delle beauty farm, stiamo per entrare nell'era delle psycho farm. L'ex quartiere popolare di Chiafura, dove fino agli anni Sessanta del Ventesimo secolo la parte più povera della popolazione viveva ammassata in grotte prive di servizi igienici, oggi è protetto dalle Belle Arti come parco archeologico. Qui, Diodato ha recuperato una grotta facendone una particolarissima location per le sue psicoterapie.

Diodato, perché una grotta? Un riferimento al bue e all'asinello, alla natività?

Ogni volta che un essere umano racconta e si racconta in modo nuovo i momenti salienti della propria vita, osservandoli in una prospettiva inedita, questa si può definire una natività.

La grotta è uterina?

Sicuramente alimenta il senso di contenimento.

Tramonta l'era della vacanza in beauty farm, *arriva la* psycho farm?

Diciamo che Scicli, città d'arte che si prolunga sul mare, oggi patrimonio dell'umanità, favorisce la *full immersion* tra arte e natura. Grazie allo straniamento dalla quotidianità, la grotta analitica con la sua capacità contenitiva gioca un ruolo decisivo nel successo della terapia breve.

Il tempo minimo di cui occorre disporre?

Una settimana. L'ideale è due. Ma per una terapia mirata, per esempio in appoggio a un *coaching* professionale, si rivela efficiente anche un weekend.

Che effetto ha fatto a lei la grotta analitica? Sua madre era sciclitana, è tornato qui per rinsaldare un legame?

Gli antichi Romani dicevano «mater semper certa, pater numquam». Il nuovo indirizzo da dare alla terapia analitica è la ricerca della figura del padre.

Anche suo padre era siciliano?
Mia madre era una ragazza madre, come andava di moda dire negli anni Sessanta. Non ha mai voluto rivelarmi chi fosse mio padre.
È tornato qui per cercarlo?
I terapeuti non sono molto diversi dai propri pazienti: per anni, ho preferito non sapere. Ma se tu non la cerchi, prima o poi, è la verità a cercare te.
La verità è venuta a farle visita?
È sempre benvenuta.
Come ci si iscrive alle sue psycho-week *in grotta?*
Si compila il modulo sul mio sito, www.thecavetherapy. com.

Un consiglio per i lettori: Scicli è meta turistica d'eccellenza, per via dell'arte barocca, dell'affaccio sul mare, del suo status di mecca del cinema che le ha procurato il soprannome di Scinecittà, e ora anche per via delle psicoterapie brevi in grotta analitica. Prenotate per tempo il soggiorno, o rischierete di dover dormire in spiaggia.

Ripose il giornale sul tavolino da caffè.
«Rachid?»
«Sì, signore?»
«Portami un caffè.»
Non poteva pretendere che Rachid facesse due più due: arrivano i giornali, glieli porto, il signore legge i giornali, intanto gli preparo il caffè così non dovrà chiedermelo. Ogni santa mattina, quel caffè, gli toccava ordinarlo daccapo.
L'intervista non era affatto male: i contenuti erano stati banalizzati *ad hoc* per le masse che leggevano il magazine del «New York Times», e il caporedattore inconsapevole aveva lasciato il campanello d'allarme esattamente lì dove era stato sapientemente posizionato nel testo: *è la verità a cercare te.* Chi non voleva che Diodato andasse incontro a un'overdose di verità era avvisato, e dunque salvo.

«Ti piace il mio coso? Guarda come è bello e lucido, liscio, duro. Puoi prenderlo, se vuoi. Ti lascio giocare.»
Avrebbe voluto essere Amanda, oppure Elena, l'amica di Amanda che abitava a Hong Kong. Elena era una campionessa di autocontrollo: avrebbe risposto «Troppo buono» senza nemmeno degnarlo di un'occhiata, continuando a chattare su WhatsApp o a evadere mail di lavoro. Amanda avrebbe infilato gli occhiali da presbite, avrebbe guardato con interesse professionale avvicinando il viso, avrebbe sfilato gli occhiali scrollando il capo. «Mi spiace, è troppo piccolo. Sai che a noi americani piacciono le cose in grande.»
E Oma? Cosa avrebbe fatto Oma, Oma il grande che dà la vita, ma solo quando disegna e dipinge, e altrove la toglie, la risucchia via; cosa avrebbe fatto Oma se si fosse trovato a letto con due donne guerriere come Elena e Amanda?
La risposta era lì, la risposta era lei. Oma sceglieva vittime predestinate, donne come lei che portavano in fronte la didascalia FAMMI TUA, FACCIO COLLEZIONE DI STRONZI. Arlette, la sua madre adottiva, squartando gli agnelli per Pasqua, ripeteva sempre: «Chi pecora si fa, il lupo lo mangia». Xenia si era fatta pecora, e i lupi la scovavano col radar.
Fedele alla sua premonizione, Oma l'aveva conquistata, occupata, e ora, dopo essersi spogliato, nudo sul letto accanto a lei, contemplava se stesso, concentrato sul proprio piacere, sul proprio corpo, sul proprio pene. Il narcisismo degli artisti, certo. Ma ci sarebbe davvero voluta la verve delle sue amiche per dargli una lezione. Amanda le aveva raccontato che una volta, in una situazione simile, aveva risposto al tipo: «Ragazzo, ascolta: se fra noi due c'è un primo premio, quello sono io». *Lovely* Amanda! Vendicatrice di tutte le donne pavide e sottomesse come me.
Ora, a Xenia non restava molta scelta, tra un sesso orale di cortesia e un finale scortese all'incontro. Sapeva benissimo cosa avrebbe dovuto fare: alzarsi, rivestirsi, andarsene; e co-

sa avrebbe dovuto dire: sarai anche un grande artista ma non hai capito un accidente delle donne, non hai idea di cosa sia la seduzione, sei soltanto pieno di te... e delle tue secrezioni spermatiche, che per quanto mi riguarda possono restare là dove ora si trovano.

Sorrise. Questa ad Amanda sarebbe piaciuta, gliela doveva raccontare: anche se non era ancora in grado di pronunciare la battuta ad alta voce, era già un progresso l'averla pensata. Squillò il suo cellulare. Che cosa incredibile: aveva dimenticato che era mercoledì. Era lui, per ricordarglielo. Corrada, la sua vicina di casa, le aveva insegnato un proverbio siciliano: tra due cattivi, è meglio quello che conosco già. Scelse il male noto.

«Ti aspetto tra mezz'ora a Ibla al bar davanti all'università» disse la voce all'altro capo.

«Sto venendo» rispose lei. Poi guardò Oma come una bambina che un poliziotto inflessibile ha colto con le mani nel sacco dei dolci, e sospirò. Abbozzò un sorriso cortese, si alzò e si rivestì.

«È stato bello conoscerti» disse, uscendo. Lo pensava davvero, anche se per motivi diversi da quelli che immaginava Oma. Il quale, rimasto solo, si mise a sedere sul letto davanti alla grande specchiera, e si dedicò indisturbato al suo coso. Non aveva capito dove dovesse andare così di furia Xenia. Peccato. Era una ragazza caruccia e aveva appena perso la sua grande occasione. Si fece un selfie nudo davanti allo specchio. Grande davvero.

Real Estate

Dove prima erano i soldi, ora c'era la roba. Il denaro non era restato a lungo tra le mani della figlia dell'ostetrica che aveva fatto nascere Salvo Diodato. Le stesse dita, in quel momento, stringevano un laccio, una siringa, e una bustina piena di cura dalla fatica del vivere.

Sua madre le aveva chiesto di portarla via dalla casa di riposo per un giorno, voleva rivedere il suo appartamento. Come no, siamo matti? La vecchia non doveva assolutamente accorgersi che il baule non c'era più, né tanto meno venire a sapere che lei l'aveva venduto. Occhio non vede, cuore non duole. Anzi, potrebbe diventare l'inizio di una nuova era. Che resti nella casa di cura finché schiatta. Sai che faccio? Ora che ho trovato l'acquirente, mi vendo tutti i suoi mobili, uno per volta. Senza nemmeno perdere tempo a vuotare i cassetti. Anzi, potrei vendere anche la casa. Tanto non le serve. Posò la siringa con il laccio e la busta di eroina sul tavolo del cucinino. Una madre ricca e un figlio famoso, e guarda un po' come sono ridotta. Nessuno ci pensa mai, a me. Sono costretta a vivere di nascosto nell'appartamento di mia madre perché dopo che ho venduto il mio cinque anni fa ora non mi resta di che pagare un affitto. Si sedette e le cadde lo sguardo su un bigliettino che aveva posato lì qualche ora prima. Glielo aveva dato una tipa che era venuta a bussare alla porta quella mattina. Bella signora, distinta, le era piaciuto il suo accento spagnolo che metteva allegria. Era un'agente immobiliare; stava cercando appartamenti a Taormina per la sua clientela.

Guardò il biglietto da visita con su scritto «Real Estate». Potrei falsificare la firma della vecchia sull'atto di vendita, basta trovare un notaio che si fa gli affari suoi. E l'estate finalmente sarà reale anche per me. Una vera estate, per sempre.

Strinse il laccio intorno al braccio, tastò la vena e si iniettò l'eroina che da molti anni regalava alla sua vita la dolcezza e la facilità della stagione che amava sopra ogni altra: l'estate.

Maria

Il questore era stato vago. Il che significava che doveva un favore a qualcuno. Il pedinamento a Salvo Diodato faceva parte di un piccolo scambio.

Altro che servizio d'ordine e cecchini appostati sui tetti. L'origine delle ansie del questore non era la protezione del jet set internazionale che stava restaurando Scicli a costo zero per la municipalità. Le attenzioni del questore erano calamitate dallo psicoterapeuta che stava trasformando la perla degli Iblei nella mecca dei nevrotici di lusso. Confluiva gente da tutto il mondo: la presenza di Salvo attraeva personaggi eminenti che venivano a Scicli per sottoporsi a settimane intensive di analisi in grotta per poi tornare a governare il mondo dalle loro postazioni di potere. Era necessario indagare le frequentazioni di Salvo Diodato.

«Lo faccia seguire, commissaria Gelata.»

«Mi ci vuole un mandato.»

«Non sia eccessivamente schematica. Usi la discrezione.»

La discrezione.

Si era appena lasciata alle spalle il grande portone della questura. Prese il cellulare per riattivare la suoneria e per controllare se c'erano messaggi di quella disdetta di Comisso, e il display si illuminò.

Ignazio la stava chiamando.

Ignazio.

Usi la discrezione.

È un'idea.

«Ignazio, capiti a fagiolo. Ti devo chiedere un favore.»

«Commissaria, a disposizione. Anch'io volevo chiederle qualcosa.»

«Bene. Hai già mangiato?»

«No, commissaria.» Ignazio appallottolò la carta dei tre arancini che aveva appena tranguiato. Se mi propone di pranzare insieme, non esiste che io dica di no. Pranzo due volte. Anzi, meglio che sono già sazio: la guardo negli occhi e mi sazio di lei.

Che bella frase, gongolò. C'è un poeta in me, e lei sa scoprirlo.

«Bene. Allora compro due arancini e vengo da te in officina.»

Maria chiuse la telefonata. Provava un doppio sollievo. Aveva azzerato il rischio di dover condividere un pasto con suo marito, e stava per procurarsi un alleato. Aveva visto il Defender dello psicologo nell'officina di Ignazio. Se Salvo era un suo cliente, Maria avrebbe potuto sfruttare il suo ascendente sul giovane meccanico per chiedergli di essere un po' più presente nella vita dello psicoterapeuta che angustiava il questore. Per esempio, avendo cura che le riparazioni non fossero mai troppo definitive.

Mariamaria, così mi tolgo dai piedi il questore che non lo sopporto più, col suo maschilismo strisciante. Quello troverebbe qualunque pretesto per sbarazzarsi di me. Ma dovrebbe essere troppo bravo per trovare l'unico appiglio burocraticamente valido. Invece è una fetecchia, catapultato lì da qualcuno a cui serviva sapere di potergli chiedere favori più in là.

Il questore guardò dalla finestra la Gelata che si allontanava verso piazza Italia. Si voltò.

Sulla sedia del suo ufficio si era materializzato H.

Inutile chiedergli come aveva fatto a non farsi annunciare dal suo segretario.

«Hai proceduto?»

«Sì. Ma la Gelata è una a cui non si può chiedere niente.» H sorrise sarcastico.

«Non credo. Qualche debituccio di riconoscenza hanno provveduto a regalarglielo, a suo tempo.»

Salvo e Laccio

Cu picca parla, picca sbaglia. Chi parla poco, sbaglia poco. Laccio era finalmente riuscito ad arrivare fin lì, dopo che anche il secondo tentativo era naufragato nel fallimento: qualche giorno prima era arrivato fin sulla via maestra sotto Chiafura, aveva parcheggiato, e un istante dopo si erano fermate dal lato opposto due macchine, in sincrono. Una era il Defender dello psicologo, ma lo guidava Ignazio, il meccanico che aveva un debole per sua moglie. L'altra era una di quelle macchine che collezionava Salvo, ed era sceso il parruccone, il collezionista d'arte di Cape Cod. Gli era passata la voglia di scendere ed era restato in macchina. I due si erano scambiati un segno, si conoscevano? Il capellone aveva aiutato Ignazio a scaricare un grande baule giù dal Defender. Sembrava un vecchio baule da corredo di quelli che si usavano una volta in Sicilia. Ce n'era uno così nello studio della madre superiora, in convento a Comiso. Li aveva guardati salire le scalette, sicuramente andavano da Salvo. Aveva rimesso in moto e si era allontanato.

E ora che finalmente era arrivato lì, aveva suonato il campanello, Salvo lo aveva fatto accomodare in salotto e lo guardava in silenzio, ora, stramannaggia, gli mancava la parola. Non sapeva da dove cominciare. Aveva paura di sbagliare. Stava seduto composto sulla poltrona, come nel salotto della madre superiora, attento a non sporcare le frange del tappeto con le scarpe. Era arrivato fin lì perché pensava che sarebbe servito ad andare avanti, e ora invece si sentiva scivolare indietro negli anni, farsi piccolo piccolo.

Il proverbio gli era venuto in soccorso, un lampo di luce sul buio cupo dell'imbarazzo in cui annaspava. *Cu picca parla, picca sbaglia.* Io non parlo. Che parli lui, è lui lo strizzacervelli, gli verrà bene in mente di chiedermi che cosa sono venuto a fare qui. Saprà lui come farmi dire quello che non voglio dire. E quando sarò costretto, per educazione, risponderò.

La madre superiora aveva fatto un buon lavoro. «Parla solo se interrogato.» Laccio era un ragazzo bene educato.

Salvo era insofferente. Da quando si era stabilito a Scicli, il copione si ripeteva, senza che lui riuscisse a impedirlo: ogni tanto qualcuno, con una scusa o con l'altra, saliva a Chiafura e si intrufolava nella grotta analitica. Lui per cortesia non rifiutava le visite, dedicava a tutti qualche minuto del suo tempo, offriva un cioccolatino e dopo un lasso ragionevolmente cortese metteva ognuno garbatamente alla porta. Ora però Laccio sfidava la sua pazienza. Era un artista, e va bene. Un artista frustrato di provincia, il cui recente successo commerciale negli Stati Uniti si spiegava a ben vedere con il provincialismo globale. Tutto il mondo è provincia. I cristi-dal-legno di Laccio però gli piacevano davvero: trovava concettualmente affascinante che un povero cristo si mettesse a cercare e stanare tutti gli altri cristi nascosti nei legni. Un po' della sua fortuna recente, Laccio la doveva a lui. Era Salvo che aveva portato il «New York Times» nella sua bottega. Era Salvo che se l'era portato a cena a Taormina con il collezionista di Cape Cod che smaniava per conoscerlo. Un artista ignoto da portare alla ribalta fa sempre gola nel mondo dell'arte.

Quella era stata una serata assurda e pesante: sentiva ancora la fatica della conversazione rarefatta, il disagio crescente, la strafottenza del collezionista con quel suo vezzo di andare in giro con la parrucca bionda come una rockstar invecchiata che temendo lo smacco di non venire riconosciuta dai fans nasconde il volto sotto un mascherone di capelli. E poi, quel gusto matto che si prendeva nel mettere Laccio a disagio: lo toccava in continuazione, gli apriva un bottone della camicia, gli sfiorava il collo con le dita... Laccio se n'era stato tutta la sera seduto sulla punta della sedia, come uno che sta per andare; era evidente che si sentiva come un pesce fuor d'acqua, spaesato, non sapeva come reagire alle *avances*. Il collezionista, protetto dallo schermo della frangia biondo paglia, era così perfettamente a suo agio che si permetteva di dare il tormento al povero Laccio, e contestualmente di mettere a disagio anche Salvo.

La cameriera aveva chiesto se erano fratelli e Salvo aveva prontamente risposto per tutti e tre: «Assolutamente no». L'aveva detto come se si vergognasse di loro, come se non apprezzasse il potenziale artistico di uno e l'interesse per l'arte dell'altro. Voleva solo uscire prima possibile da quel gioco. Forse aveva ragione Gwenda quando lo aveva ammonito di non tornare in Sicilia. Forse tornare – ma il verbo stesso, *tornare*, era fuori luogo per chi come lui non ci era mai andato prima – tornare a Scicli era stata una pessima idea. Era un ritorno a origini che disconosceva: era come scoprire un altro sé, poco somigliante all'idea di se stesso.

E ora, cosa voleva Laccio da lui? Cosa era salito a fare su per i vicoli ritorti di Chiafura? Ne ho già abbastanza delle mie pazienti, che sono in grado di esibirsi in silenzi di quaranta minuti per poi rovesciarmi addosso un magma analitico il cui scopo non dichiarato è prolungare la durata della seduta, perché mica posso interrompere la colata lavica *in fieri*, mi tocca aspettare che finisca. Ma sono pazienti. Mi pagano. Questo qui è salito a darmi il tormento gratis. Prima sua moglie, adesso lui. Estranei entrambi, a me e a se stessi. Guardò l'orologio.

«C'è qualcosa che voleva dirmi?» domandò Salvo, sottintendendo che il tempo a sua disposizione stava per scadere.

«No.» Laccio si alzò. «Pensavo che ci dessimo del tu.» Salvo avrebbe dato volentieri del lei anche alla sua stessa immagine riflessa nello specchio, figurarsi a un artista da cui si sentiva importunato. Non avallò il tu. Laccio era fermo in piedi sulle frange del tappeto. Avrebbe voluto raccontare a Salvo che la madre superiora, un giorno, gli aveva detto che se mai nella vita avesse incontrato qualcuno con una catena uguale alla sua, avrebbe dovuto amarlo come... si era interrotta. Come te stesso, si era ripresa, ed era arrossita.

Laccio era venuto a dirgli che si sentiva di amarlo come se stesso, ma non c'erano cristi, non ce la faceva. Avvampava al solo pensiero. Si era preparato l'argomento B. «Il tuo amico mi ha chiesto di realizzargli un cristo dal cedro rosso nel giardino della sua villa a Cape Cod. Ho deciso di accettare anche se è un legno che non conosco, ma non trovo più il suo bigliettino. Mi puoi dare il suo numero?»

Salvo lo copiò su un foglietto di carta e glielo porse. Laccio era in trappola, non gli restava che congedarsi. Guardò Salvo negli occhi prendendo il biglietto, puntò lo sguardo sulle scarpe e non lo alzò più.

«Ero venuto a parlarti della tua catena con la medaglia. Io ne ho una uguale, anzi l'avevo. Sono svenuto nella mia bottega e quando mi sono riavuto non ce l'avevo più. Volevo sapere dove l'hai comprata così me ne prendo una uguale.»

Salvo si tolse la catena con la medaglia e la porse a Laccio. «È sua. Ora vada, io sono occupato.»

Ignazio

Alla fine, non aveva avuto il coraggio di chiederglielo. Ignazio guardò la Honda della commissaria che si allontanava lungo il viottolo sterrato che portava alla sua officina con salotto.

E mi sono pure mangiato cinque arancini per pranzo, solo perché sono così cotto che non so dirle di no. Dove ho messo la Citrosodina? Sono sicuro che c'era. La usava per preparare il suo cocktail speciale per la sua clientela top. Ne aveva anche offerto uno a Salvo Diodato, il giorno che lo aveva portato a fare un giro sulla Déesse, ma gli era sembrato che lo psicanalista non lo avesse veramente apprezzato, ne aveva preso un sorso e lo aveva appoggiato sul baule che fungeva da coffee table, senza finirlo.

Cos'erano tutte quelle domande che era venuta a fargli su Salvo? E dove va, e qual è l'auto che usa più spesso, e quanti chilometri fa in media a settimana? E raccontami un po' delle sue auto da collezione, da dove vengono, che storia hanno, e quanto valgono. Ma a lei che gliene fregava? La commissaria si era presa una cotta per Salvo? Voleva avere argomenti di conversazione per avvicinarlo?

Certo, frequentare Salvo significava entrare in contatto col jet set. Chi voleva vendergli gli elettrodomestici, chi voleva vendergli vini d'annata, chi voleva ripargli le costose auto da collezione... tutti quanti vogliamo cavare dei soldi da lui. Qualcosa doveva volere anche il marito della commissaria. Ignazio lo aveva visto quand'era andato a consegnare il baule che Salvo gli aveva fatto caricare a Taormina. Si è nascosto chinandosi fin quasi a entrare con la faccia nel cruscotto, chiaro che non voleva farsi vedere nei paraggi.

Curioso. La moglie viene a ingozzarmi di arancini per cavarmi tutto quello che so su Salvo Diodato, il marito lo spia e fa l'indifferente.

Finalmente da un armadietto venne fuori la Citrosodina. Ignazio stava per buttarne giù una manciata, ma ci ripensò. Mi preparo il cocktail e vedo se le dosi vanno modificate, magari lo psicologo aveva i suoi motivi per non finirlo. Armeggiò in frigo e mescolò il contenuto di sette diverse bottiglie. Bevve, ed ebbe appena il tempo di precipitarsi nel bagno dell'officina.

Troppi arancini, pensò, ripulendosi con l'avambraccio.

Nonno diceva che si vomita quando ci si innamora davvero. Non che mi servisse una prova, ma adesso ce l'ho.

VII

Sei giorni prima

Il 26 maggio

Aspettative e strategie

Il taccuino

A. ha sei anni quando nasce il fratello minore. Da quel momento il suo posto in auto non è più accanto alla mamma, ma sul sedile dietro quello di guida. Lo odia. Vuole eliminarlo. Da adulto, ha un impulso di distruzione per tutti i maschi più giovani di lui di sei anni. Tende ad accoppiarsi con uomini di quell'età e sogna o fantastica a occhi aperti di ucciderli, ogni volta progettando un diverso, macchinoso incidente d'auto.

Per gioco, aveva preso a disseminare di casi-studio immaginari le pagine rimaste bianche del vecchio taccuino che aveva ritrovato. Per gioco, e anche per prudenza: se fosse caduto in mani diverse dalle sue, quel taccuino avrebbe dato un po' di filo da torcere a chi avesse voluto separare il vero dal falso. La privacy delle sue pazienti era salva, e così pure la sua. Aggiungi il divertimento completamente gratuito di una verità resa inestricabile, e ottieni un passatempo irresistibile.

In una famiglia caratterizzata da forte tendenza omeostatica, B. cova invidia e rancore per la sorella maggiore che è sfuggita alle regole. Con l'alibi dello studio prima e della ricerca poi, la sorella di B. lascia il paese per una cittadina di provincia, la cittadina di provincia per la capitale, la capitale per la capita-

151

le di un'altra nazione. B. si sente sola, abbandonata, vuota. Non riesce a portare a termine gli studi e proietta sulla sorella i sensi di fallimento. Odia, ma vuole essere amata. Comincia una vera e propria azione di stalking verso la sorella, che per B. è colpevole di non capire né la sua richiesta di amore né il suo sacrificio di restare accanto ai genitori ormai anziani, usati da B. come alibi per non mettersi autonomamente alla prova nella vita. La sorella esasperata si suicida impiccandosi nella libreria di casa, lasciando trovare sul tavolo del suo studio un verso di Marziale: «Ut ameris, ama». "Se vuoi farti amare, ama per prima." È allora che B. formula la sua domanda di analisi.

C. ha un fratello gemello di cui ignora l'esistenza, perché i due sono stati separati alla nascita. C. cresce in un orfanotrofio, mentre al fratello tocca la sorte di crescere in una famiglia ricca e potente. C. sviluppa le classiche patologie degli orfani: senso di inadeguatezza, di inferiorità, senso di colpa latente funzionale all'illusione di avere scelto il proprio destino, anziché di averlo subito. In soldoni, pensa che se la madre naturale lo ha abbandonato, la responsabilità spetta a lui, per il fatto di non essere abbastanza bello, buono, amabile. Non è mia madre che non mi ha amato, sono io che ho respinto il suo amore. Sono io che l'ho costretta a lasciarmi. Sono io che decido; e che il destino impari a tenere gli occhi bassi, quando parla con me.

Dal canto suo D., fratello di C., ha conservato la consapevolezza dello sradicamento dal gemello. Con la pubertà, ha abbracciato il travestitismo e si è allontanato dalla famiglia adottiva. Si traveste perché non si è mai sentito accettato per quello che è; si traveste per protesta, per rivestire nel mondo il posto di quell'altra sua metà da cui è stato strappato. D. matura la decisione di incontrare C. Il proposito evolve in una domanda di analisi da parte di entrambi.

L. conduce una tranquilla vita di routine matrimoniale. Il suo universo viene sconvolto dall'arrivo di S. che lo porta a scoprire lati sinora ignorati di sé. A scoprire, ma non ad accet-

*tare. L. proietta su S. la nuova consapevolezza di sé esibendosi
in un paralogismo azzardato: per causa tua ho scoperto la mia
omosessualità, quindi ora devi procedere alla mia iniziazione.
S. tenta invano di mostrare se stesso in opposizione all'immagine proiettata da L., che però non può o non vuole vedere la
realtà e ama in S. l'altro se stesso che vede, o meglio vaneggia.*

Provava un divertimento perverso nell'affabulare casi studio reali e immaginari. Chiuse il taccuino e si preparò a ricevere la paziente che stava per arrivare: una docente di tecniche dell'insegnamento linguistico che stava faticosamente
realizzando di non avere ancora imparato a vivere emozio-
nalmente. Eccitante, dal punto di vista analitico, come un
pulcino che si accinge a rompere il guscio per uscire allo
scoperto nel mondo.

Salvo e Xenia

«Ti porto i saluti di Amanda.»
«Non credo che lei mi mandi i saluti.»
«In effetti non te li manda. Ma è americana, le viene diffi-
cile ammettere gli errori.»
«E a te?»
«Grazie per la domanda. Ma oggi non ho voglia di ricor-
dare i miei errori, voglio raccontarti una cosa che ho pensato, detto, e poi fatto.»
Silenzio. Il silenzio di Salvo voleva dire via libera, dai, racconta. Spara.
Sparò tutte le munizioni che aveva. Mitragliate di parole.
Si ritrovò esausta, e finalmente libera. Ce l'aveva fatta. Era
caduta nella rete ancora una volta ma poi era riuscita a spez-
zarla, non avrebbe saputo dire come, ma era accaduto.
Era stato in una stanza di hotel a Malta, affacciata sul mare alla Valletta. La scusa ufficiale per partire insieme l'aveva
fornita il simposio sulle nuove tecnologie applicate all'inse-

gnamento dell'inglese britannico. Si erano trovati sull'aliscafo a Pozzallo, come casualmente. Casualmente erano nello stesso hotel, casualmente in due stanze sullo stesso piano, vicine, comunicanti. Non era un caso che fossero finiti di nuovo nello stesso letto. E come sempre, come tutte le altre volte, lui le aveva giurato amore eterno, aveva pianto la propria infelicità coniugale, le aveva proposto di essere la sua donna. Ma certo, come no. La donna dei martedì e dei mercoledì. Xenia lo amava, perché lei amava sempre tutti, aveva amato ogni volta, perché quando nasci pensando di dover espiare qualcosa, per il semplice fatto che chi ti ha concepita non ti ha amata abbastanza da tenerti con sé, poi resti disposta per tutta la vita ad amare chiunque ti prenda anche solo per cinque minuti, come un cane di strada che sogna un padrone, ma è contento anche se gli dai soltanto una carezza distratta e un avanzo della cena di ieri.

Questo davano a lei gli uomini. Avanzi. All'inizio li mascheravano da antipasti promettenti, piatti unici deliziosi, irripetibili, ma presto si rivelavano per quello che erano: avanzi. Scampoli. Ritagli. Niente. Tanto lei era contenta anche così, e allora perché darle di più? Ruggero, il preside della facoltà di lingue, non era stato da meno. Intuito che Xenia non apparteneva alla categoria delle donne che presentano il conto, aveva allungato a dismisura la lista dei desiderata. «Vivremo insieme tutti i martedì e i mercoledì, quando vengo a Ragusa per i seminari» le aveva detto. E io cosa dovrò fare, si era chiesta Xenia, dovrò amare i martedì e odiare i giovedì? Quella proposta, che solo pochi mesi prima le sarebbe sembrata uno scampolo meraviglioso, ora la feriva. Anzi, la offendeva: ma come, non merito di più? La irritava: tieniti i tuoi avanzi. La disgustava: e a tua moglie chissà cosa racconti, "Cara, ti lascio con estrema riluttanza...". Le era venuta in mente la vignetta di Snoopy in cui un tale compra un cane e lo chiama Estrema Riluttanza, così la moglie non può più lamentarsi quando lui la lascia sola. Aveva riso, più forte di quanto la battuta meritasse. Aveva riso di lui. E chissà come, aveva risposto: il martedì ho la seduta a Scicli dallo psicoterapeuta, il mercoledì ho il pilates a Noto, mi spiace, non posso. «Non posso accettare la tua proposta, ma forse sei ancora in tempo a riprenderti tua moglie prima che anche lei ti lasci solo, perché probabilmente, povera donna, lei odia i martedì e ama i giovedì, a meno che non sia della tua stessa pasta, a meno che non vi siate sposati per convenienza, per l'occhio sociale, come lo chiamate qui. Io non so che farmene dei tuoi miseri avanzi.» Ricordò una canzone che cantava spesso Corrada, la sua vicina di casa maestra di tutte le preparazioni della cucina tradizionale iblea: *"Caramelle, non ne voglio più"*. Xenia le aveva chiesto cosa volesse dire, Corrada le aveva fatto ascoltare il disco di Mina, bellissima voce, grandissima artista nell'interpretare la disperazione di una donna che ama più di quanto sia amata.

Ne sapeva qualcosa. Era tutta la vita che amava più di quanto la amassero. Anche solo per senso del dovere. Era così che aveva amato i suoi genitori, perché le avevano dato una casa, una vita, e anche un cognome, dettaglio su cui Arlette, sua madre, insisteva molto. «Il cognome, nella vita, è tutto. Cercati un marito con un gran cognome.»

Nessun cognome era mai sembrato abbastanza grande per poterlo annettere a quello dei suoi genitori adottivi. E quelli che avevano un cognome grande abbastanza, erano impossibilitati a condividerlo con lei. Potevano darle solo scampoli. Pezzi di martedì, brandelli di sabati mattina, weekend lunghi quando proprio le concedevano un lusso. Di norma, minuti, ore. Colazioni veloci al ristorante di un hotel, tè, aperitivi. Rare cene. Furtivi amplessi. E poi, l'assenza. Assenza in abbondanza: l'unica cosa in cui gli uomini brillavano per generosità, con lei, era l'assenza.

Aveva accettato tutto. Pensava che fosse il prezzo per una relazione: se le davano così poco, era perché lei valeva così poco. Aveva accettato scampoli per tutta la vita.

In quella stanza d'albergo alla Valletta era successo qualcosa, una magia, anzi, no, il contrario: la fine di un sortilegio.

Aveva visto se stessa e i propri bisogni negati con una chiarezza come mai prima. Dove c'è la relazione non ci sono io, dove ci sono io non c'è relazione. Voleva esserci. Voleva cominciare a esserci, dentro una relazione, qualunque rischio dovesse comportare, anche la fine della relazione stessa, anche la solitudine assoluta al posto di quella intermittente. Si era alzata dal letto, avvolta in un lenzuolo, era andata in bagno a rivestirsi, si era pettinata, truccata, aveva indossato un vestito rosso lacca che armonizzava stupendamente con i suoi lineamenti indiani. «Io vado a cena da Salvino's, sola» aveva sottolineato. «Tu puoi farti portare qualcosa dal room service dell'hotel. Ci vediamo domani al simposio.»

Era scesa, si era fatta cambiare stanza alla reception, ed era andata a cena. Aveva gustato ogni singola portata, ogni singolo sorso. Per festeggiare, aveva ordinato un vino rosso siciliano con una macchina da corsa disegnata sull'etichetta, e aveva invitato la cameriera ad assaggiarne un calice con lei. «Tanti auguri!» aveva detto la ragazza. «È il suo compleanno?»

«No, nel mio paese natale oggi è la festa della liberazione» aveva risposto Xenia, alzando il calice in un brindisi.

«Poi magari ci ricasco di nuovo con un altro, ma è la prima volta che non aspetto di venire abbandonata, la prima volta che me ne vado io, che blocco io la giostra perversa. La prima volta che mi concedo il lusso di esserci, anche se per esserci devo negarmi.»

«Bene» disse Salvo. «Festeggiamo.» Si alzò, prese due calici dal mobile bar, una bottiglia, stappò, versò, e lo porse a Xenia con un sorriso.

«Non è molto ortodosso che io e te brindiamo.»

«Neanche mollare da solo un poveretto che non ha idea della conferenza che dovrà pronunciare l'indomani davanti a un'aula gremita e senza di te è molto ortodosso.»

«*Touchée*» sorrise Xenia. «Buono, è un Nero d'Avola?»

«È un blend ben riuscito, come dovremmo essere tutti: Alicante, Nero d'Avola, Frappato.» Se solo Amanda avesse avuto un decimo dell'amabilità di Xenia. Anche lei avrebbe sospirato: «*Touchée*», lui non l'avrebbe persa, sarebbe tornata ad abbandonarsi con grazia sulla sua *chaise-longue* tutti i mercoledì, e lui forse, forse, avrebbe trovato il coraggio di parlarle, di raccontarle perché aveva chiuso lo studio di New York ed era venuto a vivere lì. Le avrebbe raccontato la verità. Almeno, tutta la verità che sapeva.

Si godette l'effimero successo di Xenia, lì e ora.

«E adesso che hai capito che puoi permetterti il lusso di esserci, cosa conti di fare?»

«Be', adesso ne ho, di lavoro arretrato. Come prima cosa, devo prenotare un volo e andare dai miei genitori adottivi, a Londra. Ci sono alcune cose che a loro non ho mai detto, per paura che non mi volessero più.»

Sorrise, come sorridono le persone libere che sanno guardarsi da dentro e da fuori.

L'Estate è sempre più Real

La madre di Tancredi Bonaccorso si era chiusa nella camera da letto dei suoi genitori a rovistare. Quel tipo di Scicli aveva il portafogli a fisarmonica. Le aveva fatto sapere che era interessato a oggetti, eventualmente anche libri, quaderni. Un affarone. Invece di svendergli un intero mobile, cassettone, armadio, baule che fosse, poteva far salire il valore di ogni singolo oggetto, uno per volta. Così mi difendo anche da me stessa, che se ho i soldi finisce che mi faccio fino a esaurimento. Svuotò un cassetto di biancheria sul letto. Tra le vecchie calze di nylon color carne c'era una busta. Aveva un simbolo, in rilievo. C'era scritto USA. La aprì. «Guardarti mi ha fatto concepire il desiderio di avere un figlio da te.» Ma pensa un po'. Sua madre aveva avuto una *liaison* extra coniugale? Ecco perché si era data tanto da fare nella battaglia per il divorzio!

Roba da non credere. E poi con me faceva la moralista, solo per un po' di eroina. Non ho mai tradito nessuno, io. Il padre di Tancredi non mi ricordo chi fosse, ma questo che c'entra. Non mi sono mai impegnata con nessuno, io. Prese la busta, rimise la biancheria alla rinfusa nel cassetto, e uscì. Sai quanto me la faccio pagare questa, dal tipo di Scicli.

Katherine

«Cara signora, mi sembra che lei possieda in pompa magna il senso del tragico.»

Katherine si guardò intorno, spaesata. Stava per dire qualcosa sulla vista mozzafiato che si godeva dalla finestra affacciata sui Nebrodi e sul castello di Federico II, con il profilo delle Eolie che si stagliava sul mare in lontananza. Il celeberrimo cantautore l'aveva ricevuta in cucina nella sua casa di Elicona e le parlava senza guardarla, l'attenzione completamente assorbita da un uovo al padellino ormai spacciato. Il tuorlo si era rotto con un movimento maldestro della spatola, e si era rappreso. Hai voglia a fare la scarpetta. Un raschietto ci sarebbe voluto.

«Mi perdoni signor Gagà, ma stando a questa lettera io devo subito chiudere la mia scuola di cucina, trovare un altro nome e sbrigare le pratiche burocratiche per cambiare la dicitura legale della mia attività... A parte che non mi posso permettere di sostenere i costi, significa che starò ferma come minimo sei mesi, senza poter lavorare... per me è la rovina...»

«Mi dica se questo non è senso del tragico! Le manca di raccontarmi che dovrà venire a dormire da me con la sua famiglia perché non ha dove andare.» Gagà Caramano prese la sigaretta posata su un posacenere stracolmo di mozziconi spenti accanto al fornello, aspirò e lasciò andare una nota lunga, senza accorgersi del gesto di Katherine che arricciava il naso arretrando per non respirare il fumo.

«Mi perdoni signor Gagà, ma questa è una diffida, giusto? Viene dal suo ufficio legale, giusto? E qui si parla di una campagna di tutela del marchio Gagà Caramano™, il suo alter ego musicale che io adoro, conosco tutte le sue canzoni a memoria, sono una sua fan dal suo primo concerto a Parigi, al Bois de Vincennes, ricorda? Un'emozione indimenticabile. E ora i suoi avvocati mi scrivono che Gagà Caramano, il secondino di via del Carcere 1 che nelle sue canzoni racconta le storie di tutti noi che crediamo di vivere liberi, bolla le ipocrisie e si consola con tapas gourmet, è un marchio registrato e io non ho diritto di omaggiarlo.»

«Lasci perdere gli avvocati. Quelli sono scimuniti. È gente che sa vedere il nero o il bianco. Non sanno immaginare il grigio, vanno avanti su binari paralleli.»

«Solo che sui binari adesso ci sono io, legata mani e piedi.»

«Cara signora, lei dovrebbe scrivere romanzi rosa, lo sa?»

«Io so solo che sono estremamente preoccupata, signor Gagà. Le sono grata di avermi ricevuta subito, so che lei ha poco tempo.»

«Facciamo le corna.»

Katherine avrebbe voluto dire qualcosa per riparare alla gaffe, ma tacque, temendo di farne una peggiore. L'anziano cantautore la anticipò.

«Non si preoccupi, alla mia età e con le mie coronarie, un po' di umorismo noir non guasta. Vediamo di sistemare questo guaio. Purtroppo, cara signora, l'industria discografica mondiale è ostaggio di manigoldi, quelli fanno le fusioni, cedono contratti, barattano autori neanche fossimo calciatori, e condannano a morte le piccole etichette indipendenti. A me personalmente fa piacere l'indotto che hanno creato le mie canzoni. Sono riuscito in un'impresa che non riusciva più a nessuno dai tempi di Omero: ho creato un aedo moderno. Lei insiste a chiamarmi Gagà, ma il mio vero nome è Franco, sa? Franco Maracano. Gagà Caramano all'inizio era, come ha detto lei, solo il mio alter ego musicale. Quando mi scoprì, tanti anni fa, Jean, che lei ha conosciuto, disse che i francesi avrebbero adorato Gagà. Il mercato discografico mi ha imposto di prendere come nome d'arte quello che avevo scelto per il mio alter ego. Pensi che all'inizio nessuno voleva darmi retta. Come vuoi che possa sfondare la tua musica, è come se De André avesse messo tutte le sue canzoni in bocca al secondino di Poggioreale, sai che noia. E invece Gagà Caramano ci ha messo del tempo a imporsi, ma oggi i miei dischi sono venduti in tutto il mondo e la gente fa la fila ai concerti per ascoltare le storie che Gagà osserva dalla sua casa di via del Carcere.»

«Come un corifeo.»

«Brava, come un corifeo. Osserva, racconta, commenta, s'indigna se è il caso, e poi alla fine di ogni canzone esce a mangiarsi qualcosa di buono: un arancino, una granita, un piatto di ravioli col sugo. Non è esattamente come noi siciliani? Siamo fatti così, ci governa la pancia. Io sono felice della notorietà che Gagà ha contribuito a dare a Scicli: perché se c'è una cosa che io e lui condividiamo, a parte il buffo evento che io gli ho imposto un nome e quel nome lui me l'ha ributtato addosso, è che io sono davvero nato a Scicli, in via Carcere 1. Ai miei tempi si nasceva in casa, ogni tanto qualche madre o qualche figlio ci lasciavano le penne, ma era romantico. Con le mie canzoni ho contribuito a rendere Scicli famosa nel mondo, anche se non direttamente, ma attraverso le immagini mozzafiato dei video girati per promuovere i miei album: i monumenti barocchi da soli non bastavano, ma se è uno Spielberg, un Coppola, uno Scorsese a girare in città, non una ma due, tre, dieci, venti volte, questa città fa il giro del mondo. Alla fine della fiera, ho fatto del bene e non mi è costato niente, anzi, ci ho pure guadagnato le *royalties*. Per me, il conto sarebbe pari così: quel che quest'isola ha dato a me, io ho ridato a lei. I bambini che dieci anni fa mangiavano il gelato gusto Puffo, ora mangiano quello gusto Gagà. Tra Scicli, Modica, Ragusa, è tutto un pullulare di arancinerie Caramano, gelaterie Caramano, pizzerie Caramano, friggitorie Caramano. A essere onesti, dubito che le prestazioni culinarie di questi esercizi commerciali siano ogni volta all'altezza del nome. Il mio alter ego musicale è pur sempre una buona forchetta.»

Si sedette al tavolo della cucina a fare colazione con l'uovo stracotto e le fece segno di accomodarsi.

«Comunque, nessun problema, dico io. Ma poi le etichette indipendenti vengono assorbite da holding e si fondono neanche fossero istituti bancari, trenta diventano una, e non è che prima mi chiedono "Caramano lei cosa ne pensa?". Non c'è rispetto per noi artisti, solo per le clausole che li autorizzano a fare il bello e il cattivo tempo. Quindi, cara signora, il mio contratto viene ceduto a una consociata del gruppo, il gruppo, va da sé, è una holding finanziaria, vuol dire avvocati che non hanno niente da fare, e per tenersi occupati studiano le clausole in corpo quattro, quelle che non avevo visto, e se le avevo viste, avevo fatto un'alzata di spalle perché mi sembravano inverosimili o avveniristiche.»

Si alzò per tagliare una fetta di pane. Katherine era confusa, faticava a seguire il ragionamento.

«Fanno una ricerca e scoprono l'acqua calda, e cioè che la Sicilia pullula di attività che usano il nome – loro lo chiamano marchio, ma è lo stesso – Gagà Caramano. Gli viene in mente una di quelle idee che possono venire solo agli avvocati delle finanziarie: farci dei soldi. E così io mi ritrovo casa invasa da questuanti – non mi riferisco a lei, naturalmente, lei è gentile, ha chiesto un appuntamento invece di appostarsi fuori dal cancello, e la sua telefonata mi era stata preannunciata da Jean, a cui sarò eternamente grato per avermi lanciato in Francia. Insomma ogni mattina qui fuori c'è la calca di gelatai, pizzaioli, fioraie e quant'altri che vengono da tutta la Sicilia a piangere povertà e mi chiedono di intercedere perché loro possano continuare a gestire la loro gelateria, autocarrozzeria, pizzeria e chennesocosasia "Caramano". Sicché invece di scrivere nuove canzoni, perché come ha detto lei, l'età, le sigarette e il colesterolo mi taglieggiano il tempo, mi tocca lavorare di fantasia per aiutare questa povera gente.»

Affondò la forchetta nell'uovo al padellino che vi rimase attaccato, come un adesivo.

«Mi deve promettere che non lo dirà mai a nessuno: ho fama internazionale di gourmet, mi hanno persino nominato membro onorario di Slow Food, e non so cuocere un uovo. Ho preso tutte le ricette di Gagà dal ricettario di mia nonna. Lei ha una scuola di cucina, vero? Mi spiega cosa c'è di sbagliato in quest'uovo al padellino che sembra fatto di legno?»

Katherine sussurrò «Permette?», si alzò, prese una padella pulita dalla mensola sotto il fornello, trovò istintivamente l'olio, unse la padella, ruppe un uovo al centro, e in un minuto e quaranta secondi rovesciò su un piatto il più cremoso e sensuale uovo mai spadellato e lo servì al corpulento e affamato cantautore.

«Delizioso» commentò Caramano, asciugandosi il rivolo di tuorlo che gli colava sul mento.

«Se quello che sto per dirle non funziona e deve davvero chiudere la scuola, può sempre venire a cucinare qui per me. Può chiamarlo uovo Caramano, se le fa piacere.»

Katherine fece una smorfia. Era rimasta in piedi con la padella in una mano e la spatola nell'altra.

«Cosa ci vuol fare, cara signora: lei ha il senso del tragico, io ho quello del ridicolo.» Fece un'accurata scarpetta, si tamponò nuovamente il mento con il tovagliolo, e invitò Katherine con un cenno della mano.

«Non deve mica lavare i piatti, posi tutto e torni a sedersi. Resterà sorpresa di quello che sto per dirle.»

Ignazio

«Vai piano.»

«Non ci avrete mica messo un autovelox anche qui, commissaria.»

Ignazio guidava ai novanta all'ora su per la trazzera, facendo apposta a prendere più buche possibile, per il piacere di vedere Maria sussultare. O meglio, per sbirciare il décolleté di Maria che sussultava. Nel tentativo di non far trapelare il proprio imbarazzo, dissertava senza sosta dell'unico argomento capace di sciogliergli la loquela: i motori.

«Il motore Boxer ha i cilindri contrapposti. Le faccio un esempio, parlando di moto, che ha i cilindri fuori, quindi è più facile per lei visualizzare di cosa parliamo: nella BMW il cilindro non è altro che il contenitore dei pistoni. Il pistone lo sa com'è fatto: ha una testa e una biella che lavorano dentro il cilindro. Il punto è che i manovellismi dei motori boxer sono i più semplici da realizzare, e producono abbastanza poche vibrazioni da rendere superfluo l'impiego del contralbero di bilanciamento.»

«Stai cercando di spiegarmi perché saltiamo in aria ogni volta che prendi una buca? Sei senza boxer?» Maria acchiappò con una mano la palla da tennis bucata appesa con un cordino allo specchietto retrovisore e la tenne ferma per aria. Non ne poteva più di vederla ondeggiare continuamente da una parte all'altra. Aveva risposto con malizia per il piacere di vederlo arrossire, ma era sinceramente incuriosita dal fatto che un ragazzo come Ignazio potesse eccitarsi sessualmente con i motori. Chissà se aveva la fidanzata. Ignazio aveva un funzionamento cerebrale del tutto peculiare. O forse il suo era solo un modo di mascherare la timidezza. O ancora, faceva il timido solo con lei.

«Ma cosa dice, commissaria?! Le voglio spiegare che il sistema dei boxer è il più semplice, e lei dirà, allora perché sono rarissimi? Perché a parità di cilindrata occupano uno spazio maggiore, e la potenza è limitata rispetto ai motori a V oppure a cilindri in linea, che sono la maggioranza.»

«Ho capito» tagliò corto Maria. In realtà, non aveva afferrato nemmeno l'argomento.

Ignazio prese la palla da tennis e nel farlo le sfiorò le dita. La staccò dallo specchietto e se la infilò nel tascone dei pantaloni, cordino compreso.

«Ci sarà un giorno che questa conoscenza dei motori

boxer le potrà venire utile nelle sue indagini, e allora mi ringrazierà.»

Le sbirciò il décolleté mentre l'auto sussultava passando sull'ennesima buca, e continuò: «Le macchine raccontano un sacco di cose che i proprietari non dicono. Basta saperle osservare. La gente non osserva perché passa troppo tempo a parlare e a far finta di ascoltare. Io parlo pochissimo con la gente e invece guardo e ascolto i motori, le carrozzerie, *i* pneumatici». La commissaria gli aveva spiegato che pneuma, in greco, significa "soffio vitale". «*I* pneumatici, o *gli* pneumatici, non ce la farò mai a ricordare qual è l'articolo giusto, respirano. Respirano l'asfalto, la terra, ma non solo. Respirano anche l'aria.»

La commissaria gli fece cenno di accostare. Erano arrivati.

«E adesso dimmi cosa ti racconta di sé questa macchina» lo sfidò Maria. Al primo tentativo, aveva fatto cilecca. L'auto che intendeva far visionare a Ignazio si era volatilizzata, non ce n'era traccia; erano dovuti tornare indietro con le pive nel sacco, col brusio di sottofondo di Ignazio che pontificava circa l'ipocrisia delle case automobilistiche riguardo alle auto elettriche, ree di avere un motore a benzina da cui dipende la ricarica di quello elettrico, e «per assurdo spostano il problema ecologico dalla città agli ambienti limitrofi, perché comunque da qualche parte ci sarà una centrale elettrica, visto che la stragrande maggioranza della produzione di elettricità dipende ancora dal petrolio. Insomma, le auto elettriche sono fetecchie, non ci caschi anche lei, commissaria».

Poi Maria era venuta a trovarlo con una scusa, un pretesto per parlare con lui di Salvo Diodato. Ignazio non aveva abboccato. Bella donna, mi piace, sono innamorato, ma è pur sempre uno sbirro. E ora, l'aveva chiamato tutta agitata. Passo a prenderti. Subito. Non mi dire di no.

Erano tornati sul luogo, e rieccola lì. Miracolosamente ricomparsa. Davanti ai loro occhi, in uno slargo della trazzera rubato alla terra da coltivare, di quelli che i contadini usavano per fare le manovre con i trattori, c'era una vecchia Subaru Forester con la carrozzeria ridipinta verde bottiglia, arrugginita in più punti. Era stata lavata di recente e risplendeva quasi abbagliante in mezzo alla polvere.

Ignazio si chinò per osservare gli pneumatici. Non indossava la tuta da meccanico, e lo squarcio che si aprì tra i pantaloni da aviatore e la maglietta scoprì almeno venti centimetri di fondoschiena tatuato con le parole "mangia la mia polvere". La commissaria si chinò accanto a lui come per esaminare gli pneumatici insieme. In realtà voleva soprattutto cambiare prospettiva.

«Mmm... questa Subaru appartiene a un igienista?»

«Non ha importanza a chi appartiene. Mi piacerebbe sapere dove è stata di recente. Intendo: prima di passare al lavaggio.»

Baglieri era venuto a deporre, di sua spontanea volontà, ancora una volta. Don Corrado aveva lavato l'auto.

«Era la macchina più *ruggiata* della provincia, commissaria, e *iddu* l'ha lavata.»

«Cosa vuole dire, Baglieri? Ha dei sospetti?»

«No, commissaria, ma cosa dice? Io sospetti non mi permetterei mai. Io le sto riferendo un fatto inusuale che lei magari ci potrebbe trovare un interesse.»

Un teste omertoso. Questo le regalava il destino per risolvere un caso spinoso di infanticidio. Non le restava che procedere a tentoni appoggiandosi all'esperienza di Ignazio.

«È così tirata a lucido che per cavarne qualche informazione occorre dare un'occhiata all'interno...» Maria lo guardò interrogativa ma, prima che potesse formulare tra sé e sé una risposta alla domanda se quel che stava accadendo fosse deontologicamente corretto, Ignazio aveva già avvicinato la palla da tennis alla portiera dell'auto, che si era aperta con una leggera pressione. Senza parole, Maria gli passò dei guanti di latex.

Ignazio li infilò, si sedette al posto di guida e smontò le bocchette dell'aereazione. Se le rigirò tra le mani come trofei. Aveva trovato.

«Ecco qui, qualcosa è rimasto. Questa non è polvere di trazzera, commissaria. Una polvere così si trova solo nelle vicinanze delle cave, perché i camion che trasportano i materiali di risulta della cava sono molto pesanti e riducono il terriccio a questa consistenza fine, sabbiosa. Quindi questa polvere così fine rimasta imprigionata nelle bocchette di aerazione ci racconta che prima di passare al lavaggio questa Subaru ha soggiornato in una cava...» rimise al loro posto le bocchette, si alzò e rivolse alla commissaria un sorriso vittorioso mostrandole il guanto di latex impolverato. «Il colore talco-grigio della polvere ci dice pure di quale cava si tratta: è quella di San Biagio. A giudicare da quanta poca ne è rimasta, la macchina è stata alla cava circa una settimana fa.» Avrebbe voluto chiedere di chi era l'auto, ma queste sono domande a cui un meccanico di paese trova sempre la risposta, senza bisogno di farsela dare dagli sbirri. Senza contare che sarebbe apparso indiscreto, e pure sgarbato: la commissaria mica se ne usciva fuori con domande così a bruciapelo, tipo se lui rilasciava regolare fattura per ogni macchina che aveva in riparazione. Farsi i fatti propri è un'ottima garanzia di immunità. Vivi, e lascia vivere.

«Molto interessante» commentò la commissaria. «Direi che possiamo andare, Ignazio.» Girò le spalle e risalì in auto. Ignazio richiuse la Subaru e la seguì, un po' deluso.

«Se non fosse che sei un mezzo fuorilegge, potresti lavorare in polizia.»

«Immagino di doverlo prendere come un complimento.»

«Lo è. Hai appena trovato l'indizio che molto probabilmente mi aiuterà a risolvere un caso. Ed era un caso spinoso.»

«Le basta così poco, commissaria?»

«Sì, perché?»

«Speravo di avere l'onore di passare più tempo con lei. La posso portare a vedere un'altra cosa?»

«È lontano?»

«No, ci mettiamo poco.»

«Devo essere dal questore tra quaranta minuti.»

«Ci sarà. Ma mi deve promettere che non mi fa la multa per eccesso di velocità o guida pericolosa.»

«Promesso.»

«Si tenga forte, commissaria.»

Ignazio impugnò il freno a mano e la macchina svoltò repentinamente in una stradina laterale.

«Ignazio, sei un terrone.»

«Commissaria, con tutto il rispetto, non mi sembra che lei sia nata in Svizzera.»

«Terrone non indica la provenienza geografica, ma l'attitudine mentale. Questo stile di guida è terrone.»

«Io lo faccio per lei, commissaria. È lei che mi ha detto che ha fretta. Se vuole metto la prima democratica e vado a venti all'ora appoggiandomi al volante così mi metto avanti un pezzo per quando avrò ottant'anni.»

«Meno polemiche, Ignazio. Cosa ci facciamo sulla strada che va alla Pisciotta?»

«Qui succede qualcosa che da queste parti non si era mai visto, prima bisognava andare a Taormina.»

«E cioè?»

«Prostituzione maschile, commissaria. Arrivano a botte di mille euro per un'inc...» Ignazio colse lo sguardo severo di Maria che gli intimava scelte lessicali più appropriate. «...per una prestazione, commissaria. Anale, se posso dire.»

Elena

Una location davvero esclusiva. Unica! Sensazionale! Spettacolare! A distanza di venti giorni dalla festa, continuavano ad arrivarle complimenti e felicitazioni. Una location davvero dispendiosa, pensava Elena: e che però valeva bene l'investimento. Continuavano ad arrivare nuove iscrizioni ai suoi *coaching*. Elena era riuscita a far accettare ad Amanda la clausola che per i primi tre anni le sole feste a Palazzo dei Turchi, dieci all'anno, sarebbero state quelle dei suoi *coaching*, con un'opzione sui due anni successivi. L'unico modo per visitare la perla di Scicli, il neo-restaurato Palazzo dei Turchi, se non si era in intimità con la proprietaria, sarebbe stato quello di ingaggiare Elena come *coach*. Il monopolio dei party a Palazzo dei Turchi valeva tutta l'entità del bonifico che dal conto corrente di Elena si stava riversando in quello di Amanda. Elena era fiduciosa. Una produttrice di make-up l'aveva contattata da Shanghai, era interessata a lanciare una linea di cosmetici con l'argilla di Scicli, la più pregiata d'Europa. Andava tutto a gonfie vele, tranne un particolare. Un dubbio, che Elena voleva togliersi al più presto. Alla festa a Palazzo dei Turchi aveva notato alcuni gesti d'intesa che Salvo si scambiava con Laurel. Aveva visto Laurel dare letteralmente l'assedio a Shivani, la produttrice di Bollywood. C'era qualcosa che non le tornava. Elena era ben contenta di creare indotto con i suoi *coaching* – pernottamenti per gli hotel, pranzi e cene per i ristoranti, acquisti di souvenir per i negozi, reddito per Amanda, catering e lezioni di cucina per Katherine, consulenze e terapie per Salvo – ma cominciava a sospettare che qualcosa stesse accadendo alle sue spalle. Laurel, l'amico di Salvo, non la convinceva. Era comparso dal nulla poco dopo che Elena aveva cominciato a tenere i suoi *coach* sugli Iblei; Salvo se lo portava appresso come un bubbone.

Doveva saperne di più sulla natura della loro relazione. Era un'amicizia, una collaborazione? O magari era una *liaison* che per motivi professionali nessuno dei due poteva o voleva rivelare, e quindi pubblicamente facevano uno il seduttore precoce e l'altro il cascamorto? Sorrise per l'ipotesi che scartò immediatamente. Salvo le aveva raccontato che Laurel lavorava in una banca d'investimenti. Di certo non aveva il *physique du rôle* per arrotondare facendo il gigolo. Ma non si sa mai. Una donna basta farla ridere, per guadagnarsi un accesso. E se la donna in questione era una delle iscritte ai suoi corsi, Laurel avrebbe avuto accesso a conti a nove zeri. Elena doveva tutelare le persone che si affidavano alle sue consulenze, e anche se stessa. Forse Amanda ne sapeva di più. Non aveva sollevato obiezioni e nemmeno fatto domande riguardo al nome di Laurel, quando l'aveva visto sulla lista degli invitati. Era un favore che le aveva chiesto Salvo, prima della rottura, e non voleva ritrattare. Per vederci chiaro, Elena aveva bisogno dell'empatia di Amanda. Doveva divertirla, compiacerla. Amanda amava le disfatte altrui. La facevano sentire forte, generosa, soccorritrice. Non a caso si teneva un'amica inetta come Xenia.

La chiamò su WhatsApp.

«Ciao, come va?»

«Bene, e tu? Come procede coi tuoi *coach*?»

«Ricevo ancora manifestazioni di entusiasmo per la festa, pensa un po'. Ma sto perdendo smalto come iena, sai, devo fare un *outing*.»

«Un *outing*?»

«Sì, cara mia. Una volta tanto nella vita sono stata imbranata anch'io. Come la povera Xenia che è il nostro bersaglio preferito.»

«Cioè?»

«Mettiamola così: ti pare che l'unico siciliano eiaculatore precoce dovevo trovarlo io?»

«Povera. Certo, se precoce dev'essere, allora piuttosto che eiaculatore è meglio che sia seduttore» commentò Amanda. Pensava a Salvo.

«In che senso?»

«È ovvio: ti fa perdere meno tempo, ci investi di meno. Eviti acquisti compulsivi di lingerie e ti dai il tempo di concentrarti razionalmente sui saldi. Mi spiace per te, tesoro. Spero non fossi innamorata. In caso contrario, ricordati che gli amori infelici sono i migliori. Soprattutto per chi come me e te ha già abbastanza da pensare e da fare. Scusa, ti devo lasciare ora, ho un appuntamento.»

«Vai, ci sentiamo.»

Non aveva funzionato. Zero empatia. Elena fece per mangiarsi un'unghia. Pessima idea, con quel che le era costata la ricostruzione. Lasciò perdere e mordicchiò una penna. Dove aveva sbagliato? Provò a lasciar fluire i ricordi. Si concentrò su di lui, come se le stesse davanti in quel momento. Ogni volta che lo rivedeva le dava sempre un po' i brividi, come la prima volta che l'aveva incontrato. E la faceva sempre un po' arrabbiare, come la prima volta che avevano fatto l'amore. La prima volta, lui l'aveva portata alla Spaccazza. Aveva fatto finta di scoprire per caso insieme a lei il sentiero nascosto che scendeva tra le rocce. Avevano nuotato in una insenatura stretta tra gli scogli, lui le aveva indicato una sorta di sentiero ripido che portava dall'acqua su tra le rocce. «Saliamo di qua, chissà dove porta.» Portava a una grotta arredata con tanto di maximaterasso gonfiabile a mo' di talamo, lumini e teli di sacchi adagiati per terra come tappeti. Elena si era illuminata.

«Sei venuto qui prima a preparare tutto il set! Ma come hai fatto a mantenere gli stoppini asciutti? Te li sei tenuti in testa mentre venivi a nuoto?»

«Shhh. Questo è un lavoro che hanno fatto le sirene per me.»

«Le sirene?» aveva riso.

«Le ho avvisate io, ho detto che avrei portato una loro collega in prova.»

«In prova?»

«Già. A te non te l'hanno ancora data la coda, sei in prova.»

Si era resa conto di non avere più il costume, le mani di Nino le coprivano i seni.

«E tu invece come dio greco come sei? L'hai già passato il test?»

Il test, quella volta, Nino non lo passò. Sei minuti dopo, Elena era seduta fuori dalla grotta che aveva un altro accesso, relativamente più semplice da raggiungere scendendo dal sentiero nascosto tra le rocce dall'alto, che si apriva su una specie di patio davanti all'immensità del mare. Nella grotta, Nino russava abbandonato sui teli di juta. Elena guardava lontano, più lontano possibile, si mangiava le unghie e sputacchiava i pezzi nell'acqua. «Ma ti pare che l'unico siciliano eiaculatore precoce dovesse capitare proprio a me?» Quel ragazzo le aveva causato una perdita di tempo intollerabile.

Era solo una battuta spiritosa da raccontare alle amiche negli spogliatoi del fitness club del Millennium Hotel, a Kowloon, al suo ritorno a Hong Kong. O da riciclare ogni tanto, come aveva fatto ora con Amanda. Ma perché questa volta non ha funzionato? Dov'è l'errore? In genere, la prendevano in giro, più o meno bonariamente, ma come, tu che insegni a ottimizzare gli investimenti nel business, tu che insegni a gestire centinaia di persone, adesso vuoi vedere che toccherà a noi darti lezioni di gestione della timidezza maschile?

Timidezza. Nino era timido. Quel tipo di timidezza che ostenta la solitudine come se fosse una scelta.

Ricordò la prima volta che l'aveva visto. Erano i primi di giugno. Era andata a fare due passi a Marzarellì. In quel che restava del piccolo porto, i pescatori riparavano le reti. Nino le era apparso come una visione, si era detta: "Chi è questo dio greco, che nel mio dizionario di mitologia non c'era?".
Sembrava un giovane Nettuno, con i capelli ricci lunghi bruciati dal sole, scalzo, con solo un paio di pantaloncini addosso e il dorso arrostito dalle estati che gli si erano stratificate sulla pelle. Elena si era avvicinata per fare una foto. «Vieni, ti faccio vedere una cosa» l'aveva invitata lui. «I vecchiareddi han fatto due danni: si sono mangiati le triglie, e mi hanno rovinato le reti.»

«Chi sono i vecchiareddi?» aveva chiesto Elena. Nino si era messo a sedere su uno scafo, l'aveva invitata con un gesto a sedersi accanto a lui. Aveva preso ago e filo per ricucire le reti nei punti in cui i vecchiareddi le avevano tagliate. «Un lavoro da Penelope, no? E invece tocca farlo a me che sono maschio.» Elena avrebbe voluto recriminare circa i ruoli e le differenze di genere ormai obsolete, ma lasciò perdere. Nino le spiegò che i vecchiareddi sono piccoli granchi bianchi, canuti

171

come i vecchi, e come i vecchi sono *licchi*, golosi, e si mangiano il tuo pescato se non sei svelto a ritirare le reti.

«Ma come sono fatti i vecchiareddi?»

«Se vuoi vederli, vieni con me domani mattina. La maggior parte scappa, ma qualcuno resta attaccato alle reti. Ti toccherà svegliarti presto, mi sa che non sei abituata... Ce la fai a essere qui alle cinque? Ti aspetto dieci minuti, se non arrivi entro le cinque e dieci vado via.»

Elena era arrivata alle quattro e cinquantanove. Avevano trovato le reti tagliate dai vecchiareddi, e uno l'avevano preso in flagrante, con le chele sulle maglie. Nino gliel'aveva mostrato: «Vedi, è tutto bianco, come i vecchi». A lei era sembrato un fantasmino, più che un granchio. Uno scherzo della natura. Uno scherzo beffardo, perché al ritorno, ormeggiata la barca, Nino aveva dovuto di nuovo darci dentro con ago e filo, per riparare le malefatte notturne dei vecchiareddi, e gli era toccato buttare via un bel po' di pescato che i granchi avevano mangiucchiato, rendendolo invendibile.

Le persone si presentano sempre per quello che sono, nel primissimo istante in cui le incontri; subito dopo si intromettono le parole, e inquinano tutto: gesti, sguardi, intenzioni. Ma se ti concentri sui primissimi istanti, prima che la parola intervenga, hai davanti agli occhi l'essenza di quel che sarà la relazione. Nino cuciva, riparava. Lei disfaceva, fuggiva. Come i vecchiareddi a cui Nino dava la caccia.

Era passato un anno, e l'aveva ritrovato esattamente lì, nello stesso metro quadrato, a riparare le stesse reti. Da allora, ogni volta sapeva che l'avrebbe ritrovato sempre lì. Lui non la cercava mai: attendeva il suo arrivo, discreto. Cucendo. Riparando.

La telefonata-lampo che Amanda aveva troncato in pochi secondi le aveva lasciato un sapore amaro. Prese le chiavi della macchina, uscì di casa e imboccò la strada per Marzarellì. Parcheggiò lontano dal porticciolo e s'incamminò. Voleva fargli una sorpresa.

«Lo sapevo che stavi arrivando.»

«Ah sì? E come lo sapevi?»
«C'era profumo di paradiso nell'aria.»
Banalità.
«Sai cosa penso mentre cucio le reti?»
«No, cosa pensi?»
«Che vorrei imprigionarci la mia sirena quando arriva.»
Se non fosse così bello, potrei perdonargli tutte le scemenze che dice? Elena scelse di non darsi risposta e di accettare lo status quo. Nino era bello, lei era in paradiso. Lo baciò.

Ecco dov'era l'errore. Fuggire, disfare. Riesumare un ricordo ormai impolverato e superato dagli eventi, solo per modellarlo in una battuta a effetto, per strappare un afflato di empatia a una bulimica mangiatrice di cannoli che aveva edificato una solitudine dorata appoggiandola al contraforte di una teoria che sublimava l'infelicità dei propri amori. L'errore era stato svendere un'emozione forte, vera, viva, dopo essersi concessa il privilegio di provarla, al solo scopo di fare un po' di business in più.

Laurel e Salvo

Salvo e Laurel si erano appena accomodati al loro solito tavolo. Laurel era venuto direttamente al Gordonoma dall'aeroporto.
«Allora? Le hai sedotte e rapinate?»
Laurel lo studiò. La mancanza di *sense of humour* gli rendeva difficile interloquire con Salvo.
«Qui c'è la busta con la tua percentuale.» Salvo tastò la busta. Era spessa, consistente.
«Mi hai liquidato in banconote da cinque euro, o stavolta hai fatto un bel bottino?»
«Buona la due. Sono pezzi da cinquecento.» Salvo ripose la busta nella tasca interna della giacca. Tanti anni di studio e formazione nei paesi anglosassoni non erano riusciti a scal-

fire la vergogna tutta cattolica e mediterranea di contare i soldi in pubblico. Preferiva l'eventuale delusione di trovare una banconota in meno, contandole più tardi nella privacy del suo studio.

«E non mi racconti niente?»

«Tutte nella norma. Tranne la coppia lesbica, la designer e la sua amica.»

«Le hai convertite? Ti sei messo una parrucca e le hai stuzzicate con la tua femminilità diciamo così un po' mascolina?»

«Non c'è stato bisogno. Sapevano esattamente quello che volevano. Gran bell'investimento. Le clienti consapevoli, alla fine, sono sempre quelle che danno più soddisfazione. Ma non sono state loro il pezzo forte.»

«Ah, no?»

«Shivani.» Laurel scandì le tre sillabe del nome come una formula magica.

«Ti sei dato a Bollywood?»

«Non puoi sapere quanto mi sono divertito» gongolò Laurel. «La signora è erede di un impero, il padre esporta tessuti in tutto il mondo. La produzione cinematografica è praticamente un hobby.»

«E come l'hai conquistata? Ti è toccato imparare a fare il curry in casa?»

«Molto di meno. L'ho conquistata con un *masala chai*. Ricetta imparata a New York nel 1995 da un medico ayurvedico proprietario di un ristorante indiano vegetariano a Lexington Avenue. Così è la vita, *my friend*: imparare, tesaurizzare, e mai dimenticare. Ogni cosa è tesoro.»

«Specialmente nelle tue mani. Quanto ti sei fatto dare?»

«Parecchio. Lo desumi dalla tua percentuale.»

«Ordiniamo? Non vorrei fare tardi.»

Guglielmo attendeva dietro le porte a battente della cucina. Uscì con il blocco delle comande già aperto e la penna bic scappucciata.

«Un'insalata di polpo...»

«...a forma di polpo» sorrise rassegnatamente Guglielmo,

terminando la frase di Salvo. La prossima volta apro un'arancineria Caramano™ anche io e faccio soldi a palate. Oppure faccio il mestiere di questi due qui, che non fanno altro che parlare di donne e scambiarsi buste piene di soldi.

Girò le spalle e sparì, prima che gli facessero domande del cavolo tipo quella sul nome del ristorante, che poi gli toccava annaspare per dieci minuti buoni a ripetere sempre le stesse minchiate.

«Allora? Non ti sei pagato un passaggio in first class solo per il piacere di consegnarmi al più presto le mie spettanze, immagino.»

Laurel annuì. «Ho letto l'intervista. Salvo, ma come ti è venuto in mente?»

«L'hai letta? Non ti facevo fluente in italiano. E nemmeno immaginavo che perdessi il tuo tempo con la rassegna stampa dei settimanali femminili.»

«Non l'ho letta in italiano.»

«Te la sei fatta tradurre?»

«Salvo, hai idea di chi è l'autore di quell'intervista?»

«Francamente, mi sembrava un mezzo sfigato. Se non fosse che detesto il turpiloquio aggiungerei che rispondeva anche alla definizione enciclopedica di rompicoglioni.»

«Un rompicoglioni di successo. Non ti ha avvisato di aver venduto i diritti dell'intervista al "New York Times"?»

«No... io pensavo che uscisse solo su una rivista femminile.»

«Invece è uscita sul "Sunday Magazine" del "New York Times" e l'ha ripresa la rassegna stampa della CNN. È uscita in coda all'attualità politica.»

«E quindi, cosa vuoi dirmi?»

«A qualcuno non è piaciuta.»

«Non si può piacere a tutti.»

«Diciamo che non è piaciuta agli amici di tuo padre.»

Fu come un ago di ghiaccio che lo trafiggeva. Cosa ne sapeva Laurel di suo padre? Nessuno sapeva niente di suo padre... Forse nemmeno sua madre aveva mai saputo.

«A qualcuno di loro è venuto il dubbio che ti si sia aperto il canale della parola.»

«Sono uno psicoterapeuta, vivo di parole.»

«Salvo.»

«Sì?»

«È meglio se sparisci per un po'.»

Laurel prese una seconda busta dalla ventiquattrore. La posò sul tavolo davanti all'insalata di polpo che Salvo non aveva toccato: segno che anche se faceva lo gnorri, aveva afferrato la situazione. Salvo prese la busta e la aprì. Dentro c'era un biglietto aereo a suo nome. Lesse destinazione e data e fece una smorfia.

«Questo è un colpo basso, Laurel.»

«Hai cinque giorni. Puoi mettere a posto tante di quelle cose, in cinque giorni. E poi ti prendi una bella vacanza, ti rilassi così tanto da dimenticarti di te stesso. Ti farà benissimo.»

"Lui" e H

Guardò nel grande specchio sopra la console nel salone e vide H seduto al tavolo che si puliva le unghie di una mano con il mignolo dell'altra. L'aveva visto in un film sulla mafia; si era così divertito che aveva lasciato crescere l'unghia apposta, per vedere se funzionava.

«Hai sbagliato.»

«Non vedo dove.»

«L'idiota di Cape Cod. Non doveva venire in Sicilia.»

«Sequestrare passaporti non è mia competenza.»

Voltò le spalle allo specchio. Doveva cambiare strategia. Fece per sedersi di fronte, poi spostò la sedia e gli si sistemò accanto.

«Ascolta: di che sesso sia, a me non interessa. Ma dà troppo nell'occhio.»

«Nascondigli la parrucca.»

«Senza sarebbe anche peggio.»

«Fallo rimpatriare.»

«Ci vuole un motivo.»

«Lascialo fare. Lo troverà da solo.»

«Sa chi è suo padre?»

«Andiamo. Neanche sua madre l'ha mai saputo con certezza.»

«Sai come facevano le nobildonne greche per far digerire ai mariti le gravidanze extraconiugali? Attribuivano colpa e paternità a Zeus, che gli si sarebbe infilato nel letto sotto mentite spoglie.»

«Ah ah ah. I figli di mignotta si beccavano l'*upgrading* a figli di Zeus!»

«L'importante è che non tocchi a quello sbagliato, l'*upgrading*.»

«Capisco.»

«Deve sparire per un po'.»

«E al posto suo chi resta? L'idiota di Cape Cod?»

«Da quello non abbiamo niente da temere.»

«Errore. Da quello devi sempre temere un rinculo.»

«Ah ah ah. Sei di buonumore, vedo.»

«Sarò molto più di buonumore quando sarà stato approvato il nuovo piano per lo sviluppo urbanistico.»

«Non dimentichi mai per chi lavori, eh?»

«Neanche tu, mi sembra.»

«Possibile. Ma il mio goal è diverso dal tuo.»

«Non così tanto. Potremmo cooperare.»

«*Why not.*»

«Posso dirti due opinioni personali?»

«Prego.»

«Ci ha fatto un favore a fondare la terapia in grotta qui a Scicli, se decideva di starsene alla larga e sceglieva, che so, Matera, eravamo rovinati: lì è già tutto lottizzato. E sarà anche un grande psicanalista, non discuto. Ma di se stesso, non ha capito un bel niente.»

«Sfido. La verità qui non muove un passo, se non la autorizziamo noi.»

Ho sempre pensato di essere figlio di nessuno, N.N. come si diceva ai miei tempi: padre non noto. E ora scopro che sarebbe stato meglio.

Salvo era appena rientrato a casa, in testa una processione di domande. Come aveva fatto Laurel a sapere? Doveva arrendersi all'evidenza: c'era qualcuno che conosceva più dettagli della sua stessa vita di quanto sapesse o sospettasse lui. E cos'era quella storia del volo? Che cosa ci doveva andare a fare a New York? *One way*, Catania-New York via Washington D.C. Volevano rapirlo? E Laurel? Gli nascondeva qualcosa? Chi era veramente Laurel? E sua madre? Era mai stata consapevole? Da figlio di N.N. a figlio di una gran mignotta. Non so se mi piace come *upgrading*.

Frastornato dalla cacofonia dei propri pensieri, commise un errore piuttosto comune. Compose un numero di telefono senza darsi il tempo di pensare.

«Amanda *speaking*.» Silenzio.

Deglutì. Coraggio.

«Non sapevo se telefonarti o no e mi sono chiesto se tu conoscessi quella canzone di Gianna Nannini...»

«So che è una cantante italiana molto chiacchierata. Ma non sono abbastanza addentro le cose di Sanremo.»

«Lei è una che Sanremo l'ha sempre evitato, almeno finché ha potuto.»

«E allora, questa canzone? Ti sei scoperto un talento di cantante e vuoi esordire al telefono con me?»

Amanda, Miss Risposta Pronta International. La amava anche per questo. Ecco, l'aveva detto, anche se solo a se stesso: la amava. La amava nel modo più generoso che c'è, senza possederla. La amava dopo avere ascoltato per oltre dieci anni tutti i suoi intrallazzi amorosi e dopo avere seguito come la costruzione di un saggio, o l'elaborazione di una teoria rivoluzionaria, ogni sua ricerca in materia di amori infelici: i migliori, a sentire la sua voce di superficie, perfetti perché nella loro incompiutezza ti lasciano libera e leggiadra al corso della tua vita, garrula come un ruscello a primavera. La amava per la sua ostinata superficialità nel collezionare amanti di ogni nazione, la amava per quella carta geografica dove sbarrava con una *x* i paesi che le avevano già dato almeno un amante, l'aveva amata anche per il suo disappunto dopo che la frammentazione dell'Unione delle Repubbliche Socialiste Sovietiche in nuove nazioni indipendenti l'aveva costretta a «rifare un lavoro già fatto».

La amava. Perché non doveva preoccuparsi di possederla, perché gli bastava guardarla, ascoltarla. E perché era l'unica donna al mondo che gli avesse mai fatto nascere un pensiero che ora finalmente si sentiva di poter dire, di poter condividere.

Per un attimo gli passò davanti agli occhi l'immagine. Un bigliettino. Una cartolina di quelle che un tempo si mandavano per le feste, con su scritte in bella grafia poche parole d'invito. *Guardarti mi ha fatto concepire il desiderio di un figlio.* Quanto gli era costato leggere quella frase. In denaro, risucchiato dalla "persona" di Taormina. In emozioni, scudisciate dalla sovrapposizione del passato al presente.

Un uomo tanti anni prima, l'aveva scritto a sua madre, e ora lui stava per dirlo ad Amanda. *Guardarti vivere per tutti questi anni mi ha fatto concepire il desiderio di un figlio.* Curiosa sorte per uno psicoterapeuta: una imperdonabile coazione a ripetere.

Troppi secondi di silenzio, se a subirli doveva essere Amanda.

«Hai appena scoperto che sei stonato e non sai come dirmelo?» domandò con il tono educatamente garrulo con cui sapeva mascherare l'impazienza.

«La canzone fa: "Ti telefono o no, ti telefono o no... io non cedo per prima". Sapevo che tu non avresti ceduto. Così ho ceduto io. Ho voglia di vederti, di parlarti.»

«E di farmi domande, magari. Lo sai che ascia di guerra

hai disotterrato l'ultima volta, con quella domanda di merda a tradimento? La sto ancora affilando.»

«Sono pronto. Anche se dovesse essere la mannaia che mi sopprime.»

«Non dirlo due volte. Mi inviti a nozze.»

VIII

Il giorno prima

Il 31 maggio

Finita un'indagine ne comincia un'altra

Katherine

Il campanello suonò 15 secondi dopo che Zampa aveva preso ad abbaiare forsennatamente. Zampa era un cucciolo randagio che Paulette aveva raccolto per strada un paio di settimane prima. Katherine non voleva animali per casa, ma l'aveva commossa il fatto che la sua algida figlia avesse provato un sentimento per quel cucciolo che cresceva da solo per strada, spaventato di tutto. Aveva detto di sì, e ora Zampa viveva in simbiosi con Paulette, tranne quando aveva bisogno di cibo e di passeggiate. Allora Paulette lo metteva fuori dalla porta della sua stanza, che se la vedesse con Katherine. A mo' di riconoscenza, per far vedere che si guadagnava il pane e anche i croccantini, Zampa vegliava sull'ingresso di casa, finché Paulette lo riprendeva nella sua stanza. Ora, ringhiando come se invece di essere un randagio un po' Jack Russell un po' cirnieco avesse la stazza di un rottweiler, palesava la sua opinione: il visitatore in attesa fuori dalla porta non era di suo gradimento.

«Buongiorno...»

Katherine restò a bocca aperta e occhi spalancati. Quell'uomo somigliava in modo incredibile a...

«Buongiorno. Sono Gigi» disse l'uomo, porgendole la mano.

«Mi scusi, sono rimasta come un baccalà» commentò Katherine a fior di labbra. «Lei è proprio... proprio uguale all'attore dei video delle canzoni di Caramano.» L'unica differenza era che nessun costumista al mondo avrebbe mai mandato in giro Gagà Caramano, l'aedo del terzo millennio, vestito con pantaloni rossi e giacca a scacchi grigi e blu, con sotto una improbabile camicia a pied-de-poule giganti bianca e rossa. Katherine abbassò lo sguardo sulle improbabili scarpe da ginnastica in lamé rosso e sperò che l'uomo non potesse leggerle in faccia il pensiero.

«Credo che in realtà sia il personaggio del video quello che è proprio come me... io sono nato quarantasette anni fa, sono arrivato prima io.» Pronunciò la frase con un'increspatura delle labbra come un attore di teatro consumato che conosce a memoria l'effetto della sua battuta. Katherine abbozzò un sorriso e si fece da parte per lasciarlo entrare. Lo fece accomodare nella grande cucina didattica con le postazioni di lavoro intorno all'isola, lei da una parte, lui dall'altra. Eccessivamente lontani per una conversazione a proprio agio. Zampa annusò i pantaloni e le scarpe dell'uomo, ringhiò sommesso un'ultima volta e andò ad acciambellarsi sul suo cuscino nell'angolo più lontano della cucina. Katherine non era contenta di tenerlo in cucina, e se veniva un'ispezione? Ma doveva ammettere che Zampa le faceva compagnia quand'era sola, e si comportava benissimo durante le lezioni. I suoi allievi lo adoravano. Era subito diventato la mascotte di tutti i corsi.

L'uomo si guardò intorno e si mise ben dritto sullo sgabello. «Gagà Caramano mi ha detto che lei ha bisogno di me. Le serve un business partner? Un aumento di capitale?»

«Non propriamente. Diciamo che il signor Caramano mi ha suggerito di cercare qualcuno a cui cointestare la mia scuola di cucina, ma questo qualcuno deve avere delle caratteristiche ben precise. Prende una granita di limone?»

L'uomo – le veniva difficile chiamarlo per nome, le sembrava di prendersi troppa confidenza con una celebrità – si illuminò. «Finalmente qualcuno che non offre la banalità di un caffè. Nella granita di limone c'è molto più lavoro, molta più bravura, molta più dedizione. Accetto volentieri.»

Quindi era un gourmet. Katherine si alzò per rimescolare la granita prima di servirla. Stettero entrambi in silenzio mentre lei scucchiaiava la granita nelle coppette.

«Ottima. Come quella di mia madre.» Gigi terminò la granita in quattro cucchiaiate, spinse da parte la coppetta di vetro che somigliava a quelle dei bar degli anni Cinquanta e fissò Katherine negli occhi come per impedirle di scappare.

«Quindi, pensa anche lei come Gagà Caramano? Ho i requisiti per diventare suo socio?» Katherine arrossì. Sono ipersensibile, questo gioco di seduzione sotterraneo che sento certamente non è reale, sono io che me lo sto inventando. Sono anni che un uomo non mi parla così, perché dovrebbe farlo lui adesso, è qui solo per affari, che illusioni mi sto facendo, cosa vado a pensare. Il signor Gagà è stato esplicito: io intesto al signor Gigi Caramano il dieci per cento della scuola, e siccome le iniziali di questo signore sono uguali a quelle del personaggio delle sue canzoni, nessuno può avere nulla da recriminare; chiudo la vecchia scuola e riapro la nuova, diversa ragione sociale, stesso nome. Non devo cambiare nemmeno una virgola, gadget, carta intestata, logo, niente.

Quando il cantautore le aveva spiegato il suo piano, Katherine aveva esitato. «Ma non vale, così risolviamo solo la forma! La sostanza rimane la stessa!»

Gagà Caramano aveva allungato una mano verso di lei, che era seduta all'altro lato del tavolo della cucina, e le aveva fatto una carezza su una guancia come un padre tenero a una figlia troppo ingenua. «Signora cara, ma allora il suo mezzo sangue italiano non le è servito a capire l'altra metà della sua natura. In Italia la giustizia è un fatto di nomi, non di cose. Nessuno avrà niente da eccepire: Caramano è sempre stato un nome in Sicilia già prima che io imparassi a fare le aste, perché ai miei tempi si facevano le aste, prima di cominciare a compitare parole. Non si è mai visto che sia un reato avere un'attività sotto il proprio cognome. Mi dia retta, vedrà che ho ragione, ce la faremo.»

Katherine non aveva altra scelta. E poi, quel "ce la faremo" al plurale le aveva dato un senso di vicinanza, di empatia. Ce la faremo. Era uscita dalla villa di Elicona canticchiando una canzone di Gagà, quella in cui il secondino racconta l'andirivieni della fortuna di un miliardario che si dà alla politica per farsi da sé le leggi che gli servono. Aveva aderito al piano: il signor Gagà gliene aveva provato l'efficacia, cifre alla mano. Quel dieci per cento intestato al suo omonimo sarebbe stato un granello di polvere rispetto alle decine di migliaia di euro di danni prima e *royalties* poi, che altrimenti avrebbe dovuto versare all'ufficio legale che gestiva il marchio Caramano™.

E ora, le si era materializzato davanti il suo *deus ex machina*, uno sconosciuto dal nome noto, G. Caramano, che per scherzo della sorte somigliava come una goccia d'acqua all'attore dei video. Con quel suo sorriso sornione le faceva provare un fremito interno, un tipo di fremito che conosceva bene per averlo provato una sola volta nella vita, prima di inabissarsi in un'esistenza di compiti svolti scrupolosamente. Devo restare fredda, devo rimanere impassibile, si disse Katherine. È solo lavoro. Lavoro, lavoro, lavoro. Non c'è altro nella mia vita. Lavoro, e Paulette. Nel primo sono bravissima, e devo continuare a esserlo. Perché è la mia sola chance di poter conquistare mia figlia, di mostrarle tutto quello che faccio, che posso fare, e anche l'impossibile che riesco a fare per lei.

La porta della cucina si aprì di scatto e Paulette entrò a passi decisi verso il frigorifero. Aveva tagliato i jeans e si era fatta degli short sfrangiati così corti che lasciavano scoperta la piega delle natiche. Sopra portava una canotta di cotone bianco senza reggiseno, esplicita come un'ecografia. Le labbra sepolte sotto un rossetto viola cadaverico e gli occhi incavati in un pugno di eye-liner. Dapprima non si accorse di loro due che stavano in silenzio a osservarla, si servì il ghiaccio e l'acqua; poi si voltò, guardò l'ospite, la madre, e di nuovo l'ospite, prima con gli occhi strabuzzati, poi delusa, e infine schifata. È lui? Strabuzzata. No, non è lui, lui non ha il neo sotto il sopracciglio. Delusa. Figurarsi se poteva essere lui, figurarsi se nella vita di mia madre poteva esserci qualcosa di autentico. Schifata.

«Tutto *gnè-gnè-gnè*, qui dentro» commentò senza nemmeno salutare. «Le ricette come le persone. Autenticità innanzi tutto.» Schioccò le dita rivolta a Zampa. Il cucciolo si alzò e la seguì, voltandosi a guardare Katherine prima di uscire dalla stanza, come per scusarsi.

Paulette lo fece passare, poi si chiuse la porta alle spalle lasciandoli soli a scoprire se avevano altro da dirsi.

Amanda

Ma che, era scemo? Aveva imparato a dire così a Roma. Appena arrivata in Italia, Amanda aveva soggiornato per qualche mese a Roma, il tempo di sbrigare delle formalità all'ambasciata. Ma che, sei scemo? Le piaceva quel modo di dire. L'aveva subito fatto suo. Trovava che esclamazioni come quella conferissero un *quid* di autenticità al suo italiano e dessero più forza all'espressione dei suoi stati d'animo.

Fissava incredula l'estratto conto online. Cambiò persino gli occhiali, prese quelli nuovi con mezza diottria in più, che non metteva mai perché le davano il capogiro. Il capogiro aumentò. Ma che, è scemo? Come si permette di offendermi così?

Dopo la telefonata di Salvo si erano rivisti nella grotta analitica. Avevano parlato. Lui, aveva parlato. Lei, aveva ascoltato. Una innovativa inversione dei ruoli. Non era stato un incontro proficuo. Amanda aveva usato un argomento di cortesia: il restauro del palazzo, un salasso. La psicoterapia, un lusso che non poteva più permettersi.

E ora, ecco sul monitor la versione di Salvo. Bonifico a suo favore, importo 108.660 euro, ordinante Diodato Salvatore, causale "Sono un pessimo psicanalista". Ma no, cosa dici, tu sei un fantastico pezzo di merda, ruggì Amanda, rabbiosa. Era chiarissimo perché lo faceva. Ridandole il denaro che lei aveva speso in tutti quegli anni di terapia, a Scicli e prima ancora a New York, Salvo azzerava il rapporto terapeuta-paziente. Le diceva "io e te non siamo mai esistiti in quanto tali nel salotto di analisi", o in quell'assurdità architettonico-fetale della grotta analitica. Corollario: quindi possiamo esistere altrove. Dal suo punto di vista, Salvo sgombrava le scorie per lasciare libero il ballo, perché in fondo gli uomini sono così, per quanto ti possano sembrare evoluti, per quanto tu possa idealizzarli nel transfert, loro ragionano su sistema binario. Uno, zero. On, off. Non si rendeva conto – non si rende conto? Ma che mestiere fa? – che con quel bonifico le diceva "io non valgo niente", la tua analisi non vale niente, quello che hai capito e accettato di te non vale niente. Tutto quel che c'era da salvare del loro rapporto, l'ordinante Diodato Salvatore, che alla faccia del suo nome non era capace di salvare niente e nessuno, lo prendeva e lo buttava nel cesso, e ci gettava su uno sciacquone da 108.660 euro.

Io lo cancello dall'albo, degli psicoterapeuti e dei viventi. Amanda compilò il campo "invia bonifico": inserì i dati del destinatario, l'importo, la causale "Mettiteli nel culo". Ebbe un attimo di esitazione, controllò, corresse un dato, premette invio e si sentì subito meglio. Pagare rende liberi. Immaginò la faccia dell'impiegato di banca che processava il bonifico e scoppiò a ridere distendendo il collo all'indietro, gli occhi spalancati sull'allegoria della Letteratura affrescata sulla volta del salone, esattamente sopra il punto in cui aveva fatto sistemare la scrivania.

Ignazio

Da che mondo è mondo, persino da prima che inventassero la matematica, due più due fa quattro. Ignazio aveva fatto un po' di appostamenti. All'inizio voleva solo fare un piacere alla commissaria, dare una risposta alle sue curiosità riguardo a Salvo e avere una scusa per chiamarla al telefono e darle un appuntamento in officina.

Ma ora, facendo due più due, qualcosa non gli tornava. Un artista sfigato vende le sue opere a uno psicoterapeuta ricco e famoso. Fin qui, tutto normale, anzi no: che culo che aveva quel Laccio che i suoi cristincroce piacessero tanto al dottore. Ma cosa c'entrava quel tipo imparruccato che sembrava una vecchia rockstar in calo di notorietà? E quell'altro corpulento in impermeabile a metà tra un maniaco sessuale e un detective panzone? E il cuoco col ristorante sempre vuoto ogni volta che ci andava a pranzo o a cena Salvo Diodato?

Strani movimenti.

Mai una donna. Tranne una volta a Taormina, quando mi ha chiesto di caricare quel baule sul Defender.

Per il resto, solo uomini. Tutti uomini.

Troppi uomini.

E quella sta a preoccuparsi delle auto di Diodato. Si preoccupasse di dove va suo marito, invece.

Maria, Maria, quando aprirai gli occhi e diventerai mia? Ripeté la domanda a mezzavoce più volte e gli venne di metterla in musica, parafrasando il ritornello di una canzone di Gagà Caramano. Era stata proprio Maria a fargliela ascoltare, la prima volta, anche se involontariamente. Aveva lasciato il cd nella Honda che gli aveva portato a riparare. Ignazio l'aveva ascoltato e riascoltato sino a impararlo a memoria. La musica non era il suo genere, ma le parole e le storie erano pazzesche. Cominciava come un vecchio cantastorie siciliano che raccontava personaggi immaginari che vivevano a Scicli e poi dopo qualche strofa era come se il cantautore si alzasse in aria con un drone e quelle storie viste dall'alto le poteva indossare chiunque, storie di uomini e donne che inseguono la verità, senza afferrarla mai. E poi, ad ascoltare la stessa musica che piaceva a Maria, gli sembrava quasi di passare il tempo insieme a lei. Maria, Maria, quando aprirai gli occhi e diventerai mia?

Gli era venuta sete.

Come Gagà Caramano, lasciò le grandi domande per aria con una cadenza sospesa, chiuse l'officina e andò a comprarsi una granita di limone. E magari, già che ci sono, vado anche a buttare un occhio alla Pisciotta per vedere l'aria che tira.

Chissà perché lo attraeva tanto quel posto frequentato dai gay.

Laccio e Angelino

Angelino non si sentiva mai solo, sul terrazzino di Chiafura. C'erano tutti i suoi ricordi a fargli compagnia. Ora per esempio ricordava quella sera, quando aveva visto il capellone e l'altro correre via, e si era chiesto dove andassero e li aveva seguiti. Prima era entrato il capellone, e non era successo niente, non si era nemmeno accesa la luce all'interno. Poi, dopo un po', era arrivato Laccio. E di nuovo non era successo niente. Tutto buio. Allora aveva deciso di andare a dare un'occhiata. Sapeva che c'era un passaggio dal vecchio cesso nel cortile, con una porta sgangherata che portava dentro la bottega. Era entrato per fare uno scherzo, aveva detto «Documenti», e quello era scappato. Laccio era per terra, Angelino ci si era messo sopra, a cavalcioni. Era una strana intimità. Bella. Gli si era addormentato su. Poi era venuto qualcuno a bussare. Allora si era alzato, muto, era uscito dal cesso, aveva spiato da dietro una fessura del grande portone. Si vedeva uno che bussava, ma niente da fare, nessuno gli apriva. Era come quando i dottori dell'ospedale facevano le visite e si chiudevano la porta alle spalle, e chi era dentro era dentro, chi era fuori restava fuori. Forse il capellone era il dottore e Laccio non voleva andare dal dottore e allora il dottore si era nascosto nella sua bottega al buio per poterlo visitare?

Avrebbe potuto chiederlo a Laccio. Da un po' di tempo si arrampicava fin lassù più volte al giorno, correndo per i vicoli in salita, mangiando le scalette due gradini per volta. Si sedeva accanto a lui e faceva anticamera. Salvo non lo riceveva più. Si negava anche quando nella grotta non c'erano pazienti, né stavano per arrivare. Laccio attendeva ostinato, in silenzio. Nemmeno ad Angelino piaceva parlare: l'unico di cui desiderasse ascoltare la conversazione era *'u pissicologo*, e *iddu* era sempre impegnato con il lavoro, tanto lavoro, più lavoro di sempre, in questi ultimi giorni. Non esce mai, chissà cosa mangia. Angelino decise che gli avrebbe portato un pezzo di torta, il prossimo mercoledì. Le suore fanno la crostata, di mercoledì, e al *pissicologo* gli piacerà, la crostata delle suore.

Laccio e Angelino si facevano compagnia così, come pesci immersi ognuno dentro il proprio silenzio.

Ogni tanto Salvo si sporgeva dietro una tenda, a osservare. Allora Laccio lo studiava per quei pochi istanti che gli erano concessi, come per imprimersi negli occhi i lineamenti, il profilo, la fronte, le labbra. Cercava di memorizzare ogni dettaglio, per averlo sempre davanti. Una sola mattina Salvo gli aveva fatto l'onore di uscire, per chiedergli di non venire più. Gli aveva stretto la mano e Laccio non se la dimenticava più quella stretta, il calore, la forma delle dita che stringevano le sue. Aveva scoperto in Salvo l'uguale e il diverso, e non voleva, non poteva staccarsi da lui. Era come se avesse ritrovato una parte di sé; come se guardare Salvo, contemplare Salvo, il dio fatto uomo, lo aiutasse a dare un senso a tutto il suo solitario passato sino al momento in cui *'u pissicologo di Nuova York* aveva portato lo sconquasso nella sua vita. Avrebbe voluto spiegarglielo, ma Salvo non gliene dava modo. Forse, dopo che gli toccava sorbirsi tutte le storie dei suoi pazienti, poi non aveva più voglia di ascoltarne ancora delle altre. Magari doveva proporgli di prenderlo in terapia, così poi Salvo avrebbe dovuto dargli udienza per forza.

Quella mattina, all'alba, dopo avere passato la notte a

pensare come riuscire ad avvicinarlo un'ultima volta, Laccio
uscì di casa, prese l'auto, la lasciò sotto il parco archeologico
e si inerpicò su. Salvo gli apparve seduto al tavolo sul terrazzino, una visione. Non si accorse di lui e continuò a scrivere.
Suonò un telefono dentro casa e Salvo rientrò. Laccio allora
spinse il cancello che era sempre aperto, giorno e notte, per
accogliere Angelino; vide il quaderno aperto sul tavolo accanto a un mucchietto di mandorle sgusciate e lo prese –
non sapeva bene perché: forse per possedere qualcosa di lui,
per penetrare la mente del dio fatto uomo. Corse via, con il
quaderno stretto sul petto. Salì in auto e lo posò sul sedile
accanto al suo. Lo accarezzò con la mano. Se lo sarebbe portato più tardi, quel pomeriggio, per leggerlo alla Pisciotta. Lì
la gente si fa gli affari suoi, nessuno baderà a me. E poi forse
lo incontrerò e avrò la scusa perfetta per fermarlo, ridargli il
suo quaderno. Gli dirò che l'ho trovato, che il vento l'aveva
fatto volare giù per i vicoli, e che io non voglio altro che
rendergli quel che lui ha perso.

Maria

Se c'era della roba di mezzo, molto probabilmente la snif-
fava il questore. Ma adesso ti pare che uno se ne va da New
York, lascia uno studio di psicoterapia frequentato dal jet set
e dal fior fiore dei politici, fonda a Scicli la psicoterapia in
grotta scatenando un putiferio di voli charter sul cielo di Comiso, e tutto questo can can internazionale avrebbe lo scopo
di fare da copertura a un traffico di eroina?
Ma di cosa si faceva il questore?
«Commissaria Gelata, glielo chiedo di nuovo, e questa volta la prego di agire come se si trattasse di un favore personale.
Faccia pedinare Salvo Diodato. Con discrezione.»
Maria sospirò. Con tutto quel che aveva da fare, ora le
toccava disperdere forze per far stare tranquillo il questore,
ché la finisse di darle il tormento.

192

E il mio infanticidio? Dopo l'ultima ricognizione fatta insieme a Ignazio, aveva un indizio che ci voleva pochissimo a trasformare in prova. C'è in giro per Scicli una persona che ha ucciso un bambino, anzi due. Quando lo devo scoprire, il colpevole? Ma la giustizia, al questore, non interessava abbastanza. Maria silenziò il cellulare e disse a Comisso di far entrare l'indagato per l'interrogatorio.

Si era fatta uno schema. Sembrava che ci fossero tutti gli elementi. La verità non aveva opposto più di tanta resistenza e nemmeno Don Corrado, stanco, si oppose più. Le offrì le tessere che mancavano al puzzle.

La madre presunta infanticida viene scagionata e torna a casa. La sostituisce suo padre, nonché nonno dei bambini, Don Corrado, accusato di omicidio premeditato dopo che ha ucciso a colpi di forbice anche il minore dei suoi due nipoti.

Don Corrado non sa chi è il padre dei suoi nipoti, o finge di non sapere.

Poi ci si mette il maggiore dei due. Il suo preferito. Il suo erede. Don Corrado capisce che il ragazzo sa, o sospetta, e cerca prove. Sai come sono i ragazzi oggi, non hanno più valori, se ne fregano se va distrutta una reputazione. Bisogna eliminarlo: ne va dell'onore della famiglia. Don Corrado organizza tutto in modo che sembri una pazzia della figlia. Che finisca in carcere, la cagna, che paghi. Concepire un figlio con un estraneo. Quella è cretina, o romantica, come tutte le donne, e pensa a mettere in salvo almeno il più piccolo. Lo porta in un posto dove Don Corrado non va mai: la cava. Non ci va perché in passato la cava apparteneva alla famiglia, fu il trisnonno che cominciò a vendere, per dare una dote alle figlie. Fu allora, con quella vendita maledetta, che cominciò la decadenza del casato. Troppe femmine. Il bisnonno allora ebbe un'idea geniale: far sposare le figlie con i suoi fratelli, per far restare la roba in famiglia.

Aveva funzionato. L'avevano rifatto. E poi ancora. E ancora. Finché arriva quella testa di minchia di suo fratello Don Carmelo e fa inceppare il meccanismo. Quello si ricompra pure la cava, così, per sfregio, e non ci fa niente, ci va a fare le passeggiate, tanto ora grazie ai figli bastardi tutta la roba è in mano a lui. Don Corrado perde il bene del senno e mentre la figlia è in carcere raddoppia lo sfregio: prende il nipote piccolo per portarlo a fare una passeggiata, diretto alla cava e lì, nello stesso luogo in cui la donna aveva messo il figlio in salvo poche settimane prima, Don Corrado si accanisce a sforbiciate anche sul minore dei suoi due nipoti. Durante l'interrogatorio conclusivo che è la sua confessione, si giustifica: «Prima o poi sarebbe diventato grande anche lui e sarebbero stati in troppi a sapere. L'ho portato lì per ucciderlo, perché quella cava è stata l'inizio della rovina per la nostra famiglia, e aveva da essere anche la fine».

L'onta è lavata, e per festeggiare, Don Corrado lava la macchina. Ed è proprio l'eccesso di zelo nel lavaggio ad attirare i sospetti su di lui e a scagionare la madre.

Il caso era chiuso.

Stava per arrivare l'estate e Scicli era liberata dall'orrendo assassino che l'opinione pubblica non poteva sopportare di sapere ancora a piede libero.

Adolescenti curiosi, bambini ignari, spose fedeli o adultere, mariti condiscendenti o assenti, donne e uomini ostinatamente innamorati, siete tutti al sicuro. Signori turisti, villeggianti, viaggiatori, registi, attori, giornalisti e *buyers* da tutto il mondo, prego, accomodatevi! Scicli, la perla della Sicilia barocca, la capitale della neofondata psicoterapia in grotta, vi aspetta per una vacanza sicura.

Seconda Parte

IX

Scicli, quella notte di giugno

Il tuffo

Peppe 'U Pazzo

Peppe 'U Pazzo si svegliò di colpo. Spostò il capretto che aveva lasciato gli si addormentasse sulla pancia a mo' di coperta, e cominciò a richiamare le sue capre. Non gli piaceva il rumore che aveva sentito. Lo chiamavano Peppe 'U Pazzo perché portava le sue capre la notte alla Pisciotta. Lui non vedeva dove fosse la pazzia. Alle capre piace il sale, e sui massi ce n'era tanto da leccare. Alle capre piace saltare da un sasso all'altro, e sugli scogli hai voglia a saltare. Alle capre piace brucare l'erbetta, e quella che cresceva lì era pure salata. Ed era tutto gratis, nessun terreno da affittare, nessuna tassa da pagare: tutto gratis, compreso lo sfregio ai turisti e ai froci, che la mattina quando arrivavano con comodo, verso le undici, mezzogiorno, e lui e le capre se n'erano andati cinque, sei ore prima, trovavano quelle palline di cacca dappertutto. Vi piace la natura? La natura è anche merda. Io e le mie capre siamo qui per ricordarvelo. Così quando comprate l'insalata biologica lo sapete già.

Aveva sentito un rumore strano, un tonfo nell'acqua. Poi una macchina che partiva. Quando si tirò su, col capretto in braccio, la macchina era già lontana. Da come procedeva storta avrebbe giurato che alla guida c'era una donna.

Le donne, sono guai. Peppe 'U Pazzo non ci cascava, con

le donne. A lui bastavano le sue capre, aveva già abbastanza pensieri così. E portale al pascolo, e riportale in stalla, e mungile, e fai la ricotta che lui lo sapeva che la gente diceva che lui faceva la ricotta *ruggiata*, sporca. Solo perché uno non ha una femmina tra i coglioni, la gente deve dire che sei *ruggiato*. Ma si guardassero loro e le loro ruggiatissime corna. Le capre, corna non gliele facevano. Avevano solo lui come pastore. Quando era ancora viva la buonanima di sua madre che Dio l'abbia in gloria, lo obbligava ad andare alla messa delle sei, e c'era un momento solo che valeva la pena di prendersi il disturbo della benedizione del prete, che poi è uno come noi, pure con più peccati se vai a chiederlo ai chierichetti, e cosa ci deve benedire a fare? Quel momento, che da solo valeva tutta la messa, era quando le donne con il velo sulla testa cantavano «Signore sei tu il mio pastor, nulla mi può mancar nei tuoi pascoli».

Femmine fedeli, le capre. Via, via, belle, tutte via, si va a casa! Qui tra poco si danno il cambio, la macchina che è scappata via e i guai che stanno per arrivare.

X

Alcune ore prima

Il 1° giugno

La scogliera della Pisciotta

Xenia

Si asciugò la lacrima che le colava su una guancia e si chiuse alle spalle la porta della facciata che le faceva da casa. Ogni volta che si preparava il nido perfetto, poi si incrinava qualcosa. Appena terminati i lavori a Budapest era arrivato il trasferimento in Italia; a Londra, le era toccato mettere l'appartamento di Elephant and Castle su Airbnb; in Salento erano arrivati vicini russi, rumorosi e festaioli; aveva venduto la masseria fresca di restauro ed era venuta a perlustrare gli Iblei. Stavolta, avrebbe costruito solo uno scenario, una facciata.

Dormiva ancora nella "casa della paglia", una stanza con una porta e una finestra dove una volta i contadini stipavano la paglia per nutrire gli animali nei periodi di siccità. Il tetto era quello originale, con le canne scurite dal tempo; le colate di gesso rappreso tra le canne le ricordavano la ricotta calda messa a scolare nelle fuscelle. Don Mimì, il massaro da cui aveva acquistato casa, dopo il rogito dal notaio l'aveva invitata a mangiare la ricotta appena preparata in un grande paiolo posto su un fuoco alimentato a legna. Era stato un pasto emozionante. Don Mimì e sua moglie, Corrada, le avevano insegnato a versare la ricotta calda nelle *scutedde*, le capaci scodelle di terracotta, e a inzupparci dentro il pane di casa.

Corrada cuoceva il pane nel forno a legna alimentato con gusci di mandorle, «perché poi il profumo delle mandorle resta nel pane», e le aveva detto di non fidarsi dei panettieri, mai, «perché quelli comprano l'odore del fumo e lo mettono nel pane, ma è chimico, perché il pane *iddi* lo cuociono nel forno elettrico e di cosa vuoi che sappia, un pane cotto nel forno elettrico. Quando ti serve il pane me lo dici e te lo do io, così almeno sai cosa mangi, creatura».

Chissà perché l'Unesco fa monumenti dell'umanità solo i siti e non le persone. Corrada la vestale del pane e Don Mimì il santone della ricotta andavano tutelati, rispettati, protetti. Doveva essere bello avere una madre come Corrada. Cosa era saltato in mente ai loro figli di andarsene a lavorare all'estero, uno a New York e l'altro a Perth, «che se dobbiamo andare a trovarli dobbiamo scegliere quale dei due, perché i soldi per andare in America e *magari* in Australia non bastano, dobbiamo scegliere uno solo».

Don Mimì e Corrada non avevano mai scelto. Erano restati nella villetta costruita da Don Mimì negli anni Settanta, quando le masserie dei nonni erano diventate "brutte" e "vecchie", mentre le case moderne avevano il bagno, comodo, e pure il cucinino «che se non vuoi lavare i piatti subito dopo mangiato, chiudi la porta e non ci pensi più». L'unica scelta, una volta che era stato chiaro che i figli a casa sarebbero tornati solo in vacanza, ma a vivere mai, era stata quella di mettere in vendita la vecchia masseria. Per ristrutturarla ci volevano «i denari», loro ormai si erano abituati alla villetta col bagno e le piastrelle lavabili invece della pietra pece, e avevano tirato un sospiro di sollievo quando era arrivata Xenia.

Aveva acquistato a una condizione: che Don Mimì continuasse a tenere i maiali, le mucche, i cavalli e l'asina nella grande stalla, e che Corrada continuasse a curare il pollaio e l'orto accanto alla masseria. La vita doveva continuare come prima. «L'unica differenza è che le tasse ora le pagherò io» aveva spiegato con un sorriso.

Don Mimì e Corrada si erano schermiti, ma come, l'odore degli animali ti disturberà. Xenia era stata risoluta. Siccome l'avevano già scelta come acquirente e nuova vicina di casa, non avevano opposto resistenza. Contenta tu, avevano commentato. Non sapevano che quei maiali neri degli Iblei, come li chiamava pomposamente Don Mimì, istruito dal macellaio che stava lanciando la razza "suino nero degli Iblei" in tutta Europa, erano per Xenia la rivincita su un passato subìto, su un'infanzia rapita. Erano una scelta. Senza bisogno di tante parole, loro tre si erano scelti. Oppure, si poteva dire anche così, e questa sì che era una rivincita, un pensiero che le dava brividi e lacrime e gioia: si erano adottati.

E ora Corrada, senza volerlo, incrinava la facciata. Era venuta a dirle che non poteva fare i cannoli e gliene aveva portati due già farciti, «per farli assaggiare alla tua amica». Come lo dico ad Amanda? Penserà che sia una scusa. E come sono stupida, stupida, tre volte stupida, a piangere per una sciocchezza così.

Sbatté la porta senza chiuderla a chiave e salì in auto con il pacchetto dei cannoli. Poi ci ripensò, tornò in casa a prendere il costume da bagno, si guardò allo specchio, decise di rifarsi il trucco col mascara waterproof, e i cannoli pazienti la aspettarono accanto al posto di guida.

Amanda e Xenia

Un ritardo lungo quaranta minuti. Inammissibile.

Non solo l'aveva fatta aspettare oltre mezz'ora sotto il sole: Xenia si era presentata all'appuntamento sulla panchina davanti al convento del Carmine con una scusa confezionata male e due cannoli già farciti.

La scusa per cancellare l'invito ad assistere alla manifattura dei cannoli era che Corrada, la sua vicina di casa, a sentir lei maestra di pasticceria tradizionale, doveva andare dal medico quel pomeriggio, quindi Xenia era costretta a cancellare. Se le avesse proposto di portarla comunque a casa, avrebbe dissipato il dubbio che il millantato impegno di Corrada fosse un pretesto inventato lì per lì, magari soltanto perché la suddita di sua maestà la regina Elisabetta non aveva voglia di mettere in ordine il salotto per ricevere visite.

Xenia era una degna esponente del popolo British, che di cucina non ha mai capito un accidente, prova ne sia che per dare un nome alle carni cotte prendono a prestito parole dal francese, come se ci volesse una magia per trasformare *pig* in *pork* e *cow* in *beef*. Aveva toccato il fondo presentandosi all'appuntamento con quei due cannoli già farciti. Un errore di per sé, aggravato esponenzialmente dal ritardo.

«Quanto tempo fa sono stati farciti?»

«Non saprei...»

«Te lo dico io, a giudicare da come si è inumidita la scorza: almeno un'ora fa.»

«Ah, ecco, Corrada si era raccomandata in effetti che te li portassi subito, è colpa mia, ho perso tempo...»

«E si può sapere che cosa avevi di così importante da fare, da spingerti a rovinare il mitico cannolo della tua mitica vicina di casa?»

«Dici che si è rovinato?»

«Vedi tu» Amanda pizzicò il cannolo tra due dita e quello invece di mostrare una croccante resistenza si afflosciò come un pacchero scotto. «Il cannolo è fatto di due parti, e il dialogo tra queste due parti è indispensabile per la riuscita della ricetta. La scorza deve essere croccante, la crema di ricotta dev'essere eterea. È come in una coppia: uno deve avere mordente, l'altro dolcezza e *souplesse*.»

Xenia ascoltava mortificata. Non riusciva a credere che un cannolo potesse minare così l'*aplomb* di Amanda. La sua amica era una vera newyorkese, sempre compassata, non perdeva mai le staffe e analizzava ogni dettaglio con l'occhio clinico di un'esperta di ricerche di mercato.

«Comunque, proprio perché si è rovinato in così poco tempo, appena fatto doveva essere buonissimo» commentò

Amanda, che nel frattempo aveva assaggiato la crema di ricotta con la punta dell'indice, e si era sentita in colpa avvertendo la mortificazione di Xenia.

«Di sicuro non era come i finti cannoli siciliani che si vendono al Greenwich Village, con la scorza così spessa e dura che puoi usarla per fare un attentato al World Trade Center.»

Xenia rise. *Lovely* Amanda.

«Allora, è evidente che non vuoi dipanarmi i segreti della tua dimora, cara.»

Amanda richiuse l'incarto dei cannoli e lo porse a Xenia, come un rifiuto che non si sa come differenziare e si rimbalza a chi l'ha prodotto. «Quindi, vediamo un po' come riempire insieme le prossime due ore.»

«Io un'idea ce l'avrei» disse Xenia. «Ma le ore potrebbero diventare tre, invece di due?»

«Va bene.»

«E non vuoi sapere dove andiamo?»

«Mi fido. Quando non si tratta di cannoli, ti si può dar credito.»

«Bene, andiamo.» Xenia si alzò e si diresse verso la strada laterale del convento, dove aveva parcheggiato.

«Ma questa è una delle macchine di Salvo!» esclamò Amanda vedendo la Déesse.

«Com'è che ce l'hai tu?»

«Me l'ha... noleggiata» rispose Xenia, sedendosi. «Ha la guida a destra, per me è più pratica.» Certo che l'ortodossia non è il suo forte, pensò Amanda. Si innamora delle pazienti, le porta fuori a cena, ci fa business, e adesso le usa anche per piazzare le auto che non vuole più. Elena le aveva raccontato che Salvo l'aveva accompagnata a Taormina, dove aveva scambiato la Mercedes Pagoda con una Déesse esattamente uguale a quella che aveva già. Conoscendolo, aveva sicuramente avuto il suo tornaconto.

Amanda sedette in macchina. Xenia mise in moto e imboccò il bivio per la Pisciotta.

Ignazio

Ignazio parcheggiò vicino alle scupazze, le palme nane che fungevano da protezione contro il vento. Spense il motore e rimase in auto. Erano quasi le cinque del pomeriggio, di lì a poco sarebbe cominciato il viavai. Ce n'erano già un paio seduti sul muretto accanto al passaggio che portava alla fornace. Mercenari. Chiacchieravano gesticolando con le mani, ognuno con il suo smartphone. Uno, biondo, zigomi alti da europeo dell'est, aveva una canotta bianchissima che metteva in risalto l'abbronzatura dorata della pelle e il disegno studiato di bicipiti e tricipiti. Sotto, un costume a righe bianche e rosse. Esplicito. L'altro era piccolo di statura, moro, capelli ricci, magro e svelto, scuro di carnagione. Era come agli inglesi dei primi del Novecento piaceva immaginare i ragazzi di Taormina. Indossava pantaloncini di lino bianco e una camicia di lino a righe bianche e azzurre con le maniche rimboccate. Ignazio aveva visto il completo in saldo al centro commerciale a Modica. Mariamaria, avevo persino pensato di comprarlo, mi ritrovavo che ero vestito come un mercenario e mi toccava spaccare i denti al primo che mi chiedeva quanto. I mercenari dovevano arrivare primi, esporsi in bella vista, invitanti e bene apparecchiati. Gli altri, i liberi, arrivavano poco per volta, discreti, circospetti, si inoltravano lungo la spiaggia fin dentro la vecchia fornace dismessa, come appassionati di archeologia industriale. Quasi tutti parcheggiavano più sotto, proprio davanti al passaggio. Preferivano insabbiare la macchina piuttosto che impolverarsi le scarpe.

Vide un'auto arrivare nello specchietto retrovisore. Quell'auto. Dunque il suo sospetto era fondato. Si appiattì sul sedile. La Honda della commissaria gli passò davanti, diretta verso lo spiazzo, e frenò all'ultimo istante proprio davanti al passaggio che portava alla fornace. Cosa viene a fare qui? Non mi dire che... Laccio, quella sottospecie di artista fallito che non si capiva come avesse fatto a meritarsi la fortuna di sposare la commissaria, aprì lo sportello e si guardò intorno senza scendere. Quindi è lui che viene qui. La commissaria gli aveva portato la Honda per un controllo. Procede a strattoni, si era lamentata. Ignazio aveva aperto il cofano per controllare il motore. Nel filtro c'era la polvere rossa della Pisciotta. Pur dopo decenni di inattività della fornace, la polvere dei mattoni non si era mai amalgamata con la sabbia; anche polverizzati, i mattoni non potevano imitarne la finezza. Se hai un dubbio e vuoi sapere se uno è gay, basta controllargli il filtro della macchina. Se c'è la polvere dei mattoni della Pisciotta, ti sei tolto il dubbio.

«È tornata alla Pisciotta, commissaria?»

«No. Perché?»

«Niente, niente, pensavo. Magari era sulla pista del giro di prostituzione.»

«Prostituzione ce n'è già tanta dentro i palazzi di Ragusa e di Scicli, Ignazio. Ragazze, transessuali. Vuoi sapere una cosa? Se gli omosessuali potessero vivere alla luce del sole, ma veramente; se potessero sposarsi, e crescere dei bambini oppure non crescerli, ma andare in ospedale quando il loro compagno sta male, vivere di doveri e diritti come tutti, se tutto questo fosse possibile, la prostituzione maschile sarebbe pressoché inesistente.»

«Commissaria, le piacciono i froci?»

«Ignazio, ti avverto che hai superato l'età che ti dava l'attenuante per essere stupido. Quando torno a prendere la macchina?»

«Gliela dò subito, commissaria. Cambio il filtro. Ci metto cinque minuti. Ma poi me la deve riportare tra una settimana, massimo dieci giorni, per un controllo. Devo vedere se è quello che penso.» Per fortuna la commissaria non gli aveva chiesto cos'era, che pensava.

Pensava che la Honda era stata alla Pisciotta, che la commissaria diceva di non esserci tornata dopo che lui ce l'aveva accompagnata, e che però la commissaria aveva un marito, che usava quell'auto pure lui.

Salvo

First time I saw Santa Maria delle Scale, I had to cry out of beauty. Ecco perché gli piaceva condurre l'analisi in inglese. Una lingua asciutta, capace di esprimere emozioni senza sbavature. *I had to cry out of beauty.* Conciso, efficace. Un inizio di seduta folgorante. Aveva notato che le pazienti anglofone prediligevano il mascara *waterproof*, e anche alla fine della più dolorosa e rivelatrice delle analisi, il loro make-up non aveva subito traumi sensibili. Le pazienti italiane, invece, sceglievano il mascara tradizionale e finivano immancabilmente in una pozzanghera impastata di pianto. Questo, doveva convenire, le rendeva più sensuali: gli chiedevano se potevano usare il bagno e ricomparivano con un make-up nuovo, smagliante, un apprezzabile sostegno per tornare ad affrontare il mondo di fuori.

Santa Maria delle Scale, cry, beauty. La bellezza dell'arte libera il pianto. La frase era saltata fuori aprendo il suo taccuino d'analisi quella mattina. Ne conservava un ricordo vivissimo, come se l'avesse sentita pronunciare solo un istante prima. Lo faceva spesso, appena sveglio: apriva una pagina a caso e ne traeva delle riflessioni per l'analisi, o anche solo per se stesso, come una sorta di vaticinio per la giornata. In quelle prime ore del mattino si sentiva inquieto. Uscì sul terrazzo con il taccuino in mano, il dito indice ancora infilato tra le pagine aperte a caso. Andò a sedersi sulla poltrona in midollino che spesso era occupata dalla sua guardia del corpo autonominatasi sul campo, Angelino, un ex ospite dell'ex reparto psichiatrico che viveva di incarichi surreali come la custodia di un passaggio a livello dismesso e la tutela della persona fisica di Salvo. Era un *tranquillo*, come si diceva un tempo. Probabilmente a quell'ora era a far colazione con pane e caffelatte alla mensa delle monache di Santa Maria delle Scale. Sul tavolo c'era un mucchietto di mandorle. Prese a sgusciarle, meccanicamente. Chissà se anche Angelino era sensibile alla bellezza dell'arte tanto da doverne piangere.

Santa Maria delle Scale era l'unica chiesa iblea salvatasi dal terremoto del 1693, e pertanto una delle rarissime testimonianze locali di arte medievale.

La frase che aveva annotato sul taccuino era di Amanda: diceva di avere ritrovato se stessa in un volto femminile scolpito sul capitello di una colonna, lungo la navata della chiesa. Amanda affabulava spesso la sua analisi con osservazioni su storia e arte locali.

Quel lungo racconto, una sorta di monologo per irretirlo nel Silenzio, non voleva essere uno spot della processione del venerdì di Pasqua a Noto, ma un invito all'omertà complice del non dire, a cui lui si era sottratto.

Per colpa mia, quella è stata la nostra ultima seduta. Il nostro ultimo incontro protetto nella confortante privacy dell'analisi.

La consapevolezza che si potesse piangere per overdose di bellezza non aveva portato Amanda a interrogarsi circa le ragioni del suo approccio estetizzante alla vita. Tutto, intorno a lei, doveva risplendere di eleganza e bellezza. Dopo aver ascoltato il racconto della visita a Santa Maria delle Scale, Salvo non aveva commesso l'errore fatale dell'ultima seduta; aveva invece prudentemente aspettato che fosse Amanda ad avviare una qualche deduzione, esercizio da cui lei si era puntualmente astenuta. Una seduta sprecata. Ma se non altro, non l'aveva persa. Avevano continuato a vedersi, a recitare i due ruoli che conoscevano a memoria.

Anni addietro, all'inizio della terapia, Amanda gli aveva domandato: «La guarigione è nella consapevolezza, o nel comportamento? È nelle parole, o nelle azioni? Se sapere non porta a cambiare, allora la guarigione è sterile, è una parola? Sono condannata a vivere come vivo perché non so vivere altrimenti, anche se a parole io so?».

Era la domanda che Salvo aveva evitato di porsi, per tutta la vita. Tutto quel che aveva saputo rispondere è che occorre prestare attenzione, che a certi pazienti e in certe circostanze è rischioso somministrare dosi eccessive di verità. Il paziente deve affrontare quel tanto di realtà che gli è tollerabile, poco per volta, con i suoi tempi, quando è pronto. Pensava di avere imparato, ma il passo falso della domanda rivolta ad Amanda, "e tu cosa hai fatto per compiacere tua madre?", era lì a evidente dimostrazione del fatto che, come professionista, aveva ancora ampio margine di miglioramento. L'esercizio del taccuino aperto su una pagina a caso non faceva che rimbalzargli la stessa domanda che gli stava rivolgendo in quei giorni la vita. La guarigione è nelle parole, o nelle azioni? Nella consapevolezza, o nel comportamento? Nel sapere, o nel cambiare? Era stato Laccio a riportargli l'aut aut, e non dentro un pacco regalo.

Sua madre – perché anche le madri degli psicoterapeuti desiderano qualcosa per i propri figli, generalmente molto diverso da quel che si augurano i figli stessi – desiderava che Salvo non tornasse in Sicilia. O almeno non a Scicli. La mamma aveva trascorso tutta la vita a Taormina, senza contatti con la famiglia di origine. Non era tornata a Scicli nemmeno per i funerali dei suoi genitori. Salvo desiderava avere dei nonni, come tutti i bambini; sua madre desiderava che i nonni non avessero lui. Non aveva mai metabolizzato il rifiuto e la cacciata da casa e li puniva a quel modo, con l'assenza e il silenzio.

Eppure, quando lui era piccolo, una volta al mese, il lunedì, quando il negozio era chiuso, sua madre lo affidava alla proprietaria, Corinne, che in realtà si chiamava Concetta ma l'insegna del parrucchiere faceva tutto un altro effetto cosmopolita con su scritto CORINNE. Prendeva il pullman per Comiso. Cosa ci andava a fare, a Comiso? Perché non portava anche lui? Salvo non aveva mai avuto il coraggio di domandarglielo. Ufficialmente non sapeva nemmeno che la meta dei viaggi mensili di sua madre fosse Comiso. Aveva trovato un biglietto del bus nella pattumiera. Era il suo gioco preferito da bambino: prendere un sacco della spazzatura, rovesciarlo per terra, leggere gli indizi che permettevano di ricostruire frammenti di vite altrui. Una confezione di risotto alla marinara precotto per due, due candele quasi nuove, una rosa rossa fresca col gambo spezzato, una bottiglia di vino rotta e tovaglioli di carta ancora inzuppati raccontavano la cena romantica della vicina di pianerottolo, cominciata bene e finita male, e spiegavano perché da qualche giorno non si vedeva più per le scale il suo fidanzato. Un biglietto del bus strappato in quattro pezzi, un sacchetto con bucce di banana e noccioli di albicocca e l'incarto di un panino con lo scontrino di un negozio di Comiso raccontavano un viaggio che si voleva tenere segreto, una fame che la frutta non era riuscita a calmierare, un tentativo di dieta sconfitto da un panino al prosciutto. Ai miei tempi non c'era la raccolta differenziata, il mio lavoro di ricostruzione era più facile. Se dovessi fare lo stesso gioco oggi, avrei almeno quattro sacchetti diversi da aprire, e dovrei imparare a datare la marcescenza del cibo, questa buccia di banana può risalire alla stessa data del biglietto del bus? Per i giovani oggi è tutto più complicato. Sorrise. Non è perché una frase è fatta che non può essere anche vera.

Sua madre non era l'unica a desiderare che Salvo non tornasse a Scicli. Poco dopo la sua morte, e poco prima che lui prendesse la decisione definitiva di chiudere lo studio di Manhattan, era venuta a fargli visita Gwenda. Non la vedeva da quando aveva aperto il primo studio a Washington, erano passati oltre vent'anni. Fu un flash. L'incontro gli riportò alla mente una performance di Marina Abramović. Il pubblico si sedeva, una persona per volta, davanti all'artista, che osservava e ascoltava, muta. Tra centinaia di persone, era comparso a un tratto l'uomo con cui aveva avuto una lunga, significativa relazione vent'anni prima. Le si era seduto di fronte, come tutti. Non aveva parlato. La commozione di entrambi era tangibile, ma solo l'artista si era lasciata vincere dalle lacrime.

Nel loro caso, invece, fu Salvo e non Gwenda a rompere in pianto. Fu come ritrovarsi a tu per tu con il suo passato, i suoi sogni, con quel vecchio sé fatto di corse sullo scooter, di velocità e di quella speciale supponenza che nei giovani fa da corollario alla bellezza. Gwenda settantacinquenne aveva il fascino di una grande attrice del passato con cui nel tempo aveva acquisito una certa somiglianza. Con il piglio volitivo di Katherine Hepburn, si sedette sul suo divano, gli prese le mani, gli disse: «Guardami e ascolta bene quel che ti dico.

Non tornare in Sicilia, Salvo. Io ho fatto tutto quanto era in mio potere perché tu non diventassi schiavo di un passato che non era nemmeno il tuo. Ora però non ho più potere su nulla. Non tornare. Se ti manca il mare, vai alle Bahamas».

Salvo promise che ci avrebbe pensato e portò Gwenda fuori a pranzo. Naturalmente poi fece di testa sua, come Edipo che prende la strada per Tebe imboccando fatalmente lo stesso destino a cui ritiene di stare sfuggendo.

L'aveva riconosciuto subito, il suo destino. Non appena era entrato nella bottega di ebanista. L'aveva riconosciuto con quel fiuto speciale che il padrone ha per lo schiavo, e che lo schiavo ha per il padrone.

Finì di sgusciare l'ultima mandorla. Guardò l'orologio. Era troppo presto per una telefonata, ma evidentemente c'era qualcuno che non sapeva aspettare e scalpitava. Era pronto a scommettere sulla sua identità. Si alzò per andare a prendere il cellulare che aveva lasciato in carica in camera da letto. Quella specie di trans abortito che andava in giro con la parrucca bionda e il doppiopetto grigio gli aveva chiesto un altro incontro prima di ripartire, e voleva la risposta.

«Allora?»

«Va bene. Sono pronto.»

«Oggi pomeriggio alla Pisciotta. Prendi il sentiero della Spaccazza.»

«Sì.»

«Ti aspetto in macchina. Farà vento oggi.»

«Immagino che quando i capelli costano così cari, poi sia una noia scompigliarli.» Nessuno dei due rise. Non era nel *mood* del copione.

«Pensa per te. A furia di aggiustare i guai degli altri ti sei dimenticato dei tuoi. È ora che tu sappia chi era tuo padre. Chissà che sia da lui che hai preso tutti i tuoi vizi.» Non era sicuro di voler andare. Non era sicuro di voler sapere. Non era sicuro di voler capire, di voler scusare, di voler perdonare. Non era sicuro di voler cambiare.

Ignazio

Presto. Doveva fare presto, e al tempo stesso compiere ogni gesto con lentezza. Non dare nell'occhio. Lì alla Pisciotta sembrava che ognuno si facesse i fatti propri, ma in realtà tutti guardavano tutti. Quello era un teatrino dove un attimo prima eri attore, un attimo dopo spettatore, e a volte tutte e due le cose insieme.

Aveva visto Laccio avvicinarsi al muretto a secco che correva sul lato alto del promontorio e appoggiarsi come per guardare il paesaggio. Gay brulicanti su sfondo di archeologia industriale con l'alibi del tramonto sul mare. Un classico che funziona sempre: vado a guardare il tramonto. Andiamo a guardare il tramonto. Un'attività contemplativa che si può intraprendere anche singolarmente, tanto poi la compagnia la trovi in loco, se la cerchi. Se no, guardi solo soletto, e non solo il tramonto. Quando si era creduto totalmente inosservato, spettatore trasparente, Laccio aveva portato le mani dietro la schiena, contro il muro. Un attimo dopo si era rimesso in movimento; le mani penzolavano libere. Solo nell'istante in cui lo vide frugare nella tasca dei pantaloni ed estrarre le chiavi della macchina, Ignazio realizzò che Laccio aveva le mani vuote, ovvero che se le era svuotate, e che l'unico posto dove poteva averlo fatto era il muretto a cui si era appoggiato per qualche minuto. Doveva fare presto, ma con gesti lenti. Una corsa, o anche solo una camminata rapida, uno sguardo troppo palesemente fisso su un punto anziché lasciato vagare con miope vacuità, gli avrebbero attirato addosso un'attenzione deleteria. Altri avrebbero visto ciò che aveva visto lui, avrebbero staccato una corsa. Da spettatore, Ignazio sarebbe diventato suo malgrado attore. E il taccuino nero avrebbe preso il volo prima del suo arrivo sul posto. Lentezza. Ecco, solo dieci passi, sei passi, due passi. Nessuno. Apparentemente nessuno aveva fatto caso a Laccio e al gesto con cui aveva occultato il suo taccuino. Ora si trattava di far passare inosservato il suo, di gesto. Sostò davanti al muretto, nello stesso punto dove si era fermato Laccio. Con le mani dietro la schiena indagò se ci fossero pietre solo appoggiate. Una cedette facilmente alla pressione delle dita. Evvai! La fece cadere a terra. Il tappeto di erba e sabbia attutì l'impatto. Infilò una mano nel vano scoperto. Venne fuori un taccuino. Ma... non era di Laccio. Ignazio diede un'occhiata furtiva. Non era un notebook di quelli che usano gli artisti o sedicenti tali per tracciare gli schizzi delle opere che hanno in mente di realizzare. Era un'agenda. C'erano segnati dei numeri di telefono, degli appuntamenti. C'erano delle foto. E... oh, Mariamaria. Ignazio chiuse l'agenda, se la infilò nel tascone dei pantaloni da aviatore e, a passi lenti, con fare rilassato, sguardo perso sul tramonto, s'incamminò verso la macchina. Era a metà strada verso casa quando incontrò la Honda color carta da zucchero della commissaria che tornava indietro.

Forse Laccio aveva avuto un ripensamento. Si sarebbe accorto che l'agenda era sparita. Gli sarebbero venuti dei dubbi, dei sospetti. Chi se ne frega. Che sospettasse pure di tutti quegli altri che alla Pisciotta, in fondo, ci andavano per mettersi in vetrina, per farsi guardare più che per guardare, e alcuni – era convinto Ignazio – ci andavano soprattutto per sapere chi avrebbero potuto ricattare eventualmente in futuro. Sapere chi è gay, in una società omofoba, può sempre essere utile, gli aveva detto la commissaria, quando gli aveva fatto una capoccia tanta sui diritti degli omosessuali in una società civile. Chissà se sarebbe rimasta della stessa opinione anche quando lui l'avrebbe messa di fronte all'evidenza: suo marito frequentava una spiaggia gay e... non ci voglio pensare, sono pure stato in quella macchina. Povera commissaria. Ma io sarò accanto a lei per consolarla: se quello scimunito frequenta una spiaggia gay, è solo perché non ha capito che donna meravigliosa ha al suo fianco. Appena i tempi sono maturi, io faccio scacco e la regina viene via con me. Adesso è ancora troppo presto, devo aspettare. Accarezzò l'agenda che aveva posato sul sedile a fianco, e sorrise al pensiero dei giorni felici che lo attendevano insieme alla commissaria. Anzi, insieme a Maria. Aveva ragione lei: avrebbe dovuto cominciare a chiamarla Maria. E a partire dalla prima volta nel buio dell'intimità, le avrebbe dato del tu.

Amanda e Xenia

«È un posto bellissimo, ma c'è un'energia strana» osservò Amanda.
«Guardati intorno e capirai.»
«La luce calda del pomeriggio sui vetri della fabbrica abbandonata?»
«Acqua. Guarda la gente.»
«Sono tutti uomini. Non ci sono donne!»
«Appunto. È una spiaggia gay.»
«E noi cosa ci facciamo qui?»
«Io ci vengo spesso, è l'unico posto dove posso addormentarmi al sole tranquilla per ore, nessuno si accorge di me.»
Trascorsero il resto del pomeriggio allungate sulla sabbia a prendere il sole, come due lucertole che null'altro hanno da fare. Un'illusione beata che si dileguò nell'istante in cui Amanda saltò su di scatto: «Viene il fotografo di "Wall Paper" per un sopralluogo, voleva vedere la cappella privata del palazzo con la luce morbida di un'ora prima del tramonto!». Xenia si svegliò di soprassalto. Amanda in piedi le sventolava davanti al naso le chiavi della macchina. «Portami subito a casa, non posso perdere questa opportunità, Pa-

lazzo dei Turchi diventerà la location più ambita per i matrimoni esclusivi.»

Elena le aveva imposto il monopolio per gestire Palazzo dei Turchi per le feste con più di ventiquattro persone; Amanda aveva accettato ma poi aveva trovato come aggirare l'ostacolo quando aveva letto su «Wall Paper» che i matrimoni *cool* ora si facevano in location uniche, con una dozzina di invitati al massimo. Difficile pensare qualcosa di più *cool* della cappella di Palazzo dei Turchi. Ancora più difficile far ragionare Amanda e dirle per esempio di chiamare il fotografo per avvertirlo che era in ritardo. Xenia dovette alzarsi e rivestirsi in quattro e quattr'otto; accompagnò la sua amica lasciandola a cento metri dal passaggio pedonale che portava al palazzo. L'ultima volta che aveva transitato per la via senza il permesso dei residenti era incappata in una delle famosissime, inflessibili vigilesse di Scicli, che le aveva appioppato centottanta euro di multa. Rimasta sola in auto, Xenia si accorse di non avere il cellulare. Aveva scattato delle foto e non l'aveva rimesso nella borsa. Che seccatura. Era già sulla strada di casa, fece inversione per tornare alla Pisciotta.

Il parcheggio, che di mattina e nel primo pomeriggio era sempre quasi vuoto, ora era tutto impegnato. Lasciò la Déesse un po' più in alto e si avviò giù per il sentiero che portava tra gli scogli. Tirò un sospiro di sollievo. Il cellulare era ancora lì. Fortunatamente, un vecchio modello non fa più gola a nessuno. Meno male che non sono mai stata consumista, sospirò. Fosse stato l'iWatch di Amanda, sai adesso come lo trovo. Amanda riceveva in omaggio da Apple tutte le novità tecnologiche; immancabilmente, un mese prima del loro lancio sul mercato, Apple la invitava a un party riservato a poche centinaia di eletti sul pianeta destinati a venire invidiati per trenta giorni in quanto possessori di un sogno collettivo in anteprima. La sua amica era una *influencer* di fama internazionale: il solo fatto che lei avesse scelto un gadget faceva desiderare quello stesso oggetto a migliaia di persone. Allo stesso modo, il Palazzo dei Turchi acquistato da Amanda aveva fatto spiccare il volo al mercato immobiliare di Scicli. Dove Amanda eleggeva a propria dimora un palazzo, lì voleva trasferirsi mezza New York e un quarto dei creativi di successo del pianeta. Un affarone, dal punto di vista di una multinazionale: regali uno e vendi dieci, venti, centomila.

Mise in borsa il suo vecchio iPhone e si guardò intorno. La luce del tramonto regalava una inedita profondità alla fabbrica abbandonata della Pisciotta. Xenia si sentiva trasparente, come se gli ultimi raggi di sole la attraversassero. Come se fosse invisibile. Forse è per questo che mi affascina questo luogo: qui posso essere me stessa perché nessuno bada veramente a chi sono. In fondo, non aveva nulla di urgente da fare a casa, a parte scrivere una relazione per un convegno. Ma non era nello stato d'animo giusto. La mattina, nella stalla, era successo un fatto tremendo. Lo stallone era entrato nel recinto del puledro, l'aveva aggredito a colpi di zoccoli e gli aveva strappato il cuore a morsi. Don Mimì era arrivato troppo tardi. «Non avevo una spranga, se no sarei riuscito a fermarlo» le aveva spiegato.

«Ma perché l'ha fatto?» aveva chiesto lei, incredula di tanta gratuita efferatezza.

«Il figlio maschio potrebbe essere quello che gli porta via il regno: oggi è lui lo stallone, domani chissà.»

Quanta crudeltà. Non c'è niente come vivere in campagna per avvicinarti alla parte animale del genere umano. Xenia si appoggiò al muretto scaldato dagli ultimi raggi di sole, e si addormentò. Era stata una giornata intensa.

Si svegliò infreddolita. Il sole prossimo ad affondare nel mare a occidente stemperava le ombre in aste lunghissime e non riusciva più a trasmetterle calore. Guardò giù verso il mare. Scorse una sagoma familiare. Cosa ci faceva Salvo, in quel posto? Era con due tipi, e discuteva animatamente; le sembrò che guardasse proprio nella sua direzione. Xenia salutò con la mano, Salvo distolse lo sguardo e si girò dall'altra parte. Una fitta di dolore. Non vuole far sapere che mi conosce, si vergogna di me. Sono solo una sua paziente, una delle tante, non vuole farmi entrare nel suo mondo. Ora che l'ho visto qui, in una spiaggia che è un ritrovo gay, forse so qualcosa che lui non vuole far sapere. Me ne devo andare subito, ma perché diavolo l'ho salutato, potevo fare finta di non averlo visto, perché sono sempre così stupida? Si alzò e affrontò la salita di corsa. Era sudata in volto e benediceva le prime ombre della sera. Salì al parcheggio evitando accuratamente di passare troppo vicino alle coppie. Un tipo che scendeva da solo le diede un'occhiata indagatrice e passandole accanto disse ad alta voce: «Che, anche le donne, adesso?». Sentì un altro che la scherniva: «Lesbica, o guardona?». Le sembrava di avere addosso gli occhi di tutti. Voleva solo salire in macchina, mettere in moto e andarsene via di lì. Ridicola. Sono ridicola.

Un ragazzo carino che poteva avere vent'anni le si fece incontro e la fermò prendendola per un braccio. «Tieni un fazzoletto, non piangere, lo sai come dicono a Roma, gli uomini migliori o sono froci o se li è già presi un'altra. Pensa a me, che son frocio e pure fidanzato! Ti è andata male, piccolina, ma se ci fai un pensierino, fammi un colpo di telefono, prendi il mio numero.» Le porse un biglietto da visita dove c'era stampato solo un numero di cellulare, né un indirizzo email, né un nome. Xenia lo prese insieme al fazzoletto, si soffiò il naso, ringraziò. «Non basta, caruccia. Adesso in cambio tu mi racconti che cosa ci fa qui in mezzo a tutti 'sti froci una bella ragazza come te.» Xenia riprese a singhiozzare, il ragazzo la sostenne per le spalle. «Dai, dai, parlare fa bene, apriti un po'. Io ho tempo due ore prima che torni il mio ragazzo, un'ora la tengo per te, un'ora per fare la puttana.»

Xenia si divincolò, il ragazzo la lasciò andare. «Va bene, come vuoi tu. Io lo dicevo per te. A me, se faccio la puttana due ore invece che una, conviene.»

Arrivò al parcheggio di sopra, aprì l'auto, si sedette e appoggiò il viso sul volante, abbandonandosi a un pianto che invece di liberarla si alimentava di se stesso, accatastando nuove visioni persecutorie, i genitori adottivi, gli amanti con cui arrivava ad annullare se stessa, i genitori naturali e nessuno, nessuno, nessuno a cui lei potesse abbinare i possessivi "mio, miei". Io sono alla mercé di tutti, ma nessuno mi appartiene.

Aveva paura persino di tornare a casa, nella sua casa vuota che di norma la rassicurava perché in una casa vuota non c'è niente da perdere, una casa vuota non si può svuotare, si può solo riempire. Ora, persino quella casa le sembrava inquietante, la spaventavano le ombre. Girò la chiave e fece per mettere in moto. Il motore gemette e si spense. Riprovò. Ancora, e ancora. Si rassegnò. Non voglio ingolfarlo, ho bisogno di aiuto, perché non parte, maledetta, maledetta. E maledetto Salvo. Fa finta di non conoscermi perché sa di avermi rifilato una macchina che non parte. Aprì il cofano come se pensasse di poterci capire qualcosa. Guardò impotente le parti del motore, richiuse e si rassegnò. Doveva scendere. Doveva cercare Salvo e chiedergli di aiutarla. Che si rassegnasse ad ammettere in pubblico che sì, la conosceva. Che lei esisteva. Selezionò il numero sul cellulare. Utente non raggiungibile. Lei alla mercé di tutti, nessuno alla sua.

Vagò tra i sentieri della Pisciotta per ore. Non sapeva cosa restava a fare lì, ma non riusciva a risolversi ad andare via. Di Salvo non c'era traccia. E il solo fatto di non trovarlo più lì, di non avere a chi chiedere aiuto, di essere così estranea a quel luogo, di interpretare ogni occhiata, ogni commento come una condanna alla non appartenenza, straniera, straniera, straniera, le riportò come uno tsunami tutta l'angoscia che pensava di avere appena chiuso per sempre dentro la gabbia che chiamava passato.

XI

Il giorno dopo

Il 2 giugno

Scicli

Da prima dell'alba a dopo il tramonto

Maria

La sirena si spense un attimo ma ricominciò subito a ulu-
lare. Dall'auto lasciata in folle scesero Maria e l'appuntato
Comisso. L'altoparlante impartiva istruzioni alle comparse.
La Spaccazza, uno spiazzo roccioso al limitare estremo della
Pisciotta, era gremita di circa cento comparse scritturate,
più almeno il triplo di semplici curiosi che si erano mescola-
ti a loro. Indistinguibili.
«Perché diavolo non hai dato i badge? Almeno adesso li
riconoscevamo a occhio!» urlava l'assistente alla regia paonazzo contro la segretaria di produzione. «Quando arriva il
regista mi s'incula a me, mica a te! Bastava un fottutissimo
badge, e adesso avremmo la situazione sotto controllo, invece di questo putiferio!» La segretaria di produzione si guardava contrita le unghie color balena. Tentò di replicare che
lei era lì da due ore, e che due ore prima lì non c'era nessuno
tranne le comparse, la costumista e lei, e quindi i badge non
servivano, sì, in effetti se n'era dimenticata ma... «Ma vaffan-
culo!» L'assistente alla regia afferrò il megafono. «Esiste un
cazzo di lista dei nomi? Facciamo l'appello. Tu vieni qui!»
gridò alla segretaria che era bianca in faccia come la controfigura del morto. «Controlla i documenti d'identità mano a
mano che rispondono all'appello.» Se avessimo fatto la bella

pensata di girare un film in costume, almeno le comparse non si sarebbero potute confondere con i curiosi.

«E tu dove diavolo vai? Ma è una comparsa anche questa?» gli sembrò strano che nel cast avessero previsto comparse con la divisa della polizia perché per quella scena servivano solo il protagonista, il commissario e la sua spalla. Quelli prima di un'ora non si sarebbero fatti vedere, quando uno diventa una star non lo tieni più.

«Sono la commissaria Maria Gelata» si presentò Maria, allungandogli il tesserino davanti al muso.

«Caruccia. Bel gesto, mi piacciono le comparse che sanno farsi notare. Purtroppo per te questo è il set di un poliziesco con le palle, per la *par condicio* sei un po' troppo in anticipo. Mettiti lì con gli altri, tra poco distribuiamo i badge. Non sciupare la divisa, hai i pantaloni tutti stropicciati, se è un modo per far notare che hai un bel culo non funziona. Non abbiamo sostituzioni per le divise. Ripassa al trucco, questo non va bene, troppo bon ton, magari ti facciamo un primo piano.» Considerò la questione liquidata, le diede le spalle e fece per riprendere a dispensare istruzioni *urbi et orbi*.

Maria gli batté con un dito sulla schiena. L'assistente alla regia si rivoltò come se volesse divorarla.

«Lei non ha capito. Basta giocare, qui c'è il delitto vero. Adesso ve ne andate tutti a casa perché lì sotto ci sono un fuoristrada e un cadavere da tirare su e qui transenniamo tutto.»

«Ma chi è questa spostata, si può sapere?»

La segretaria di produzione allargò le braccia.

«Gliel'ho detto, sono la commissaria Maria Gelata e non mi serve nessuna *par condicio* per svolgere il mio lavoro. Se non dà ordine ai suoi sottoposti di sgombrare immediatamente, mi vedrò costretta ad allontanarla con la forza.»

«Ma fa sul serio, o...?» si toccò le tempie con l'indice, ammiccando alla segretaria di produzione e alla costumista.

«Direi proprio di sì. Faccio sul serio. Via tutti. Circolare, sgomberare. Serve fare spazio al carro attrezzi in arrivo con la gru per il ripescaggio dell'autoveicolo.»

«Scusi? Il carro attrezzi? Ripescaggio?» Nel cervello dell'assistente alla regia si accese una lampadina.

«Esatto. Chiaro il concetto?» Questa volta fu Maria a voltargli le spalle. «Cominciamo a transennare» disse all'appuntato.

«Ma lei lo sa quanto abbiamo pagato per l'occupazione del suolo pubblico? Non esiste che noi non facciamo le riprese oggi. Proprio non se ne parla!»

«Non so quanto avete pagato e comunque non è di mia competenza. Si rivolga ai commissari in municipio, probabilmente non potranno ridarvi il denaro ma vi concederanno l'autorizzazione per un altro giorno, magari la prossima settimana.»

«Mi scusi, commissaria Gelato, possiamo parlare un attimo?» L'assistente alla regia aveva cambiato tono. «Potremmo inserire la scena del recupero del fuoristrada nella sceneggiatura, basta un ritocchino.» Selezionò sul cellulare il numero dello sceneggiatore.

«Io ho il massimo rispetto per l'arte, mi creda. Ma qui non c'è bisogno di recitare, c'è il morto vero» disse Maria, e girò sui tacchi con sommo gusto. Poi ci ripensò. «Mi chiamo Gelata, non Gelato.» Indicò all'appuntato dove posizionare le transenne. Sentì una vibrazione in tasca. E ora chi la cercava sul cellulare per darle il tormento?

Il questore, naturalmente.

«Commissaria Gelata, ho saputo che lei si trova sul set.»

«Veramente è il set che si trova sul luogo del probabile delitto, questore. Sto facendo transennare proprio adesso.»

«Ecco, appunto di questo volevo parlarle. Magari aspettiamo un attimo. Tanto il fuoristrada da lì sotto dov'è, dentro il mare mica ci scappa.»

Maria sospirò. Per rendere la situazione accettabile, disse a se stessa che non sospirava per l'abuso di potere, ma per l'ignoranza di un questore che si esprime per anacoluti. Chiuse la comunicazione e ripose il cellulare in tasca. Si sentì battere un dito sulla schiena. Era l'assistente alla regia. Non era più paonazzo in volto e le sorrideva imbarazzato.

«Possiamo parlare, commissaria Gelata?» Maria sospirò.

Don Rino 'U Cosabeddaru e il fabbro della Strada Nuova

«Hanno ammazzato compare Turiddu.»

«Turiddu, Turiddu... si fa presto a dire Turiddu, chiami Turiddu e si volta mezza Scicli. Turiddu chi?»

«'U pissicologo, quello che venne di Nuova York.»

«Buono fecero. Quello campava facendosi gli affari degli altri.»

Il fabbro della Strada Nuova aveva aperto la bottega puntuale alle dieci, come ogni mattino. Sempre elegante, col panciotto e l'orologio da tasca, appena arrivava si sedeva sull'incudine, apparecchiava con un tovagliolo e mangiava pane e cipolla, oppure pane e fagioli. Quel mattino aveva trovato ad attenderlo Don Rino 'U Cosabeddaru, ansioso di ragguagliarlo circa il delitto compiuto nella loro ridente e quieta cittadina. Pazienza se i picciotti potevano talvolta ammazzarsi tra loro, sono incidenti che capitano; ma ammazzare uno di fuori contravviene alle regole sacre dell'ospitalità. Non si fa. Don Rino era indignato e per questo era venuto a piedi da Chiafura, dove fabbricava bellissimi oggetti di latta riciclata dentro una grotta che sembrava l'antro di Alì Babà. Fotogenico, e amatissimo dai turisti, Don Rino sentiva il peso degli anni e non riusciva più a produrre oggetti in numero sufficiente per soddisfare la richiesta crescente di un mercato che sempre più spesso parlava inglese, e con cui lui si faceva capire a gesti, smorfie e sorrisi. Perciò, ogni tanto, veniva a pregare il vecchio amico di produrre qualche dozzina di oggetti di latta per lui: candelieri, lanterne, vasi per fiori, centrotavola intrisi di poesia. Così facendo, dava una mano al fabbro, la cui curatissima bottega si trovava in una zona tagliata fuori dalle rotte turistiche. Don Rino era apparso sul «New York Times» insieme a Salvo e ai suoi due amici architetti che gli avevano comprato «tutto ma proprio tutto, che a me mi veniva di dirgli no, questo non ve lo vendo, non posso lasciare la bottega vuota».

Ma quelli ci avevano la sicumera dei soldi: avevano aggiunto qualche biglietto da cento euro di mancia, e si erano portati via tutto, lasciando la bottega di Don Rino vuota e linda, per una volta tanto simile a quella del suo amico fabbro.

Don Rino ci aveva messo un bel po' a riempirla daccapo, ed era stato proprio in quell'occasione che aveva cominciato ad appaltare qualche ordine al vecchio amico.

Ora però, anche se si trovava ospite in visita nella sua officina, doveva proprio riprendere l'amico fabbro per quella brutta frase che gli era scappata: «Compare, comunque campasse, l'unica cosa buona davvero era se campava finché voleva il Signore».

«Vero, compare» riconobbe il fabbro, e abbassò lo sguardo su pane e cipolla.

Si fecero entrambi il segno della croce e passarono a parlare di lanterne, dopo di che il fabbro invitò Don Rino a favorire, quello si schermì e lo lasciò solo a mangiare la colazione, cosa che il fabbro fece come sempre, guardando il traffico scorrere davanti alla sua bottega. Infatti, ha un po' di giorni che 'u pissicologo non passa più in macchina. Prima passava sempre di qui. E io che mi pensavo che magari aveva trovato una scorciatoia. *Iddu* la trovò buona stavolta la scorciatoia, davvero.

Maria

Sono tradizioni ormai invalse a Scicli: ti pareva che non inciampavo in una troupe intenta a girare sul luogo del delitto? Ti pareva che il questore non mi chiamava per uno dei suoi tanti scambi di favori? Come no, un occhio di riguardo per il regista che bontà sua si è accorto anche lui di quanto bella e segreta è questa città. Il questore concesse l'autorizzazione a riprendere il ripescaggio dell'autoveicolo per inserirlo nella sceneggiatura del film, e Maria dovette adeguarsi a condurre le operazioni tra una ressa di curiosi autorizzati a restare dal loro status di addetti ai lavori e alle riprese. Tutto ciò che riuscì a ottenere fu che le riprese del ripescaggio venissero effettuate da una distanza minima di dieci metri. La produzione chiamò persino un cameraman specializzato in riprese subacquee. I sub agganciarono l'auto per permetterne il ripescaggio, e la gru mobile la sollevò lentamente sino a riva.

Al volante c'era un uomo, morto.

Il corpo senza vita fu identificato come quello di Diodato Salvatore detto Salvo, psicoterapeuta, residente a Scicli in borgata Chiafura. La salma fu inviata al dipartimento di medicina legale dell'università di Messina per l'autopsia. La perizia meccanica ricostruì la dinamica di quello che presumibilmente non era un suicidio. Il Defender si era avviato verso il mare a bassa velocità, come dimostravano le tracce lasciate dagli pneumatici e il punto in cui era sprofondato. Un suicida preme sull'acceleratore, non si lascia scivolare cauto nel baratro.

La perizia del medico legale diede un'ulteriore certezza: Salvo era morto circa tre ore prima che il fuoristrada sprofondasse in mare. Aveva ingerito, o più probabilmente, pensava Maria, qualcuno gli aveva fatto ingerire una dose letale di mandorle amare.

Ricapitolando: prima l'assassino si assicura che la vittima muoia in un modo che potrebbe apparire come una fatalità o un suicidio; poi, non contento, rilancia e inscena un suicidio per annegamento. Lo psicoterapeuta che ama auto e motori più di se stesso annega insieme al suo amato fuoristrada. La vita è un susseguirsi di eventi casuali a cui l'essere umano attribuisce un significato arbitrario. Maria non ricordava più di chi fosse la frase, ma le sembrò efficace per non lasciarsi sopraffare dalla sensazione di trovarsi nel bel mezzo di un labirinto.

Ignazio

«Buo-na se-ra, com-mis-sa-ria.» Ignazio scandì le sillabe con l'indolenza di chi vive un lutto grave.

«Guarda che il morto non era mio parente, non devi farmi le condoglianze» commentò Maria, spiccia. Ignazio non rispose. Fissava nel vuoto alle sue spalle e non si spostava dal vano della porta.

«Potresti anche farmi entrare, si può sapere cos'hai? Ti è morto il gatto?»

«Proprio così, commissaria. Un lutto.» L'aveva saputo la mattina, e non si era ancora ripreso. Era la fine di un'epoca. Scandì le parole, articolando lento, come per metabolizzare il concetto: «Il Defender va fuori produzione».

Maria si strinse le labbra per trattenere uno scoppio di risa. Le bastò un'occhiata per capire che Ignazio non scherzava. «È la fine di un'era, la fine» ripeté lui, scrollando il capo.

Si scostò per lasciarla entrare e le fece segno di accomodarsi sul divanetto. Continuò a parlare, senza badare a lei. Probabilmente stava dando voce al soliloquio interiore che l'aveva accompagnato per tutta la giornata. «Chi guida i fuoristrada si divide in due categorie: e lasciamo subito perdere chi guida il suv, quelli sono fighetti che compensano il pisello corto con le dimensioni dell'auto. Il fuoristrada è un'altra cosa, è una filosofia di vita. Si sceglie per necessità, per vivere in luoghi impervi, in condizioni estreme. Chi guida il suv è uno schiacciapulsanti, pure tra i guidatori di fuoristrada c'è chi schiaccia i pulsanti, e pazienza, e poi però c'è chi tira le leve, e questa» si interruppe e alzò lo sguardo sino a incontrare gli occhi di Maria, «questa si chiama eleganza.»

Maria non era preparata all'elegio funebre di un'auto con

tanto di tassonomia dei conducenti. Ascoltava perplessa ma attenta, mentre Ignazio andava mestamente su e giù per l'officina-salotto.

«Ma purtroppo, come dimostra la notizia di oggi, restano sempre meno macchine a cui tirare le leve. È la fine del libero arbitrio, commissaria. Un giorno di lutto per l'intelligenza del genere umano.»

«Posso parlare?» chiese Maria, decretando che la lunga pausa seguita alle ultime parole valesse da fine. «Oggi hanno ripescato un Defender in mare, giù alla Pisciotta, verso la Spaccazza. Sono venuta per questo.»

Nino

La barca era pronta. Avrebbero viaggiato sotto costa fino alla Puglia, in modo da potersi rifornire giornalmente o quasi delle verdure fresche senza cui Elena diceva di non poter vivere. Dalla Puglia alla Grecia sarebbero vissuti di quel che pescava. A Elena piaceva il film della Wertmüller con Giannini e la Melato naufraghi su un'isola; era una donna spiritosa, le sarebbe piaciuto anche diventarne la protagonista per quindici giorni. Veramente il suo progetto era più ambizioso: voleva portarla a Hong Kong via mare sulla sua barca, la *Biancazur*. Per questa volta si sarebbe accontentato di un rodaggio, quindici giorni in mare, loro due soli. L'impresa non era arrivarci col suo peschereccio scassato; l'impresa era rubare a Elena quindici giorni di vita, due settimane, milioni se non miliardi di minuti passati insieme. E che minuti: si era studiato il ciclo, era sicuro. Elena aveva avuto le sue cose il martedì prima, avevano dormito insieme sulla *Biancazur* il lunedì notte e la mattina lei era saltata su a molla: «Devo andare in farmacia, devo andare subito in farmacia», lui l'aveva aspettata fuori, l'aveva vista uscire con gli assorbenti. Non era mica scemo: se n'era accorto che Elena lo sfuggiva in tutti i modi prima dell'ovulazione per non restare incinta. Ogni

232

mese aveva la scusa pronta. Un biglietto per Hong Kong stretto in mano, al lavoro, al lavoro. E se non era Hong Kong era un convegno, se non era un convegno era un *meeting* con un cliente a Milano Parigi Londra Berlino: il sugo della storia era sempre che lei se ne andava proprio quando lui avrebbe potuto metterla in stato interessante. Perché quella era una donna da mettere alle strette, da ingravidare, così poi per almeno nove mesi sarebbe stata obbligata a riposarsi. Doveva metterla in condizione di avere bisogno di lui. Di dipendere da lui per portarle l'uva di cui avrebbe avuto improvvisamente voglia alle tre di notte. Per capire certe cose non c'è bisogno di avere studiato tanto: scappa di qui, scappa di là, Elena fuggiva solo da se stessa. L'unica maniera per farla restare era aggiungerle una nuova parte di sé: un bambino. Veramente Nino avrebbe preferito una bambina, ma era pronto a prendere quel che veniva. Maschio o femmina, l'avrebbe resa madre, e le madri non scappano: restano. E poi, anche in caso di fuga, siccome lui c'era, ed era il padre, Elena sarebbe tornata da lui. Sempre.

Hong Kong, la sai una cosa? Puoi sprofondare. Anche se, doveva ammetterlo, pur di restarle accanto, sarebbe andato anche a vivere a Hong Kong, avrebbe tenuto la bambina mentre la mamma lavorava – così almeno sarebbe stato lui a insegnarle i valori veri della vita, per esempio, ricucire di giorno i guai che i vecchiareddi hanno fatto la notte, per andare avanti, invece di buttare le reti e morire di fame. Elena gli aveva mostrato le foto di un villaggio di pescatori a mezz'ora dal grattacielo dove lavorava lei. Chissà se magari a Hong Kong c'erano i vecchiareddi.

Amanda

Amanda accese la tivù. Era l'ora delle *news* sulla CNN.

«E ora vediamo chi era Salvo Diodato, lo psicoterapeuta dei vip assassinato a Scicli, all'estremità sudorientale della Si-

233

cilia, nell'epicentro barocco dell'isola, un'area che sta vivendo una sorta di rinascita grazie a importanti investimenti cinematografici e televisivi che le hanno dato notorietà internazionale, facendone la nuova destinazione top del turismo d'arte. Salvo Diodato nasce a Taormina nel 1963; la madre era la parrucchiera delle dive: pettinò fra le altre Ingrid Bergman, Audrey Hepburn, Brigitte Bardot, oltre a numerose attrici e artiste italiane. La vita di Salvo Diodato ha una svolta nel 1982 con il trasferimento a Oxford, dove completa il corso di studi in psicanalisi. Nel 1990 si trasferisce a New York e segue un master alla Columbia University. Nel 1993 apre il primo studio di psicanalisi a Manhattan, seguito da uno a Georgetown, Washington, nel 1998. È stato lo psicanalista che ha seguito Hillary Clinton durante la difficile fase dello scandalo Lewinski. Voci alla Casa Bianca dicono che abbia avuto in terapia Barack Obama. Dopo la morte della madre, che non lasciò mai la Sicilia, Diodato avvertì quello che lui definiva "il richiamo di Lighea", figura mitologica protagonista di un racconto di Tomasi di Lampedusa, autore del celebre romanzo *Il Gattopardo* da cui è stato tratto l'omonimo film interpretato da Burt Lancaster e Claudia Cardinale – anche lei fra le attrici pettinate dalla madre di Diodato. Nel racconto di Tomasi, Lighea è una sirena. Dobbiamo dunque presumere che nella decisione dello psicanalista dei vip, lasciare la nazione che gli aveva dato il successo e la fama per tornare nella terra degli avi, sia implicato il richiamo di una "sirena"? E se sì, questa "sirena" potrebbe essere coinvolta nella messinscena del suicidio? Gli inquirenti italiani sono al lavoro per dare un nome e un volto alla sirena di Diodato. Ulteriori indagini verranno condotte separatamente anche dall'FBI, in quanto Diodato aveva doppio passaporto ed era cittadino americano. Le esequie saranno celebrate appena sarà stata completata l'autopsia dall'Istituto di medicina legale dell'università di Messina. Da Scicli è tutto, Laureen Andersen per la CNN, linea allo studio.»

Il servizio si chiudeva con una ravvicinata sui due eunuchi gemelli, totalmente glabri e con i labbroni rigonfi scolpiti sulla facciata angolare di Palazzo dei Turchi. Chic! Casa mia, un'icona cittadina. Ma non bastava la lusinga casuale al suo gusto architettonico in fatto di investimenti immobiliari, per farle passare inosservate le falle nella comunicazione. Primo, mi dici che vuoi vedere da vicino chi era il defunto, poi parli solo della madre e glissi clamorosamente sul padre, chi era costui? C'è qualcosa sotto, se no me lo diresti, parleresti di un divorzio, di una separazione, di un triste caso di seduzione e abbandono. Diodato, per esempio, non era il cognome della madre di Salvo. E allora, se vuoi vedere da vicino, cara CNN che mi sembri un po' presbite, mettiti gli occhiali e ti basta un *clic* su Wikipedia per sapere che Diodato era il cognome che si dava agli orfani, ai bambini abbandonati davanti ai conventi, "dati a Dio" o "dati da Dio" – e in questo caso, la seconda ipotesi diventava una restituzione, caro Dio riprenditi quel che mi hai dato perché io non lo posso tenere. Ma soprattutto: perché la madre gli mette quel cognome?

Secondo: gli studi a Oxford e i master alla Columbia University costano, stiamo parlando del top delle università in Europa e in America. "Da vicino", vogliamo vedere chi li ha pagati? Oppure, se si tratta di uno studente modello, mettiamo in rilievo che ha sempre ottenuto borse di studio, rendiamo onore al merito.

Terzo: quello della politica non è un mondo in cui si entra facilmente. Tanto più come psicanalista: sai quanta gente avrà da temere circa la tua riservatezza professionale. È un giro in cui si entra con una *password*, e qual era stata la *password* usata da Salvo?

Quarto: un figlio siciliano aspetta che la madre sia morta per tornare a casa? Non va a tenerle la mano mentre l'anziana signora spira? Non scherziamo. Qualcosa non funziona. Salvo aspettava che si sgombrasse il campo, ma da cosa? O da chi?

Quinto: Lighea, la sirena. Qui la telecamera riprendeva una carrellata di sirene: dipinti, sculture, persino l'etichetta di un vino, il che costituiva pubblicità occulta, ma forse era il suo occhio malevolo a scorgere il male – sarebbe stato necessario verificare se quel vino era esportato negli USA, e da quale importatore, se era inserzionista abituale dell'emittente. Il tema della sirena meritava una ravvicinata: perché se uno è sensibile alle sirene, ne avrà già una collezione, e siccome frequenta il jet set, probabilmente la collezione comprenderà qualche nome noto, modella, attrice, first lady, insomma un personaggio pubblico. Invece no. Questo Diodato lo vediamo da vicino, ma siamo presbiti, e la sirena resta una categoria mitologica.

Dovrebbero venire a chiederlo a me, chi era la sua sirena. Certamente avrei risposte più ravvicinate di questa Laureen Andersen della CNN. Amanda spense la tivù. Xenia le aveva chiesto se potevano vedersi subito, quel pomeriggio stesso. La morte improvvisa di Salvo l'aveva sconvolta. Poveretta, sicuramente era ancora in alto mare con l'analisi, e perdere lo psicanalista la rendeva orfana una volta di più. Siamo tutti orfani ben prima di perdere i genitori, ma alcuni di noi si ostinano a non volerlo vedere, preferiscono illudersi di vivere una condizione speciale, sospirò Amanda. Diede istruzioni ad Amina per la cena: aveva visto delle tenerezze passando davanti alla *putìa* di Quintino, il verduriere; adorava il tatto vellutato e fresco delle foglie e dei germogli, le piaceva passarsele e ripassarsele sulle guance. Lasciavano sulla pelle una sensazione fresca e vellutata. Sonia, la sua estetista, avrebbe sfondato se solo si fosse decisa ad ascoltare i suoi consigli, inventandosi un trattamento al viso con le foglie delle tenerezze. Le aveva suggerito anche gli slogan: *Tenerezze per il tuo viso, Dai al tuo viso le tenerezze che merita, Il tuo viso ha bisogno di tenerezze.* Mai verdura aveva avuto nome più incline al marketing. Amanda aveva comprato tutto l'enorme mazzo esposto da Quintino davanti alla *putìa*, e arrivata a casa l'aveva disposto in un vaso ornamentale nel salone. Voleva che fosse la sua cena. *Tenerezze per cena.* Un altro slogan. Prese le chiavi della macchina, indossò la coppola di lino bianco per proteggersi dalla ferocia del sole, e uscì. Prima di sorbirsi i pianti di Xenia, doveva andare a bruciare le calorie dei cannoli con una nuotata alla Spaccazza. Questa volta, il nuoto le sarebbe servito anche a metabolizzare la notizia della morte di Salvo. Avrei potuto salvarlo, non l'ho fatto. L'ho ucciso io.

XII

Sette giorni dopo

L'8 giugno

Siamo soli

Xenia e Amanda

«Plebe!»

Xenia, seduta al tavolino, con l'immancabile bicchierone di tè freddo aromatizzato con un cucchiaio di granita di limone, puntò l'indice destro contro Amanda.

«Plebe a me? Perché sono in ritardo?»

«No. Ti ricordi cosa mi hai detto l'ultima volta che ci siamo viste?»

«Sì. Cioè... no.» Amanda preferì non ricordare il pomeriggio trascorso alla Pisciotta, a pochi metri dal punto in cui l'auto di Salvo era sprofondata nel mare, nottetempo. Da allora era cominciato l'incubo degli interrogatori, come se non bastasse il dolore della perdita. Molto meglio glissare e non nominare quel giorno. Si sedette al tavolino del caffè, incuriosita dall'accoglienza insolita che non rientrava nello stile remissivo di Xenia.

«Ma sì. Quando ti sei arrabbiata con me per il cannolo che non andava bene, e abbiamo cambiato programma e siamo andate a prendere il sole alla Pisciotta. Ti ho chiesto perché hai questa passione per il Campari Orange, e tu mi hai risposto che ha un colore che s'intona al tramonto. Hai detto che ti rende tollerabili i tradimenti del sole, e io ti ho chiesto: "Tradimenti?".»

«E io ti ho risposto "Certo, tradimenti. Tutte le sere mi tocca guardarlo mentre corre dietro alle gonnelle di un altro ovest, ogni mattina rispunta all'alba dopo essersi scopato tutta la notte un altro est. Perché pensi che in italiano il nome del sole sia maschile? Gli italiani dicono *il* sole, non *la* sole. Ne capiscono, di queste cose, gli italiani". Ho detto così, vero?»

Xenia fece una faccia sorpresa. «Lo sai a memoria?»

«Sì» annuì Amanda con naturalezza. «È un pezzo del mio repertorio. Ma cosa c'entra, adesso? Mi stai dicendo che hai continuato a pensarci per tutti questi giorni, con tutto quel che è successo nel frattempo?» Povera Xenia, com'era ingenua e *naïve*.

«Sì, ci ho pensato.»

Xenia si sentì improvvisamente stupida, per la stessa ragione per cui un attimo prima si era sentita brillante, smart anche nel proporre un argomento di conversazione che aggirasse la morte di Salvo, che l'aveva sconvolta. Ignorò la provocazione. «Tu hai detto che gli italiani dicono "*il* sole", e non "*la* sole". Be', *plebe* finisce con la e ed è femminile. Si dice *la* plebe. Quindi la tua teoria sul sole che è maschile non funziona. Gli italiani mettono gli articoli come noi inglesi facciamo le regole di pronuncia: non ci si capisce un tubo.»

«Sbagli, cara mia. La mia teoria funziona benissimo. Cosa significa *plebe*?»

Xenia fece per rispondere ma Amanda continuò. Era già presa nella fabbricazione di un nuovo slogan. «La plebe è un popolo di serie B. Debole, ignorante, bistrattata. L'italiano, che è una lingua sessista, la rende femmina, cioè senza nerbo. Il popolo, invece, è un concetto eroico, ha dignità, forza, autorevolezza, ed è maschile.»

«*Plebs, plebis* è femminile già in latino» protestò Xenia, senza molta convinzione.

«Perfetto. E cosa c'è di più sessista degli antichi Romani? Il fatto che siano stati ripresi a modello dal machissimo Ven-

242

tennio fascista la dice lunga.» Amanda prese in mano il menu che conosceva a memoria. Era il segnale per avvertire che si era già disinteressata alla questione.

«Ma siamo qui per mangiare o per fare della filologia comparata? Ah, guarda, c'è il cannolo con la ricotta di bufala, questo mi manca, devo provarlo.» Era venuta in quel bar pasticceria almeno tre volte negli ultimi sei mesi: come aveva fatto a sfuggirle una simile specialità? Il compito che si era data, recensire tutti i cannoli della Sicilia sudorientale, era arduo e la costringeva a estenuanti sessioni di nuoto per bruciare le calorie incamerate. Ora la moda degli allevamenti di bufale aggiungeva lavoro a lavoro, imponeva nuove degustazioni e nuove nuotate.

Xenia comprese che non era quello il momento per parlare ad Amanda dei libri spostati. Da un paio di settimane, rientrando a casa, trovava aperti sul tavolo libri che non ricordava di avere sfogliato di recente; c'erano volumi migrati da uno scaffale all'altro, scomparti della libreria riorganizzati secondo criteri che non erano i suoi. Era come se alcuni autori avessero preso vita attraverso le loro opere, scendendo in tavola come le persone reali scendono in piazza, per reclamare diritti, attenzione, considerazione. Come se, spostandosi da soli, quei libri volessero farsi rileggere da lei, imporsi ai suoi pensieri. Ora però le era evidente che Amanda l'avrebbe liquidata con un ritornello, le avrebbe appioppato un brand, "la spostata sei tu", e lei sarebbe rimasta quello che era: Xenia, la straniera.

Si sentì irrimediabilmente sola. Controllò il cellulare. Il pomeriggio che erano andate alla Pisciotta, prima dell'appuntamento con Amanda, aveva mandato un sms a Salvo per chiedergli se era possibile che si vedessero ancora una volta per un'ultimissima seduta. Era arrivata persino a sospettare di se stessa: poteva essere lei a spostare i libri per creare un argomento inquietante, un pretesto per parlarne con Salvo, per continuare a vederlo, anche ora che tecnicamente l'analisi era finita? Salvo non aveva risposto al suo messaggio. L'aveva ricevuto e aperto quel pomeriggio stesso, ed era morto la notte. Quando lei era tornata a prendere il cellulare dimenticato alla Pisciotta, lui l'aveva ignorata apposta, o non l'aveva vista? E cosa ci faceva lì? Salvo era gay? Era attento e amorevole solo per il tempo della seduta, dopo di che era un'altra persona, faceva la sua vita, non voleva seccature? Quanti fatti strani erano successi, ultimamente. Lei che riusciva a imporsi agli uomini, a dire *no* a una relazione per rispondere *sì* alla domanda *io esisto?*; i libri che prendevano vita rifiutando l'ordine dato, un po' come stava cominciando a fare lei, se pur col passo incerto dei bambini che inciampano imparando a camminare; e ora, l'unica relazione stabile della sua vita, il suo faro, il suo psicoterapeuta, si era spento, come per dirle: "Devi cavartela da sola, vai, sei pronta, è il tuo momento, smetti di avere paura". L'utente desiderato risulta momentaneamente non raggiungibile, l'aveva avvertita la voce registrata quando aveva cercato Salvo, nonostante l'indifferenza che le aveva mostrato al tramonto, perché la aiutasse a far ripartire la macchina bloccata alla Pisciotta.

Irraggiungibile. Per sempre.

Amanda esplorava la crosta del cannolo, ignara o indifferente al subbuglio interiore che consumava la sua amica. Non era contenta. «La farcia di bufala non è male, ha una certa pannosità, è rotonda. Ma la scorza è industriale, che caduta di stile.»

Xenia sospirò. Forse sono io che non capisco. Forse non c'è niente di strano che la vita sembri estranea a una che si chiama Xenia. Forse sono sonnambula e sposto i libri nel sonno. Forse sono schizofrenica e ho ucciso il mio ex psicanalista perché non tolleravo l'idea di essere guarita, di essere indipendente, di non avere bisogno di altri che di me. Forse i veri assassini sono i libri, che mi tengono distante dalla vita vera. O forse sono io che li uso come sicari per ammazzare il tempo, invece di sporcarmi le mani con la quotidianità.

«Devo andare a fare ordine nella mia biblioteca» disse d'impulso. Sorrise del suo *sense of humour* così british, acquisito dalla famiglia adottiva e dall'educazione ricevuta nei migliori college d'Inghilterra.

Amanda, con le dita attaccaticce di cialda e ricotta, la osservò alzarsi e posare due euro sul tavolino, per il tè. Non riusciva proprio a capire. Cosa c'è di così urgente in una libreria da riordinare? Gente bizzarra, gli inglesi.

Il notaio Micciché

Il notaio Micciché le consegnò la busta.

«Il dottor Diodato aveva disposto le sue volontà per le esequie. In mancanza di eredi, e date le circostanze del decesso, ora che l'università di Messina ha dato il nulla osta al funerale ho pensato di renderne edotta lei, commissaria Gelata.»

Maria aprì la busta e si isolò nella lettura. Il notaio restò a scrutarla come un regista che conosce il copione a memoria e sa esattamente quando aspettarsi dal suo attore un sorriso, un cenno di sorpresa, incredulità, rammarico, disappunto, scandalo.

«Non che non mi fidi di voi, ma so per esperienza che mettendo un microfono in mano ad alcune persone, queste non riescono più a restituirlo e biascicano frasi senza senso finché una mano pietosa glielo strappa via. Il timore che la mia orazione funebre risulti noiosa e/o logorroica mi spinge dunque a prendere provvedimenti anzitempo.

Se le mie volontà sono state rispettate, vi trovate sul sagrato di una chiesa, non dentro. Spero che non piova, e che non sia un giorno di eccessiva calura. Non so che anno sarà, che stagione sarà, che giorno sarà. Spero di non avere recato eccessivo disturbo a nessuno tra quanti hanno scelto di presenziare alle mie esequie.

La vita mi ha dato molto, e questo molto voglio restituirlo

alla città di Scicli, a cui lascio la mia grotta analitica in compro-
prietà con la New York Psychoterapy Society, che la gestirà
organizzandovi seminari internazionali. Vorrei che la psicoterapia facesse per Scicli ciò che per Modica ha fatto il cioccolato
– in fondo, anche il cioccolato è una forma di terapia, a cui io
stesso mi sottopongo – pardon, amavo sottopormi – con regolare frequenza.

Sono contento di vedervi così numerosi, oppure se siete pochi sono contento di vedere che siete in pochi ma buoni; in
tutta sincerità, mi sarei aspettato di essere io quello che avrebbe presenziato al funerale di alcuni di voi, ma va bene così. Tra
voi, alcuni mi hanno voluto molto bene e io ne ho voluto a
loro; altri o altre mi hanno deluso, e non ne ho fatto mistero
perché, se pur non schietto, nel senso toscano del termine, sono incapace di insincerità. Altri ancora mi erano indifferenti e
perciò non riesco a capire cosa ci facciate qui adesso. Avrete i
vostri buoni motivi, per esempio visitare questo splendido angolo di Sicilia con la scusa presenzialista del funerale. In questo senso mi sarei dovuto accordare con un tour operator, visti
i probabili voli internazionali con cui molti di voi sono giunti
qui. Pazienza. Non si può guadagnare anche sul proprio funerale.

Sino a questo punto, dovrei avervi fatti ridere o sorridere
almeno un paio di volte. Quindi, come orazione funebre, questa ha già colto nel segno. Ringrazio chi legge questo testo in
vece mia – il decesso mi ha reso afono, e non mi piace l'opzione di far ascoltare la registrazione letta da me come se niente
fosse accaduto. Le mie parole risulteranno più impattanti,
lette da un attore – spero che con il denaro rimasto sul mio
conto corrente sia stato ingaggiato un professionista. In tal
modo, chi mi conosce può pensare "questo, Salvo l'avrebbe
detto con un tono più ammiccante", "qui, sarebbe suonato ir-
riverente", "qui avrebbe marcato la pausa come faceva lui
quando gli veniva voglia di fumare un sigaro, ma poi per educazione rinunciava".

Di qui in poi, posso solo annoiarvi: ricordarvi i valori della *vita, citare i miei maestri, mia madre, la scuola, le persone che hanno creduto in me e mi hanno portato al successo. Quindi, tacerò. Invito tutti a fare altrettanto.*

E questo non perché sia siciliano e omertoso, ma perché nella morte, come nella vita, temo la noia.

Vostro

Salvo Diodato

Post scriptum. *Se le mie volontà sono state rispettate, ora dovrebbero comparire camerieri, calici di cristallo, e bollicine siciliane leggermente marsalate. Brindate, se non più alla mia salute, almeno alla vostra. Brindate alla vita. Oppure alla morte, che in fondo è solo un buco nero tra una bollicina e l'altra.»*

Ma era incredibile, scioccante! E quella doveva essere un'orazione funebre, una sorta di testamento spirituale? Quell'uomo era vuoto come una cassa di risonanza. A meno che... a meno che... Rilesse il foglio, cercando il punto esatto. *"Quindi, tacerò. Invito tutti a fare altrettanto."*

C'era qualcuno che sapeva qualcosa. Qualcuno che probabilmente avrebbe presenziato al funerale; e quell'invito all'omertà era un monito del defunto. Ma perché? Cosa c'è da tacere, una volta che non ci sei più?

Se nemmeno la morte rende possibile prendersi una rivincita, pareggiare i conti, togliersi per sempre i sassolini dalla scarpa, allora che senso c'è nel morire?

Ignazio

«Commissaria, buongiorno, è Ignazio che parla. Può passare qui da me in officina?»

«Ignazio, in questi giorni sono subissata. Fatti risentire un po' più in là. Mi spiace che il Defender sia andato fuori produzione» aggiunse dopo una pausa, per dare un'impressione di gentilezza e per non sembrare frettolosa nel congedarlo.

«Commissaria, mi perdoni l'espressione, chi se ne frega del Defender. È pure finito in mare quello dello psicologo, l'unico che mi sarei forse potuto permettere se a lui fosse venuto in mente di sbarazzarsene tra qualche anno. Quel che volevo dirle, invece, è che la DS dello psicologo è nella mia officina. Credo che potrebbe essere interessante per lei darle un'occhiata.»

«E come c'è arrivata?»

"Quello che deve chiedermi è da *dove* ci è arrivata" avrebbe voluto rispondere Ignazio. Moriva dalla voglia di raccontarle che due giorni prima la madre superiora del convento di Comiso l'aveva chiamato perché l'auto di un benefattore dell'ordine era rimasta bloccata in un pantano vicino alla Spinazza, e chissà se lui poteva provvedere a rimuoverla con urgenza e trasportarla nella sua officina per effettuare le riparazioni del caso, per il preventivo non c'erano problemi, il benefattore sarebbe stato generoso con lui come lo era con il convento. Giunto sul luogo, con sua sorpresa, aveva trovato la Déesse di Salvo. Non aveva osato chiedere spiegazioni alla madre superiora.

In quel momento, giudicò che svendersi l'aneddoto al telefono non fosse una buona strategia.

«È una storia lunga e lei ora non ha tempo» rispose, fiero della trovata che gli permetteva di rimandare la risposta fino al prossimo incontro *vis-à-vis*. «Passi a trovarmi, appena può. Gliela tengo qui da me, in officina. Tanto al dottore non servirà più.»

E poi chissà, quando saremo qui, io e lei, soli, allora potrei farla sedere, dirle che c'è qualcosa di importante che devo farle vedere, ma non riguarda solo il lavoro, è più importante, più grave... Le consegno il taccuino, magari senza dirle che spiavo suo marito per togliermi lo sfizio di sapere se è gay. Quando lei sfoglia e impallidisce, io sono lì. Sono una mano, una spalla, una guancia. Sono quel che le serve, e che non ha mai avuto. Povera commissaria. Anzi, no. Povera Maria.

Maria

Tornare a casa la intristiva ogni sera: il suo quartiere era un almanacco delle brutture da cui aveva lasciato circondare la sua vita. In dialetto, il nome del suo quartiere suonava *Iunge*. Un caso esemplare di personificazione geografica: Iunge era un torcicollo della città, deformata nel suo protendersi al mare. Più che un quartiere, era una punizione divina, come quella inflitta dalla dea Era alla giovane Iunge, colpevole di aver imposto un sortilegio a Zeus per farlo invaghire di Io, sacerdotessa proprio in un tempio di Era. La dea sorprende il marito in flagrante adulterio; Zeus, il primo dio fatto a immagine e somiglianza dell'uomo, cioè mascalzone, nega l'evidenza. «No, cara, che dici, io non l'ho toccata, Io.» Era, che non è proprio di primo pelo, non se la beve; per punizione, a mo' di memento per le sgallettate che volessero provare ad adescare quel farfallone di suo marito, trasforma Iunge in torcicollo e Io in vacca. Il che dimostra che anche Era è la prima dea creata a immagine e somiglianza della donna: scioccamente gelosa e fatalmente priva di autostima, se la prende sempre con le altre invece di legare i sacchetti a suo marito. O di divorziare, e buona notte, tanti saluti al fedifrago recidivo. Se c'era una cosa che Maria non sopportava, era l'atteggiamento diffuso tra le donne che si lamentano di continuo della propria condizione per poi non cambiare mai niente della propria vita, quando ne hanno la possibilità.

Si fermò davanti alla porta con una mano che sondava alla cieca nella borsa, in cerca delle chiavi di casa. Chissà dove si erano cacciate. Devo anche andare in bagno, vabbe', suono. Che schifo. Il citofono era tutto appiccicaticcio, come di chiara d'uovo essiccata e rappresa. Domani chiamo l'amministratore, bisogna ribadire all'impresa di pulizie il concetto che il citofono è parte integrante delle aree comuni da pulire. E poi bisogna mettere all'ordine del giorno l'installazione di una videocamera per scoraggiare e identificare i teppisti. O il teppista. Aveva una mezza idea su chi potesse essere l'impenitente malfattore. Niente, suo marito non apriva. Era da un bel po' che i suoi orari e quelli di Laccio non coincidevano, non avrebbe saputo dire quand'era l'ultima volta che avevano scambiato una parola seduti a tavola. Rinunciò a suonare una seconda volta, non voleva prendersi un'infezione toccando di nuovo la pulsantiera del citofono. Affondò nuovamente la mano nella borsa e dopo una paziente ricerca ne cavò la chiave. Aprì e salì le scale a piedi, non voglio mica rischiare di restare incollata alla plafoniera dell'ascensore, caso mai fosse attaccaticcia pure quella. Si chiuse la porta di casa alle spalle e andò dritta in bagno a lavarsi le mani. Era tutto buio, come al solito. Chissà dove e quando cenava suo marito. Ultimamente non si preoccupava neanche più di lasciarle qualcosa di pronto; Maria andava a letto senza cena, oppure dopo avere mangiato un frutto. Uscì dal bagno, accese la luce nel corridoio ed entrò nella stanza di Laccio. Sul letto c'era un biglietto. Gli diede un'occhiata distratta. Ah, è così, meno male. Ci mancava solo che in mezzo a 'sto bailamme ci si mettesse anche lui a darmi il tormento. Almeno, non devo sottopormi alla sua dieta ingrassante di cavati al sugo. Almeno, se sono sola, posso scegliere cosa mangiare, che ci vuole a preparami un po' di verdura. Oppure posso passare a prendere una scaccia dal vecchietto coi baffi, quello di Modica che fa buonissima l'impanata di broccoli e la scaccia con il prezzemolo. Gli sciclitani usavano il prezzemolo come se fosse una verdura invece che un'erba aromatica. Maria, sradicata da Gela e cresciuta a Torino, considerava il prezzemolo solo in modiche quantità, per insaporire i piatti. Lo metteva nel bagnetto verde, che serviva con il bollito. A Scicli, il prezzemolo te lo ammanniscono in quantità esorbitanti, come se non fossero mai scorsi i fiumi di letteratura medica sulle sue proprietà abortive.

Fece per entrare nello studio ma qualcosa la spinse a tornare sui suoi passi. Prese tra le mani il biglietto. Un biglietto, questo solo. Mio marito se ne va con un biglietto, non si prende nemmeno il disturbo di parlarmi, di salutarmi, anche solo al telefono. Chissà da quanti giorni se n'è andato, e io me ne accorgo solo ora. Era vero che, dopo l'assassinio di Salvo Diodato, l'unico che riusciva a prendere la linea per parlare con lei era il questore. Gli altri, giornalisti inclusi, dovevano mettersi in fila al centralino del commissariato, e sperare nella buona sorte.

La sorte, Laccio non l'aveva voluta tentare. E nemmeno lei, del resto. Si era messa al riparo dentro quel matrimonio, un porto sicuro senza venti né passioni. L'ideale per non rimanere zitella e al tempo stesso non essere sola, almeno non ufficialmente. Il suo matrimonio valeva come un sedativo al bromuro per quelli, tanti, troppi, che tra i suoi colleghi la chiamavano femmina. Alla larga e rispetto, maschilisti e trogloditi, ve lo dico con la vostra unità di misura: sono sposata.

E ora, mio marito mi informa che si tratterrà tre mesi dall'altra parte dell'oceano con un biglietto lasciato al suo posto nella sua stanza da letto, che un tempo era la nostra, e oggi è sua, e lui sa che io non ci entro mai. *Vado in America, un collezionista di Boston vuole che gli faccia un cristoincroce per la sua cappella privata a Cape Cod. Starò via due o tre mesi.*

Due o tre mesi per intagliare un cristincroce. Non era la prima volta che Laccio si allontanava; era grazie ai gusti kitsch dei milionari italoamericani che si era potuto permettere di affittare la bottega davanti a Palazzo dei Turchi. Nell'ultimo anno, i viaggi si erano intensificati, suo marito aveva fatto avanti e indietro dagli Stati Uniti almeno sei volte. Giardini di Brooklyn, ville di Dallas, cappelle private nel New Jersey potevano tornare utili per tracciare una mappa dei cristincroce d'America. A loro andava la riconoscenza di Maria per avere salvato nel lungo termine il suo matrimonio, che il logorio di una quotidiana convivenza avrebbe usurato ancora più in fretta. Quindi, rimango sola. Tanto meglio. Sono sempre stata sola. Le vennero in mente i versi di Cesare Pavese, da *I mari del Sud*: «*qualche nostro antenato dev'esse-*

re stato ben solo / un grand'uomo tra idioti o un povero folle».
E io, chissà cosa sono io. Una gran donna tra idioti, o una
povera folle? Rise. Sola. Meglio, essere sola. Il delitto Diodato le dava filo da torcere. I giornalisti la assediavano – uno,
che lei aveva soprannominato H, come la bomba, la infastidiva come una vespa col pungiglione pronto ad arpionarla.
Il questore la chiamava ogni due per tre, anche la notte. Le
pazienti, che erano le ultime ad averlo visto vivo, e tra cui
poteva nascondersi la figura femminile implicata nel "tuffo"
del Defender, si stavano rivelando incapaci di sostenere un
colloquio, ognuna invischiata in un magma analitico che, orfane di Salvo, cercavano di riversare su di lei.

La quiete pubblica, la cittadina patrimonio dell'umanità,
l'imprescindibile risorsa del turismo che nessun delitto può
permettersi di minacciare: tutto questo Maria era chiamata
a proteggere. Troppo, per avere anche la croce quotidiana
di un marito perso dietro ai suoi cristi. Posò il biglietto di
Laccio sulla pila di giornali da buttare nella raccolta differenziata, sospirò e rivolse un pensiero di gratitudine alla volta di suo marito: non volendo o non sapendo aiutarla, aveva
almeno avuto il buon senso di togliersi dai piedi. Aprì il frigo, trovò un broccolo avvolto in uno strofinaccio. Tolse le
puntine annerite, lo tagliò a cimette, lo mise in un coccio
con un bicchiere di Nero d'Avola e mezzo di olio, salò, aggiunse uno spicchio di aglio sbucciato. Incoperchiò e lasciò
cuocere per trenta minuti, senza mai rimestare. Il broccolo
alla sciclitana era tra le sue verdure preferite. Soprattutto
perché quei trenta minuti scevri di occupazioni culinarie
poté trascorrerli in bagno, dove teneva sullo scaffale accanto al water un prontuario di mitologia greca. Il mito di Tiresia presentava alcune analogie interessanti con il caso Diodato. Per esempio, la sessualità di Tiresia era... Un sms
interruppe il corso dei suoi pensieri. Era l'appuntato Comisso. *Caso Diodato. Missing due pazienti.* Lasciamo perdere l'uso sconsiderato di vocaboli inglesi nella lingua italiana:
ma gli sms non costano lo stesso fino a 160 caratteri? Dove-

va insegnare a Comisso che la guerriglia contro il suo gestore di telefonia mobile sarebbe stata meglio condotta se avesse usato appieno le risorse gratuite che il medesimo gli metteva a disposizione. Spense il fuoco sotto la pentola. I broccoli alla sciclitana sono più buoni, se li mangi riscaldati. Sospirò.

XIII

Otto giorni dopo

Il 9 giugno

In rotta nel Mediterraneo, in volo per Londra

Elena

L'aveva preso come un cammino, anzi uno star ferma, di autoeducazione. Era sdraiata sulla prua e guardava l'incontro fra l'acqua e la barca. Sempre lo stesso, sempre diverso. Guardava i gabbiani tuffarsi per pescare il pranzo, chiassosi. Guardava le ombre disegnate dalle cime arrotolate sul legno, il gioco di azzurro azzurrissimo e bianco bianchissimo dipinto da Nino. Quella barca era due barche. Da un lato era azzurra, dall'altro era bianca. Nino l'aveva chiamata *Biancazur*, diceva proprio così, con la *s* sonora come in *rosa*, *Biancasùr*, e lei sorrideva, e lui si adombrava, finché lei lo rassicurava: non ti prendo in giro, rido per allegria, rido perché sono felice.

Erano quattro giorni e quattro notti che Elena si trovava a bordo della *Biancazur*. Erano scappati.

«Tu di viaggi ne fai tanti, ma io voglio farti fare l'unico viaggio che non hai fatto mai.» Era rosso di emozione Nino, nel farle l'invito.

«E quale sarebbe questo viaggio?»

«Se non l'hai mai fatto, è inutile che te lo spieghi, tanto non lo sai. Lo vedi mentre viaggiamo.»

«Ma spiegare serve proprio a questo, a far visualizzare a una persona ciò che ancora non conosce.»

«E quindi le sorprese non dovrebbero esistere?»

«Se è una sorpresa allora va bene, non devi spiegare.»

«E ci vieni?»

La divertivano quelle conversazioni un po' nonsense, sempre condite con più parole di quelle necessarie. Conversazioni allo spreco, le chiamava. Nino parlava come cucinava. Grigliava pesci e verdure che erano un manifesto di freschezza e semplicità, ma poi si perdeva nel condirli. Ogni volta con qualcosa di troppo. Aceto balsamico. Yogurt greco. Maionese di soia. Quell'eccesso gli serviva a pensare di non essere semplice, aggettivo che per lui suonava come sempliciotto; gli serviva a vestirsi mentalmente di una dignitosa complessità.

Avere il coraggio di essere se stessi. Semplici, o sempliciotti, complessi o complicati che si sia. Ma che carattere ci vuole, per poterselo permettere? Mentre intorno a te tutto dice "datti un tono".

«Attenta al padellino» la ammonì Nino, sfiorandola nel chinarsi su di lei per prendere una cima lì accanto.

«Cosa vuoi dire?»

«Che se ti scotti diventi un gambero rosso e non sei nemmeno più buona da farti cruda, mi tocca spadellarti.»

L'ultima in ordine di tempo ad averla minacciata con la prospettiva di una cottura lampo era stata la sua tata ucraina. All'epoca, Elena aveva quattro anni e faceva le prove di carattere dando del filo da torcere alla povera donna. La quale a un certo punto, chissà come, aveva scoperto il suo terrore per tutto ciò che scottava. Tra forno e fornelli, aveva trovato la minaccia capace di tenerla a bada. Ora, a trent'anni di distanza, non funzionava più. Elena sorrise a Nino. Anche quella era autoeducazione. Sorridere a un uomo che dice delle stupidaggini, e proprio col fine di farmi sorridere. In fondo, Nino è riuscito nel suo intento. Questa barca è un padellino, e io sto cuocendo.

Avevano levato l'àncora di notte. «C'è più poesia, sarà la nostra *fuitina*» aveva detto Nino. Lei aveva fatto l'inaudito: aveva liberato l'agenda per quindici giorni. Aveva chiamato

Bonaccorso per dirgli che doveva ritardare di due settimane il secondo sopralluogo a Hong Kong. Senza dare spiegazioni. Autoeducazione. La morte di Salvo l'aveva turbata, non in sé ma per la modalità, le circostanze. Tutte quelle indiscrezioni che venivano fuori. Sembrava che nella vita di Salvo ci fosse del torbido, che avesse delle relazioni segrete: per esempio, era stato visto in più occasioni sulla scogliera della Pisciotta che era il ritrovo dei gay della zona, vicino alla grotta vista mare che era l'alcova segreta dove la portava Nino. Aveva sempre pensato di essere lei la relazione più torbida di Salvo, quella più ibrida, che sporcava la terapia con il business. E invece, giornali e telegiornali uscivano ogni giorno con una versione nuova, ogni volta più romanzata. Non se l'era sentita di andare al funerale. Ora, distesa a prua, con la mano destra allungata a rastrellare l'acqua, si disse che in fondo, in tutta onestà, l'invito di Nino era arrivato al momento giusto. Aveva bisogno di andare via, di fuggire, soprattutto da se stessa.

«Alzate le mani e consegnate la barca! Siete circondati!» Cos'era, l'episodio di una serie tv? Nino si era portato il laptop su cui aveva scaricato intere serie da guardare insieme abbracciati la sera, altro percorso di autoeducazione per lei che preferiva la parola scritta, da ponderare in silenzio, a quella malrecitata che volava chiassosamente via. Elena ritrasse la mano dall'acqua, alzò il mento e osservò la scena intorno a sé. La barca era circondata da vedette della guardia di finanza. Con un salto si mise seduta e cercò il pareo. Guardò Nino. «Cosa vuol dire?»

«Non lo so» disse lui. «Con tutti i barconi straripanti di povera gente che ci sono in giro per il Mediterraneo, adesso me lo devono spiegare cosa vogliono da noi.»

«A bordo! Tenete le mani in alto! Dobbiamo perquisire l'imbarcazione!»

Elena ebbe una folgorazione. Fu un secondo, e si scoprì suo malgrado con gli occhi pieni di lacrime. Lei, che non piangeva mai.

L'aveva usata.

La prima volta che mi rieduco ad affidarmi a un uomo, lui mi usa. Droga.

Sarà droga di sicuro, figurati, uno che è sempre per mare, e poi mi ha raccontato che va spesso in acque tunisine, non sarà certo per pescare sardine. Qui il pesce sono io, e ho abboccato. Vedrai che lui adesso sfodera l'alibi della crociera romantica per sedurre l'ennesima turista allocca. Sono qui mezza nuda con dei militari che mi guardano e non posso correre sotto coperta a controllare cosa ha nascosto nel mio borsone, perché adesso se salta fuori che trasportiamo hashish o marijuana o peggio, vedrai che la roba è lì, dentro il mio borsone. Lui farà la scena del pescatore innamorato e sempliciotto, giocato dalla turista del nord che lo usa per i suoi traffici. Prese il pareo, se lo incrociò sui seni e lo annodò dietro il collo, il tutto muovendo meno muscoli possibile per non allertare i militari. Non avrebbe sopportato la vista delle armi puntate contro di lei. Elena non fumava ma aveva votato *sì* a tutti i referendum per la liberalizzazione delle droghe leggere. Non le liberalizzeranno mai perché ci guadagnano molto di più così. Sai quante mazzette. Mazzette? Ma certo, mazzette! Aspetta un attimo, forse ho la soluzione in mano. Si mise in piedi, le mani alzate. Ottimo esercizio per glutei, adduttori e addominali. Aveva portato diecimila euro in contanti, erano nella tasca interna del suo borsone – sempre che Nino non avesse spostato o sottratto niente. Li aveva presi perché non si sa mai, poteva rompersi la barca, o qualunque evenienza. Non aveva messo in conto la mazzetta ai militari, ma non c'era problema. Sequestrino pure tutto, ma mi lascino andare. Se non fanno rapporto si possono rivendere la roba, più la mancia... sono in sei... diciamo che si sono fatti la quindicesima. Si sentì rasserenata e sicura di sé. Evitò lo sguardo di Nino.

«La signora Elena Utong?»

«Sono io.»

«Lei è in arresto.»

Elena sbiancò. Come, in arresto? Io? Senza nemmeno un'ispezione? Devono avere avuto una soffiata, ma chi può essere stato? Chi può volermi male fino a questo punto? Laurel, l'amico intrallazzone di Salvo? Forse teme che ora che Salvo è morto io denunci i loro traffici? Ma a che pro? Non può essere. E chi, allora? Nino? Non ha senso. Siamo sulla stessa barca. No, è stato qualcun altro. Qualcuno a cui serve mettermi in cattiva luce... ma certo! Amanda e Xenia sono le principali indagate per la morte di Salvo... sembra che siano state le ultime due ad averlo visto vivo. Se ora mi mettono all'angolo con questa manovra, poi la mia situazione sarà più difficile... stronze!

«Posso chiedere con quale imputazione?» domandò nonostante in cuor suo fosse certa della risposta: traffico di sostanze stupefacenti.

«Tentativo di fuga e occultamento di prove. Lei è indagata per il delitto Diodato.»

«La signora è innocente.» Nino teneva le mani ancora alzate. Gli agenti lo guardarono contrariati.

«Può dimostrarlo?»

«La notte del delitto era con me.»

«Ci sono dei testimoni oltre a lei?»

«Piriddu 'u 'mpenitente.»

«Chi?»

«Glielo dica alla commissaria Gelata, lei lo conosce, Piriddu. Lo sa che è una brava persona. Può fare tutto quello che fa, ma bugie non ne dice, 'u 'mpenitente.»

Elena non capiva più nulla. Tutto ciò che sapeva è che quella notte, la notte del delitto, lei era furiosa e non riusciva a prendere sonno. Aveva avuto conferma dei traffici di Salvo e Laurel alle sue spalle. Nella tarda mattinata ne aveva parlato con Salvo, era andata a trovarlo nella grotta analitica ma lui l'aveva ricevuta in terrazza, sguisciava mandorle mentre parlavano e le riponeva in un barattolo, non gliene aveva nemmeno offerta una, Elena l'aveva trovato insolitamente maleducato e poco ospitale. Aveva usato con lui la tecnica che funziona sempre con gli uomini, specie se seduttori: esporre i fatti come se ne avesse già assoluta e palese certezza. Salvo aveva provato a giustificarsi: uno stile di vita a cui non poteva rinunciare, in fondo non facevano niente di male, erano tutte consenzienti. Le aveva proposto di partecipare agli utili. Elena era andata su tutte le furie. Non era moralismo, il suo: era paura di venire coinvolta in ciò che sarebbe stato pubblicamente uno scandalo. Paura che il suo nome potesse venire legato a fatti che avrebbero avuto un impatto distruttivo su tutto ciò che lei aveva costruito, da sola. Paura di perdere la fiducia delle sue clienti, attuali e potenziali. Paura. Hai un bell'essere razionale, fredda, posata. La paura ti frega, sempre.

Aveva rimuginato tutto il pomeriggio, e la notte non riusciva a smettere di pensare. A un certo punto si era vestita ed era uscita. Non sapeva dove voleva andare, non ci aveva pensato, non se l'era chiesto. Una forma di fatalismo. Gli uomini le avevano portato via tutto, e lei ogni volta aveva dovuto ricominciare daccapo. Ora basta, pensava scendendo sempre più svelta le scalette di Santa Maria La Nova. Ora basta. Non l'aveva vista nessuno, o almeno lei non aveva visto anima viva. Aveva camminato fino al mare, era andata a sedersi proprio sugli scogli della Pisciotta, vicino alla Spaccazza. Era rientrata a casa all'alba, sfinita. Si era finalmente assopita con un senso inspiegabile di pace, fino alle dieci del mattino dopo, quando l'aveva svegliata Amanda, singhiozzando, per annunciarle che avevano ritrovato il Defender di Salvo in mare alla Spaccazza, con lui dentro, annegato.

Per qualche motivo, i sospetti della commissaria si erano incentrati su Amanda e su Xenia, che sembravano avere dei moventi, odio o rancore l'una, attaccamento morboso alla figura del terapeuta l'altra. Ora, l'improvvisa entrata in scena di questo fantomatico teste, Piriddu 'u 'mpenitente, per opera di Nino non riusciva a rassicurarla. Non suonava come un grande alibi. E se qualcuno l'avesse vista e riconosciuta, mentre correva da sola nei pressi della Pisciotta, la stessa notte in cui Salvo era precipitato nel mare dentro la sua auto? Salì sulla barca della guardia di finanza e gli agenti rinunciarono a metterle le manette, «per rispetto». In compenso ammanettarono Nino, che cercava gli occhi di Elena con la stessa ostinazione con cui lei evitava i suoi. Rispetto. Dio solo sa cos'hanno in testa i siciliani, quando pronunciano la parola *rispetto*.

Xenia

Albemarle Street era una delle vie più rivelatrici del vero carattere di Mayfair, che non era un quartiere per turisti, né un quartiere di teatri, e nemmeno un quartiere di shopping. Mayfair era un quartiere di cose e persone uniche al mondo.

C'era Allaben, camiciaio della famiglia reale, un signore che dimostrava sempre la stessa età, una cinquantina di anni, sin da quando Xenia bambina si fermava davanti alla vetrina a osservare il quadro ricamato a mano su tela di cotone bianco con una scritta blu che diceva: «CONFEZIONIAMO INTERAMENTE A MANO CAMICIE DA UOMO». Un motivo in più, per lei, per sentirsi esclusa sin da piccina: non avrebbe mai potuto possedere una camicia di Allaben. Uno dei dettagli che rendevano uniche le camicie di Allaben erano le iniziali, che Mister Allaben non ricamava sul petto, troppo appariscenti, ma bensì dentro il risvolto del colletto, come si conveniva all'*understatement* di un autentico lord. Le sarebbe piaciuto che quel signore elegante ed estroso le confezionasse un giorno una camicia, unica al mondo, cucita interamente a mano per lei dalle due sarte col camice bianco e le unghie perfettamente laccate che da bambina chiamava "le infermiere delle camicie".

C'era Miss Dollberg, che nel suo minuscolo laboratorio all'angolo della galleria di Albemarle realizzava a mano, e su misura, gli intramontabili cappelli a cilindro: anche ora, in piena decadenza dei costumi, non c'era rampollo della buona società che potesse pensare di sposarsi senza indossare un cappello a cilindro di Miss Dollberg, che raccoglieva prenotazioni con almeno un anno di anticipo.

Svoltò l'angolo di Albemarle Street e si trovò davanti alla bottega di macellaio più bella del mondo. La vetrina era tra le più fotografate di Mayfair. Da una serie di ganci in alto pendeva a mo' di sipario una fila di fagiani, pernici, lepri, e persino un cinghiale, cacciati da nobili inglesi che, finito il divertimento, lasciavano a Marley & Daughters l'incombenza di spennare, scuoiare, eviscerare, eventualmente squartare, e finalmente frollare a dovere la selvaggina. In alcuni casi, Marley & Daughters provvedeva anche a cucinare la cacciagione che veniva poi servita in cene esclusive in quartieri di lusso, talora persino a Buckingham Palace. Dietro il sipario di lepri e fagiani si intravedeva il bancone di macellaio più antico del mondo: risaliva al 1657, incredibilmente mai attaccato dai tarli, scavato da tre secoli e mezzo di tagli in punta di coltello, e misteriosamente scampato all'inquisizione dell'HACCP, ovvero la battaglia dell'Unione Europea per favorire le aziende produttrici di taglieri in cloruro di polivinile e ammazzare o indurre al suicidio gli artigiani che con pazienza e lentezza producono taglieri in legni morbidi ma non troppo, quel che basta per non rovinare il filo ai coltelli, così si esprimeva Arlette, stizzosa, che aspettava «al varco quelli che mi faranno una multa, imbecilli senza rispetto per la storia del nostro paese».

La minuscola bottega era il quartier generale che gestiva un traffico internazionale di maiali. Nati e velocemente ingrassati sotto le agili leggi del Regno Unito, venivano poi "naturalizzati" di volta in volta cinta senese, nero dei Nebrodi, nero degli Iblei, razza mangalica, maiale nero di Bigorre, razza suina mora romagnola, maiale glabro dello Yucatán, maiale di Bazna, maiale basco del Kintoa e maiale euskal txerria, e degli ultimi due Xenia ricordava ancora come avessero avvelenato gli anni della sua permanenza nei Paesi

Baschi dopo la nomina all'università di Bilbao: senza troppi complimenti, i suoi genitori adottivi le avevano affibbiato l'incarico di ricevere Tir carichi di suini vivi e per nulla felici del viaggio oltre Manica. Secondo le nuove normative europee, era sufficiente che un maiale vedesse la fine dei suoi giorni in un luogo per ottenere la relativa denominazione di origine protetta, indipendentemente dai suoi natali. In questo consisteva la trovata ingegnosa: la razza inglese commerciata dai genitori adottivi di Xenia ingrassava molto più rapidamente di tutte le altre e consentiva di incrementare la produzione di prosciutti e insaccati fino al quattrocento per cento rispetto all'allevamento delle razze autoctone, molto più lente a crescere, e spesso anche più snob quanto a gusti alimentari. Il maiale nero degli Iblei, per esempio, accetta solo carrube, dieta che gli conferisce la peculiare dolcezza della carne. Gli piace vivere allo stato brado, il che assicura struttura e marezzatura alle cosce. Proprio per via dell'abitudine peripatetica di far seguire alle mangiate di carrube altrettante passeggiate *en plein air*, il nero degli Iblei ha quell'indolenza tutta siciliana nel crescere e nell'ingrassare: senza fretta, mastica lento e ci mette un anno, un anno e mezzo per arrivare a misura. Ma quel salame, quella salsiccia dolcissima che profuma di carrube, i turisti la vogliono adesso, qui e ora, mica possono perdere tempo a tornare. E qui entra in scena il maialino inglese: sedentario, se ne sta buono in stalla, non passeggia, non perde tempo, e messo a dieta di carrube ingrassa a velocità record. Assicura agli allevatori produttività e redditività. Tutte cose che Xenia aveva imparato traducendo contratti per i suoi genitori adottivi, che a ogni suo nuovo trasferimento andavano in fibrillazione e si mettevano a studiare il mercato suino locale, nell'intento di penetrarlo.

Penetrare non era solo una metafora. Era a quel tipo di penetrazione che i suoi genitori adottivi avevano destinato ogni possibile orgasmo, e chissà da quanto tempo. Tanto che per fare lei avevano dovuto delegare due sconosciuti che avevano provveduto alla bisogna dell'accoppiamento, una fregola ritenuta di carattere secondario da Arlette e Steven. L'avevano adottata perché era bella, così bella che i blasonati clienti di Marley & Daughters ammiravano lei invece di controllare l'ago della bilancia. Per definire le distanze tra il concetto di figlia e quello di amplesso, le avevano imposto quel nome: Xenia. La straniera. Punto. Detto così, sembrava una condanna, ma Xenia non aveva più intenzione di passare la vita a scontarla. Aveva prenotato il volo ed era venuta a Londra, anche se la morte di Salvo l'aveva sconvolta, anche se la commissaria gentile ma fredda l'aveva invitata a non lasciare Scicli dopo il delitto. L'aveva chiamato proprio così: *delitto*. Come se niente potesse essere lasciato più al caso. Era un delitto, non una fatalità. Del resto, Salvo che saliva sul Defender e accelerava per morire in mare, proprio non riusciva a immaginarlo. Lui, che l'aveva sempre spinta ad andare avanti, a non fermarsi mai, proprio lui avrebbe premuto l'acceleratore verso la parola fine? Andiamo, non era nel personaggio.

«Xenia, *darling*, che cosa fai qui? Non dovevi essere a un convegno a Malta? Se mi avessi detto della tua visita ti avrei mandato un contratto da tradurre e far firmare all'allevamento Porciani.»

Sua madre Arlette era una donna pratica. Sapeva sempre dov'era la sua figlia adottiva, non foss'altro che per farle tradurre il contratto giusto al momento giusto. Sentendo il suo nome, Steven uscì dall'ufficio contabile, un gabbiotto dove passava la quasi totalità della giornata.

«Xenia, principessa, tu qui?»

Xenia li guardò. Entrambi di costituzione minuta, in forma non per salutismo ma perché lavoravano così tanto da non avere tempo per mangiare, ben vestiti non per ambizione o piacere personale ma solo per compiacere una clientela che non tollerava sciatterie. Stava per graziarli. Perché devo scuotere il loro mondo? Chi sono io, per fare questo? Sei Xenia, rispose una voce. Sei Xenia e ora non ti basta essere, vuoi *esserci*. Devi esserci, Xenia, altrimenti muori, anche se fuori sembri viva. Comincia da qui. Comincia da questa relazione che è stata finta anche perché tu hai accettato che lo fosse, perché non ti sei mai permessa di obiettare, contestare, o semplicemente commentare. Non ti sei mai permessa di chiedere. Non ti sei mai permessa di esistere.

«Mamma, papà. Vi devo parlare.»

Arlette e Steven si guardarono tra loro. Qualcosa non andava. Xenia li aveva sempre chiamati per nome. Era la prima volta nella vita che la sentivano pronunciare quelle parole: mamma, papà. Steven sottolineò il momento solenne soffiandosi il naso con il fazzoletto a quadri viola e blu.

«Ti ascoltiamo, figliola.»

XIV

Diciassette giorni dopo

Il 18 giugno

Una giornata al commissariato

Piriddu 'u 'mpenitente

Non c'era tanto con la testa, e questa era sempre stata la sua salvezza, sin dalla pubertà. Cresciuto in strada insieme a ragazzi più grandi di lui, Piriddu 'u 'mpenitente aveva precocemente conosciuto e apprezzato le gioie della pornografia. Giornali a fumetti mal tratteggiati con sceneggiature improbabili avevano accompagnato le sue prime, maldestre masturbazioni. L'autoerotismo, per Piriddu, era diventato naturale come respirare – be', no, proprio come respirare no, ma come mangiare, come fare l'atto piccolo e l'atto grande, che quando ti scappano non ci son santi, li devi fare e basta, e se non c'è un bagno a portata di mano li fai lì dove sei, in aperta campagna, in un vicolo dove non passa la gente, dietro una duna di sabbia o dove viene. Il sesso, per Piriddu 'u 'mpenitente, era un'impellenza, da espellere subito.

Abbandonato dal padre bracciante agricolo fuggito in Germania con una gelataia di Stoccarda quando lui era ancora in fasce, Piriddu abitava con l'anziana madre, la cui pensione dava di che sopravvivere a entrambi. Per via della testa, non aveva mai lavorato. Non era buono nemmeno a raccogliere pomodori: abbandonava le cassette in mezzo al campo, oppure, per la pigrizia di non prendere nuove casse da riempire, spremeva con le mani cinquanta chili di datterini per potercene stipare sopra degli altri.

Quel che gli diceva la testa, Piriddu faceva.

E la testa, cose buone, a Piriddu, non gliene diceva.

Negli anni, per paura che sua madre glieli trovasse e per castigo non lo lasciasse più uscire, Piriddu smise di comprare i giornalini porno. Aveva trovato un sistema completamente gratis: spiava le coppie che si appartavano, e si masturbava. Aveva un suo personale obiettivo che perseguiva con scrupoloso impegno: eiaculare nel minor tempo possibile. Si allenava da anni, non aveva un cronometro ma contava i secondi a voce, o mentalmente. Ce la metteva tutta per sbrigarsela ogni volta più in fretta. Era un punto d'onore, questione di galanteria: così, se un giorno l'avesse fatto con una donna, le avrebbe recato meno disturbo possibile.

Da ragazzo, quando ancora andava a scuola, non capiva molto di quel che spiegavano gli insegnanti, tanto che gli toccò ripetere la terza media tre volte; ma un giorno un pensiero lo colpì, un concetto su cui insisteva la professoressa di lettere, una signora bionda che senza saperlo gli era stata molte volte d'ispirazione per i suoi allenamenti autoerotici. La prof parlava di personaggi che «lasciano una traccia del proprio passaggio». A Piriddu piaceva quella frase. Si chiedeva come fare a lasciare anche lui una traccia del proprio passaggio. Voleva smettere di essere una persona come tutti, e diventare un personaggio.

Un pomeriggio al doposcuola ebbe un'illuminazione, la testa gli disse come fare. Alzò la mano per chiedere il permesso di uscire, e andò in bagno; si masturbò pensando alla prof di lettere, fece per pulirsi ma la carta igienica era finita; allora sfregò la mano piena di sperma lungo la parete del bagno, lasciando una traccia sul muro. La testa gli disse che era l'idea che cercava. Da quel momento in poi, Piriddu s'impegnò con costanza e tenacia a lasciare tracce del proprio passaggio: sui muri dei bagni a scuola, sulla tappezzeria verdina della camera da letto di sua madre quando lei era a messa, e poi anche in piazza, sui monumenti che tutti ammiravano e che per merito suo luccicavano sotto il sole. Di recente, aveva preso gusto a lasciare tracce anche sul citofono di un condominio di Vinsi dove abitava una ragazza che vedeva spesso in macchina davanti al cimitero intorno a mezzanotte. Lei parcheggiava sola, poi arrivava un tipo, la ragazza saliva sulla macchina di lui, che aveva i vetri oscurati, ma dai movimenti della carrozzeria si capiva benissimo cosa succedeva a bordo. Vinceva sempre Piriddu: lui aveva già finito da un pezzo e quelli erano ancora lì a far dondolare la macchina. Il parcheggio nuovo del cimitero era un punto di osservazione fantastico, fortunati i pecorai che abitavano proprio lì sopra, pensava Piriddu, potevano godersi tutta la scena comodamente sdraiati sotto un carrubo, mentre a lui toccava arrampicarsi sul muro di cinta del cimitero vecchio e restare immobile per ore, come un geco che aspetta la cena, con la differenza che lui stava al buio e che la posizione era scomodissima, doveva fare attenzione a non perdere l'equilibrio mentre cercava di battere il record.

Arrestato un paio di volte per atti osceni in luogo pubblico, era stato rilasciato in entrambi i casi dopo una lavata di capo. La commissaria l'aveva fatto sedere davanti alla sua scrivania, gli aveva fatto tutto un lungo discorso, gli aveva chiesto se aveva capito, lui aveva fatto sì con il capo, la commissaria aveva detto a un signore lì accanto, con l'uniforme addosso: «Che vuoi fare, non c'è con la testa, lasciamolo andare». Da allora, ogni volta che passava una volante mentre si masturbava, o se qualcuno che non conosceva Piriddu e non sapeva tutta la sua storia lo sorprendeva a masturbarsi e chiamava la polizia, gli agenti non perdevano tempo ad accompagnarlo in commissariato. Rallentavano, abbassavano il finestrino senza fermarsi, gli dicevano di ridarsi un contegno e di lavarsi le mani, e ripartivano. Del resto, avendo Piriddu migliorato la velocità di esecuzione con costanza, tenacia e orgoglio, era sempre più raro che qualcuno lo sorprendesse nell'atto di masturbarsi. Un istante prima do-

273

veva ancora sbottonare la patta, l'attimo dopo aveva già lasciato l'ennesima traccia del proprio passaggio nel mondo.

Perciò quella mattina di buon'ora, in piazza del Benefattore, dopo aver lasciato l'ennesima traccia sui panneggi del mantello del monumento al fondatore di Scicli, Piriddu 'u 'mpenitente fu molto sorpreso di vedere la volante della polizia fermarsi e parcheggiare di fronte a lui. L'agente spense il motore e scese insieme al collega. Lo invitarono a seguirli in commissariato. Niente di grave, lo rassicurarono: la commissaria desiderava rivolgergli alcune domande.

La testa gli disse che quelle domande dovevano essere le stesse che gli aveva fatto Nino 'u pescatore. Nino sapeva che Piriddu aveva lasciato perdere i giornalini e che ora cercava ispirazione nella realtà, e che si era ispirato anche a lui con la milanese, più volte, dopo che li aveva seguiti fino alle grotte della Pisciotta. Piriddu aveva avuto paura che Nino fosse arrabbiato con lui, ma Nino gli aveva detto che non c'era problema, e che però se qualcuno glielo chiedeva, Piriddu doveva dire chiaro e tondo che aveva visto Nino e la milanese insieme, la notte, il giorno, il pomeriggio, sempre. Nino era un bravo picciotto e gli aveva portato un polpo tenero per sua madre; Piriddu salì sulla volante insieme agli agenti e si strinse forte la testa con le mani. Testa, testa, dimmi le cose giuste, non startene a parte, vieni anche tu. Gli dispiaceva troppo se anche 'stavolta la commissaria lo mandava via dicendo a quell'altro «Non c'è con la testa».

Maria e Katherine

Ricapitoliamo, disse a se stessa, ascoltando la sua voce rieccheggiare nella stanza. «Ricapitoliamo.» Lasciamo perdere che mi sarebbe piaciuto godermi non dico tre ma due giorni di quiete, chiuso il caso dell'infanticidio. E questo certamente non mi dispone bene. Ora qui c'è un'auto finita in mare, con una situazione che imita talmente bene un suicidio che quasi certamente non lo è. E infatti l'autopsia ci dice che il cadavere era tale già due ore prima di finire a mollo, e il capraio senza fissa dimora Giuseppe Salieri detto Peppe 'U Pazzo ci conferma l'ora del tuffo: le quattro del mattino. Sentiamo le ultime persone che l'hanno visto: le sue pazienti. E quelle tutte giù a piangere variamente orfane, vedove, o altro, secondo la natura del transfert che le legava a lui. Nessun aiuto. Nessuna indicazione. Zero di zero. Donne più inutili non se ne erano mai viste: quelle, giusto in analisi potevano andare.

Le aveva convocate separatamente, e ogni volta il suo ufficio si era trasformato suo malgrado in un salotto di psicoterapia. Cominciavano rispondendo alle domande, finivano fuori tema una volta, lei le riprendeva, reggeva le redini dell'interrogatorio, finché immancabilmente scappava una lacrima che diventava un pianto che diventava il racconto fluviale e assolutamente non richiesto delle loro trascurabilissime vite nella loro noiosa e boriosa interezza.

La più faticosa era stata una francese, italiana per parte di padre, che aveva aperto una scuola di cucina a Scicli. Quando l'aveva convocata, una settimana dopo il fatto, si era messa a piangere già al telefono. Si era presentata con gli occhi gonfi, si era seduta e senza lasciarle il tempo di fare domande aveva cominciato una farraginosa confessione. «Posso spiegare tutto, commissaria, ho già preso provvedimenti, il signor Caramano è al corrente e può testimoniare, ecco qui il suo numero, questo è il diretto, non dovrà passare dal suo assistente, quello è famoso per filtrare questo mondo e quell'altro, sarebbe capace di filtrare persino la sua chiamata.»

Maria aveva respinto il gesto con cui Katherine la invitava a copiare il numero dal suo cellulare.

«Sto rinnovando la ragione sociale della mia azienda, diventerà "scuola di cucina G. Caramano", sarò pronta prestissimo, tutti i documenti saranno in regola, sarà tutto a posto, anche l'HACCP... no, non è questo che volevo dire, volevo dire che il mio socio si chiama Caramano e la scuola di cucina prende il nome da lui quindi se mi ha chiamata per comunicarmi provvedimenti contro di me, io la prego di pazientare solo ancora pochi giorni e sarò io stessa a portarle tutta la documentazione affinché lei possa constatare che è tutto in regola e che l'intestazione della mia scuola non lede in alcun modo gli interessi del signor Caramano né quelli della sua etichetta discografica.» Maria si inserì in una pausa per prendere fiato, rendendola definitiva.

«Non l'ho chiamata per questioni inerenti alla sua scuola di cucina, signora Odin. La ragione per cui l'ho convocata nel mio ufficio è che dall'agenda di Salvo Diodato, lo psicanalista ritrovato morto nel suo Defender affondato in mare al limitare tra le contrade Spaccazza e Pisciotta, risulta che lei è stata tra le ultime persone a vederlo, il giorno stesso del decesso.»

Katherine sbiancò in volto. «Cioè lei pensa... sospetta... oh cielo! Come farò? Finirò in prigione tra le migliaia di innocenti che non hanno saputo dimostrare la loro estraneità a un delitto...»

«Signora Odin, mi guardi, mi segua con attenzione. Nessuno sospetta di lei, chiaro? Lei è qui come teste. Voglio solo che mi racconti dell'ultima volta che ha visto il suo psicoterapeuta, se ci sono dettagli insoliti che ricorda, se le era sembrato strano, o preoccupato, o assente, o altro. Non intendo entrare nel merito della sua ultima seduta, capisce? E nemmeno di quelle precedenti. La sua privacy non è in discussione.»

Katherine ci rimase male. Non vedeva l'ora di aprirsi, di raccontare l'ansia che aveva provato nel vivere sola, senza sostegno, immolata sull'altare di una figlia teen-ager che le faceva scoprire che l'adolescenza è addirittura peggio quando non è la tua ma quella di una ragazzina che ti chiama mamma. Era come una pentola a pressione con la valvola sul punto di scoppiare. Prima l'ansia e il timore di dover chiudere la scuola, poi l'incontro con il cantautore Gagà Caramano, le era toccato andare fino a casa sua a Elicona, e ora quel socio posticcio troppo fascinoso e la relazione tra loro due intrisa di seduzione e ritrosia. Ora che non c'era più

Salvo a raccogliere e incanalare tutte le sue emozioni, aveva sperato di potersi sfogare almeno temporaneamente con la commissaria. Maria però le appariva annoiata e persino infastidita, cercava di chiudere l'incontro in tutti i modi. A Katherine venne in mente di rendersi interessante. «Certo, ho sempre pensato che Salvo avesse una sua vita segreta. Era così riservato, non parlava mai di sé neanche nelle situazioni sociali, fuori dalla grotta analitica. Di recente è venuto a cena da me, nella scuola, con dei suoi colleghi americani. Mi aveva ingaggiata per una *cooking class* di gruppo per fare gli gnocchi, ma ci eravamo accordati che con l'occasione avrebbe tenuto d'occhio mia figlia Paulette, che sta facendo il suo ingresso in una burrascosa adolescenza e non vuole saperne di andare in psicoterapia anche se ne avrebbe tanto bisogno, mi creda. Salvo sembrava distante, quella sera. Il resto del gruppo si era amalgamato, ma lui non faceva che tirare fuori di tasca lo smartphone. Sbirciando vidi che era sul sito di una compagnia aerea, stava acquistando un biglietto. Grave errore. Così, costano carissimi. Io vado sempre su un motore di ricerca, confronto i risultati, poi dopo che ho scelto la tariffa migliore azzero la cronologia, e sa cosa succede, quasi sempre? Che provando a cercare di nuovo la tariffa per la stessa data, la trovo a un prezzo inferiore. Stavo per spiegarlo a Salvo, ma lui si è alzato per andare in bagno; ci è restato così a lungo che sono dovuta andare a chiamarlo per il dolce, e quando mi sono avvicinata mi è sembrato di sentirlo parlare a voce bassa, come se non volesse far sentire che era al telefono. Quando mi ha vista, è apparso turbato, mi ha seguita in sala da pranzo, ma subito dopo il dolce si è scusato ed è andato via lasciandomi sola con nove americani anzi, otto: uno è andato via subito dopo Salvo, un tipo strano con i capelli lunghi. Insomma gli otto americani pensavano che avesse già pagato tutto lui. Io mi sono intimidita e non ho voluto presentare il conto, loro non hanno fatto domande, io non ho chiesto nulla... e adesso dovrò mettere anche questa voce tra le mie sofferenze.»

«La ringrazio, signora Odin. Un'ultima domanda. Dov'e-ra la notte in cui Salvatore Diodato è stato assassinato?»

«Cielo, lei mi sta chiedendo se ho l'alibi?!» strillò Katherine, terrorizzata. Maria la scrutò. Sperò per un attimo che non ce l'avesse, poi realizzò che avrebbe significato nuovi interrogatori e cambiò speranza. Desiderava solo togliersela al più presto dai piedi.

«Sì, ce l'ho. Sono stata quasi tutta la notte con il signor Caramano.»

«Signora Odin, non è il momento di fare battute. Si concentri.»

«Non è una battuta, guardi, ci siamo fatti anche un selfie.» Porse lo smartphone a Maria, che declinò l'invito e distolse lo sguardo dal display. Un selfie con l'attore dei video di Gagà Caramano, andiamo. Gli artisti hanno bisogno dei fans per esistere, non possono permettersi di negare una foto, cioè dieci secondi della loro vita, a nessuno.

«Signora Odin, intendo dire se c'è qualcuno con cui lei ha passato la serata, a parte l'incontro con il protagonista dei video.»

«C'è cascata anche lei!» trillò Katherine. Era troppo fico avere un socio che era omonimo del famosissimo secondino cantastorie Gagà Caramano, e che somigliava come una goccia d'acqua all'attore che era stato scelto proprio perché era identico al cantautore da giovane, e il tutto mica a Milano o Parigi o in un'altra location cosmopolita, nossignori: a Scicli!

«Mi scusi, signora Odin, non afferro le ragioni del suo entusiasmo.»

«Scusi lei, commissaria. Per quanto bizzarro possa apparire, il mio socio in affari è omonimo del secondino Gagà Caramano, quello delle canzoni di Franco Maracano, perché è questo il vero nome del cantautore, sa? Quindi, dicevo, il mio socio si chiama G. Caramano, G. come Gigi, e ha una somiglianza tale con l'attore che impersona il secondino di via del Carcere 1 nel video di Scorsese, che ha tratto in inganno anche lei. Per questo mi sono entusiasmata. La prima volta che l'ho visto, si figuri, mi è venuto un colpo. Pensavo fosse uno scherzo del signor Gagà, intendo il cantautore, ho creduto che si fosse divertito a mandare l'attore del suo video a casa mia, e invece no.»

Maria non era sicura di avere capito. Quella sciacquetta usciva con Gagà Caramano? Era intima amica del più famoso cantautore di tutti i tempi, lo sciclitano Gagà Caramano, il cui vero nome, aveva appena scoperto, era Franco Maracano? Ma anche se fosse stata amica solo dell'attore che impersonava l'aedo siciliano nei video, era già di per sé un fatto eclatante. Quei video avevano fatto il giro del mondo. Davvero non devo più stupirmi di niente.

«Vada pure, signora Odin. Se avrò ancora bisogno di lei la farò chiamare.»

La commissaria si era alzata e ora era dietro la sua sedia e la stava aiutando ad alzarsi, cioè la stava praticamente mettendo alla porta. «Mi scusi se le sono sembrata prolissa, è un periodo difficile per me, sa, le difficoltà con la scuola, l'adolescenza di mia figlia...»

«Certo, certo. Arrivederci» concluse Maria, poggiandole una mano sul dorso per accompagnarla fuori, augurandosi di non doverla rivedere mai più. Questa qui, se mai dovesse uccidere qualcuno, può contare su un'arma micidiale: la chiacchiera. Ma è il tipo che si mette a piangere mentre schiaccia una zanzara.

Maria e Piriddu

«Commissaria, l'abbiamo trovato in piazza del Benefattore.»

«Fatelo entrare.»

«Si sta lavando le mani in bagno.»

Maria rispose con una smorfia: aveva perfettamente compreso la necessità dell'abluzione. Quindi la milanese aveva l'alibi: oltre a essere l'ennesima vacanziera vittima del fascino siculo, sedotta da un giovane pescatore di Marzarellì, era stata vista, anzi diciamola tutta, spiata insieme a quest'ultimo da Piriddu 'u 'mpenitente. Andiamo bene.

Piriddu, benché non ci fosse con la testa, andava comunque ascoltato come testimone.

«Buona mattina, commissaria.» Aveva quello strano modo di augurare spezzoni di giornate. Un pomeriggio, che l'aveva richiamato all'ordine nei pressi di Palazzo dei Turchi, Piriddu le aveva augurato "Buon vespro".

La commissaria gli fece cenno di sedersi.

«Buon giorno, Piriddu, come va?»

Piriddu fece un sorriso e allargò le mani. Come a dire: «Son qui, ci son venuto sulle mie gambe, tutto ok».

«Veniamo al dunque, Piriddu, ho saputo che continui a lasciare tracce...»

Piriddu si rabbuiò. Allora le domande che doveva fargli la commissaria erano sempre le solite. Sempre la stessa vita, e lui che aveva detto alla testa di stargli vicino... non c'era bisogno della testa se il tran tran era sempre lo stesso.

«E ho saputo che prendi ispirazione in giro.» La testa gli disse "stai attento".

«Ascoltami con attenzione, Piriddu, concentrati. Hai mai visto insieme queste due persone?»

La commissaria posò sul tavolo davanti a lui due fotografie. Una era di Nino 'U Pescatore, in primo piano, che si distingueva benissimo anche se non aveva reti e barca intorno. L'altra foto era di una bella signora... era la milanese che Nino gli aveva detto che stavano sempre insieme, e ora la testa glielo ripeteva.

«Questo è Nino 'u piscaturi, e questa è la milanese che stanno sempre insieme» rispose Piriddu, trionfante.

«Sempre?»

«Sempre» confermò Piriddu.

«E quando li hai visti l'ultima volta insieme? Dov'erano? Sulla barca?»

Madre mia. Si faceva complicato. Troppe domande, e come faceva adesso? *Tu di' che ci hai visti insieme, sempre.*

«Sempre. Sulla barca, sulla terra.»

«Li hai seguiti? Li spiavi?»

Questa era troppo difficile. Piriddu fece sì con la testa e sperò di cavarsela.

«E hai visto cosa facevano?»

Finalmente una domanda su cui era preparato. Quella era la sua fonte d'ispirazione numero uno, meglio del marito della maestra della scuola nuova con la bidella che viveva nel suo palazzo, meglio del dottore di sua madre che faceva vestire la moglie da infermiera e si faceva fare la puntura dentro il sedere con una carota. Piriddu fece un sorriso con gli occhi illuminati, si ficcò una mano sulla patta dentro i pantaloni, e prima che la commissaria avesse il tempo di dirgli Piriddu no, basta che me lo racconti, non è necessario che tu me lo faccia vedere, aveva già goduto e tirò fuori la mano imbrattata, esultante.

«Non toccare niente e va' in bagno a lavarti le mani, Piriddu.»

Chissà perché tutti gli dicevano di lavarsi le mani, quando se ne sporcava sempre una sola? Piriddu non discusse e uscì. Siccome nessuno si alzò per accompagnarlo, ne approfittò per lasciare una traccia del suo passaggio nel corridoio del commissariato.

Maria guardò fuori dalla finestra verso la luce che fendeva la cava di Santa Maria La Nova. Quanto poteva valere un alibi confermato da un disabile mentale maniaco sessuale?

Maria e Amanda

«Mi faccia capire, signora Zingelman, qui abbiamo due bonifici, uno di 108.660 euro e l'altro di 132.552, che caso vuole che sia la cifra che si ottiene sommando l'Iva all'imponibile. Vorrebbe spiegarmi ancora una volta la natura dei rapporti tra lei e il defunto Salvo Diodato?»

«Glielo ripeto, commissaria, anzi la invito a mettere la mia dichiarazione a verbale, così nel caso che lei lo dimentichi di nuovo potrà controllare da sé. Salvo è stato il mio terapeuta per oltre dieci anni. La mia non era un'analisi freudiana classica, Salvo era innovativo, usava scuole diverse secondo il momento e il paziente. Questo significa che era contemplata l'eventualità che tra lui e le sue pazienti si instaurasse un rapporto di amicizia, com'è accaduto tra noi.»

«E quindi lei insiste a dire che il bonifico in questione non è altro che la restituzione di un prestito, con interessi annessi?»

«Esattamente.»

«E della causale, cosa mi dice?»

«In che senso, scusi?»

«Legga qui.» Maria allungò ad Amanda la copia dell'estratto conto di Salvo. Il bonifico era evidenziato in giallo fra tutti gli altri movimenti.

«Diciamo che nella causale lei invitava il compianto dottor Diodato a utilizzare la somma al fine di un atto di sodomia autoinferto. Davvero una bella amicizia.»

Nel porgerle il foglio, la commissaria teneva casualmente la curatissima unghia del pollice smaltata di un nero brillante accanto alle tre parole con cui Amanda aveva descritto la causale. *Mettiteli, nel, culo. Iva inclusa.*

Shit. Scicli-New York, 1-0. Amanda preferì tacere. Le ci sarebbe voluto un avvocato. Uno bravo. Perché era chiaro che la commissaria Gelata voleva un colpevole, e lo voleva prima possibile. Non si sarebbe bevuta la storia del rimborso di dieci anni di analisi con tanto di interessi Iva inclusa. Del resto, lei aveva sempre pagato Salvo in contanti, seduta per seduta. Era la sua strategia per perdere di vista l'ammontare esatto di quanto le era costato riparare le pecche di una madre orientata al marketing pur di tenersi il marito e di un padre che era un marito assente e distratto, orientato in apparenza al marketing, ma in realtà solo e soltanto a se stesso.

Maria e H

Maria era scesa al bar di piazza Italia a prendere un caffè, per sgranchirsi le gambe. Al suo ritorno, H la aspettava seduto a cavalcioni su una vecchia sedia impagliata comparsa chissà come nel corridoio davanti al suo ufficio. Maria lo sbirciò con la coda dell'occhio. Questo porta guai. Quel tipo aveva cercato di farsi ricevere privatamente, fuori dalle conferenze stampa, per almeno tre volte, senza successo. Più lui chiedeva, meno lei era disposta a concedere, nonostante le fosse arrivata una nota del ministero degli Interni e una persino dal ministero degli Esteri che la invitavano a dargli precedenza nell'accesso alle informazioni. Durante le conferenze stampa, quel tipo aveva sempre cercato di riportare l'attenzione su altri casi. Maria non tollerava i suoi modi arroganti, da inquisizione più che da giornalista. Entrò nella stanza senza dirgli mi segua, ma H si alzò e la seguì.

Aveva un ritaglio di giornale in mano. Si sedette sulla poltroncina davanti alla sua scrivania.

«Prego, si accomodi» disse Maria con un mezzo sorriso come a sottolineare che lei non l'aveva ancora invitato a farlo. E che diamine, era pur sempre una commissaria, una funzionaria che rappresentava lo stato, e chi diavolo fosse lui, non era ancora del tutto chiaro. "Giornalista ficcanaso" non le sembrava abbastanza calzante come definizione.

«Le ho portato qualcosa da leggere, qualcosa che la terrà un po' occupata prossimamente.» Le porse un ritaglio strappato da un quotidiano locale. Maria diede un'occhiata distratta.

«Scusi signor...» Non ricordava il suo nome e continuò. «E a me cosa dovrebbe importare di questa storia di cani ammazzati? C'è la guardia zoofila per questo.»

«Io invece penso che si tratti di un caso piuttosto interessante, che potrebbe avere molto seguito sulla stampa, smuovere gli animalisti e fruttarle anche un paio di menzioni al merito. Chi ha detto che uccidere un cane sia un delitto di serie b?»

Maria lo guardò perplessa.

«Lei non è un giornalista.»

«Io sono *anche* un giornalista.»

«E non è curioso che lei insista per distogliermi dalle indagini sul delitto Diodato?»

«Delitto! Intanto non sembra che esistano prove che ci autorizzino a parlare di delitto. Chiamiamolo caso, e mi duole constatare la sua ostinazione nell'ignorare l'indotto del caso Diodato: alberghi pieni a Scicli, ristoranti che fanno il doppio e triplo turno come a Londra e New York, negozi di souvenir affollati, artigiani ceramisti prenotati per i prossimi due anni, per non parlare del mercato immobiliare che si è finalmente svegliato da un torpore trentennale. Il caso Diodato ha riacceso un interesse internazionale su Scicli. Ora, lei vorrebbe mettere la parola "fine" in fretta e furia, e rimandare tutti a casa? Il mondo non reclama un colpevole: il mondo vuole continuare a bearsi della bellezza di questa città, vuole ammirare i paesaggi iblei ripresi nei telegiornali, vuole venire a investire denaro buono e forte in questa terra lungamente negletta che adesso fa innamorare milioni di persone in tutto il pianeta. Il caso Diodato è infinitamente meglio di qualunque fiction, anzi, è la nemesi: guardando le fiction, la gente ha il dubbio che i set cinematografici siano truccati; ma gli stessi paesaggi, visti nelle *news*, infondono fiducia: allora la bellezza è reale, si dice il pubblico, e i turisti raddoppiano, triplicano, quadruplicano. Guardi: la curva di questo grafico esprime l'andamento delle prenotazioni alberghiere nell'ultimo anno e nei prossimi sei mesi. Una vera e propria rinascita. Occorre tenere i riflettori accesi su Scicli. Lei non vorrà certo privare la sua gente di tutto questo benessere indotto, chiudendo precipitosamente un caso solo per la sua gloria personale? Rallenti le indagini, dia il giusto spazio agli altri casi, lo faccia per il bene della città, per il SUO bene.»

«Lei non è un giornalista e questa è una minaccia.» La voce di Maria era dura.

«Mi dispiace che lei si ripeta. Quanto alla prima parte, posso mostrarle il regolare tesserino di cui sono in possesso. Ma come può chiamare minaccia la mia gentilezza? Sono venuto a farle una cortesia, indicandole un caso su cui indagare, un caso che susciterà l'interesse degli animalisti e che la porterà alla ribalta delle cronache televisive. Pensi al suo recente successo per la risoluzione del caso dell'infanticidio, e moltiplichi per tre, ma anche per quattro.»

«Nessuno è venuto a sporgere denuncia per la morte di un cane.»

«Mi spiace contraddirla ma i cani ammazzati sono tre. Qualcuno sporge denuncia quando si trova un cadavere umano accoltellato? Mi sembra che le indagini scattino d'ufficio. Lei sta già discriminando gli animali come se un cadavere di cane contasse di meno. È estate, l'opinione pubblica la premierà se mostra a tutti che i nostri cuccioli possono vivere tranquilli perché lei ha acciuffato il colpevole.»

Acciuffato. Erano almeno trent'anni che non sentiva quella parola, *acciuffato*. L'ultima volta doveva averla letta su «Topolino». Di sicuro, maschilista com'era, non si sarebbe espresso a quel modo parlando con un uomo. *Acciuffare* rendeva il suo lavoro simile a un fumetto. Se si fosse rivolto a un uomo, avrebbe detto *identificare* o *neutralizzare il colpevole.*

«E magari lei sa già anche chi è il colpevole, mi ha spianato la strada?»

«Diciamo che ho delle mie personali idee al riguardo, ma la lascerò giocare, e soprattutto vincere, da sola.»

«Ecco, mi lasci sola, adesso.» H fece per replicare ma Maria era risoluta a concludere l'incontro.

«La ringrazio della sua estrema cortesia, signor...» Rinunciò ad abbinare un nome. «Lasci pure qui il ritaglio con la notizia, non mancherò di mandare un mio sottoposto in loco a verificare.»

H fece per uscire ma raggiunta la porta ebbe un'esitazione, e si voltò. «A suo modo, nella sua cecità e ostinazione, nel suo ignorare che certe promozioni si danno solo agli uomini, lei è una donna affascinante.»

«Grazie della cortesia» ripeté Maria. Non si alzò per accompagnarlo e riabbassò subito lo sguardo sulle sue carte. «Solo un piccolo scambio tra noi» scandì lui, in un sussurro cadenzato, prima di sparire.

Maria alzò la testa, colpita. Se ne fregava delle promozioni, ma le seccava venire discriminata sul lavoro in quanto donna. Quel tipo, poi, non lo sopportava. Arrogante, maleducato, intimidatorio. Che fosse pure amico di chi voleva al ministero dell'Interno e anche a quello degli Esteri. A cacare, doveva andare.

E poi, cos'è che aveva sussurrato sulla porta? «Solo un piccolo scambio tra noi.»

Uomini.

Tutti uguali.

Funzionari, questori, corteggiatori, padri, mariti, fidanzati, assassini, assassinati.

A cacare, dovevano andare.

XV

Quaranta giorni dopo

L'11 luglio

Hong Kong, Scicli, Taormina

Elena e Tancredi Bonaccorso

«Ma sei sempre stata così di legno?»
Tancredi Bonaccorso aveva appena dato l'ok al progetto della cucina del suo futuro ristorante a Hong Kong. Tre diversi studi di architettura erano stati spremuti e spossati onde portare a segno l'operazione. Fondamentale la mediazione di Elena, che aveva usato il rientro e la *full immersion* nel lavoro a Hong Kong per stornare il ricordo ossessivo degli eventi traumatici che si erano susseguiti a catena quell'estate: la morte di Salvo, l'arresto in barca, gli interrogatori. Non aveva più visto Nino da quel momento, né aveva risposto alle sue chiamate, dopo.

La domanda di Tancredi Bonaccorso la lasciò interdetta. A malincuore aveva accettato che lui le desse del tu, e aveva preso a dargli del tu a sua volta – non avrebbe voluto, in verità: ma non poteva rischiare che, anche solo linguisticamente, il rapporto tra loro rispecchiasse quello tra una colf efficiente e un padrone di casa dispotico.

Legno.
Mai e poi mai avrebbe pensato a se stessa nei termini di un pezzo di legno. Era riservata, distaccata, questo sì. L'unica persona che mi resterà accanto per tutta la vita sono io, le piaceva ripetere. C'era stato un tempo in cui pensava di potersi affidare agli uomini. Si era sbagliata. Per capirlo, le ci era voluto Marc.

Marc era bello, alto, elegante. Era un gallerista d'arte. Quando erano andati ad abitare insieme, Elena aveva scoperto che Marc viveva sempre in rosso con cifre a tre zeri. Gli aveva consegnato diecimila euro: «Così non fai ridere le banche». Dopo tre mesi, Marc era di nuovo in rosso a tre zeri, e dopo un anno e altri due tentativi di Elena di togliere il buonumore alle banche, l'unica scorbutica era diventata lei. Marc non era affatto incapace, era un bravo gallerista, sceglieva oculatamente gli artisti su cui investire. Ma in capo a un paio di anni le fu chiaro che il suo affascinante compagno era drogato di debiti, lesto a fagocitare qualunque somma si trovasse sul suo cammino pur di provare il brivido dell'adrenalina. Era come se lo eccitassero le telefonate delle banche che lo pregavano di rientrare, lo invitavano a rientrare, gli intimavano di rientrare. Quando Elena dovette occuparsi di incassare gli affitti *cash* di una palazzina di Milano per un suo amico che si era concesso un anno sabbatico in barca a vela, Marc superò se stesso. In capo a qualche mese, nella cassaforte della galleria stazionava una busta con su scritto «*Elena per Jérôme*» con dentro ottantamila euro inutilizzati, un delitto in contanti. Marc le propose un investimento.

«Acquistiamo un terreno con un rudere in Sicilia, ho appena visto le foto dell'atelier che Oma Chatterji si è fatto a Scicli, una sorta di acropoli tra il Mediterraneo e l'Arabia, all'estremo sud-est dell'isola. Lo ristrutturiamo, lo affittiamo, rendiamo il denaro a Jérôme con gli affitti. Tanto lui non ne ha bisogno e poi quest'autunno ho una personale di Oma in galleria e le sue opere si vendono come il pane, ti darò io la somma da rendere a Jérôme, se lui dovesse reclamarla. In più avremo il nostro piccolo rustico come investimento, sarà il nostro buen retiro sull'acropoli di Scicli.»

Di fronte all'entusiasmo di Marc, Elena non aveva voluto fare il pezzo di legno. I quadri di Oma Chatterji esposti in galleria vennero venduti tutti; Marc però aveva dimenticato un accertamento da saldare, l'equivalente di trentamila euro, e i lavori di riadattamento della galeria in conformità alle nuove leggi sull'accessibilità ai portatori di handicap, l'equivalente di venticinquemila euro. Jérôme aveva dovuto anticipare il rientro dal suo anno sabbatico per un problema familiare e aveva chiesto conto del denaro. Elena non poteva tollerare l'imbarazzo di dover raccontare al suo amico la verità: e cioè che non era in grado di consegnargli le entrate della palazzina di Milano perché si era lasciata convincere dal suo compagno a fare un investimento azzardato. Chiese un prestito in banca. Marc non vedeva il problema: «Affittando la casa in Sicilia avrai di che restituire le rate del prestito, e in più hai la proprietà, che non può che aumentare di valore». Per buona grazia, aveva lasciato che Elena si intestasse al cento per cento la casetta di Chiafura con quello strano giardino di venti metri quadri incastrato fra le rocce a strapiombo in cui un tempo abitavano tutti insieme pecore, asini, uomini e galline. Marc viveva così, surfando tra i debiti; ogni tanto cadeva, annaspava, riemergeva, si rimetteva in piedi e surfava sino alla successiva caduta. Drogato di debiti. Non sapeva vivere senza l'adrenalina generata dalla domanda "Ce la farò?". Un mattino, svegliandosi a Ginevra accanto a lui, Elena lo vide come se fosse la prima volta: come se sul lago non ci fosse più la nebbia. Le apparve chiaro che Marc stava trascinando anche lei nel gorgo. Mise quanta più distanza possibile tra loro accettando una consulenza a Hong Kong, la città natale del nonno paterno che le aveva lasciato in dote un cognome come un vezzeggiativo, Utong. E conservò la casa di Scicli. Ogni rata saldata le serviva a futuro memento.

Tancredi Bonaccorso aspettava la risposta; le lunghe attese non erano la sua specialità.

«Ti sbagli, non sono fatta di legno. Il legno può bruciare. Io sono fatta di acciaio. Indistruttibile.»

«Mi piaci, legnosetta. Sei capatosta, tu.»

«Sono capatosta e sono anche stanca, perciò adesso ti accompagno in hotel e vado a riposarmi.»

«Non insisto. Ma ci sono cose che vengono meglio se non

le fai da solo, come prendere un cocktail, cosa che farò io, e andare a letto, cosa che farai tu.»

«Ci rifletterò.»

«Non rifletterci troppo. Anche le riflessioni vengono meglio, in due.»

Tancredi Bonaccorso scese dall'auto ed entrò nella hall di Jia. Solo allora si voltò a guardare. Era già sgommata via. Quella non è il tipo che ci ripensa, che ti dice dai, risali. Quella è il tipo che preferisce rovinarsi la vita e tenersi l'orgoglio ben stretto nelle mutandine.

Un suo collega gli aveva dato il numero di una società di escort. Non voleva passare la sera da solo. Chiamò.

«I want one girl, beautiful and speak Italian.»

«Yes, sir. Cocktail, dinner, just in-room service?»

«All.»

«Elegant, smart casual?»

«Ma quale casual?! Elegant, very elegant. And sexy.»

«Of course, sir. Her name is Eva. She'll be there in 30 minutes. May I have your credit card number?»

E pigliati il mio credit card number, sospirò Bonaccorso. Che tocca fare, per non restare soli.

Xenia

Un poste de télé à un coin de rue.
L'image figée sur l'écran
est devenue une fleur bleue.
Personne n'y touche, personne ne le bouge.
Tout le monde le laisse là.
On y passe tout près, on s'arrête pas.
Un poste de télé posé à un coin de rue
Sert à ceux qui passent pour savoir où ils en sont.
Car les rues de Damas n'ont pas de nom,
il nous faut un poste de télé cassé
pour savoir où on en est.

Xenia provò un brivido. Quei versi sembravano scritti con la premonizione dei fatti accaduti in Siria in quei giorni. Ricordò il pomeriggio in cui quel libro le era venuto incontro da un tavolino di una libreria dell'11ème, durante uno dei suoi tanti fine settimana a Parigi, cinque o sei anni prima. Avenue Parmentier. Da un lato del viale c'era un bistrot dove si mangiava benissimo; dal lato opposto, quasi di fronte, quella piccola libreria orgogliosamente indipendente dal nome evocativo: "Les guetteurs de vent". Aveva aperto una pagina a caso ed era caduta proprio su quella poesia. Come tutti gli europei, quando viveva a Damasco, anche lei si era trovata ad affrontare l'ironia beffarda della mancanza di indirizzi: le vie di Damasco non avevano nome, non c'erano targhe per orientarsi. Una volta, per raggiungere la British School, si era sentita dire dal concierge dell'hotel: «Quando vede per terra un televisore rotto, giri a destra, ed è arrivata».

Chissà se era lo stesso televisore rotto di cui parlava la poesia. La cosa strana era che non ricordava di avere preso quel libro dallo scaffale. Era partita per Londra nonostante la commissaria Gelata le avesse chiesto di non allontanarsi da Scicli. Aveva tenuto fede al proposito di partire perché era una sorta di impegno che aveva preso con Salvo durante quella che la sorte aveva voluto fosse la loro ultima seduta. Era andata dai suoi genitori adottivi e aveva parlato. Loro si erano alzati in piedi, poi quando avevano capito che sarebbe andata per le lunghe si erano seduti, muti. Non aveva mai parlato tanto a lungo in vita sua. Le era venuto naturale chiamarli mamma e papà. Non l'aveva mai fatto prima, nemmeno da bambina. Era il suo modo di negare la relazione. Steven aveva pianto, Arlette era rimasta composta come la regina, ma si vedeva che stentava a contenere l'emozione.

Xenia aveva dato voce a tutto il dolore, tutta la rabbia. La rabbia di essere bella e di dover portare la bellezza come una *signature*, un marchio, un brand aziendale. Il dolore di quella finzione, Marley & Daughters: per questo avevano adottato una bambina e non un bambino, perché il buon nome dell'azienda lo richiedeva, in omaggio a Jack Marley che nei primi del Novecento, privo di eredi maschi, aveva appoggiato le lotte delle figlie suffragette e aveva cointestato a loro l'azienda di famiglia.

Rabbia e dolore si scioglievano mano a mano che Xenia li esprimeva, li raccontava e li spiegava, anche a se stessa. Con i loro traffici di maiali di razza mangalica, Steven e Arlette avevano rischiato di farle perdere il posto all'università di Budapest, quando si erano presi la libertà di inviare al numero del suo ufficio quarantasei pagine di un contratto da tradurre "urgentemente". Li aveva puniti con sei mesi di silenzio, poi era tornata. Ma era tornata a recitare. Lei non era mai stata una figlia: era stata, e tuttora era per loro, un'insegna, un lustrino, l'integrazione del marchio aziendale, & Daughters. Voleva essere una figlia, non un'insegna. Essere una donna che si ama, non un'amante che si prende il martedì e si lascia il giovedì. Aveva parlato per due ore e più. Aveva dato voce a tutte le sue paure, anche le più recenti, le più brutte, quelle che la facevano temere per la sua salute e per il suo futuro. Alla fine, Steven si era alzato con gli occhi umidi. «Grazie, figliola. È la prima volta che mi sento trattato da te come un padre.» L'aveva abbracciata, e anche Arlette si era alzata, aveva mormorato «grazie» con le guance color porpora. Avevano pianto, tutti e tre insieme. E avevano deciso di provare, anche se era tardi, a essere figlia, padre, madre.

Era rientrata da Londra con due giorni di anticipo perché l'avevano cercata dal commissariato. Era bastato quel gesto semplice: ruotare la maniglia. È così facile entrare nella mia vita, basta aprire una porta, eppure nessuno lo fa.

E ora quel libro, l'ennesimo che lei non ricordava di avere lasciato aperto sul tavolo, la riaffondava impietoso dentro il vuoto della sua esistenza. Una vita fatta di libri per calmierare la solitudine. Chissà com'era la vita dell'autore di quei versi che l'avevano raccolta in casa. Zarek Tabir. Nato a Damasco nel 1976. Cantore delle strade della sua città, aveva studiato a Parigi e poi era tornato in patria per insegnare teoria delle forme letterarie. Così recitava la nota biografica sulla quarta di copertina. Chissà dov'era ora, Zarek Tabir. Chissà se era vivo, chissà se per orientarsi nella sua città guardava ancora i televisori rotti, o se i televisori rotti per le strade di Damasco erano ormai tanti, troppi per poter servire da punto di riferimento, ridotti a metafore di un'informazione di regime. Chissà se Zarek Tabir aveva ancora una casa. Xenia alzò lo sguardo dal libro tutt'intorno a sé. Casa mia, almeno, si tiene in piedi. Zarek Tabir, a quest'ora, forse non ha nemmeno più dei muri, un tetto, un pavimento. Si reputò fortunata, chiuse il libro, lo ripose sullo scaffale, prese una bottiglia di vino a caso dal frigo. Era invitata da Corrada a fare i cuddureddi con lo sciroppo di carrube. La bottiglia, lo sapeva già, non l'avrebbero aperta, perché non c'è persona gastronomicamente più snob dei massari degli Iblei. Mangiano e bevono solo ciò che hanno coltivato, allevato, cucinato in prima persona. Un vino che non hanno pigiato loro stessi non è un vino, è Coca-Cola. Corrada avrebbe ringraziato con mille complimenti, avrebbe riposto la bottiglia nella credenza, e poi a tavola avrebbe servito il Nero d'Avola dal bottiglione col tappo di plastica spillato dalla botte giù in cantina. La bottiglia che ho in borsa sta per intraprendere un viaggio che potrebbe benissimo diventare una poesia, e non mi stupirei se un giorno tornasse da me, alla fine di un pellegrinaggio anomalo. Le sembrava di ricordare che Zarek Tabir avesse narrato nei suoi versi anche la storia di una bottiglia che conteneva un messaggio. Ebbe la tentazione di riprendere il libro per cercarla, ma era in ritardo, Corrada la aspettava. Uscì, come faceva sempre, assaporando il senso immane di libertà che le procurava il fatto di non chiudere mai la porta a chiave.

Amanda

«Mamma, Federica mi butta la sabbia in faccia!»
«Buttagliela anche tu.»

«Ma lei me la butta negli occhi!»

«E tu buttagliela in bocca.»

Amanda si girò per dare un volto alla voce di donna roca e a quella infantile querula. Dietro di lei, seduti al baretto sulla spiaggia dove andava a leggere i giornali dopo la nuotata del mattino, c'era una coppia patinata palestrata, la donna in tutina bianca con scollo all'americana che esaltava pettorali bicipiti e tricipiti e una coda di cavallo tirata come un lifting, lui con solo i pantaloncini del costume nonostante l'aria fresca del mattino, e la tartaruga sul chi va là, allertata per l'esibizione degli addominali. Erano presi ciascuno da se stesso, visibilmente seccati dall'esistenza in vita delle figlie di lei, due bambine sui sei, otto anni, ostinate a trovare sempre nuovi pretesti per elemosinare un po' di attenzione dalla madre.

Per Amanda fu un flash. Come vedersi nello specchio, proiettata indietro nel tempo. Anche lei, bambina, aveva cercato fino allo spasimo l'attenzione di sua madre.

Una fatica improba.

Era così che aveva inventato i primi *jingles*. Per pubblicizzare se stessa. Ehi, guardami, sono una bambina incantevole, non sono un amore? Sono Amanda, una bambina da amare. Si sentiva come un pacco di biscotti sullo scaffale del supermercato: doveva avere un *brand*, un *packaging* che attirasse lo sguardo proprio su quello scaffale, proprio su quel pacchetto, che costringesse a prenderlo in mano, a gustarlo con gli occhi, ad accoglierlo nell'abbraccio del carrello. I bambini normali hanno coccole gratis, per il fatto che esistono, che sono piccoli, indifesi, teneri. Io no. Io ho avuto coccole solo come esito delle mie campagne pubblicitarie ben congegnate. La mia accademia di *advertising* è stata l'infanzia. Io e mia sorella eravamo come queste due bambine, disposte a tutto, a tirarci sabbia negli occhi e molto di più, per ottenere uno sguardo da nostra madre. Persino un rimprovero era un successo, perché era comunque un segno di attenzione per noi, una crepa nella sua distrazione perenne.

Guardò le due bambine. Chissà se ce l'avrebbero fatta, se avrebbero trovato un modo di diventare adulte e autonome, non puntine inceppate che ripetono in continuazione le stesse due note. Lei era stata fortunata, aveva reagito con creatività, e la creatività era diventata il suo mestiere, la sua fonte di sostentamento, la sua ricchezza, in tutti i sensi. Sua sorella invece aveva macerato il dolore nell'alcol, rifiutando con ostinazione di uscire dal torpore. Viveva nella villa dei suoi, nel Connecticut, a un'ora di treno da New York. Amanda le aveva lasciato l'eredità. Una sorta di giustizia alla Robin Hood: io mi sono salvata, tu no. Prendi tu, ora che finalmente il nostro passato ci regala qualcosa, prendi tutto tu. Fondi d'investimento in banca e una villetta che guardava il sole sorgere dall'oceano Atlantico: era abbastanza per lasciarsi vivere facendo la spesa di alcolici online.

«Mamma, ma perché ci insegni delle cose che non si fanno? Non lo capisci che vogliamo solo che tu venga a giocare con noi? Se non vieni butto davvero la sabbia negli occhi a Eugenia e poi devi venire per forza.» Quella che aveva parlato era la bimba più piccola, Federica. Senza un filo di esitazione, senza una lacrima, tutta di un fiato. Un attimo di silenzio, uno sguardo imbarazzato rivolto al fidanzato della mamma: «Può venire anche lui, se vuole. Ma tu devi venire. Sei la nostra mamma».

Muti.

Tre secondi, dieci secondi, venti secondi, muti.

Tutto. Poteva accadere tutto.

La cosa più probabile: un ceffone a Federica, e per non sbagliare, uno anche a Eugenia.

La madre tossì, prese un cucchiaio di granita di caffè, posò il cucchiaio fuori dal piattino, pulì la goccia di caffè caduta sul tavolo con un tovagliolino e fece un pasticcio più grande, si passò le dita tra i capelli e riavviò la coda di cavallo con un gesto troppo deciso che spezzò l'elastico, sbuffò, riannodò i lunghi capelli in una coda trattenuta da una ciocca a mo' di fermaglio, si alzò, guardò le bambine, guardò il fidanzato che teneva gli occhi abbassati sulla tartaruga e sentenziò: «Dai, vieni anche tu».

Un genio. Quella bambina era un genio. Aveva ottenuto ciò che desiderava semplicemente dichiarandolo a carte scoperte, senza pudore. Non aveva millantato virtù e qualità, non si era puntata addosso occhi di bue, non aveva recitato. Aveva detto quello che era: una bambina di sei anni che voleva giocare con la madre. Amanda si asciugò una lacrima. Lei ci aveva provato tutta la vita, e non ci era mai riuscita.

Pensò a Salvo. Al dolore come un chiodo piantato nella carne viva che le aveva procurato la sua domanda: «E tu, cosa hai fatto tu, per fare contenta tua madre?». Lo sapeva benissimo, lui, cosa aveva dovuto fare lei, per compiacere sua madre.

Quella domanda a bruciapelo aveva riaperto una ferita. Un colpo basso, che Amanda non gli aveva potuto perdonare. Ma soprattutto, un colpo basso che Salvo non poteva permettersi con lei. Perché anche se faceva finta di niente e taceva, e avrebbe taciuto sempre, lei sapeva il segreto di Salvo. Forse era per questo che la commissaria la marcava stretta. Quella donna, benché acida come uno yogurt andato a male, aveva del talento.

Amina

«Amina viene dalla periferia dell'impero.» La signora Amanda diceva così presentandola ai suoi ospiti. La prendeva in giro. Invece non sapeva quanta ragione avesse, nel definirla a quel modo. Amina si asciugò una lacrima. L'aveva di nuovo chiamata suo fratello minore, che viveva vicino a Parigi. Tutte le volte la stessa storia. Torna a casa dai tuoi fratelli grandi, oppure vieni da me e mia moglie in Francia. Tu e i bambini. Il muso di lui non lo vogliamo vedere. I suoi bambini dovevano diventare musulmani. Lei doveva portare il velo. Era una degenerata. Aveva concepito i suoi figli con un cristiano che non era nemmeno credente, era un ipocrita occidentale. Tutte le volte le impartiva la stessa predica. Una cosa chiamata amore, nel vocabolario dei suoi fratelli, non c'era. Una cosa chiamata allegria, non c'era. Una cosa chiamata vita, non c'era. Avevano cancellato tutto. Erano rimasti solo odio, e vendetta. Vendetta per cosa, poi. I suoi fratelli non ridevano mai. Amina invece era come la mamma. Lei e la mamma ridevano producendo un cinguettio che riecheggiava in casa e nei vicoli. Cinguettavano sempre insieme. Quando morì la mamma, fu un'agonia di due mesi; Amina aveva diciott'anni e per resistere al dolore rideva. Rideva anche la mamma, che già non si alzava più dal letto. Faceva la seria solo con i suoi fratelli: aveva sempre temuto che i figli maschi la giudicassero. Quando proprio non ne poteva più di quei tre figuri che biascicavano preghiere come se fosse già morta, fingeva di addormentarsi.

Allora i suoi fratelli si zittivano, si alzavano in punta di piedi e uscivano dalla stanza. A volte si trasferivano a pregare in cucina, aspettando che fosse pronta la tajine di pollo o il couscous con l'agnello. Ad Amina piaceva cucinare. Lo faceva sempre con la mamma, aveva imparato da lei tutte le ricette, prima i dolci che erano più facili, come i corni di gazzella, e poi piano piano, anno dopo anno, i piatti salati più elaborati come il *bric* e la *pastilla*. Era diventata brava come la mamma. Il dottore aveva detto che la mamma poteva mangiare solo cibi liquidi, e Amina frullava per lei passati di verdura, composte di frutta, cibi leggeri e freschi che le davano sollievo. Appena i fratelli uscivano, la mamma si raccomandava: chiudi a chiave e lascia la chiave nella toppa, così se ritornano li sentiamo e non ci scoprono mentre siamo qui a ridere. Si faceva mettere seduta sul letto e insieme giocavano: pensavano alle dieci cose che avrebbero voluto fare insieme appena la mamma guariva. Ad Amina si inumidivano gli occhi perché lei già sapeva che la mamma non sarebbe guarita, mai. E allora per non piangere rideva, rideva delle stupidaggini che si raccontavano lei e la mamma sui suoi fratelli, sulla vicina pasticciona che portava in omaggio i suoi sedicenti manicaretti che immancabilmente si rivelavano buoni solo per la spazzatura. Ridevano anche pensando agli scherzi che amava fare papà, che era morto poco dopo che era nato il suo fratello più piccolo, quello che ora viveva vicino a Parigi. Ridevano perché erano vive, ancora vive. Ridevano per non disperarsi. Per non darla vinta alla morte.

Dopo che la mamma morì, non le ci volle molto per capire che lei non poteva più restare, per il semplice fatto che vivere lì equivaleva a morire. I suoi fratelli avevano voluto una cerimonia particolarmente spoglia. Non avevano avvisato i parenti, lo aveva fatto lei di nascosto usando il cellulare della mamma. Zii e cugini erano venuti al funerale, ma erano offesi e non si erano fermati al ricevimento funebre, né avevano effettuato le visite di rito nei giorni successivi. I suoi fratelli si erano chiusi in casa e le avevano imposto di vestire di nero e di togliere i gioielli della mamma che portava sempre, la spilla della bisnonna e la collana di pietre di fiume. Amina li indossava come gesti di affetto, per sentire intorno al collo l'abbraccio di sua madre, per sentirsi protetta dalle donne della sua famiglia. Avrebbe dovuto trascorrere in lutto quattro mesi e dieci giorni. I suoi fratelli avevano stabilito per lei la stessa durata del lutto per le vedove, col divieto di uscire di casa. «Così se ti scappa da ridere almeno nessuno saprà di questa vergogna.»

Era fuggita di notte con l'aiuto di uno zio, dopo nemmeno una settimana.

Lo zio era andato dai suoi fratelli a chiedere il permesso di invitare Amina per tre giorni e tre notti per la commemorazione della sua povera sorella. I nipoti non avevano potuto negare l'autorizzazione al fratello della loro madre. Amina aveva preso la nave a Tunisi con i pochi soldi che mamma teneva nascosti nel cassetto della biancheria, e una fascetta di banconote da cinquanta euro che le aveva dato lo zio. Portò con sé solo la spilla della nonna e la collana di pietre di fiume, e il telefono della mamma che in Europa non avrebbe funzionato, ma pazienza. Suo fratello grande la chiamò un attimo dopo che la nave era salpata. «Passami lo zio.» Amina provò un attimo di terrore: e se suo fratello avesse avuto l'autorità per far richiamare la nave in porto? Non sarebbe più uscita di casa per tutta la vita, l'avrebbero murata viva. Aveva paura di rispondere che lo zio non c'era, e al tempo stesso temeva che non rispondere sarebbe stato peggio. Sentiva la risata salire. Non poté trattenerla. Le uscì dapprima un risolino nervoso che si tramutò in una cascata liberatoria, come quelle che condivideva con la mamma. Il fratello rabbioso gridò: «Puttana! Ti inseguirò per tutta la vita, ti punirò per la tua mancanza di rispetto». Rispetto per chi, rispetto per cosa? Amina spense il telefono e non lo riaccese mai più. Non capiva come quei tristi figuri dei suoi fratelli si arrogassero il diritto di giudicarla.

L'indomani mattina la nave attraccò a Palermo, una ragazza di La Marsa che aveva fatto la traversata con lei andava a lavorare in un B&B a Scicli, aveva il contratto, disse ad Amina: «Vieni con me, avranno sicuramente bisogno di persone che lavorano bene, e in più tu parli anche le lingue». Prima che i suoi fratelli le proibissero di studiare, frequentava la scuola linguistica per il commercio, e aveva ottimi voti in inglese. Nel B&B, in attesa che fosse pronto il suo palazzo, alloggiava la signora Amanda. Era elegante, secca e decisa ma mai scortese. Rideva di una risata libera, fiera. Non era un cinguettio, il suo: era il ruggito tonante di chi si è conquistato il diritto di ridere. Terminati i restauri a Palazzo dei Turchi, la signora Amanda le aveva chiesto se voleva lavorare per lei. Amina si sentiva protetta da quella donna forte, colta, sicura di sé, capace di vivere nel mondo e di farsi rispettare anche da sola, senza un uomo al suo fianco. La signora Amanda si esprimeva spesso per frasi fatte che Amina ripeteva divertita. «Pagare rende liberi» era il suo motto. Pagava per qualunque cosa, qualunque servizio, ma ringraziava sempre, come se le avessero fatto un favore, un regalo. «Gli amori infelici sono i migliori» era un altro dei suoi slogan. «Forse per lei, ma non per me» replicava sorridendo Amina. Aveva conosciuto Biagio in discoteca con le sue amiche. Era rimasta incinta, a essere onesti. Ma era sicura che lei e Biagio si sarebbero sposati lo stesso. Un anno dopo Cristiano, era nata Barbara. Aveva mandato una lettera a casa, per avvisare i suoi fratelli che stava bene, che aveva una famiglia, un buon lavoro ed era felice. Non l'avesse mai fatto. Era ricominciato il tormento. Lei non l'aveva confessato, non aveva scritto neanche i nomi dei bambini, ma i suoi fratelli avevano capito che suo marito non era musulmano. L'avevano trovata. Qualche tunisino che lavorava nelle serre dei pomodori e la sera prendeva il fresco sulle panchine di piazza Italia doveva avere fatto la spia. Avevano il suo indirizzo, il telefono di casa, il suo cellulare. Biagio le ripeteva di stare tranquilla; Amina però aveva paura, e al tempo stesso provava vergogna ad ammettere che i suoi fratelli le facevano paura. Sangue del suo sangue, diceva la mamma.

«Fratelli e sorelle sono quelli che scegliamo, non quelli che ci capitano in sorte» le aveva detto la signora Amanda, per consolarla una volta che l'aveva trovata in lacrime mentre stirava. «Diciamo che la sorte avrebbe potuto fare scelte migliori per te: ma tu hai saputo rimediare. Però non devi vivere nel terrore, Amina. Pensaci: chi sono loro per giudicare te? La reincarnazione del feroce Saladino?» Aveva riso, di quella sua risata fiera da leone, irresistibile, contagiosa, a cui si era unito il cinguettio leggero di Amina. Erano un passerotto spaventato e un leone coraggioso, loro due. Il leone permetteva al passerotto di cinguettare sulla sua criniera, e guai a chi avesse provato a fargli del male. Avrebbe dovuto vedersela con lui.

Amina entrò nel salone per sistemare le tovaglie stirate il giorno prima. «Non devi mai riporre la biancheria subito dopo averla stirata» le aveva insegnato la mamma. «Se no fa la muffa dentro i cassetti.»

Sentì un singhiozzo provenire da uno dei divani. Ma come, se non c'era nessuno, la signora Amanda era fuori a nuotare. Posò le tovaglie e si avvicinò ai divani. Santo cielo! Cosa può fare un passerotto, se trova un leone che piange a dirotto sopra un divano? Amina pensò in fretta e furia se aveva pronta una storia che potesse farla sorridere, come quelle che raccontava alla mamma di nascosto dai suoi fratelli, per distrarre il cancro che si era messo in testa di farla morire.

Quest'anno l'estate non diventa real

Ma come è possibile? La madre di Tancredi Bonaccorso era incredula. Disperata e incredula. Stizzita con il destino. Com'è possibile che io sia di nuovo senza soldi? Com'è possibile che nessuno mi aiuti mai? Avrebbe dato suo figlio e ucciso sua madre, per una dose di eroina. Una soltanto. Voglio sentire la dolcezza della vita ancora una volta soltanto, voglio illudermi che la realtà sia quella, e che questo sia un brutto sogno, pieno di gente che mi fa credere che la mia vita cambierà da un momento all'altro e invece niente cambia mai, sono sempre qui, costretta a vivere come un topo in casa di mia madre, e quel cretino di Scicli non si fa più vivo, se fosse tornato sai quante cose avrei potuto vendergli, un cassetto per volta, un comodino per volta, una foto per volta. Aveva trovato delle foto di sua madre ritratta insieme a personaggi famosi in visita a Taormina, ce n'era una persino con Kennedy in visita all'ospedale, prendeva in braccio un neonato che gli porgeva quell'ipocrita di sua madre. A me invece mi ha sbolognata dalle suore, con la scusa di darmi un'educazione. E quel poveretto di mio padre, zitto e mosca, perché il nonno si era rovinato col gioco e del casato dei Linguaglossa a noi era rimasto solo lo stemma, e allora papà viveva in ginocchio davanti a sua moglie perché Rosaria lavorava, nonostante fosse diventata nobile convolando a nozze. Della nobiltà, solo il cognome: Bonaccorso di Linguaglossa. Rosaria si era rimboccata le maniche, aveva rispolverato il diploma di ostetrica, aveva mantenuto la famiglia, e pagato gli studi a Tancredi.

Questo, glielo devo riconoscere. Io ero troppo fatta per occuparmi di mio figlio. La madre di Tancredi si sedette in cucina, appoggiò i gomiti sul tavolo e si prese la testa tra le mani. Il tipo di Scicli. Non ho neanche come contattarlo. Aspetta un attimo. Qualcosa devo avere. Si ricordò di un bigliettino che le aveva lasciato la spagnola che faceva l'agente immobiliare. Se lo trovo, la chiamo. Devo farlo. Non ci pensa nessuno, a me. Tanto tutto questo è mio, la vecchia è come se fosse già morta. È mio. Ne posso disporre come mi pare, mi piace, e mi serve.

Si alzò di scatto e prese a rovistare tra gli armadietti della cucina. E se non lo trovo qui, metto sottosopra anche il bagno, e poi il salotto, e poi salgo anche di sopra, potrei averlo lasciato nella stanza da letto la notte che mi sono arrabattata lassù con quell'americano ubriaco, come si chiamava? Aveva conosciuto un tipo per strada, le aveva offerto da bere, e poi anche una dose. Per ringraziarlo, ci era andata a letto insieme. Lei in genere dormiva sul sofà, come se dovesse sempre essere pronta a scappare. Ma il tipo era corpulento e se l'era portato nella stanza di sopra, la stanza nuziale come la chiamava sua madre. Ora non riusciva proprio a ricordarsi come si chiamava quel tipo. Stizzita, aprì con troppa foga l'anta di un mobiletto. Tanti piccoli barattoli di spezie scadute le franarono addosso.

Amanda e Amina

Amina pensava intensamente alla mamma. Stringere Amanda tra le braccia, seduta su uno dei divanetti che lei di solito si limitava a spolverare e riassettare, era un'esperienza straniante. L'unica maniera di ricondurla a sé, a una quotidianità che lei potesse afferrare e comprendere, era di pensare alla mamma. Quando la mamma ammalata si affidava a lei, lasciando crollare il capo sulla spalla della sua unica figlia femmina, Amina sentiva le lacrime bagnarle il colletto, e la prima reazione era di sgomento, ma subito si tratteneva ed esibiva una forza e una sicurezza che non pensava potessero mai appartenerle. Era così strano, sentirsi forte e capace di consolare e proteggere la mamma, che era sempre stata il suo baluardo contro le sofferenze del mondo. Anche ora, con Amanda che le singhiozzava tra le braccia, dopo il primo istante di smarrimento, le era venuto spontaneo usare il trucco che aveva sempre funzionato durante la malattia della mamma: mostrarsi forte, capace di ascoltare, di arginare, e persino di rispondere.

Amanda piangeva come un fiume in piena che trascina ciottoli, detriti, pezzi di mobilio, sacchi di spazzatura mai vuotati. Pronunciava frasi sconnesse senza preoccuparsi di risultare comprensibile. Era una confessione a metà: finalmente lasciava uscire da sé ciò che aveva sempre saputo e taciuto, ma lo faceva in presenza di una testimone davanti alla quale avrebbe sempre potuto ritrattare, «non mi hai capita», oppure, come diceva lei con quella tipica cortesia newyorkese che contiene sempre un lampo di impazienza, «non mi sono spiegata».

Le parole di Amanda fuoruscivano sconnesse. «Perché io ho sempre dovuto organizzare campagne pubblicitarie per ottenere un po' di amore» e giù singhiozzi «e mi sono murata dentro una teoria» e si soffiava il naso «ho trattato me stessa come una bibita in lattina» e a un tratto si ricomponeva e ravviava il *packaging* del vestito bianco di lino «ho sempre aspettato che mi scegliessero, e non ho mai scelto io, mai mai mai!» e singhiozzava così forte che scuoteva anche la spalla di Amina a cui era appoggiata «adesso è troppo tardi e non posso scegliere più, non sceglierò mai più!» un minuto di silenzio, sembrava che tutto fosse finito, poi la piena riprendeva.

«Sono così stupida che ho scelto l'infelicità, l'infelicità per tutta la vita!»

«Non dire così, signora Amanda, tu sei bravissima!» Amina aveva imparato a dare del lei in italiano, ma quel momento le sembrava meritasse la vicinanza del tu. In quel frangente la mamma era lei, come quando stava con Cristiano e con Barbara, e loro erano così piccoli e fiduciosi che la mamma sapesse sempre cosa dire e cosa fare, che lei finiva per essere esattamente quella che loro si aspettavano che fosse. «Sei bravissima e nella vita hai saputo vendere tutto, sei brava persino a vendere questo palazzo dove abiti, lo fai diventare un guadagno, per la gente la casa vuol dire soltanto spendere soldi, e per te invece vuol dire guadagnare da vivere...»

«Sì, ma sono brava solo a vendere gli oggetti, guarda cosa ho fatto di me stessa, non mi vuole nessuno!» Adesso la signora Amanda era proprio come Barbara quando piangeva dicendo «Mamma io sono brutta» perché voleva sentirsi dire il contrario per ritrovare il sorriso, stamparle un bacio sulla guancia e tornare a giocare.

«Signora Amanda, io non ci credo. Sei tu che non vuoi. Ti piace vivere così, sola con la tua libertà.»

«Non è vero! Non mi piace più!» e la voce era proprio come quella di Barbara quando cominciava a consolarsi e tirava su con il naso.

«Invece ti piace, e io so perché lo fai.»

«E perché, sentiamo?» Oltre dieci anni di psicoterapia, e adesso vuoi vedere che la mia colf tunisina possiede la verità che si nega a me?

«Ma è semplice. Quello che facciamo per lavoro cerchiamo di non farlo quando il lavoro è finito. Io per esempio, mi vergogno a dirtelo, signora Amanda, ma a casa mia lascio spesso il disordine, mentre qui nel tuo palazzo tengo sempre tutto come uno specchio» si fermò un attimo chiedendosi se forse era stata immodesta. Amanda non reagì. Si staccò lievemente dalla spalla di Amina. Segno che era curiosa, e che la piena del fiume era cessata.

«E tu per lavoro trovi le parole per vendere tutto, tutte le cose, la Coca-Cola, i gioielli, tutto quanto. Poi quando finisci di lavorare sei stanca, e di vendere non hai più voglia. Io ti ho sentita tante volte, sai, signora Amanda, quando racconti alle tue amiche la tua teoria degli amori infelici che sono i migliori. E ho sempre pensato...»

Amanda si rizzò a sedere sul divano accanto ad Amina, attenta come una ragazzina a cui un'amica sta leggendo la mano, e lei pensa che da quel vaticinio dipenderà il resto della sua vita.

«Cosa hai pensato, Amina?»

«Ho pensato che forse hai ragione: gli amori infelici sono i migliori, ma non in assoluto. Sono i migliori per te, perché così non devi stancarti. C'è tanto lavoro da fare, sai, signora Amanda, quando si ama. Non si finisce mai di scegliere e farsi scegliere, ogni giorno ricomincia tutto daccapo.»

«Spiegami meglio cosa vuoi dire...»

«Voglio dire che è normale che tu ti riposi dal tuo lavoro. Ci vuole un po' di relax, no? Me lo dici sempre. Gli amori infelici sono il tuo relax, perché tu non te ne devi curare, li lasci andare e basta, non devi trovare le parole giuste perché un uomo ti compri. Come va, va.»

Amanda era colpita. Non aveva mai osservato la sua vita da quella prospettiva, che ora le sembrava l'unica, la sola, autentica, vera.

«Grazie, Amina. Sei una ragazza saggia. Adesso, promettimi che questa conversazione resterà un segreto tra noi, ok?»

«Ok.»

«Bene. Mi hai preparato le tenerezze?»

«Sì, signora Amanda, sono pronte in frigo, deve solo scaldarle al microonde.» L'intimità era finita e Amina ritenne fosse il caso di riprendere a dare del lei.

«Grazie. Vai pure, Amina. E... grazie di cuore.»

Rimasta sola, Amanda si mise al computer, alla scrivania sotto l'allegoria della Letteratura affrescata sulla volta del salone.

Si sentiva svuotata, ma anche piena di energia.

Amina ha ragione. È il mio concetto di relax. Per questo

lascio che i miei amori vadano alla deriva, per questo rinuncio a viverli. Fece per scrivere una frase, poi ci ripensò, chiuse il laptop e quella frase si limitò a pensarla, che restasse volatile, perché la urtava vederla sul monitor, sarebbe stato come specchiarsi in un'altra se stessa che poggiava le mani sui fianchi e la rimproverava: «E allora?», invitandola inesorabile alla resa dei conti.

Non scrisse la frase, ma poi non fece altro che ripetersela per tutta la notte, e nei giorni successivi. Ho cambiato il sesso della Coca-Cola, e non so cambiare senso alla mia vita.

XVI

Quarantotto giorni dopo

Il 19 luglio

Taormina, Scicli

Tancredi Bonaccorso e nonna Rosaria

«Nipote caro, erano cinque anni che non ti ricordavi del mio compleanno, nemmeno l'ictus che mi ha costretta a traslocare in questa dimora senza stelle ha avuto effetto su di te, pensavo di dover campare fino a cent'anni per avere l'onore e il piacere di una tua visita. Sei venuto a vedere in che condizioni sta la tua eredità?»

Che sorte. La nonna aveva scambiato la sua incursione a scopo raccolta informazioni per una visita di compleanno, e ora, invece di mandarlo via a male parole, si limitava a presentargli il conto per le dimenticanze degli anni passati. Tancredi Bonaccorso si chinò sulla sedia a rotelle per darle un bacio. La vecchia notò il mazzolino di violette.

«Le mie preferite! Non sei il nipote degenere che credevo, dopo tutto. Siedi, mi fai venire il torcicollo a guardarti così in alto.»

Nonna Rosaria, ostetrica in pensione, aveva trascorso i primi vent'anni di vedovanza tra il soggiorno e il balconcino della sua casa di vico Montalba. Due settimane dopo la morte del nonno aveva smesso di camminare. Aveva acconsentito a farsi visitare da un paio di dottori per quietare la sua unica figlia, il cui terrore nient'affatto segreto era di dover accudire l'anziana madre che non aveva mai smesso di odiare, forse anche perché aveva deciso di restare adolescente per sempre.

Saldato l'onorario dei medici, nonna Rosaria si era ritenuta autorizzata a fare quel che desiderava, e cioè rassegnarsi «a queste gambe che non camminano più». Aveva fatto sistemare un lettino nell'angolo del salotto per non dover affrontare la fatica degli scalini che portavano alla stanza nuziale. Così chiamava la sua camera da letto. Avarissima, disdegnava ogni sorta di cure, ogni profferta di assistenza salariata. Eppure, da quel suo ritiro forzato che non godeva nemmeno di una location meta del passeggio o dello struscio, nonna Rosaria sapeva tutto di tutti. Tutta Taormina ricordava la sua battaglia, nei primi anni Settanta, per ottenere la legge sul divorzio.

Rosaria, la suffragetta di Taormina, non aveva condotto la sua campagna porta a porta per interesse personale: era troppo avara anche per sostenere le spese di un divorzio, siamo in due e si paga una luce, un telefono, un pieno della caldaia, che storie son queste di divorziare, dobbiamo mantenere la società dei telefoni e quella dell'energia elettrica? No, no, ci mancherebbe.

Rosaria si batteva per il divorzio perché con l'acume delle grandi artiste del pettegolezzo aveva subito realizzato che la legge sul divorzio avrebbe moltiplicato per due, per tre, e anche per quattro le occasioni di speculare sulle vite altrui. Alla domanda "sai chi si è sposato?" si sarebbero affiancate altre curiosità ben più piccanti, condite con quel sentore di peccato che faceva bagnare le mutandine come non accadeva dai tempi remoti del fidanzamento. «Sai chi ha divorziato?» e, ancora più eccitante, perché carica di congetture immaginifiche: «Sai chi sta divorziando?» domanda quest'ultima che si portava appresso un corollario succoso di argomenti di conversazione nel ricercare le possibili cause rimestando tra amanti, patrimoni aviti e dilapidati, suoceri infidi, figli di paternità incerta e poi la chicca delle chicche, le devianze sessuali a cui accennare sempre con un pronunciato rossore e mai prima di avere verificato che non vi fossero intorno bambini che potessero ascoltare, povere creature innocenti. Il divorzio aveva regalato a nonna Rosaria molti tra i più appassionanti pomeriggi della sua vita. Con una sola eccezione: quello di suo nipote. Non gliel'aveva potuto perdonare. Farci finire così, sulla bocca di tutti, come una famiglia qualunque, noi che discendiamo dai marchesi Bonaccorso di Linguaglossa. Tutto perché suo nipote non ci sentiva. A sedici anni, invece di andare al liceo, aveva deciso di iscriversi all'alberghiero: voleva fare il cuoco, convinto che: «i cuochi, adesso, si chiamano chef. Alla francese, nonna, è fico!». Nonna Rosaria, che teneva i cordoni della borsa, l'aveva lasciato fare. Mi sono proprio rammollita con questo nipote, che ci vuoi fare, Tancredi è la mia debolezza.

Era l'unico nipote, per di più maschio, di una nonna siciliana che aveva letto e riletto quattro volte *Il Gattopardo*, avendone assimilato solo teoricamente la lezione: i Tancredi vanno sterminati da piccoli.

Così suo nipote era diventato chef, e aveva sposato una sommelier. Una francese che a lei non era piaciuta già prima di conoscerla. Una che si chiama Matisse, andiamo, è una donna o un pittore? Chissà che sostanze assumevano i suoi genitori per ridursi a dare alla figlia primogenita un nome che non era da ragazza e ricordava pure un artista rammollito.

La condizione dell'immobilità le aveva fornito l'alibi per non presenziare alle nozze. «Almeno non ho sprecato denaro per l'acquisto di un abito inutile» commentò quando, due anni dopo, Tancredi venne ad annunciarle, «prima che te lo dicano le tue amiche che ti portano le notizie», che stava per divorziare da Matisse.

«Spero che in futuro tu possa abbracciare una corrente artistica più consona al nostro casato» era stato il suo lapidario commento. Forse era a nonna Rosaria che Tancredi Bonaccorso doveva la passione per le donne che fondano il proprio fascino su una generosa porzione di cinismo, sarcasmo e legnosità.

«Fine dello sketch dell'anziana nonna con il premuroso

nipote.» Questa era una mossa generosa da parte sua. Lo aiutava a venire al punto. «Non sei qui per augurarmi buon compleanno. Che ti serve? Soldi a parte, naturalmente.»

«Sei un mito, nonnina.»

«Non mi chiamare nonnina, che uno si immagina una vecchia sdentata incapace di usare il mascara e con il rossetto sul mento. Ho avuto un ictus, mica il Parkinson.» Arricciò le labbra fucsia disegnate col pennello senza la minima sbavatura.

«Ti trovo in gran forma, nonna. Davvero.»

«Sì, ma non mi hai detto che ti serve. Tra venti minuti c'è il bridge ed è l'unica occasione in cui ci si ricrea un po' con le chiacchiere. Ce la facciamo a sbrigarci prima?»

«Ti ricordi una parrucchiera ragazza madre? Non era di Taormina, era venuta da Comiso o da Scicli. Ne parlavi con le tue amiche che venivano a farti visita il pomeriggio, io ero piccolo ma ascoltavo. Aveva un figlio che era andato a fare il gigolo in Inghilterra.»

Il volto incartapecorito sotto gli strati di fard si accese di interesse.

«E tu cosa c'entri con quella storia?»

«Il figlio. Credo che sia un mio cliente. Cioè, che fosse un mio cliente. È morto.»

«Come è morto?»

«Non è chiaro. Sembrava un suicidio ma pare che non lo sia stato. Le principali indiziate sono le sue pazienti.»

«E anche le sue pazienti sono tue clienti?»

«Sei tremenda, nonna. Una delle sue pazienti lavora per me, è la mia consulente per l'apertura dei miei locali in Asia. Me la sono pensata così: se la aiuto a stornare i sospetti su di lei, potrei ricavarne uno sconto. E magari tu sai qualcosa che può tornare utile.» Aveva toccato l'argomento giusto. Sconto. Uguale risparmio di denaro nell'interesse del casato. La nonna si appoggiò ben diritta sullo schienale della sedia a rotelle.

«Quella è una storia lunga, Tancredi, venti minuti non bastano. E non va bene raccontarla qui dentro, ci sono troppe orecchie anche nei muri, qui. Facciamo così: io ora vado a fare il mio bridge, tu te ne vai, e la settimana prossima un giorno a tuo piacimento mi fai una sorpresa, vieni a prendermi e mi porti a casa mia, così rivedo il mio salottino. Lì, orecchie indiscrete non ce ne sono». La nonna rimestò con una mano nella borsetta. «Tieni, qui ci sono cinquanta euro, fai pulire la casa. Mi intristirei a trovarci la polvere. Non dire niente a tua madre, quella sarebbe capace di andare a fare le pulizie da sola per intascarsi i cinquanta. E quel che è peggio, pulirebbe male. Lo sai com'è, tua madre. È rimasta una figlia dei fiori anche adesso che è appassita.»

Tancredi Bonaccorso fece per protestare. La settimana successiva aveva un calendario fitto di appuntamenti a Hong Kong. Nonna Rosaria lo guardò tronfia e gli soffiò un bacio a fior di labbra prima di fare marcia indietro a scatto con la sedia a rotelle. Aveva vinto lei.

È per questo che mi piace la legnosetta: anche a lei piace vincere. Ma con le informazioni che caverò dalla nonna, vedrai che le insegnerò a perdere. Scioglierò le sue mutandine di legno. Anzi di acciaio, come dice lei.

Xenia

Le jour au début, c'est tout blanc, c'est tout noir.
Le jour au début est bourré de poésie.
Ce n'est que plus tard que tu déchiffres ses couleurs.

Un'altra poesia. Un altro libro lasciato aperto. Xenia provò un brivido. Continuò a leggere.

Les couleurs sont là, bien avant que tu t'en aperçois.
Elles cachent leur secrets dans l'obscurité,
comme ce message que tu viens d'ouvrir.
Il était là. Bien avant toi.
Garde sa poésie, ne le lis pas. Vis dans la nuit.

Era la poesia sul messaggio nella bottiglia, quella che credeva di ricordare e che poi aveva rinunciato a cercare tra le pagine del libro, per non fare tardi con Corrada che l'aspettava per preparare i cuddureddi, le ciambelline al mosto di cui Xenia era ghiotta. «Creatura, bisogna che te l'impari così non ne resti mai senza, metti che io non li posso fare una settimana, non te ne devi privare.»

Corrada era convinta che la cucina fosse il primo passo per insegnare alla *creatura*, così lei chiamava Xenia, a prendersi cura di sé. E poi, pensava Corrada, il cibo è una cosa che non ha senso se non la condividi con quelli a cui vuoi bene. E anche se sei sola, quando cominci a cucinare, prima o poi qualcuno arriva.

Le faceva male al cuore vedere la *creatura*, bella com'era, sempre sola, sempre china sui libri. Corrada sapeva di non avere le parole per dirglielo; perciò stava zitta, e le insegnava l'unica cosa che lei sapeva e Xenia ignorava: la cucina. Le insegnava l'amore che c'è in ognuno dei gesti che fai mentre cucini, e li devi proprio fare ognuno a quel modo perché senza quei gesti fatti come si deve il risultato non è lo stesso. Girò la maniglia senza bussare.

«È permesso? Ti ho portato un vassoio di cuddureddi, ho pensato che anche se adesso sai come farli, non hai tempo, sempre a faticare sui libri.»

Xenia si riscosse dalla magia della lettura. «Nei libri non c'è solo la fatica, Corrada. I libri regalano anche tanti momenti di piacevolezza. Adesso per esempio stavo leggendo una poesia molto bella, di un poeta siriano, di Damasco, sai, la città che si vede sempre in tivù, distrutta dai combattimenti della guerra civile. La poesia parla di un messaggio nella bottiglia, e compara il vetro scuro della bottiglia alla notte che contiene e cela dentro di sé tutti i colori, tutti i messaggi possibili. Allora il poeta invita il lettore a conservare intatta la poesia, a non aprire la bottiglia. Bello, no?»

«Creatura, e se magari dentro c'era il messaggio di uno

316

che ha fatto naufragio e ha bisogno di aiuto, bel servizio gli fai, a tenerti la poesia. Dov'è questa bottiglia? Apriamola.» Corrada posò un vassoio colmo di cuddureddi nell'unico angolo sgombro dai libri sull'enorme scrittoio che Xenia usava anche come tavolo da pranzo per i suoi pasti frugali a base di insalate e per i festini fuori orario quando riscaldava al microonde i piatti pronti che Corrada le portava quasi ogni giorno. Don Mimì la sgridava: «ti troverà impicciona, sei sempre a casa sua»; Corrada faceva spallucce: «Io sono una madre, e le madri non lasciano le creature con il frigorifero vuoto. Se le porto da mangiare, almeno sono sicura che si nutre bene. Poi se vuole buttarlo lo butta, ma se le viene fame alle due di notte si può scaldare la zuppa di fave cucìvole con l'olio di casa. Mica ce le hanno, le fave cucìvole, a Londra». Don Mimì rinunciava a obiettare. Le mogli hanno tutti gli argomenti per vincere, e anche qualcuno di più. Solo una volta Corrada l'aveva convinto usando l'argomento definitivo. Da allora, Don Mimì aveva scelto di non arrivare mai più allo scontro frontale con la sua signora. Agli abbracci notturni non voleva rinunciare più, mai più. Corrada lo sapeva, e non abusava del suo strumento di persuasione. Era il mutuo, tacito accordo su cui si reggeva la longeva felicità del loro matrimonio.

Xenia prese un cuddureddu. «È buonissimo! Prendi un tè?»

«No grazie, sto bene.» Corrada non riusciva a capire perché Xenia prendesse il tè anche se non era malata. Avrebbe preferito un caffè, ma temeva che Xenia non avesse la caffettiera e non voleva metterla in imbarazzo.

Fu lei a imbarazzarsi, invece, sentendo suonare il cellulare di Xenia. Magari aspettava visite, e lei era lì a importunare. Forse suo marito non aveva tutti i torti quando le diceva di lasciarla in pace.

«Scusa, sono venuta a disturbarti, avevo appena fatto i cuddureddi, ho pensato glieli porto mentre sono ancora caldi...»

«Tu non ti devi scusare mai, Corrada» disse Xenia, silenziando la suoneria del cellulare. «Senza la tua gentilezza e senza la tua cucina non saprei più sopravvivere. Resta qui, prova a prendere una tazza di tè insieme a me. Lo puoi zuccherare, se vuoi.» Sorrise al cenno di assenso di Corrada. Aveva colto nel segno. A trattenere la sua vicina di casa dall'avventura di provare una bevanda esotica come il tè era il timore di doverlo gustare amaro, come faceva lei.

"Nessuna risposta" apparve sul display del cellulare di Oma Chatterji al sedicesimo squillo. Quella ragazza diventava sempre più interessante. Non solo era l'unica che fosse stata in grado di resistergli trovandosi in un letto insieme a lui nudo. Ora lasciava pure squillare il telefono sedici volte senza degnarsi di rispondergli. Caccia grossa. L'anglomauritiana caruccia mi costringerà a passare al gioco duro.

Xenia versò il tè a Corrada. «Mettici una zolletta di zucchero, per cominciare.» Cercava di essere presente a se stessa nella conversazione ma non poteva evitare di continuare a gioire interiormente per quel gesto che le era venuto automatico, semplice, naturale. Aveva azzerato il volume della suoneria mentre Oma Chatterji, *tombeur de femmes* e artista di fama internazionale che lei aveva già respinto una volta, la chiamava al telefono e non desisteva sino all'ultimo squillo.

La suoneria segnalò un sms in arrivo. Lo leggerò più tardi, pensò Xenia, prendendo in giro Corrada che faceva le smorfie e la implorava di darle un'altra zolletta. «Ma come fai creatura a bere questa cosa così amara, che pena devi scontare?»

Mi sa che ho finito di scontare, si disse Xenia. Mi sa che sono pronta a cominciare una nuova vita dove finalmente io sono io, con i miei tempi, i miei bisogni, i miei desideri.

Se solo avesse potuto raccontarlo a Salvo. Ma Salvo non c'era più. E forse, si rabbuiò un attimo, non c'era mai stato. Forse il Salvo che conosceva non era altro che una sua creazione, vestito delle sue proiezioni che lo volevano buono, puro, divino o perlomeno superiore. E quell'altro Salvo, quello vero, che usciva nel mondo, o che dal mondo si teneva ben nascosto, lei non l'aveva mai visto, né conosciuto. Nemmeno mai sospettato. Che ironia, la sua sorte: non si sceglieva torbidi solo i fidanzati, anche il suo psicoterapeuta poteva rientrare a buon diritto nella sua collezione di farabutti, come la chiamava Amanda.

«Prendine tre, di zollette, Corrada. Te lo renderanno più dolce.»

XVII

Sessanta giorni dopo

Il 31 luglio

Alta stagione a Scicli

Una sera al Gordonoma

«Ristorante Gordonoma, buona sera, sono Guglielmo, come posso aiutarla?»

«Vorrei prenotare un tavolo per quattro questa sera. Alle nove. Il nome è Sordini. Alberto Sordini.»

«Mi spiace, signor Sordini, ho un solo tavolo rimasto libero questa sera, alle 23.45.»

«Sta scherzando?»

«No, signore, dico sul serio. Ad agosto siamo già pieni normalmente, si figuri quest'anno col delitto, ai turisti si aggiungono giornalisti da tutto il mondo... siamo presi d'assalto.»

«Vabbe', ho capito, prendo il tavolo alle 23.30.»

«23.45.»

«Era un tentativo. 23.45. Fate sconti ai giornalisti?»

«No signore, ci dispiace.»

«Peccato, siamo quattro persone della troupe e ci fermiamo qui tutto il mese. Con uno sconto del venti per cento verremmo da voi tutte le sere.»

«Mi spiace, signore, è alta stagione. La aspettiamo questa sera alle 23.45.»

«Ci saremo. Affamati.»

Ma vedi un po' 'sto tipo. Qui lavoriamo dalle sei del mattino alle tre di notte per tenere botta alla mareggiata di tv e giornali che si sono riversati su Scicli da tutto il mondo, e l'impunito mi chiede uno sconto. Certo, se c'è una cosa di cui sono sicuro, è che l'assassino non è un operatore turistico. Uno che avesse voluto rilanciare gli Iblei avrebbe agito a fine ottobre, o a metà gennaio. Allora sì che sarebbe utile un bel delitto con tutta la stampa annessa e connessa, per ammazzare i mesi morti.

«Buona sera, abbiamo una prenotazione per quattro.»
«Benvenuti. Un attimo solo di attesa, signor Sordini, Giusy vi porterà al vostro tavolo.»
«Ammazza che efficienza, sembra Milano.»
Erano le 23.43 e il ristorante era ancora strapieno; alcune persone che non avevano prenotato attendevano in piedi sotto i carrubi che si liberasse un tavolo. Bene. Se erano disposti ad aspettare in piedi a oltranza, voleva dire che lì si mangiava bene.

In cucina, Guglielmo era al telefono con la pescheria. «Orazio, non mi frega niente se è quasi mezzanotte, metti il culo sul furgone e vieni a portarmi tutto il pescato che hai. Qui i giornalisti hanno tutti il jet lag, mangiano a qualunque ora. Ho tavoli prenotati fino a mezzanotte e mezza, e con quelli in piedi che aspettano avrò gente che si siede fino all'una, anche più tardi. Tu in venti minuti sei qui. Non posso mica raccontargli che ho finito il pesce e diventiamo un ristorante vegetariano. Chiama Nino sulla barca e digli di tornare, tutto quel che ha preso io te lo compro. Problemi per pagare non ce ne sono.» Mise giù e impiattò quattro linguine con le vongole invertite. Le vongole sgusciate venivano riposizionate in crackers di alga nori cotti in forno usando i gusci delle vongole come stampini. Un *trompe-l'oeil* che strappava ogni volta applausi a tavola.

«Prego signori, il vostro tavolo è pronto.»
«Ottima tempistica. Un minuto di attesa del tavolo, ma noi eravamo arrivati in anticipo di due minuti.»

«Cosa fai, cronometri?»

«Sono i dettagli che fanno la qualità di un ristorante.»

«Ma sentilo. Se te ne fossi dimenticato, noi qui ci occupiamo di morti ammazzati, al ristorante ci andiamo per riempirci la pancia.»

«Parla per te. Io ci vado per rilassarmi a fine giornata, per mangiare bene, e per sentirmi coccolato.»

«E da quand'è che fai il critico gastronomico?» ridacchiò il cameraman.

«Ridi, ridi. Visto che siete tutti ignoranti, vi istruisco e vi racconto un po' di storia recente. Prima generazione, siamo negli anni Sessanta e Settanta: i critici gastronomici sono arruolati tra i capi dei servizi segreti. Dei James Bond con l'hobby della forchetta, per intenderci. Resterebbe da capire se i loro conti milionari venivano pagati dai contribuenti, o se si mantenevano la crapula a spese proprie, come vizio privato.»

«Interessante, non lo sapevo» commentò il tecnico delle luci.

«Seconda generazione, siamo negli anni Ottanta-Novanta: i critici gastronomici vengono reclutati tra i giornalisti sportivi. E perché? Perché nel frattempo c'è stata la crisi del petrolio con l'austerity, viaggiare costa sempre più caro, e i giornali ottimizzano. I cronisti sportivi sono già fuori sede per le partite, gli fai scrivere un pezzo anche per dire dov'è che sono andati a sfracanarsi la sera... e risparmi.»

«Ma quante cose sai!» cinguettò la truccatrice.

«Terza generazione: primi anni Duemila. L'economia va male, le prime cellule si staccano. C'è una migrazione dalle pagine di finanza a quelle di cucina. Almeno lì se magna, anche se la borsa piange. E adesso c'è la quarta generazione: modestamente, sono io. Il free lance gagliardo.»

«Tu?»

«Che, pensi che ci posso far campare una famiglia, con quei due soldi che mi dà 'sta tivù di merda per stare qui a guardare chi vince nella partita tra guardie e ladri? Io mangio, e prendo appunti. E ti esco ogni giorno con un pezzo in pagina di cultura – perché oggi il cibo è cultura, lo sanno anche i bambini – di un quotidiano nazionale, dico na-zio-na-le, su dove mangiare nei luoghi del delitto. Ahò, so' 'n genio, sono! Tutti pronti a ordinare? Signorina Giusy, siamo nelle sue mani. Ce l'ha il taccuino? Perché qui siamo gente dall'appetito solido, un foglio non le basta! Gli diamo soddisfazione, noi, al cuoco. *Pardon*, allo chef.»

L'uomo si avvicinò alla cassa. La moglie era rimasta seduta al tavolo; il figlio, un bambinetto di cinque, sei anni, l'aveva seguito a sua insaputa. Era un mezzo busto televisivo molto noto, ma Giusy si atteneva all'imperativo impartito da Guglielmo: qui sono tutti uguali, famosi e non. Non impressionatevi mai, ragazzi. L'avevano lasciato cenare con la massima privacy al tavolo 8, quello dove i bambini potevano disegnare sulla tovaglia di carta.

«Posso pagare?»

«Certo, signor Bertone. Le serve la fattura o va bene la ricevuta?»

«Fattura. Se è possibile, scriva l'importo e poi metta "menu per una persona".»

Giusy controllò il conto ed ebbe un attimo di perplessità, subito trattenuto. «Certo, non c'è problema, il conto è duecentosessanta euro per due adulti e un bambino, scrivo 1 menu + degustazione completa vini e liquori, perché non abbiamo menu in quella fascia di prezzo.»

«Papà, ma se poi al lavoro si accorgono che ci hai portati in vacanza al mare mentre tu seguivi le indagini, ti licenziano?»

L'uomo avvampò in volto. «Non ti preoccupare amore, vai fuori con la mamma, io pago il conto alla signorina e arrivo subito.»

Giusy gli porse la fattura e tornò in cucina a chiamare l'uscita dei primi per il tavolo 7. Guglielmo Bertone uscì e trovò ad attenderlo un capannello di clienti e passanti.

«Ci scusi, dottor Bertone, l'abbiamo riconosciuta, abbiamo cenato al tavolo a fianco al suo, non volevamo disturbarla mentre era in famiglia... potremmo avere un autografo?»

«Seguo sempre i suoi reportage, sono i più coinvolgenti, lei ci tiene tutti sul filo di lama... è un lavoro entusiasmante, il suo! I veri detective siete voi giornalisti! Le posso dare un bacio, Guglielmo? Posso chiamarla Guglielmo? A furia di vederla in video, lei mi sembra una persona di famiglia!» esclamò una signora sulla settantina che aveva una vaga somiglianza con Jane Fonda, e lo baciò senza attendere il consenso.

Dimenticato l'*impasse* del conto, Guglielmo Bertone, volto noto del Tg1, si esibì in sorrisi e autografi. La moglie, che aveva liberato il tavolo insieme al figlio, lo aspettava annoiata su una panchina sotto uno dei carrubi che rinfrescavano la piazzetta. Non vedeva quali meriti avesse il marito per suscitare tanto entusiasmo; era entrato al Tg dietro raccomandazione del suocero, cioè di suo padre, quindi si poteva tranquillamente dire che doveva tutto a lei; Guglielmo non faceva altro che leggere in video notizie scritte da altri, spesso saltando le pause scandite dalle virgole, impastando punti e virgola, rendendo tutto quanto incomprensibile. Si accorse che una delle signore che avevano chiesto l'autografo a suo marito si era voltata verso di lei. Colse uno sguardo d'invidia e si raddrizzò sulla panchina, accavallò le gambe e abbozzò un sorriso. Era il momento di recitare la parte della moglie benevola del loro beniamino.

Al tavolo 3, l'appuntato Comisso sorrideva beato, la mano sulla mano della sua signora. Non le concedeva quel gesto da almeno dieci anni: era cosa da fidanzati, non da poliziotti, e quando uscivano insieme lui era sempre vestito da poliziotto, perché tutti sapessero con chi era sposata sua moglie. E se uno è vestito da poliziotto, dopo si comporta da poliziotto. Quella però era una sera speciale. Non era solo il loro anniversario di matrimonio: era il suo momento di celebrità. Cenava con la sua signora, che per l'occasione si era fatta i capelli e le unghie, e portava un vestito comprato dai cinesi ma davvero molto fine, che metteva in evidenza la scollatura generosa e... be', lasciamo perdere, questi sono dettagli che affronteremo dopo cena. Ogni cosa a suo tempo. Quello era il tempo dei sorrisi, dei cenni garbati, della mano adagiata sulla mano della sua signora, per presentarla al mondo, per legittimarla. Per dire a tutte le altre: toglietevi le illusioni, l'appuntato Comisso è qui con la sua signora, è uomo sposato e fedele. L'appuntato Comisso ne era sicuro: la gente agli altri tavoli l'aveva riconosciuto. Nelle ultime dirette da Scicli, lo si vedeva chiaramente alle spalle della commissaria. Se uno faceva il fermo immagine, era come se il protagonista del delitto di Scicli fosse lui. Il vero investigatore, la mente ligia al dovere, la coscienza di servitore dello stato che non esitava a mandare messaggi sms dal numero personale se necessario a far progredire le indagini, era lui. Con tutta l'umiltà del caso, dispensava sorrisi ai presenti, alla vita e, ovviamente, alla sua signora.

Anche H era a cena sul gazebo del Gordonoma, quella sera. Aveva chiesto un tavolo appartato nell'angolo più lontano del gazebo; le chiome del carrubo lo nascondevano quasi completamente alla vista degli altri, che poteva però osservare con agio. Guardare, non visto, era la sua posizione preferita. Quello era il tavolo che in genere davano per le cene romantiche; H, che sapeva come va il mondo, per accaparrarselo aveva prenotato per due. Arrivato solo, rassicurò lo sguardo esitante di Giusy ordinando il gran crudo di pesce per due – «Per due?» «Sì, per due» – e la più pregiata delle bollicine siciliane che figurava sulla carta dei vini. Saltò il primo e per secondo scelse una spigola pescata all'amo; con il dolce prese la degustazione di tre diversi rum da meditazione. Il sorriso di Giusy si ricompose. Tornata in cucina, commentò la comanda: «Al 7 c'è un signore che cena da solo invece che in due, ma sa come consolarsi della solitudine, ha preso tutto il meglio che abbiamo, dal menu e dalla carta dei vini». Guglielmo diede un'occhiata e mise la comanda in linea dietro le altre. «Vai col gran crudo per due, Biondo!» disse allo stagista più bravo, un ragazzo coreano che in realtà si chiamava Beyongu, che aveva messo agli antipasti per la sua precisione chirurgica nell'aprire i gamberi rossi di Mazara.

«E occhio a come apri le cicale, se no finisce che per farti imparare una volta per tutte, apro io te!» Beyongu rispose «Sì chef» con il sorriso d'ordinanza che non lo abbandonava mai. Non aveva mai un attimo di sgomento, un cedimento nervoso, un gesto di stanchezza. Ci dev'essere qualcosa che tiene svegli e attivi nel *kimchi*, pensò Guglielmo. Doveva farsi dare la ricetta.

Fuori, H brindava a se stesso con un calice di brut leggermente marsalato, forse più adatto al secondo che ad accompagnare l'eterea freschezza dei crudi. Fece cenno a Giusy di avvicinarsi al tavolo e ordinò una bottiglia di un brut rosé di Grillo e Nero d'Avola.

«Questo non va bene?» si informò premurosa la ragazza.

«Benissimo, cara. Lo teniamo in freddo per dopo. Con i crudi voglio una bollicina più carezzevole.»

Giusy aprì la bottiglia richiesta e versò un calice inebriandosi del perlage finissimo e dei sentori di uvaspina sprigionati. Quel tipo stava spendendo da solo quanto molti spendevano in quattro, anche in sei. Chissà che lavoro faceva. Le piaceva immaginare la vita dei suoi clienti. Al ristorante sembrano tutti così felici, chissà se lo sono anche fuori. H approvò il rosé con un cenno del capo. Giusy riempì il calice e lasciò la bottiglia al fresco nel ghiaccio.

I gamberi rossi di Mazara erano pura poesia. H brindò alla sua geniale intuizione. Un delitto irrisolto era quel che ci voleva per rilanciare Scicli, per darle veridicità, autenticità. Non è solo un set, non c'è solo il cinema: questa è Scicli, qui c'è la realtà. Bisognava tenere a freno la commissaria Gelata. Quella donna era talmente centrata su lavoro e carriera che c'era il rischio che chiudesse il caso. Non sia mai. Il delitto di Scicli è una gallina dalle uova d'oro e dobbiamo darle tempo di deporle tutte quante.

«Scusi se la disturbiamo, capiamo che lei è a cena qui con la sua signora... ma se dopo il secondo volesse farci la cortesia di unirsi al nostro tavolo per il dolce, sarebbe un onore per noi invitare lei e la sua signora a condividere un calice di passito.»

L'appuntato Comisso fu tentato di voltarsi per vedere se per caso quelle parole avevano a portata di orecchi un destinatario più degno di lui. La sua signora gli fece un cenno di assenso. «Con piacere accettiamo l'invito» accondiscese Comisso.

Dieci minuti dopo, Comisso e signora migravano dal tavolo 3 al 12, ospiti di una comitiva di bergamaschi in vacanza nella cinecittà degli Iblei «che però adesso, grazie al delitto, si vede Scicli in tivù tutti i giorni, si vede che è proprio bella, che non è un trucco cinematografico perché il cinema è una cosa, il telegiornale un'altra, al telegiornale si vedono le cose come stanno, no?». Comisso annuiva sorseggiando un raro passito di Pantelleria di cui erano state prodotte solo ottanta bottiglie, dodici delle quali riposavano al sicuro nella cantina del Gordonoma. Alle domande, rispondeva «buono, buono»; non aveva cuore di far sapere a quella gente che con due euro potevano comprarsi lo zibibbo mandorlato di mastro Olindo; certo, la bottiglia era in plastica, ma l'odore di mandorla era fortissimo e con due euro mastro Olindo ti dà un litro e mezzo, mica una bottiglia striminzita che in otto bicchierini è già tutta finita.

«Possiamo farle qualche domanda, appuntato? Sa, siamo curiosi...»

«Se posso rispondere, a disposizione» gongolò Comisso.

«La commissaria che si vede in tivù accanto a lei...»

Bene, gli piaceva la domanda messa così, erano bravi picciotti quei bergamaschi.

«...Ecco, la commissaria, si chiama davvero Gelata? Perché sembra un tipo freddino...» sorrise uno dei bergamaschi, che aveva una fabbrica di stufe a gas.

«Vuole mandarle in omaggio una stufa?» azzardò Comisso. Non era sicuro che la battuta fosse rispettosa dell'uniforme che indossava, ma ormai, era fatta.

I bergamaschi risero in coro. «Ma che simpatico è lei, appuntato! Deve farsi trasferire da noi, a Bergamo mica ne abbiamo, di appuntati che ci fan ridere così!»

Comisso incassava i complimenti.

Una signora, la moglie del produttore di stufe, insistette: «No, davvero, siamo curiosi, soprattutto noi donne. Al sud si vedono sempre uomini, Falcone, Borsellino, Caramano... ma questa Maria Gelata com'è? Cioè, se non ci fosse stato il delitto di Scicli, quella povera donna sarebbe rimasta a lottare da sola e nessuno avrebbe mai saputo niente di lei... non è giusto che siano sempre gli uomini gli eroi».

Comisso si adombrò leggermente. La sua signora faceva grandi cenni di assenso alle bergamasche. A casa ci avrebbe pensato lui a farle ripassare la carta geografica e a mettere i confini che mancavano.

«Sul serio, Comisso, ci racconti qualcosa della commissaria Gelata. Lavorate sempre spalla a spalla tutto il giorno, chissà quante cose ha da raccontarci su di lei...»

«Cosa volete che vi dica... è una brava cristiana anche lei... come tutti...» La sua signora gli fece gli occhiacci. Al tavolo accanto c'era un emiro in vacanza con la moglie che mangiava infilando la forchetta lateralmente con un lembo del velo sollevato il minimo indispensabile per portare il cibo alla bocca. Magari non capivano l'italiano, ma non era gentile. E di sicuro, non era politicamente corretto. Comisso si corresse: «Cioè, insomma, tutte le religioni sono buone, cristiani, cattolici, son tutti buoni. E la commissaria Gelata è una buonissima persona». Stava cominciando a innervosirsi. La sua signora gli aveva fatto venire il complesso di parlare troppo, di dire strafalcioni. Minchia, la celebrità è insopportabile, mezz'ora che sono famoso e già non ce la faccio più con questi ammiratori, li rovescerei dalle sedie e me ne tornerei a casa. Ma come fanno gli attori a sopportare i fan? Mah. Tocca esserci nati, per certe cose.

Fece segno alla sua signora, che accennò ad alzarsi contemporaneamente a lui.

«Chiediamo scusa di lasciare questa bella compagnia, ma domani mattina sono in missione» si congedò Comisso.

«Appuntato, e ci dice solo questo? Ci lascia così, con la curiosità?»

«La segretezza nel mio lavoro è tutto» si schermì Comisso.

«Lei è ingiusto, ma capiamo, non vogliamo trattenerla. Però prima di lasciarla andare, dobbiamo farci un selfie tutti insieme, se no siamo noi che arrestiamo lei.» I bergamaschi scoppiarono a ridere alla battuta del capo.

«Evvai! Sai come ci invidieranno gli amici su Facebook!» Si misero in posa tutti insieme, Comisso sull'attenti e la sua signora con la pancia in dentro e il poderoso petto in fuori, i bergamaschi in mezzo a loro due sembravano delle aragoste lesse, tutti scottati dal sole.

Era mezzanotte e mezza. In cucina, Guglielmo versò nuova acqua nel bollitore. Aveva appena telefonato un famoso conduttore televisivo, anche lui a Scicli per il delitto.

«Giusy, prepara un tavolo per dodici!»

«Ma non ce l'abbiamo.»

«Ce l'avremo. Arrivano tra mezz'ora. Sono appena atterrati con l'elicottero.»

Il prossimo delitto, ti prego, fa' che sia d'inverno, pensò, asciugandosi il sudore in volto con un *torchon* che buttò nella biancheria da lavare.

«Forza ragazzi! Se pensavate che uno stage in cucina fosse una vacanza nella Sicilia barocca, vi siete sbagliati!»

H finì di cenare e pagò in contanti lasciando a Giusy una mancia esagerata, scuola Hemingway. Lo scrittore americano riteneva che se un locale ti piace, e sai già che vuoi ritornarci, e vuoi essere sicuro che quando torni si ricorderanno di te, devi lasciare una mancia che ti renda memorabile. H stimò che cento euro facessero all'uopo, porse a Giusy il cofanetto in cui gli era stato presentato il conto precisando «Tenga il resto» per evitare che la ragazza pensasse a un errore; scese dal gazebo e salì su una berlina serie 7 con i vetri oscurati che si era avvicinata nel frattempo.

«Torniamo a Marzamemi, Rachid» ordinò.

Sull'isolotto di Marzamemi c'era il suo quartier generale segreto. Era lì che era cominciata tutta la storia.

XVIII

Settanta giorni dopo

Il 10 agosto

Scicli, Hong Kong, ancora Scicli

Ignazio

Glielo devo dire. Devo andare a parlarle.

Ignazio guardava sgomento i corpi farfallati di una KTM SuperAdventure 1290. Del proprietario, un suo coetaneo che conosceva di vista, non era restato un bel niente. La madre del ragazzo era venuta da lui subito dopo il funerale.

«Devi mettermi a posto la moto, come se fosse nuova, come se Memmo tornasse stasera dopo il lavoro per farsi un giro prima di cena. Sempre a posto deve essere la sua moto.»

Tra noi invece è tutto fuori posto. Io, lei, suo marito, e persino il dottore, che Dio l'abbia in gloria. Devo andare a parlarle.

Faccio così. Le racconto che è la storia di un mio amico che è morto, e io non so come regolarmi con la madre, se dirglielo o no.

Le dico che il mio amico frequentava degli uomini. Che, insomma, ci siamo capiti. E che adesso non so se dirlo a sua madre.

Non funziona.

Provo a dirle che il mio amico aveva una fidanzata che lo piange. E che io ora non so che fare, glielo dico a questa poveretta che suo marito, cioè, ecco, mi sono già confuso, insomma glielo dico a questa poveretta frutto della mia fantasia che il suo fidanzato, frutto della mia fantasia pure lui, era gay? Perché a me la poveretta piace, e forse se viene a sapere che quello tanto era gay, ce lo fa un pensierino su di me.

Non funziona.

Perché poi finisce che la commissaria ci crede e pensa che a me piaccia un'altra. See.

Non esiste.

A me le femmine danno fastidio, non capiscono niente di motori. Mi piace solo lei.

Non capisce niente di motori pure lei, ma almeno è curiosa.

Certo, che se non trovo il coraggio di andare a parlarle, se poi mi succede qualcosa e mi schianto come quello che è morto in moto, Maria non saprà mai niente. Mai niente di me. E neanche di suo marito.

Allora dovrei metterle la pulce nell'orecchio, dirle che nella macchina, cioè, nella moto, e che cavolo, ma se mi confondo così tanto vale che le dica la verità nuda e cruda, meglio di una bugia cucita male. Allora le dico che nella moto ho trovato dei documenti, e insieme ai documenti delle foto. E le foto parlano chiaro. Il mio amico, cioè, il padrone della moto, frequentava dei gay. Le dico anche che l'incidente è successo alla Pisciotta. Magari due più due fa quattro anche per lei. Una Panda Natural Power 1200 sgommò nello spiazzo davanti all'officina e interruppe i suoi pensieri. Si affacciò dal finestrino del bagno per vedere chi era.

Scese una donna.

Era la madre del ragazzo morto in moto. E ora cosa vuole da me?

La donna cominciò a parlare da lontano, a voce alta, gesticolando.

«Tu a me mi devi spiegare tutto, tutto. Te lo chiedo come se te lo chiedesse tua madre. Tu mi devi spiegare tutto di come funziona questo motore. Io mi devo imparare magari a guidarlo.»

Aveva la faccia solcata dal pianto. Ma inalberava l'espressione risoluta di chi ha in mente un progetto per il futuro.

«Va bene, signora, si accomodi. Le insegno tutto quello che le serve sapere.»

Era la scusa che gli serviva per rinunciare al suo progetto e lasciare tutto com'era. In fondo, non tentare la sorte è un lasciapassare per continuare a sognare.

Il questore e H

«Qualcuno deve fermarla.»

Il questore allargò le braccia e rilanciò con una domanda cortese.

«C'è altro che posso fare per lei, signor...» rinunciò a finire la domanda. Non ricordava il suo nome. Meglio così. Ci sono giornalisti di cui fa comodo avere dimenticato il nome. Ammesso che siano giornalisti.

«Diciamo che è in corso un piccolo scambio tra noi.»

Il questore incrociò le dita delle mani disponendosi all'ascolto.

«Il caso Diodato ha un importante ritorno mediatico, che giova molto a dei nostri amici.» Questi americani sono peggio di noi siciliani, pensò il questore, rispondendo con un cenno di assenso.

«È vitale che il caso Diodato non venga risolto. Va tirato per le lunghe, intanto che gli cerchiamo una soluzione. Lei si ingegni come può. Occorre bloccare la Gelata. Potremmo sempre sbatterle in faccia una fetta indigesta di verità.»

«Ci sono altri interessi in campo» obiettò il questore.

«Di quelli non mi occupo, ai nostri amici la politica non interessa. Democratici, repubblicani, questo o quello, per noi pari sono.»

«Non devono emergere indiscrezioni sulla famiglia.»

«Lavoriamo sul versante sessuale. Lo scandalo sessuale funziona sempre, e nel nostro caso richiama un segmento di mercato rilevante. Chiudiamo la bocca anche alla Gelata, così. Magari le viene voglia di cambiare mestiere.»

«A disposizione, signor...»

H tolse al questore l'imbarazzo di dovergli trovare un nome. Si alzò, non gli strinse la mano, e girò sui tacchi.

Povera donna, pensò il questore, rimasto solo a guardare nel vuoto davanti alla scrivania. In fondo aveva sempre apprezzato la qualità della Gelata che più lo infastidiva, quella sua forma *naïf* di integrità.

Maria

Tikitikità, takatakatàc. Maria si era alzata all'alba per non perdere la replica annuale dei guerrieri dei mandorli, uno dei rituali campestri che più la affascinavano.

I guerrieri dei mandorli sono omini rinsecchiti che poco dopo l'aurora, prima che il sole si levi e possa trafiggerli con le sue lame, spuntano nei mandorleti come i guerrieri nati dai denti del serpente sparsi a terra dal mitico Cadmo, fondatore della città di Tebe. Sono armati di lunghe canne, con cui invece di trafiggersi tra loro come nel mito antico, percuotono i rami più alti, non prima di avere steso a terra larghi teli di juta; i mandorli patiscono il solletico e ridendo rilasciano una pioggia sonora di mandorle, *tikitikità, takatakatàc*, che riecheggia da un mandorleto all'altro, di collina in collina. Maria avrebbe voluto essere un compositore come Philipp Glass, per mettere in musica le risate dei mandorli; oppure avrebbe voluto essere una profumiera raffinata come Keiko Mecheri, per imprigionare dentro un flacone il sentore dolce di pesca e di miele che pervadeva terrazze, verande e balconi dove le mandorle venivano poste ad asciugare dopo il raccolto.

Una volta, si erano appena conosciuti, lei aveva da poco avuto la nomina in Sicilia, Laccio le aveva detto: «Hai gli occhi verdi come mandorle». Era un complimento incomprensibile, per lei che era cresciuta in Piemonte e non aveva mai visto le mandorle a primavera, quando il mallo ancora verde è così tenero che la mandorla si può masticare tutta intera, guscio e mallo inclusi, e il sapore acerbo contiene il preludio al frutto maturo.

Era oltre un mese che suo marito non le dava notizie. Non che la cosa la preoccupasse: al contrario, la sollevava. Il delitto Diodato non le concedeva tregua e la partenza di Laccio, benché ci fosse rimasta male di venire avvisata da un biglietto anziché da una telefonata, la liberava dell'incombenza di essere cortese almeno a cena e le lasciava tutto il tempo per indagare sulla morte dello psicoterapeuta, che lei aveva soprannominato Paride.

Salvo-Paride gigioneggia con tutte le dee: a quale di loro concederà il pomo? Le sue dee sono le pazienti con cui, contrariamente ai diktat di tutte le scuole psicanalitiche del mondo, Salvo intrattiene rapporti personali di varia e talora ambigua natura; arriva persino a incoraggiare le amicizie tra loro, incurante, o forse fiero, che nascano invidie e rivalità, proprio come tra le dee greche. Il pomo, qui, è la considerazione del terapeuta, l'orgoglio di esserne la preferita, la più amata, la più desiderata. Per ottenerla, le pazienti, come le dee greche, si lasciano contemplare nude dal loro Paride. Salvo ha accesso a una nudità ben più intima di quella del corpo: quella dell'anima.

Osservando i guerrieri dei mandorli, quella mattina, Maria ebbe un'intuizione: ricordò il sasso che Cadmo aveva scagliato contro uno dei guerrieri spuntati dai denti del serpente, con il preciso intento di scatenare la rissa. Di colpo, le sembrò tutto chiaro.

Apparentemente sono amiche, ma la competizione porta una di loro a uccidere. Se non posso avere il premio a cui ambisco, lo sopprimo. Così, neanche le altre lo avranno. Prese un sasso da terra e lo scagliò verso i contadini che raccoglievano le mandorle, poi si nascose dietro un carrubo cresciuto a ridosso di un muretto a secco lungo il bordo della trazzera. Il sasso colpì un omino che prese a male parole un altro. Un terzo intervenne, e in un attimo fu il parapiglia.

Non c'è cosa che il mito greco non abbia già raccontato, rifletté Maria, guardando ammirata la scena. Tornò a piedi al punto dove aveva lasciato la Honda. Doveva stringere i denti e convocare quelle squilibrate delle pazienti di Salvo, ancora, e ancora, e ancora: doveva lanciare sassi sino a porre fine alla tacita ma di certo anche fragile omertà che vigeva tra loro, sino a mettere in trappola quella che aveva inscenato il suicidio di Salvo, e che poi se n'era andata via su un'auto che il capraio Peppe 'u Pazzo aveva fatto in tempo a intravedere in lontananza prima che scomparisse sulla litoranea. *Tikitikità, takatakàc.* Risolto l'alterco, gli omini avevano ripreso tutti insieme l'assalto ai mandorli, armati delle lunghe canne con cui percuotevano i rami. E se le dee-pazienti invece avessero agito di comune accordo? Tutte insieme per dare una lezione a quel Paride che dopo aver conosciuto la nudità delle loro anime le aveva variamente deluse. O tradite. O tutte e due le cose. Salì in auto e restò per qualche minuto immobile, con i finestrini aperti. Da lì, le sembrò che la pioggia di mandorle non fosse altro che una lunga, sonora risata con cui i mandorli si prendevano gioco di lei. *Tikitikità, takatakàc.* Vediamo se ne vieni a capo, stavolta, presuntuosa che sei. E per scherno scaricavano a terra raffiche di mandorle come sguaiate risate. Mariamaria! Sospirò, mise in moto e partì.

Katherine e Vita

Vita e Katherine stavano preparando la *mise en place* per una lezione di cucina. A Vita piaceva quell'espressione: *mizanplass*, come suonava bene. Il francese, che bella lingua. I francesi sì che le sanno dire, le cose.

Katherine ruppe il silenzio buttando lì una frase, come per caso.

«Non c'è niente di peggio che avere un uomo intorno mentre cucini.»

«Picciotta, non c'è niente di peggio che avere un uomo intorno. Punto.»

Katherine posò il mazzo di tenerumi sul piano della cucina. Strano. Vita non era mai così tagliente. Provò a indagare.

«Cosa intendi dire, Vita? Pensavo che almeno tu avessi avuto un matrimonio felice.»

«Felicissimo. Infatti mio marito se ne stava ben lontano da casa tutto il giorno, rientrava dall'ufficio e si vestiva da massaro, sai, aveva l'hobby di fare la ricotta per gli amici, impazzivano tutti per la sua ricotta. Poi a me toccava stirare camicie dell'ufficio e fare il bucato a novanta gradi per togliere le macchie della stalla. Ma almeno non mi stava intorno a cutufiare.»

«*Cutu*cosa?»

«Cutufiare. Quando uno ti sta addosso e non ti dà pace, e ogni due minuti vuole sapere che fai e perché lo fai e magari anche perché non lo fai in quest'altro modo che sarebbe migliore, e a te viene da rispondergli allora perché non lo fai tu, che sei così esperto... ecco, cutufiare è tutto questo. Tu diresti rompere le scatole, no?»

«Forse, sì. E quindi il legame con tuo marito funzionava così bene perché vi vedevate poco?»

«Vedersi poco, desiderarsi tanto» rispose Vita, con un'occhiata eloquente. «Stavamo insieme a tavola e a letto.» Prese il mazzo dei tenerumi, tagliò con un gesto netto il filo di rafia che lo teneva unito, e cominciò a scegliere le foglie più tenere. «I due posti più importanti nella vita» chiosò, per terminare la lezione di felicità coniugale.

«Ed era bello cucinare per lui?» domandò Katherine, glissando sulla parte che la metteva più a disagio, il letto, per tornare a quella con cui aveva più familiarità, la cucina.

«Bellissimo» rispose Vita, con un tono trasognato come se davanti agli occhi le scorressero i ricordi.

«Ti voglio raccontare una cosa, Vita.»

«Sono pronta, picciotta.» Vita spinse da parte i tenerumi e appoggiò le mani aperte sul piano di lavoro.

«È una cosa che è successa un po' di tempo fa, quando Paulette è andata a Parigi una settimana, ospite di una sua ex compagna di scuola, Nicole. A Parigi erano inseparabili, Nicole le manca moltissimo da quando ci siamo trasferite a Scicli.»

«E tu sei rimasta qui sola, e non hai voluto nemmeno accettare l'invito al pranzo per la comunione di mio nipote, certo che mi ricordo.»

Katherine arrossì.

«Non te l'ho detto, ma avevo già un impegno per la sera e temevo che mi sarei attardata troppo al pranzo. Avevo fatto un invito a cena.»

«Ah. E chi hai invitato, di così importante da lasciare me a casa?»

La domanda di Vita la lasciò interdetta.

«Tranquilla, picciotta, voglio sperare che tu abbia invitato a cena un bel ragazzo.» Il sorriso caldo di Vita la rassicurò.

«Be'... sì. Ma non l'ho invitato a cena.»

«Ah, no? Sfacciata!»

«Ma no, Vita, cosa pensi. L'ho invitato a cucinare con me. Ho pensato che così avremmo trascorso del tempo insieme, impegnati a fare qualcosa che tutti e due amiamo: avremmo avuto modo di familiarizzare, di prendere confidenza poco a poco...»

«Picciotta, non ti facevo così stratega.»

«Infatti, ho sbagliato tutto, Vita.»

Gli occhi di Katherine si riempirono di lacrime. Ma guarda, la picciotta si è innamorata.

«Sono talmente abituata a fare tutto da sola, Vita! In cucina, poi, sono abituata a comandare, a dire alle persone cosa fare. Anzi, questo è qualcosa che faccio proprio solo in cucina. Mi fa sentire sicura, mi dà un ruolo. Forse è per questo che l'ho invitato a cucinare con me: perché così avrei avuto il ruolo che so recitare. La cuoca sicura del fatto suo che ti spiega come e cosa fare. Mi sentivo a posto. Solo che poi è arrivato lui, si è tolto la giacca e ha sfilato dalla tasca un grembiule minuziosamente ripiegato. L'ha indossato, mi ha sorriso, mi ha presa a braccetto, ha fatto un selfie e me l'ha mandato su WhatsApp.»

«Picciotta, un gioco bellissimo, brava, e io che pensavo che tu fossi imbranata! Cos'è che non ha funzionato?»

«Non ha funzionato il fatto che io non sono capace di giocare in cucina, Vita. So comandare, questo solo. So spiegare, e presumo che mi si ascolti, perché la cucina è l'unico posto di tutta la mia vita dove accade questa magia: la gente mi ascolta e fa quel che io dico di fare. Pensa un po' se un trucco del genere mi riuscisse con Paulette!»

«È un'idea. Potresti dare lezioni di cucina a tua figlia.»

«Lasciamo perdere, mi spaventa solo il pensiero.»

«Insomma, che è successo, vi siete distratti e avete lasciato bruciare il soffritto?»

«Magari, Vita. È successo che io ho cominciato a dare ordini e lui dopo un po' si è seccato, non voleva fare l'allievo, limitarsi a eseguire le istruzioni che gli impartivo. Lui era venuto per il motivo per cui l'avevo invitato: cucinare a quattro mani.»

«Potevi dirgli di preparare un cocktail o di scegliere una bottiglia dalla tua cantina, così lo mettevi a fare qualcosa che agli uomini piace, e intanto tu finivi di cucinare...»

«Potevo... avrei potuto, sì. Ma mica ero collegata con te perché tu me lo suggerissi. Da sola, non ci ho pensato. A un certo punto ho rifatto il taglio delle carote che non andava bene, lui si è tolto il grembiule ed è andato a sedersi sul divano vicino allo scaffale dei libri di cucina.»

Ahiahi. Quello era il posto dove si rifugiavano gli studenti che si erano stancati di cucinare, in genere. Restavano lì a sfogliare i libri mentre il gruppo finiva. Non era un buon segno, specialmente se il gruppo era composto soltanto da loro due.

«Alla fine ero così a disagio! Tutto mostrava che ero incapace di intessere una relazione diversa, in cui io non insegno niente e l'altra persona non deve per forza imparare... ci siamo chiusi tutti e due nel silenzio, avevo l'impressione che se lui non se ne andava, era solo per educazione... così ho fatto squillare la suoneria del mio cellulare e ho finto che fosse un messaggio di Paulette da Parigi. Mi sono appartata e ho inscenato una conversazione, sono stata bravissima, una vera attrice, credimi, Vita, non ha sospettato niente, se l'è bevuta e basta. Ho finto che Paulette stesse piangendo e avesse bisogno di me, e continuavo a ripetere *"Calme-toi, mon amour, maman arrive"*. Ho chiuso la finta telefonata, lui mi ha guardata con aria interrogativa e io gli ho spiegato che Paulette stava male e dovevo andare subito a Parigi da lei. La parmigiana di melanzane era pronta, l'insalata di carote e provola con le mandorle era solo da condire, avevo preparato i macarons ai fichi d'India... gli ho impacchettato una *doggy bag* bellissima e gliel'ho messa in mano, "questa è la tua cena, mi spiace, ora devo preparare la borsa e partire subito". E l'ho accompagnato alla porta.»

«E 'sto cristiano se n'è andato così?»

«Ha provato a dirmi che mi avrebbe accompagnata lui all'aeroporto, che non potevo guidare così agitata. Io gli ho detto che l'auto mi sarebbe servita al ritorno per riportare Paulette dall'aeroporto a casa. Si è arreso.»

«Povero figlio. Ma dimmi una cosa, sei davvero andata fino a Catania all'aeroporto solo per dare credibilità alla bugia che avevi inventato?»

«Veramente sono andata fino a Parigi.»

«A Parigi?»

«Ma sì. Stavo di nuovo finendo le spezie, e Paulette sarebbe tornata il giorno dopo... le ho fatto una sorpresa e ho preso il suo stesso volo al ritorno.»

«Le è piaciuta la sorpresa?»

«Figurati se a Paulette piace una qualunque idea che sia venuta in mente a me.»

«Cioè, fammi ricapitolare: hai guidato fino a Catania, hai preso un aereo, ti sei pagata una notte in albergo a Parigi perché immagino che tu non abbia dormito sotto un ponte della Senna, e tutto questo solo per non cenare con un povero cristiano che per giunta avevi invitato tu?»

«Più o meno, è corretto anche raccontato così. Pensi che io sia stata vigliacca, Vita?»

«Vuoi sapere cosa penso davvero?»

Katherine fece di sì con il mento.

«Penso che ti sei innamorata di quel povero figlio di Cristo e che sei così spaventata da perdere il senno.»

Davanti all'espressione sgomenta di Katherine, Vita spiegò: «Invece non dovresti aver paura di perdere il senno. È successo anche all'Orlando innamorato, e guarda che fortuna ha avuto, è diventato immortale, non uno ma due poemi gli han dedicato».

L'*Orlando innamorato* e l'*Orlando furioso* erano i due poemi più divertenti che Vita avesse mai letto. Aveva una leggera preferenza per l'*Orlando innamorato*, perché aveva avuto meno fortuna nei secoli e a lei piaceva aiutare chi era stato meno favorito dalla sorte. L'*Orlando innamorato* era pieno di colpi di scena e di personaggi caricaturali: il re Agricane che vuole costringere Angelica a sposarlo con la forza, il re Gradasso che vuole avere a tutti i costi la spada di Orlando e il cavallo di Rinaldo, il re Sacripante ennesima vittima stregata dall'ammaliante fascino di Angelica, e naturalmente Orlando, il paladino che sperimenta di persona che «*qualunque nel mondo è più orgoglioso, è da Amor vinto, in tutto subjugato; né forte braccio, né ardire animoso, né scudo o maglia, né brando affilato, né altra possanza può mai far difesa, che al fin non sia da Amor battuta e presa*». Tutti gli uomini perdono la testa, tutti i personaggi femminili fanno perdere la testa: quel libro raccontava a suo modo un universo ordinato. L'antologia scolastica riportava solo poche ottave; Vita aveva letto quei versi con autentico rapimento, li aveva trovati così divertenti che era andata in biblioteca a prendere in prestito l'opera completa di Boiardo. Come da bambina aveva fantasticato sulla favola di Cenerentola, da adolescente aveva sognato a occhi aperti di essere Angelica, la bellissima principessa del Catai che faceva smarrire il senno a tutti i paladini. La professoressa di lettere se n'era accorta; l'aveva chiamata: «Vita sei sicura di avere scelto la scuola giusta? Sei ancora in tempo per cambiare e andare al liceo».

«Mi piacerebbe, professoressa, ma io devo essere in grado di mantenermi con un impiego dopo le superiori, perché mia madre è vedova e non si può permettere di sostenere le spese dell'università.»

Aveva risposto tutto d'un fiato, come se si fosse studiata la frase a memoria. Come se non volesse lasciare spazio, neanche un respiro di spazio, per una replica. La professoressa aveva annuito.

«Va bene, Vita, è solo che è bello poter dare posto alle proprie passioni.»

La lezione le era servita per fare posto a suo marito. Ninì, conosciuto pochi mesi dopo il diploma, l'aveva rapita ai suoi sogni d'indipendenza e aveva fatto di lei l'angelo perfetto del focolare. L'aveva resa felice. Era stata una scelta così naturale e semplice che le era sembrata pura fatalità, come perdere il senno per amore. Si era sentita più fortunata della bella Angelica. Ora, però, doveva far cambiare idea a quella picciotta che sembrava la vergine Maria: chissà come aveva fatto a concepire Paulette, paurosa e spaventata com'era di fronte al rischio di perdere la trebisonda, se solo avesse concesso un po' di spazio al sentimento! Davanti a Katherine, Vita si sentiva a un tratto coraggiosa, per il semplice fatto di non aver avuto paura di vivere, di aver accettato la sfida di dire sì, voglio condividere la vita con quest'uomo che ogni volta che lo guardo mi fa tremare fino alle viscere, e devo sedermi perché sono così innamorata che mi vacillano le ginocchia.

Cose da matti! Ma ti pare che una che viene da Parigi, una che non ha paura di investire un sacco di soldi in una scuola di cucina, alla fine scappa con una scusa da due soldi per non rischiare di condividere il tempo di una cena con l'uomo di cui si è innamorata? E ti pare che io, Vita, nata e vissuta a Scicli, nella provincia più povera della Sicilia, alla veneranda età di sessantacinque primavere debba spiegare a una quarantenne di Parigi che deve lasciarsi andare? Certo che la vita è proprio strana e inaspettata. «Va bene, Vita, la *mise en place* è finita. Ci rivediamo tra un'ora e mezza per la lezione?» E adesso mette alla porta pure me, pensò Vita, ma non disse niente. Sorrise. Povera picciotta, magari a stare un po' da sola si chiarisce le idee. Uscita nel vialetto, fece per prendere le chiavi della macchina, ma ci ripensò. Cosa vado a fare a casa, che poi finisce che mi metto a stirare o a guardare la tivù o peggio ancora piango davanti al ritratto del mio Ninì, che a lui gli verrebbe sai che rabbia, a vedermi piangere. Sono vestita bene, ho i capelli a posto, me ne vado a prendere la granita di limone in piazza del Benefattore, come fanno le signore di Milano, che non hanno paura di essere viste senza compagnia al caffè.

Rimasta sola, Katherine si sedette sul divano a pensare, con la testa tra le mani. Zampa si svegliò dal pisolino e venne ad appoggiarle il muso su un ginocchio. Caro Zampa, tu mi vedi così, una gigantessa buona che ti dà cibo e coccole e ti porta a spasso; e siccome tutti prima ti prendevano a sassate, ti sembro anche una santa nella mia infinita generosità. Quello che tu non vedi, dal tuo punto di osservazione con il muso sul ginocchio, è che la mia è una vita di viltà. Di paure, di scuse, di astinenze. Forse ha ragione Vita: è ora di finirla – anzi, di cominciare. È ora di vivere: e se ci sarà da ridere rideremo, e se ci sarà da piangere, piangeremo. Paulette mi dà filo da torcere un giorno sì e l'altro pure, e non è che per questo io sia morta, anzi. A furia di colpirmi come se fossi il suo *sparring partner*, mia figlia mi fortifica.

Prese il telefono. Non aveva avuto il coraggio di raccontare a Vita che Gigi si era presentato con una bottiglia del suo spumante siciliano preferito e baciandola sulla guancia le aveva sussurrato: «Ho un grande progetto per noi». Era stata quella frase a mandarla in tilt. Le tremavano le mani, le gambe, le mascelle. E così, si era rifugiata nel ruolo dell'insegnante di cucina, mandando in malora la serata. Dopo cinque squilli le rispose Gigi Caramano.

«Ho deciso di non tirarmi più indietro. Sono pronta ad ascoltare il tuo progetto per noi.»

Gigi Caramano si trovava con il gestore della Premiata Tabaccheria Gagà, a Montallegro, vicino ad Agrigento. Un'altra delle incombenze affidategli dal cantautore Caramano nel tentativo di salvare dai procedimenti legali un pugno di brave persone che avevano usato il nome Caramano™ per promuovere le loro attività commerciali. «Va bene» disse, dopo avere elaborato velocissimamente lo scenario. «Vengo a trovarti a Scicli la prossima settimana. Anzi, tra un paio di giorni, diciamo dopodomani.» Ormai aveva classificato Katherine nel suo repertorio di donne emotivamente instabili. Ne aveva una collezione. Era ora di finirla. Ma c'era qualcosa di diabolicamente perverso che lo attirava, in quella donna. Una specie di corrente alternata.

Quella storia della figlia malata a Parigi, per esempio. L'agitazione, la telefonata inventata. Anche lui leggeva i giornali, non gli era sfuggita la concomitanza di date. Quella notte, circa due ore dopo che Katherine l'aveva messo alla porta tutta agitata liquidandolo con la mestizia di una *doggy bag* perché cenasse da solo, era annegato in mare Salvo Diodato. La coincidenza voleva che Diodato fosse lo psicoterapeuta dei politici, delle star, e anche di quel disastro di donna, la prossima – già lo sapeva – che gli avrebbe reso la vita impossibile.

XIX

*Settantacinque giorni dopo
e/o
sessantasette giorni prima*

Il 15 agosto

*Fa caldo
a Scicli come a Parigi come a Hong Kong*

Xenia

La Déesse di Salvo era parcheggiata davanti a casa, splendente come appena uscita dal lavaggio. Xenia le si avvicinò incredula come una bimba piccola davanti a un'apparizione; toccò la portiera, fece per aprire, ma la maniglia non funzionava; tirò ancora, la maniglia si staccò e le si polverizzò fra le mani.

Un sogno. Era stato solo un sogno. Xenia scattò seduta sul letto. Era sudata. Solo un sogno.

Non l'aveva raccontato a nessuno.

Ma, a dispetto dell'Alzheimer o di qualunque altro morbo avesse in gestazione, non l'aveva dimenticato. La notte in cui Salvo era morto, era tornata a casa a piedi, anche se non ricordava nulla del tragitto percorso. Solo il punto di partenza e quello di arrivo.

La mattina, quando aveva ascoltato i notiziari alla radio, si era ricordata della Déesse. Doveva tornare a prenderla. Era rimasta nel parcheggio della Pisciotta, sopra la Spaccazza. Non poteva lasciare che restasse lì.

Qualcuno potrebbe avermi vista alla guida, sapere che quell'auto, anche se apparteneva a Salvo, era a mia disposizione. Qualcuno potrebbe chiedersi, e chiedermi, che cosa diavolo facevo nel luogo dove lui è morto.

Doveva tornare subito a prenderla. Chissà, forse di giorno sarebbe ripartita senza problemi. O perlomeno, avrebbe potuto chiamare un meccanico. Aveva deciso di andare a piedi. Quand'era arrivata sul posto, l'area della Pisciotta era transennata e c'erano centinaia di persone. Stavano girando un film e qualcuno gridava dei nomi con voce rabbiosa al megafono.

L'auto non c'era più. L'aveva cercata dappertutto, maledicendosi, ora non ricordo nemmeno dove parcheggio, che inferno sarà la mia vita con questa malattia, dov'è, dov'è. Si era rassegnata. Presa dal panico aveva gettato la chiave e se ne era andata. Non si era accorta che qualcuno l'aveva notata.

Scossa dal sogno, scattò su come se fosse in ritardo. Si preparò in fretta e furia e uscì, anche se mancavano ancora due ore e mezza all'appuntamento con Amanda.

Quella casa, benché lei lasciasse porte e finestre sempre aperte, stava diventando una gabbia.

Katherine e Gigi

Le sembrava un sogno. Quando Gigi Caramano le aveva detto che sarebbe venuto in settimana, anzi di lì a due giorni per la precisione, le era girata la testa. Aveva sentito la sua voce rispondere sì al telefono, stabilire l'ora e la data senza balbettare, senza gridare di gioia, senza sospirare "Vieni subito, ora, sono libera, aspetto solo te". Era stata... sì, poteva dirlo. Era stata professionale. Persino un po' distaccata. Non aveva lasciato trapelare sentimenti, eccitazione, niente.

Idem con medaglia al merito quando lui l'aveva chiamata per dirle che si scusava tanto ma doveva rimandare. Le veniva da cadere sulle ginocchia dal dolore per la notizia di dover attendere ancora troppi giorni, ma non aveva fatto una piega.

Katherine restò impassibile anche quando lui si presentò alla sua porta con una barba hipster e dei capelli in testa. «La differenza tra me e l'attore del video di Caramano è che io se voglio i capelli ce li posso avere» sorrise Gigi, rispondendo al punto interrogativo negli occhi di Katherine. Si sedettero al bancone della scuola di cucina, fianco a fianco. Katherine aveva appena fatto la granita di mandorle "brustolite", a cui la pellicola ocra, tostata in forno, conferiva un profumo che lei definiva "virile". Ecco, era proprio così: la differenza tra la granita di mandorle bianche spellate e quella di mandorle brustolite è il sesso. Femminile la prima, dolce, liscia, sinuosa, depilata; maschile la seconda, come fragrante di feromoni, rugosa, irsuta, ha fatto della ruvidezza il proprio criterio di bellezza.

Presero la granita insieme, in un silenzio assorto fatto per metà di religiosa concentrazione e per l'altra metà di sovrano imbarazzo.

«Sono venuto per la tua granita, lo sai?» disse Gigi Caramano allontanando la coppetta e incrociando le braccia sul bancone, sporgendosi nel gesto di sfiorarle l'avambraccio. Katherine sentì come una scossa, ma non si ritrasse.

«Cioè, da Agrigento mi sono messo in macchina, ho attraversato Licata, e poi Gela, e in due ore e mezza di strade incerte sono arrivato qui. Tutto per il miraggio della tua granita.»

Era un complimento, anche se indiretto. La granita l'aveva fatta lei. Un complimento. Per lei.

«È venuto il momento di farti la mia proposta.»

Katherine sentì le mani a un tratto sudate. Non era pronta. Forse non era pronta. Un vuoto allo stomaco le diede la certezza: no, non era affatto pronta.

«Nella scuola io sono socio al dieci per cento, e va bene, non ci ho messo capitale, solo il capitale simbolico e tutto sommato casuale del mio nome. Ora ti dico: facciamo società al cinquanta per cento. Non nella scuola, che è figlia tua, quando ti ho conosciuta già ce l'avevi. Mettiamo al mondo una creatura insieme.»

Ma di che creatura parlava? Con tutte le metafore che ci sono, doveva scegliere proprio quella di un figlio tutto loro?

«Apriamo insieme una graniteria. Le granite di G. Caramano. Ho già parlato con Franco Maracano, è entusiasta, a lui piace la granita di limone, gli fa andare giù il fumo del sigaro. Gli avvocati della holding non avranno niente da eccepire.»

«Una graniteria...» ripeté Katherine, come per metabolizzare la proposta.

«Cominciamo da Scicli. Ho un amico architetto, mi ha fatto un bel progetto, basta un posto piccolissimo all'inizio. Poi se funziona possiamo aprire a Taormina, all'aeroporto a Catania e Palermo, a Milano, Parigi, New York, Hong Kong. Non una catena, ma un format. Che ne dici?» Gigi Caramano le puntò addosso due occhi indagatori. Katherine sentì un'ondata di imbarazzo tingerle le guance di un rosso porpora. Scivolò giù dallo sgabello e corse via dalla cucina. «Devo dirlo a Paulette.» Si affacciò su per le scale. «Paulette, Paulette, c'è una sorpresa, scendi!»

Una graniteria. Ma quanto poteva essere stupida? Quando voleva smetterla con i sogni romantici? Come poteva venirle in mente che un uomo che aveva visto tre, quattro volte nella vita, attraversasse mezza Sicilia per proporle... per proporle cosa? Si diede una controllata allo specchio del bagno prima di rientrare in cucina. Aveva le orecchie in fiamme. Si sciacquò il viso con l'acqua fredda. Non sapeva come giustificare il rossore intenso. Sbatté la porta con violenza e lanciò un grido. Non male come idea, serviva anche a sfogarsi. Dalla cucina, venne la voce di Gigi Caramano.

«Katherine, tutto bene? Serve aiuto?»

Mi servirebbe aiuto per smettere di essere stupida, per smettere di credere che un uomo possa innamorarsi di me. Tutto quello che mi può proporre un uomo è di aprire una graniteria. Ghiaccio. Ho le orecchie in fiamme ma ispiro una relazione fredda come il ghiaccio. Aveva voglia di piangere. Ma non se lo poteva permettere. Paulette stava già scendendo le scale, il suo socio in affari dalla cucina l'aveva già chiamata per la seconda volta e presto avrebbe rotto gli indugi della buona educazione che gli imponevano di aspettarla lì dove lei l'aveva lasciato. Sentì un ronzio nelle orecchie. Poi non sentì più niente.

Quando rinvenne, Paulette le stava tamponando le tempie con acqua fredda, con l'aria di una che passava di lì per caso e si era trovata coinvolta in quella seccatura. Gigi Caramano le reggeva la nuca, massaggiando piano. «Katherine, ho pensato un altro nome, sai? Non avrei mai detto che ti avrebbe fatto questo effetto, sei troppo emotiva. La chiameremo "Al panino francese". Ma sotto l'insegna scriviamo comunque "le granite di G. Caramano", è per il marketing.» Katherine mosse il mento a labbra chiuse, come se masticasse la notizia. Era un modo per rassicurare Paulette, Gigi e se stessa. Stava bene, o insomma, era viva. Aveva appena saputo che l'uomo di cui si era sioccamente innamorata l'aveva messa incinta, e ora aspettava una graniteria. La notizia, com'è naturale, le aveva fatto gelare il sangue. «Ho pensato questo nome per due ragioni» riprese Gigi, entusiasta del concepimento della loro creatura. «La chiamiamo così perché tu sei per metà francese, è un omaggio a te e alla cultura della baguette.» Fece una pausa come per spiare se Katherine si riprendeva o no, o forse solo per lasciar intendere che ora stava per sfoderare il pezzo forte. «Ma c'è un altro motivo, storico e sociologico. Oggi i turisti vengono in Sicilia e prendono la granita con la brioche, come se si trattasse di una diade inscindibile. Come se granita e brioche fossero il Cristo risorto e la Madonna che lo bacia nella processione di Pasqua, che se togli uno o l'altro non se ne fa più niente, tutti a casa, perché è cosa risaputa che Cristo in Sicilia risorge per far contenta sua madre, e degli altri gli frega fino a un certo punto. Quello che i turisti non sanno è che fino agli anni Settanta in Sicilia la brioche era un lusso: se c'erano soldi la si comprava di domenica, creando quella tautologia di dolce su dolce che serve ai poveri per sentirsi un po' ricchi. Mangio la brioche una volta alla settimana, al mese, all'anno, e quella volta voglio proprio farmi venire giù i denti per eccesso di zucchero. Ma dolce su dolce è monotono: non c'è storia, non c'è diversità, non c'è contrasto. A lungo andare, annoia. Nella vita di tutti i giorni, perché ci siano storie da raccontare, serve la differenza, serve la contrarietà. Quelli sono ingredienti che non annoiano mai. E infatti cosa mangiava la gente tutti i giorni? La granita con il pane, mica con la brioche. Si faceva, apposta per la granita, un panino che veniva chiamato "francese", più morbido del pane di casa, allo scopo di assorbire il liquido della granita fornendo calorie a basso costo. La granita aveva un solo gusto ed era, manco a dirlo, granita di limone, perché i limoni chiunque ce li aveva gratis in giardino, il pane te lo facevi oppure te lo compravi, costava un decimo della brioche ed era più buono perché sublimava il contrasto dentro cui si consumavano le tue giornate. Sudore e sale. Ogni giornata era un contrasto.

Poi è venuto il benessere, e poi la decadenza: alla granita di limoni, di mandorle e di more di gelso, tutta frutta a costo marginale zero, si sono aggiunte quelle di caffè, di pistacchio, cioccolato, fragoline di bosco. Poi è venuta l'era degli sciroppi industriali e lì apriti cielo, granite di ananas, albicocche, pesche, tutto a portata di mano senza più una stagione. Per finire con le sperimentazioni più attuali: granite di pomodoro e basilico, sedano e nocciole, papaya, cetriolo. Ma guardacaso, a furia di decadere, stiamo tornando all'inizio: i pasticcieri più all'avanguardia e i critici gastronomici, che adesso recensiscono anche i bar e i carretti del gelato, ci insegnano la raffinata arte del contrasto, la stessa dei nostri nonni. Le granite di limone più innovative vengono servite punteggiate di cristalli di sale, e il panino sta diventando l'alternativa snob alla prossimamente obsoleta brioche. È qui che entra in scena la nostra graniteria: Al panino francese, ovvero le granite di G. Caramano. Salato su dolce: perché essere attuali, oggi, significa riscoprire le origini.»

Katherine a terra lo fissava muta e ammirata come se davanti ai suoi occhi si fosse materializzato un *trait d'union* tra

Simonde de Sismondi, Émile Durkheim e Brillat-Savarin per una psico-sociologia della granita.

Paulette, che aveva avuto la buona educazione di restare ad ascoltare senza interrompere, alzò le spalle e commentò: «Che sorpresa di m...». Incontrò lo sguardo di sua madre, e ne ebbe pena. Era fin troppo evidente che quell'imbranata che il destino le aveva rifilato come genitrice si era presa una cotta per il suo nuovo socio in affari. Regola numero uno: mai mischiare il sesso col business, a meno che tu faccia la escort. Povera mamma, quarant'anni e passa, e tra rossori e svenimenti fa figure di merda peggio di un'adolescente. Sua madre e lo pseudo-attore *gnè-gnè-gnè* la stavano a guardare. Terminò la frase lasciata in sospeso.

«Che sorpresa del cavolo. Lo dicevo io, che non valeva la pena di scendere.»

Xenia e Amanda

La passeggiata sul lungomare l'aveva aiutata a mettere in ordine i pensieri. Ora Xenia non voleva più negare a se stessa che era venuto il momento. Era riuscita a parlare con i suoi genitori adottivi, per la prima volta nella vita aveva potuto chiamarli mamma e papà; era riuscita a parlare con Salvo in quella che era stata l'ultima seduta della sua terapia; era riuscita a scrollarsi di dosso gli ultimi pezzi della sua collezione di farabutti, si era alzata da un letto dove solo qualche mese prima sarebbe rimasta, impotente, a recitare la parte che un uomo egotico e narcisista aveva scritto per lei: una ragazza caruccia che si prostrava davanti a un membro virile. Aveva avuto il coraggio di restare sola, di dire no al preside della facoltà che le proponeva una relazione part time, dal martedì al giovedì, come se le offrisse il più sontuoso dei matrimoni. Aveva preferito essere fedele a se stessa, a costo di rimanere sola, piuttosto che annullarsi per paura della solitudine. La morte del suo idolatrato terapeuta l'aveva fatta scivolare di qualche passo indietro, ma la metamorfosi era avviata. Ora, doveva parlare con Amanda. Anzi, parlare ad Amanda. Doveva mettere la sua amica nella condizione di ascoltare. Si erano date appuntamento davanti al monumento al benefattore, per poi andare a pranzo al mare. Amanda aveva letto di un ristorante dove valeva la pena di pranzare anche solo per il cannolo. Aveva un nome strano, Gordonoma. Sembrava un nome da supereroe, più che l'insegna di un ristorante.

Amanda sbucò a piedi dall'angolo di Palazzo dei Turchi. «Abbassa la capote, così abbiamo la sensazione di andare in vacanza al mare.»

Lovely Amanda. Sapeva trasformare ogni giorno della vita in una vacanza. Con lei, era sempre ferragosto.

Finito di pranzare, sedute all'ombra dei carrubi sul gazebo, Xenia sperò che fosse venuto il momento. Amanda studiava entusiasta la scorza del cannolo. «È sottilissima!» esclamò. Lo prese con le mani, come fanno i siciliani, e l'addentò. «È fragile, etereo, croccante e al tempo stesso si scioglie in bocca in un equilibrio perfetto con la ricotta.» Non aveva mai sentito Amanda così entusiasta. Ordinò un cannolo anche lei.

«Mi succedono cose strane» disse, di botto.

Amanda raccolse con il dito indice un baffo di ricotta che era caduto sulla tovaglia, lo portò alle labbra, lo assaporò, e pulì il dito sfregandolo sul tovagliolo.

«Che tipo di cose strane?»

«Sposto e leggo libri che poi non ricordo di avere spostato né letto. Mi sono informata. L'Alzheimer comincia così. Perdita della memoria recente.»

«Aspetta, spiegati meglio. Quali libri? Dove?»

«Libri. Narrativa, poesia. Libri che mi piacciono. Libri che non uso per lavoro. Spesso sono libri che hanno segnato momenti importanti della mia vita.»

«Anche io prendo in mano libri, leggo una frase, li lascio sulla scrivania o sul tavolo o in bagno e poi dimentico di averli presi.»

«Ma se ti concentri, poi te lo ricordi?»

«Be', sì.»

«Ecco. Io non ricordo. Rientro a casa, trovo un libro aperto sul tavolo, c'è una poesia struggente di un autore siriano, ricordo il giorno in cui ho comprato il volume, ero in vacanza a Parigi...»

Xenia si rabbuiò e non finì la frase. Non era una vacanza. Era il periodo di Jean-Pierre. Sua moglie partiva tutti i fine settimana per un seminario di yoga, e appena prendeva il volo lei, Jean-Pierre faceva emergere Xenia dall'Eurostar. Un'altra delle sue non-relazioni. Le dispiaceva ora, che quelli fossero i suoi ricordi. Non li poteva cancellare. Ma doveva smettere. Doveva cominciare a crearne di nuovi e diversi.

«Non sei più sicura che fosse una vacanza a Parigi? Era un weekend lungo a Damasco?» la canzonò Amanda.

Lo chef in persona posò il cannolo davanti a Xenia, vide Amanda che puliva l'ultimo baffo di ricotta lasciando il piatto immacolato, le fece un inchino e si allontanò. Come se io non esistessi, pensò Xenia. Allontanò il piatto da sé, spingendolo verso Amanda.

«Sei sempre spiritosa, tu. Vuoi un po' del mio cannolo?»

Amanda non si fece ripetere l'invito. Come faceva ad essere così magra, mangiando tutti quei cannoli?

«Sono sicura, era una vacanza a Parigi. O almeno, chiamiamola vacanza. Il problema non è dov'ero. Il problema è qui, e ora. Trovo oggetti spostati in casa. Per ora sono libri. Ma un giorno potrei accendere il tostapane e dimenticarlo acceso, e allora al mio ritorno non troverei un libro aperto su una pagina che non sapevo di ricordare. Troverei un incendio.»

Amanda rise. «Ah, che meraviglia, voi donne con il senso del tragico! Io non l'ho mai posseduto.»

«Una che per lavoro cambia sesso alla Coca-Cola non può avere il senso del tragico, deve avere quello del ridicolo» commentò Xenia.

«*Touché*» ammise Amanda. «Comunque, non vedo il problema. Entra qualcuno in casa tua? Hai una colf? I tuoi vicini hanno le chiavi?»

«Non ho nessuna colf, mi vergogno di far vedere la mia casa non finita, pulisco io. I miei vicini hanno le chiavi, sì, ma onestamente non ce li vedo Don Mimì e Corrada a farsi una cultura in letterature straniere mentre io sono fuori.» Comunque, doveva ricordarsi di dire che erano benvenuti a prendere i suoi libri in prestito, se desideravano leggere.

«Ma perché ti inquieti tanto per qualche libro fuori posto?»

«Davvero non capisci?»

«No.»

«Se prendo dei libri, li leggo, il che vuol dire che rimastico le idee, i concetti che ci sono dentro, e poi non ricordo di averlo fatto, ci sono cose più gravi che potrei avere rimosso.»

«Per esempio?»

«Potrei avere ucciso un uomo. Potrei avere ucciso Salvo. Avevo finalmente capito qualcosa di essenziale di me, una vera illuminazione. Ma quella illuminazione comportava che la mia analisi fosse finita. Quindi il fatto di avere capito chi sono e ciò di cui ho bisogno mi portava a mettere fine alla relazione più importante, anzi l'unica, che fino a quel momento avevo intrattenuto con l'altro sesso. Potrei avere pensato... non so... potrei avere improvvisamente visto Salvo come un uomo, e non un guru. Potrei avere provato una delusione intollerabile... Salvo è morto in mare, dicono che c'era un'auto guidata da una donna... è risaputo che è meno doloroso mettere fine alle relazioni, piuttosto che subire passivamente che si esauriscano...»

Xenia allontanò da sé il piatto del cannolo che aveva appena assaggiato, e abbassò la testa sul tavolo.

Amanda le prese una mano, la strinse forte.

«Xenia, tesoro, guardami. Non è perché non ricordi dove hai messo un libro che potresti anche avere ucciso un uomo.»

Xenia alzò lo sguardo. La pressione della mano di Amanda sulla sua aumentò.

«E poi, non hai ucciso tu Salvo.»
«Come lo sai?»
«Lo so. Perché Salvo l'ho ucciso io.»

Maria

Maria posò sulla scrivania il sasso perfettamente ovale che aveva raccolto durante la passeggiata in spiaggia quella mattina, pizzicò delle carte sotto per renderlo utile oltre che bello, avvisò Comisso di far salire il ragazzo del bar e si sedette sulla poltrona davanti alla sua scrivania a riflettere osservando i tabulati dei voli da e per Catania.

Ci erano voluti oltre due mesi per farseli consegnare dalle compagnie aeree. La piaga della privacy. Un'ossessione garantista che nel passaggio da un millennio all'altro si era ingigantita.

E così, la francese aveva preso un aereo per Parigi acquistando il biglietto a tariffa piena in aeroporto alle cinque del mattino, cioè circa due ore dopo che il Defender di Salvo Diodato era sprofondato giù nel mare insieme al proprietario. Certo, per immaginarsi Katherine Odin intenta ad ammazzare qualcuno ci vuole un bel po' di estro, ma è perlomeno singolare che proprio quella notte la Odin ceda alla fregola di una passeggiata urgente sul lungosenna. Una che quando programma un viaggio studia le tariffe di tutte le compagnie che praticano la tratta e azzera ogni volta la cronologia del browser perché gli algoritmi dei siti non si accorgano del suo rinnovato interesse per quel dato volo in quel dato giorno, all'improvviso non bada a spese e guida fino all'aeroporto sapendo che il biglietto le costerà la cifra che stabilisce il vettore, prendere o lasciare. Bizzarro. Certo, c'è l'urgenza improvvisa, il malore della ragazza. La figlia indisposta però non ha bisogno di assistenza in volo, fa il check-in online da sola e incontra la madre direttamente al gate, tanto che viaggiano in due file diverse.

Il barista entrò nella stanza, posò il vassoio con il duo di granite nello spazio che Maria aveva liberato sulla scrivania colma di carte sotto cui nascondeva i suoi libri sul mito greco, si scusò e uscì. Si scusava sempre, invece di salutare e basta. Maria prese i due bicchieri con la granita, quella bianca di mandorle spellate, e quella color cipria di mandorle abbrustolite. Sapeva perfettamente qual era la sua preferita, ma ogni volta che doveva fare una scelta importante si riservava il diritto di cambiare idea. Assaporò prima una e poi l'altra.

La granita di mandorle spellate era noiosa. Misurata, algida, compita e fastosa, esemplificava bene il concetto di "apollineo". Dopo il terzo cucchiaio, le dava sui nervi. La spinse da parte.

La granita di mandorle abbrustolite è ruvida, incostante, carica di feromoni. In una parola, dionisiaca. Un baccanale fino all'ultima goccia.

La squilibrata francese le dava sui nervi, e ora osservando la granita bianca sciogliersi come una sposa lasciata sola la prima notte di nozze, vedeva chiaramente il perché: le dava sui nervi quella sua *allure* apollinea. Maria si era augurata di non doverla incontrare mai più nella vita dopo il primo interrogatorio. Al secondo, una formalità che non aveva potuto evitare per prendere nota degli spostamenti di tutte le ex pazienti di Salvo Diodato, le era toccato sorbirsi la sceneggiata sulla figlia adolescente allevata da sola e il concomitante santo martirio. Ora, avrebbe dovuto convocare Katherine Odin per la terza volta, anche solo per domandarle com'era possibile che avesse dimenticato di riferirle un dettaglio rilevante e anomalo come un viaggio in aereo deciso all'ultimo momento, la stessa notte dell'assassinio di Salvo. Il quale peraltro aveva con lei un debito da saldare, come lei stessa aveva sottolineato. Katherine Odin dava grande importanza al denaro, e la sua scuola di cucina non navigava in buone acque. C'era un altro dettaglio che non quadrava: la Odin aveva pagato il biglietto aereo in contanti, e l'impiegata all'aeroporto ricordava il portafogli gonfio di banconote da cento euro, che la francese non si peritava nemmeno di nascondere alla vista, «come i miliardari russi che vanno a Taormina, commissaria, con certi portafogli rigonfi che viene da chiedersi come hanno fatto a passare alla frontiera, alla faccia del limite massimo di diecimila euro in contanti».

Maria fece per comporre il numero, ma il sasso sulla scrivania le riportò in mente quello lanciato da Cadmo tra i guerrieri sparti al fine di far scoppiare la lite tra loro. Fammi parlare con Amanda Zingelman, invece. Quella ha la coda bagnata per via del bonifico, sicuramente un escamotage a scopo di evasione fiscale. Chissà che lanciare il sasso su di lei mi sia utile per definire i movimenti della squilibrata francese.

Le pazienti di Salvo Diodato, stava realizzando, non solo si conoscevano e frequentavano tra loro, ma sapevano tutto le une delle altre, quasi che le loro fossero state psicoterapie di gruppo. Accarezzò l'ovale mirabilmente perfetto del sasso di mare. Amanda rispose al telefono.

«Amanda *speaking, hello?*»

Come la infastidiva che pur vivendo in Italia Amanda conservasse il suo modo americano di rispondere al telefono.

«Signora Zingelman, è la commissaria Gelata che parla. Può passare da me al commissariato domani mattina per una deposizione? No, si tratta solo di una formalità. Nient'altro.»

Chiuse la telefonata e prese in mano il sasso. Mentre lo soppesava si affacciò Comisso.

«Commissaria, c'è l'inglese che sembra indiana, quella col cognome che vuol dire figlia di non so chi. È spettinata come le serpi, piange, dice che le deve parlare.»

«Falla aspettare quattro minuti e poi accompagnala qui da me, Comisso.»

Comisso avrebbe voluto chiedere perché quattro minuti e non tre e non cinque, ma rinunciò, per evitare la mala figura di dovere ammettere che non capiva. Finezze di femmine. Chinò il capo in segno di assenso, richiuse la porta e puntò il timer del cellulare su quattro minuti.

Elena

Ricapitoliamo, si disse Elena, dandosi la crema lenitiva dopo avere trascorso la domenica al sole nella baia di Kwan-Chen, a guardare le piroghe dei pescatori che attraccavano nel porticciolo davanti ai ristoranti. Mangiando granseole e pensando a Nino si era scottata spalle, naso, orecchie e ginocchia. Non mi sarebbe mai successo se fossi stata con lui. Nino mi avrebbe spalmato la crema e mi avrebbe portata all'ombra nella nostra grotta.

Ricapitoliamo. Non aveva mai usato contraccettivi. Non aveva mai preso la pillola che fa venire i ristagni di liquidi e la cellulite; non aveva mai usato il diaframma neanche quando i pubblicitari avevano cominciato a chiamarlo "il preservativo femminile"; a farsi piazzare quella roba, come si chiamava, ah, sì, la spirale, le venivano in mente gli esercizi di matematica alla scuola elementare e cominciava a ridere di una ridarella irrefrenabile. Quanto al coito interrotto, non faceva per lei. Tutte le precauzioni che aveva preso in materia di controllo delle nascite, per tutta la vita, si riducevano all'astinenza dai rapporti sessuali tra il dodicesimo e il diciassettesimo giorno del ciclo. Questo era fattibile, anzi, un vero antistress, un riposo fisiologico, come quando c'era il fermo biologico e Nino non poteva prendere i ricci. Solo che Nino i ricci li prendeva lo stesso, e li vendeva a due, tre volte il prezzo di mercato. Elena doveva avere risentito della sua cattiva influenza: su quell'accidente di barca sperduti per mare neanche stessero girando un film della Wertmüller, aveva finito per dimenticarsi di contare i giorni. Vuoi le emozioni degli ultimi avvenimenti, vuoi la paura delle conseguenze che avrebbe potuto ingenerare la morte di Salvo, vuoi che

Nino era irresistibile nella sua missione: farla dimenticare di se stessa al punto da farle dimenticare di fuggire da se stessa... era andata a finire che aveva perso il conto e si trovava costretta a contare ora, a posteriori. Quante ore di ritardo? Perché quando più che una donna sei un orologio svizzero con centinaia di complicazioni, contano anche le ore. Appoggiò una mano sul ventre gonfio. Un principio di nausea. I seni dolenti. Oddio, e se è, che faccio? Lo tengo? Non lo tengo? Vince la vita? Vinco io?

Non la colpì nemmeno per un istante lo stridente paradosso di quella tenzone immaginaria. Da un lato la vita, dall'altra lei. Avversarie, anziché complici.

Xenia

Xenia era appena uscita dall'ufficio della commissaria. Maria aveva dato disposizioni a Comisso di scortarla a casa.

Era venuta a confessare nientepocodimeno che sospettava di se stessa. Intendeva sottoporsi volontariamente a una perizia medica, temeva di avere una patologia simile all'Alzheimer, una sorta di rimozione selettiva dei ricordi. Temeva che di rimozione in rimozione avrebbe potuto scordare dettagli importanti della sua vita, quali per esempio l'uccisione di Salvo.

«Che ragioni avrebbe avuto per sopprimere il suo psicoterapeuta?»

«Ex psicoterapeuta.»

«Ex, mi scusi.»

«Il motivo era proprio questo.»

«Prego?»

«La terapia era finita e io non avrei più visto Salvo. Lui avrebbe anche potuto fare finta di non conoscermi, incontrandomi per strada. Dopo tanti anni di intimità, saremmo diventati due estranei.»

«Lei conosceva i dettagli della vita del suo terapeuta?»

«No.»

«Quindi il suo terapeuta era un estraneo per lei, giusto?»

«Sì.» La voce di Xenia registrò un'incertezza. «Salvo aveva un modo del tutto personale di condurre la terapia. Non era ortodosso, non faceva capo a nessuna scuola, usava l'approccio che riteneva più consono secondo la situazione e il momento. Ricordo che all'inizio, quando diventai una sua paziente, mi spiegò che se un terapeuta appartiene a una scuola, è come se un pilota avesse un'auto con il cambio automatico. Se invece il terapeuta utilizza di volta in volta gli strumenti che le diverse scuole mettono a sua disposizione, è come guidare un'auto con il cambio manuale: sei tu che hai il pieno controllo, sei tu che decidi quando cambiare marcia. Mi incuriosì, lo trovai affascinante, e decisi di diventare sua paziente. Mi piaceva pensare che si potesse essere protagonisti della vita, o almeno della terapia. Guidare, invece di essere guidati. Decidere, invece di subire.»

E lì, giù a singhiozzare. Perché la vita, la signorina Xenia Marley-Daughters, l'aveva vissuta sempre passivamente. E se anche avesse compiuto un delitto, sarebbe stato il delitto a servirsi di lei, per venire perpetrato. Prova ne era la rimozione dei ricordi recenti che constatava nel trovare sempre più spesso libri spostati in casa sua: e quello certo era un segnale dell'inconscio che voleva, doveva rivelare al sé conscio quanto era stato commesso in stato di incoscienza.

Certo che queste, giusto in analisi potevano andare, pensò Maria, rimasta sola, dopo avere promesso a Xenia che l'avrebbe contattata al più presto per sottoporla alla perizia medica volontaria.

Tancredi Bonaccorso

Questa, poi. Nonna Rosaria si era fatta un account su WhatsApp. Appena riacceso il cellulare dopo l'atterraggio era apparsa la sua icona con la frase *Cercami dove si rispar-*

mia. Non si smentiva mai. Tancredi Bonaccorso era venuto meno alla promessa fatta alla nonna. Aveva posticipato il *meeting* a Hong Kong, ma poi si era completamente dimenticato di tutta la vicenda e non era andato a prenderla alla casa di riposo per riportarla a vedere casa sua anche solo per qualche ora, come nonna Rosaria gli aveva chiesto. E adesso, scoprendo di poter contattare la nonna su WhatsApp, si sentiva come quel tale con la botte piena e la moglie ubriaca.

Appena arrivo in hotel chiamo la nonna, le faccio due moine, lei fa la legnosa ma poi si scioglie come al solito, mi racconta tutto quello che sa sullo psico-pinguino e sulla puttanella della ragazza madre, e io giro pari pari alla legnosetta del mio cuore le preziose informazioni riservate, solo per lei.

«Che minchia vuoi?»

La voce non era quella di nonna Rosaria. Il linguaggio, poi, non ne parliamo. Nonna Rosaria aveva sempre odiato il turpiloquio, e per reazione sua figlia, la madre di Tancredi, si esprimeva usando più parolacce che parole. La voce al telefono era la sua.

«Mamma, che ci fai con il telefono della nonna?»

«Aveva ancora venti giga di connessione da usare entro fine mese, mica li lascio al gestore. Ho aperto un account su WhatsApp a suo nome.»

«Perché non le insegni a usarlo?»

«Perché non mi sono ancora specializzata in sedute spiritiche.»

«Cosa?»

«Minchia, Tancredi... Rifletti, no? La vecchia è schiattata e io mi sono detta perché sprecare i suoi giga.»

Poi la gente pensa che il pezzo di merda sia io, mi danno dello chef caratteriale, dicono che faccio l'Anthony Bourdain con la coppola... ma perché invece di sparare minchiate i giornalisti non vanno a intervistare mia madre? A farsi l'esame di coscienza di quel che sarebbero diventati loro, tra gli artigli di una così?

«Cos'è questo silenzio, non sai cosa dire? Sei contento o ti dispiace? Non far finta che sia buona la due, erano almeno cinque anni che non andavi a trovarla; secondo me fai bene a scegliere la uno: la vecchia stravedeva per te, di sicuro ti ha nominato erede universale. A me ha lasciato solo l'onere di occuparmi dei suoi funerali, perché tanto lo so che tu non torni. E così cade sempre tutto sulle mie spalle.»

Le spalle di sua madre erano come quelle di un appendino troppo spiovente e liscio: non c'era verso di farci stare su un vestito per più di qualche secondo. Si era scrollata di dosso qualunque incombenza nella vita, compreso il figlio, dato che era troppo occupata a vivere da contestatrice per ricordarsi di dargli da mangiare, bere e dormire con una certa regolarità. Ci aveva pensato nonna Rosaria.

«Tancredi?»

Avrebbe voluto dirle ma tu non potevi essere come tutte le madri siciliane, quelle madri che fanno casa, che ti fanno sentire accudito, amato, nutrito, non potevi essere come quelle madri che fanno stare i figli così bene che quelli a schiodare non ci pensano proprio, non come me che a diciott'anni mi son battuto tutte le cucine d'Europa pur di illudermi di avere una famiglia da cui ero andato via.

Voleva dirle tutto questo, poi pensò a Nuccio. Nuccio era il suo compagno alla scuola alberghiera. Ce l'aveva Nuccio, una madre così. A sentirlo, stava sempre per partire da un giorno all'altro per un qualche incarico favoloso in una brigata stellata dall'altra parte della Manica o dall'altra parte dell'Atlantico o per lo meno dall'altra parte dello stretto di Messina, ma alla fine Nuccio non andò mai da nessuna parte: viveva ancora a casa con la madre, si era trovato un lavoro part time in una trattoria per non stancarsi troppo e perché così aveva più tempo da dedicare alla sempre più anziana genitrice. Non aveva mai avuto uno straccio di fidanzata fissa: la madre gli passava la paghetta per andare a puttane due volte a settimana. Fai il puttaniere quanto vuoi, ma guai a te se tradisci mamma con un matrimonio, perché sennò, io gliela farò pagare a quella lì, per tutta la vita e anche di più. Cucinerò meglio di lei, stirerò le camicie meglio di lei, terrò la casa meglio di lei, e l'unica cosa che farai con lei e non con me la tollererò giusto perché mi frutterà dei nipoti, sante innocenti creature. Gli passò davanti l'immagine del bacio tra il Cristo e la Madonna alla processione della domenica di Pasqua: lo sanno tutti, e tutti fanno finta di niente, ma quello è un bacio tra innamorati. Lo sanno tutti che Cristo in Sicilia si picca di risorgere solo per prendersi il gusto di baciare sua madre. È così che poi vengono fuori criptogay. Come Nuccio. E come lo psicopinguino, pace all'anima sua.

«Tancredi, è vero che è la connessione della vecchia, tanto di regalato, ma per stare qui a sentire il silenzio intercontinentale, chiamo la mia amica e mi organizzo per stasera.»

«Mamma. Grazie di essere come sei.»

«Hai bevuto?»

«No, dico sul serio. Grazie. Ma adesso devo andare.»

Chiuse la telefonata, spense il cellulare, lo aprì, rimosse la batteria e anche la sim. Nessuno, nemmeno per errore, doveva entrare in possesso dell'informazione che anche Tancredi Bonaccorso piange. Prese dal portafogli la foto di nonna Rosaria insieme al nonno il giorno delle nozze, la baciò e pianse a singhiozzi per almeno mezz'ora. Quando si riprese, era tardi e comunque non era più nel *mood* di chiamare una escort. Nonna Rosaria l'aveva fatto risparmiare, ancora una volta. Rimise ai loro posti la batteria e la sim, ma lasciò il cellulare spento; aprì il frigobar, si versò un whisky per cena, si sdraiò sul letto e cercò un canale porno. Dopo i primi cinquantanove secondi in cui due puttanelle bionde con le tette corazzate facevano visita a due Big Jim superdotati che le accoglievano in un giardino attrezzato di tutto il *nécessaire* per girare un filmino artigianale *en plein air* con l'immancabile scena d'esordio lesbo in piscina che si evolveva in acrobazie a tre e quattro intorno all'amaca, apparve una schermata che gli chiedeva di digitare il numero della carta di credito. E che minchia! Devo pagare anche solo per guardare? Spense la tivù, finì il whisky, spense anche la luce e restò al buio a pensare a quando aveva fatto salire in camera Eva, una signora puttana. Soldi ben spesi, davvero.

XX

Sessantasei giorni prima

Il 16 agosto

Una giornata in commissariato

Amanda

Amanda entrò e si accomodò giusto un attimo prima che Maria le facesse cenno di sedersi, cosa che indispose la commissaria.

Accavallò le gambe e stirò con le mani il panneggio della gonna bianca a pieghe. Si era vestita da scolaretta: il colletto bianco della camicia faceva capolino sotto il pull leggero blu, e per una volta le unghie policrome erano contenute nei sandali giglio bianchi, quasi uguali a quelli che desiderava da bambina, ma che sua madre aveva sempre rifiutato di acquistarle. Il maggior pregio dell'età adulta è che permette di prendersi qualche bella rivincita sull'infanzia. Unì le mani su un ginocchio, e tacque.

Maria partì all'attacco.

«Signora Zingelman, l'ho convocata per farle firmare il verbale, nel caso abbia ritrovato la memoria. Si è ricordata a cosa si riferisce il passaggio di denaro avvenuto tra lei e il defunto dottor Diodato, pochi giorni prima del decesso del medesimo?»

Amanda ebbe un'illuminazione. La morte di Salvo le aveva procurato l'amore perfetto, perché destinato all'infelicità eterna. L'aveva confessato a se stessa. Tanto valeva mettere quella verità fuori di sé, guardarla in faccia, costringere la commissaria a guardarla anche lei. Costringere l'intero mondo a guardarla.

A comprarla.

E però è il *packaging* che fa il prodotto, lo rende desiderabile, unico, anche quand'è seriale e banale. Ricordò il giorno in cui aveva suggerito agli uomini di Atlanta di dare un nome alle lattine. Così una bevanda replicata in milioni di cloni diventava unica, perché il *packaging* diceva «È per te, pensata per te, appartiene a te, Carlotta, James, François, Indira, Ramon, Norbert, e quindi è diversa da tutte le altre, unica per somigliare a te, che sei unico e irripetibile».

Ad Atlanta la guardavano con l'abbacinato sbigottimento con cui il volgo attende oracoli dal vate. Era stata la sua ultima consulenza, poi aveva detto basta. Si era trasferita in Sicilia, a Scicli, perché Scicli conteneva l'idea di Salvo, ma solo l'idea, il che la rendeva *safe*.

Poi era arrivato anche lui, che prima di allora a Scicli non aveva mai messo piede. Perché non voleva darle tregua? Perché non voleva lasciarle la sua unica forma possibile di realizzazione personale, quella di vivere un amore infelice? Era crudeltà mentale, con l'aggravante di essere il suo terapeuta. Se era vero che la amava, contro tutti i diktat di tutte le scuole psicanalitiche del mondo, perché non se ne stava fermo dov'era, nel suo studio a Manhattan, perché non continuava a psicanalizzare politici e star, regalandole da lontano la meravigliosa impunità di un amore perfettamente infelice?

E invece no, lui mi raggiunge, ha l'ardire di dirmi che sono l'unica donna con cui abbia mai pensato di poter concepire un figlio, io quasi ci casco ed entro nella gabbia di un amore felice, che vuole dire un amore che finisce, perché gli amori felici finiscono, solo quelli infelici lasciano che tu ti ci culli dentro per l'eternità.

Per fortuna era venuta quella donna a trovarla. Non ricordava più il nome, ah, sì, Gwenda. Conosceva Salvo forse meglio di quanto si conoscesse lui stesso. Lo aveva ospitato a Oxford durante gli studi universitari. Era venuta subito al sodo. Salvo non può, non deve avere figli, cara. Si è salvato dal suo destino sinora perché preferisce sedurre piuttosto che amare, e perché tu, che sei l'unica donna che lui abbia mai davvero desiderato e amato, sei stata sempre imprendibile per lui. Salvalo. Resta imprendibile. Impediscigli di avere una discendenza. Amanda era rimasta talmente stupita che non aveva fatto domande, forse per il timore di ascoltare le risposte. Una tara di famiglia a cui Salvo era scampato? Una di quelle malattie terribili che saltano una generazione ma poi si ripresentano? Una maledizione, aveva detto la donna. La parola maledizione raggruppa tante eventualità al suo interno. Salvo, alla fine, si era maledetto da solo. Perché riportarle quel dolore? Lo sapeva benissimo lui, cosa aveva dovuto fare lei per compiacere sua madre. Fai felice papà. Non c'è niente di male, fatti bella, fai felice papà. Se papà è felice siamo tutte felici, papà resta con noi per sempre se è felice, e tu puoi farlo felice, Amanda, fatti bella, vai a dormire nel lettone con papà, mettiti il rossetto, fai quello che ti dice papà, fai felice anche mamma, così. Se papà resta con noi siamo tutte felici. Aveva obbedito, con i pugni stretti e gli occhi chiusi, e nessuno che le asciugasse le lacrime sotto quelle carezze a cui avrebbe preferito delle percosse; non aveva saputo spiegarsi il divorzio dei suoi genitori e l'alcolismo di sua madre altrimenti che come una punizione, per non essersi fatta abbastanza bella, per non avere reso abbastanza felice papà. Da donna divenuta adulta, sapendo di non poter contare sulla propria persona, si era circondata di bellezza negli oggetti e nei luoghi; e non volendo mai più credere al lieto fine della felicità, aveva fondato la teoria degli amori infelici. Se la felicità ha questo prezzo, e per giunta invece di durare finisce, io non pago. Più. Mai più.

«Signora Zingelman, mi risponde? Mi ha sentita?»

«Voleva che fossimo felici insieme, commissaria. Non potevo permetterlo.»

Non si riusciva a tenerle dietro nemmeno con l'antico, infallibile sistema della stenografia.

La squilibrata francese scorreva come un fiume in piena. Riversava dati, orari, circostanze, parole, centinaia e migliaia e decine di migliaia di parole, e condiva ogni frammento di frase con l'inciso «perché tanto lo so, che potrà essere usato contro di me».

Aveva preso un aereo all'ultimo momento, sì, è vero: era sconvolta, era salita in auto per fingere di andare all'aeroporto di Catania, aveva invitato a cena un uomo, cioè, be', il suo socio in affari, poi la serata non era andata bene e allora lei aveva trovato una scusa per metterlo alla porta, fingendo di dovere andare urgentemente a Parigi. Si era messa in macchina per rendere il pretesto credibile, lungo la strada le era venuto in mente di fare due passi sulla scogliera della Pisciotta, per riflettere. Aveva visto da lontano il fuoristrada di Salvo, le era venuto in mente che avrebbe potuto sfruttare l'incontro casuale per chiedergli di saldare la *cooking class* rimasta in sospeso, quando lui se n'era andato in anticipo e lei non aveva osato chiedere al gruppo di pagare la lezione ma non poteva permettersi di rimetterci una *cooking class* con cena per dieci persone con tutti i guai burocratici e le spese che aveva «perché tanto lo so, che potrà essere usato contro di me». Fiato. Per grazia di Dio si fermava ogni tanto per prendere fiato, ma subito la diga del respiro cedeva. Si era avvicinata all'auto e aveva trovato Salvo fermo immobile dentro il Defender, non c'era nessuno, solo lei viva e lui che sembrava morto, «e tanto lo so, che potrà essere usato contro di me», e allora aveva aperto la portiera, gli aveva sfilato il portafogli dalla tasca della giacca e ci aveva trovato una marea di contanti, «li ho presi tutti perché tanto lo sapevo, che l'avrebbero usato contro di me, lui mi doveva dei soldi e avrebbero detto che io l'ho ammazzato per questo, ero incastrata, e comunque i soldi a lui non servivano più mentre a me sì, per pagare i debiti e tutte le spese», e ridagli con l'ossessione delle spese e della burocrazia e dei debiti e pure la figlia adolescente che però una volta tanto diventa *dea ex machina* e allora vai, corri verso l'aeroporto, paga il volo in contanti, che importa quanto costa, l'importante è avere un alibi, e lei aveva il selfie insieme a Gigi Caramano scattato qualche ora prima ma doveva subito volare a Parigi, costi quel che costi, per dare veridicità al suo alibi perché poi avrebbero interrogato i testimoni e allora la scusa che si era inventata doveva diventare realtà e doveva prendere il primo volo per Parigi, davvero. La macchina non l'aveva spinta in mare ma forse cercando il portafogli aveva disinserito il freno a mano, non ricordava, era scappata via in fretta anche perché nel frattempo si era ricordata di una ricetta che aveva dato a Salvo e forse lui l'aveva provata e gli aveva fatto male, «tutto questo potrebbe essere usato contro di me». Era corsa a Catania senza nemmeno guardare l'orario dei voli: aveva solo pensato che lei quella notte doveva essere il più possibile lontano da Scicli «perché tanto lo so, che tutto potrà essere usato contro di me». Aveva bivaccato in aeroporto fino alla partenza del primo volo per Parigi, alle 5.15 del mattino.

«Ecco, ho finito, è tutto. Tanto lo so, che tutto potrà essere usato contro...»

Maria la interruppe. Non ne poteva più di quella logorroica con il senso, anzi il gusto, anzi l'ossessione del tragico.

«Signora Odin, nessuno userà nulla contro nessuno, tanto meno contro di lei.»

Fece un cenno a Comisso, che allargò le mani costernato mostrandole una schermata con appena una decina di righe di testo che stava trascrivendo dagli appunti stenografati.

«Appena l'appuntato Comisso termina di trascrivere la sua confessione, le chiederemo di rileggerla e di firmarla. Dal momento in cui appone la firma, lei è agli arresti domiciliari.»

Katherine fece un cenno di assenso, e per grazia di Dio non disse più niente.

XXI

Cinquantuno giorni prima

Il 1° settembre

Scicli, New York, ancora Scicli

Maria

Tre ree confesse.

Troppe, per un solo omicidio.

Tre dee-pazienti in competizione per un pomo postumo. La rivalità tra le pazienti di Salvo si esprimeva anche così, attraverso il senso di colpa *post mortem*. Non ci voleva uno psicoterapeuta per capire che tutte e tre si attribuivano la responsabilità della morte di Salvo perché è meno penoso tollerare un evento traumatico se ci si convince di averlo causato, anziché subìto. In fondo, i veri psicoterapeuti siamo noi, funzionari di polizia. Non i poveretti come Comisso, che han fatto un concorso pro forma e sono entrati grazie a un voto di scambio, povero Comisso, che mi fa pure simpatia, non fosse che devo lavorarci ogni santo giorno che Dio manda in terra. A Maria tornò in mente la scuola per dirigenti di polizia. Era capitata in una classe di soli uomini. Alcuni erano in stile Comisso, solo più dotati di discernimento e provvisti di diploma di laurea, ma egualmente paracadutati in quel luogo da un qualche dio benevolo a cui in seguito avrebbero reso favori e grazie, e in extremis anche qualche sacrificio umano. Per lei, valeva l'adagio: *nec te quaesiveris extra*, "e non cercare all'infuori di te". L'aveva letto in una satira di Persio, uno straordinario poeta latino morto a ventotto anni e provvisto sin da adolescente di una scarnificante visione della realtà. Persio era stato il suo idolo per tutto il liceo, e anche dopo: quella chiusa di esametro, *nec te quaesiveris extra*, era diventato il motto che si era tatuata nel sangue. Invisibile, eterno. Non c'erano santi, all'infuori di lei. Anche perché appena rivolgeva il naso all'esterno, lo sguardo si posava sui suoi compagni di corso. Tutti uguali, tutti banali nella competizione per attirarsi i favori dell'unica compagna di corso femmina. Femmina, non donna. Così la percepivano, a partire dal direttore della scuola che presentandola a un ispettore in visita l'aveva descritta con quelle parole: «Ti presento l'allieva Gelata, una bella femmina». Aveva detto proprio così: non «una studentessa modello», o «un'allieva promettente», ma «una bella femmina». Maria non si era scomposta ma aveva chiesto che venisse adeguata anche la presentazione del suo compagno di banco, l'allievo Sgarlata: «Direttore, se io sono una bella femmina, deve presentare l'allievo Sgarlata come un bel maschio». Il direttore aveva obiettato: «Gelata, ma cosa dice, questo è un complimento che posso fare a lei, non all'allievo Sgarlata...». Maria aveva chiuso gelida: «Auspicavo il diritto alla *par condicio* per l'allievo Sgarlata, tutto qui». Aveva girato i tacchi ed era andata in biblioteca a studiare, fregandosene del cerimoniale.

I suoi compagni di corso la chiamavano "occhi di ghiaccio", a conferma della loro banalità: abbacinati dagli occhi chiari non si erano accorti che i suoi erano verdi, non azzurri né grigi. Una mancanza di attenzione ai dettagli che in un funzionario di polizia si rivela fatale, e che nella fattispecie aveva agito da arma di dissuasione anziché di seduzione. Aveva trascorso quattro anni della sua vita circondata da soli uomini: troppi, e per di più tutti uguali. Ugualmente banali, banalmente uguali tra loro.

Ora, la situazione era opposta e simmetrica. Troppe donne, e per di più tutte uguali. Banali, nei loro tentativi di strapparsi la scena.

La confessione della Zingelman era l'unica a cui valesse la pena di prestare attenzione. Non era stata in grado di fornire spiegazioni chiare e plausibili, ma era sconvolta come chi scopre a un tratto di essere stato complice in un disegno di cui sino a quel momento aveva scorto solo qualche tratto. Si era incantata come una puntina su un disco rotto: la sua *mission* aziendale era far guerra alla felicità, Salvo Diodato voleva che loro due fossero felici insieme, lei non poteva permetterlo. Non era riuscita a cavarle altro; l'aveva rimandata a casa dicendole che era troppo scossa, e l'aveva invitata a ripresentarsi allo scadere di una settimana. Intanto, le aveva piazzato alle costole un agente in borghese per controllare i suoi movimenti ventiquattr'ore su ventiquattro.

La Zingelman era una donna terribile, come possono esserlo le donne brutte che non perdonano alle altre di essere belle. E che non perdonano agli uomini quella loro insana rusticità che li porta a preferire una bella ragazza a una ragazza elegante. Donne così possono covare la vendetta per anni, decenni, e farla esplodere in un momento, in un raptus.

L'altra aspirante colpevole, la paziente inglese, si era presentata nel suo ufficio, sconvolta, per raccontarle della grave sindrome da cui a suo dire era affetta: aveva persino stilato un elenco di assassini più o meno celebri che avevano rimosso il delitto, ed erano poi stati prosciolti per infermità mentale intervenuta al momento del medesimo. Maria ricordava il caso di una madre in Val Camonica: isolata sulle montagne, aveva atrocemente ucciso il figlioletto handicappato in una notte di delirio, che aveva poi totalmente rimosso. Ma ricordava anche, e non senza imbarazzo, il caso più recente della madre che lei aveva sospettato fosse l'assassina del proprio figlio, mentre quella si professava innocente.

Dove sta la verità? Ti resiste, beffarda, finché tu non la tormenti.

Naturalmente, l'inglese si rifugiava nella temporanea latitanza di memoria: non ricordava altro se non di aver avuto la sensazione di scorgere Salvo in spiaggia alla Pisciotta nel pomeriggio e di essere rientrata a casa all'alba, spossata.

A ruota, era arrivata la squilibrata francese: «Tanto vale che mi costituisca, così almeno forse potrò beneficiare della collaborazione con la giustizia». Aveva detto proprio così, e poi si era zittita, seduta davanti alla sua scrivania con lo sguardo sulle punte dei piedi, aveva farneticato qualcosa riguardo a una ricetta per un decotto di mandorle e poi era di nuovo straripata nella più ingrossata delle logorree.

Mariamaria, la gente neanche lo immagina quanta pazienza ci vuole per fare la commissaria di polizia, tutto quello che devi sopportare oltre ai tuoi colleghi maschi e maschilisti.

Le sarebbe toccato ricostruire minuto per minuto i movimenti delle tre mitomani durante le ultime ore di vita di Salvo Diodato. Perché era chiaro che, come minimo, due su tre con quella confessione posticcia intendevano soltanto salire in palcoscenico e sorridere ai riflettori; o almeno questo era l'intendimento del loro inconscio. Aveva ragione Andy Warhol: viviamo in una società in cui ognuno ha i suoi quindici minuti di celebrità. Ma perché cercarla con un omicidio? O peggio ancora, con la confessione di un omicidio che non si è veramente compiuto?

L'unica che non sembrava contagiata dalla sindrome del senso di colpa postumo era Elena Utong, l'ex paziente di Salvo che portava a Scicli la clientela internazionale dei suoi *coaching* d'alta gamma. Non che avesse un alibi di ferro, ma c'erano almeno due persone in grado di testimoniare che quella notte la Utong si trovava in tutt'altre faccende affaccendata, intenta ad amoreggiare con Antonino Cuturro detto Nino, pescatore con fedina penale pulita, nonché testimone numero uno. Il secondo teste era Piero L'Abate detto Piriddu 'U 'mpenitente, disabile mentale di professione disoccupato, che per occupazione amatoriale aveva l'hobby di spiare le coppie appartate e di masturbarsi a velocità della luce mentre li guardava, specialità in cui si cimentava con tale successo che era ormai impossibile fare in tempo ad arrestarlo per atti osceni in luogo pubblico.

Elena Utong le faceva simpatia. Era una donna pragmatica, una donna autonoma. Una donna che non aveva bisogno di sensi di colpa per tirare avanti.

Maria chiuse il fascicolo Diodato. Era ora di andare a casa. Da quando era partito suo marito, rincasava sempre più tardi, e dire che aveva via libera, niente agguati di pastasciutte con sughi carnosi di pomodoro, solo verdure e solitudine. Invece di approfittarne, indugiava alla scrivania tutte le sere, finché restava soltanto il piantone di turno.

Diede un'ultima occhiata alle mail. Ce n'era una di Laccio. Oggetto: "Tutto bene?". Testo: "Vedi sopra".

Non si vedevano, non si parlavano, non si mancavano. Da quanto tempo? Forse dal giorno stesso in cui le sue attenzioni erano state calamitate dal caso Diodato. Lei e suo marito erano molto più lontani di una coppia divisa da un modesto oceano. Più che su due continenti, Laccio e io siamo su due pianeti diversi.

Spense il computer e uscì. Per oggi, basta.

Laccio

Non gli piacevano quei due. Se li era già ritrovati intorno almeno tre volte, negli ultimi due giorni. La prima volta era stato al museo del MIT. Laccio ci era andato perché il suo cliente gli aveva detto che quello era il posto dove trarre ispirazione per un cristincroce tecnologico, un cristo del futuro. Aveva terminato il cristo del cedro rosso e ora stava realizzando un prototipo di cristo dell'acero. Aveva dovuto fare parecchie prove e soprattutto verificare che la stagionatura del legno avvenisse con l'intera corteccia addosso, perché solo così si sigillavano i micropori che lasciavano fuoriuscire il lattice. Si era preso due giorni di pausa ed era venuto a New York. Gli sembrò una coincidenza eccessiva il fatto che quei due ora fossero appena entrati dietro di lui al Bar d'O. È piuttosto ristretta, prossima a zero, l'intersezione fra i due insiemi, quello delle persone che frequentano un museo sui generis come quello del Massachusetts Institute of Technology e quello degli *habitués* di un bar di trans e ritrovo gay al Greenwich Village. Non è che questi due stanno seguendo me, invece? Si sedette al bancone e si toccò la catena con le dita, come per saggiare la propria identità. Ho la catena, dunque sono, e sono Laccio. Qualcuno gli aveva rubato l'identità, ma lo strizzacervelli che aveva una catenina uguale alla sua se l'era sfilata dal collo e gliel'aveva regalata, muto. Senza spiegazioni. A volte le spiegazioni sono superflue, a volte la verità che ti racconti tu non è tanto diversa da quella che si raccontano gli altri, e può bastare per tutti. Altre volte la verità è come i cristi dentro il legno: per trovarli devi tormentarlo, scavarlo. A suo modo, era un detective anche lui, come sua moglie, solo che lui si era specializzato in una nicchia: era diventato un cacciatore di cristi imboscati nel legno.

«*May I buy you a drink?*»

«*Why should you, bother?*» rispose senza voltarsi per verificare a chi appartenesse la voce alle sue spalle. Lo urtava il modo di fare inviti che avevano gli americani. Senza finezza, non un filo di eleganza: *I buy you a drink, I buy you lunch, I buy you dinner.* "Ti compro un drink, ti compro il pranzo, ti compro la cena." E che sono, un orfano che non sa provvedere a se stesso?

«No, non puoi comprarmi un drink. Ho i soldi per pagarmelo da me, non ti devi scomodare.» Ribadì il concetto in italiano e levò come per un brindisi il Garibaldi che il barista insonne o assente aveva appena posato sul bancone davanti a lui.

Garibaldi. In Italia lo chiamiamo Campari Orange, perché siamo così fissati con tutto ciò che ha un'*allure* anglosassone che perfino per convincerci a comprare delle scarpe fatte nelle Marche ci vuole un marchio che suona inglese o americano. Era uno dei ritornelli preferiti di sua moglie. Lei però lo sosteneva a priori, per ideologia. Laccio annuiva con una ben più profonda convinzione. Era stata un'idea della madre superiora. Prima gli aveva fatto dare lezioni private di inglese da un tenente della base di Comiso. Poi, per il suo diciottesimo compleanno, gli aveva consegnato un biglietto per New York, insieme a una lettera da portare alla persona che l'avrebbe aspettato all'aeroporto. La madre si era raccomandata: non dire che hai studiato l'inglese, fai finta di non capire, parla sempre italiano. Così loro continueranno a parlare inglese con naturalezza, se no si sforzerebbero di parlare un inglese maccheronico per farsi capire da te, e addio progressi.

Aveva passato tre mesi a New York, un regalo di compleanno che era restato un segreto tra lui e la madre. Aveva dormito in un convento di suore a Williamsburg, che all'epoca non era *posh*, come si dice adesso, ma solo un dormitorio per italo-americani, ebrei ortodossi e latini male in arnese. All'aeroporto era venuto a prenderlo un meccanico che a mezzo servizio faceva anche il cuoco: al piano interrato della sua officina c'era una cucina perfettamente equipaggiata con una sala da pranzo placcata oro che poteva ospitare fino a ventiquattro commensali. Laccio aveva fatto il garzone del meccanico per quei tre mesi. Più che in officina, stava in cucina, e la sera anche in sala.

E lì, durante quelle cene d'affari segrete, ne aveva sentite di cose, in italiano e in inglese. Aveva deciso di dimenticarle. Non lo riguardavano. Non voleva che lo riguardassero.

Poi era arrivato lo strizzacervelli, e gli aveva rotto gli argini.

«Un altro Garibaldi.»

I due gli si piazzarono alle spalle. Decise che non lo riguardava neanche questo. Le luci si abbassarono, il silenzio dilagò. Billie, una trans latina che chiamavano così perché se chiudevi gli occhi ti sembrava di sentir cantare Billie Holiday, uscì sul piccolo palcoscenico con un abito di organza bianca che a Laccio ricordò il Cristo in gonnella conservato nella chiesa di Santa Maria delle Scale. Un cristo trans che in chiesa, pur se appartato in una navata laterale, gli era sempre apparso blasfemo, una denuncia in casa dell'assassino: perché i diversi, in chiesa come fuori, finiscono sempre in croce. La voce di Billie regalava al Bar d'O la sontuosità sonora di una cattedrale del jazz. Laccio fu colpito da un bagliore dietro le tende di velluto nero della *dark room*. Gli ricordò un altro flash, un bagliore che aveva attratto la sua attenzione la notte della festa al Palazzo dei Turchi. Non era mai entrato in una *dark room*. Una delle tante cose che non aveva mai avuto il coraggio di fare. Finì il secondo Garibaldi, si alzò, e si avviò.

Xenia

«Chi è lei? Cosa fa in casa mia?»
Un grido. Era riuscita a lanciare un grido. Era appena rientrata dal commissariato, scortata dall'appuntato Comisso che l'aveva lasciata all'imbocco del sentiero «per non infangare l'auto di ordinanza con gli schizzi delle pozzanghere, che poi chi la sente la commissaria, sembra che gliele abbia messe apposta per terra io, le pozzanghere». Al commissariato, Xenia aveva dato voce alle sue paure più nere, e ora scopriva di riuscire persino a gridare. Nell'istante di terrore, appena aperta la porta di casa, aveva temuto che le corde vocali fallissero, che la paura la paralizzasse, rendendo il suo volto una maschera muta.

Invece aveva gridato, e con tale forza che il terrore si era mascherato da rabbia.

Xenia riconobbe una figura maschile seduta per terra vicino alla porta-finestra dell'ingresso, accanto alla libreria. Lo sconosciuto alzò la testa dal libro che stava leggendo.

«Niente di spavento, signora. Io non sono più un criminale.»

«*Vous êtes français?*» domandò Xenia, che aveva colto un accento e una costruzione francese nella frase dello sconosciuto. Si teneva prudentemente vicina alla porta d'ingresso, per avere una via di fuga nel caso in cui l'uomo fosse stato malintenzionato o addirittura armato. Il cellulare, accidenti! Doveva impostare il numero di Don Mimì per le chiamate di emergenza.

«*Non, mais j'ai vécu à Paris. Vous parlez très bien français, par ailleurs.*»

«*J'ai vécu à Paris moi aussi.*» Ma cosa faccio, conversazione con uno che è entrato in casa mia mentre non c'ero? Come minimo è un ladro, ma l'occasione potrebbe renderlo stupratore, assassino... Ha ragione Amanda: se vuoi vivere in campagna, devi avere dei servitori, non puoi mai abbandonare casa tua. Ecco il risultato.

«Non vi preoccupare, Madame. Non sono un volatore, né un assassino. Non siete in pericolo.» Lo sconosciuto aveva parlato con voce calma, pacata. A suo modo, rassicurante. Xenia fece suo malgrado un passo verso di lui.

«Da dove venite?»

«Sono siriano.»

«Siriano? Appartenete all'Isis?»

Lo sconosciuto sorrise. «No, Madame.» Era sempre seduto per terra, ma ora che si era abituata alla penombra, Xenia vedeva che aveva un libro in mano.

Che cosa era venuto a fare a casa sua, se non voleva ucciderla, né derubarla, né stuprarla o farle del male? Cosa faceva con un libro in mano? Trovò il coraggio di continuare quella conversazione assurda e glielo domandò.

«Voi avete dei libri, Madame. Io amo leggere.»

Lo sconosciuto le raccontò che lavorava nelle serre dove si coltivano i pomodori, a pochi chilometri da lì. Un giorno, tornando a piedi dal lavoro, aveva tagliato per i campi ed era passato vicino a casa sua. Aveva guardato dalla finestra, così, per curiosità. Chi poteva essere la persona che viveva in quella casa senza recinzioni, così facilmente accessibile?

Aveva visto gli scaffali pieni di libri. Istintivamente aveva bussato, di fronte al silenzio aveva premuto sulla maniglia, aveva chiesto permesso ad alta voce, si era stupito che non ci fosse nessuno in casa, si era autonominato custode di quella biblioteca temporaneamente abbandonata.

Adesso capisco. I libri spostati. I libri lasciati aperti. Probabilmente più di una volta è scappato via sentendomi arrivare. Quel senso di libertà che le dava non avere recinzioni, solo i vecchi muretti a secco tirati su dal nonno di Don Mimì. Il senso di libertà di non chiudere a chiave la porta di casa uscendo. Ora vedeva che il corollario di tanta libertà era un'altra libertà ancora, quella di trovare uno sconosciuto dentro casa. Il corollario era il timore di un Alzheimer precoce che la attanagliava da un mese e più: apro e leggo libri che poi non ricordo di avere aperto e letto. Chissà cos'altro ho fatto, che non ricordo.

Perché quella cattiveria? Perché lasciare tutti quei libri aperti in giro per casa? Voleva farle credere di essere impazzita?

Lui spiegò, con semplicità, con calma, senza muoversi da terra, con il libro aperto tra le mani.

La prima volta, era stato un caso. L'aveva sentita arrivare all'improvviso ed era scappato senza il tempo di rimettere a posto il libro che stava leggendo. Sapeva di stare facendo qualcosa di illecito, ma la biblioteca di Xenia era come le sirene di Ulisse, e aveva ceduto al richiamo. Era tornato. Da allora, l'aveva fatto apposta. Lasciare le pagine aperte sui passi che aveva letto in sua assenza sarebbe stato un modo per presentarsi alla padrona di casa. Così, se prima o poi lei l'avesse sorpreso al suo rientro, avrebbe avuto la sensazione di conoscerlo già un po', attraverso i libri che entrambi, evidentemente, amavano.

«Prendete un tè?»

«Sì, grazie, Madame, siete gentile.»

Ma cosa faccio, offro un tè a uno sconosciuto che ho sorpreso a leggere i miei libri seduto per terra in casa mia? Era surreale. Xenia servì il tè sul patio davanti alla masseria. Sperava che Don Mimì o Corrada li vedessero. Così avrebbe avuto dei testimoni, nel caso che succedesse qualcosa. Ma cosa doveva succedere? Un profugo siriano si è introdotto in casa mia, e questo è un reato, ma forse è un po' meno reato, se si lascia la porta aperta. Non conosceva abbastanza bene le leggi italiane per avere un'idea al riguardo. A ogni modo, il profugo siriano non aveva preso mai niente, ed erano almeno due mesi che entrava di soppiatto in casa sua per leggere dei libri che magari non rimetteva a posto, ma non li rubava, né i libri né altro. Non era mai sparito nulla. Xenia studiò i tratti dello sconosciuto, nel caso fosse necessario in futuro fornire un suo identikit alle autorità. Poteva avere circa quarant'anni. Alto, bel viso ovale, magro, muscolatura nervosa, capelli ricci, stempiatura alta. Aveva l'impressione di averlo già visto.

Parlarono a lungo. Discorsero di letteratura che era un argomento neutro e insieme così intimo, un modo per parlare di sé fingendo di parlare d'altro. Lo sconosciuto si disse stupito di aver trovato una così nutrita raccolta di prosatori e poeti del Medio Oriente in casa sua. Xenia gli raccontò che si era occupata a lungo di insegnamento della lingua inglese in diverse nazioni asiatiche. Trovava che conoscere la letteratura dei paesi in cui si recava ospite fosse il primo passo, per capire e per capirsi. Parlarono di Zarek Tabir, che lo sconosciuto le aveva fatto riscoprire di recente. Xenia era incredula che l'autore siriano avesse potuto scrivere versi che sembravano premonitori della devastazione che avrebbe colpito il suo paese di lì a qualche anno. Domandò allo sconosciuto di che cosa si occupava in Siria, prima che la guerra civile lo costringesse a tentare l'avventura del mare su una barca in mezzo a centinaia di altri migranti.

«J'enseignais à l'université. Théorie des formes littéraires.»
«Aspettate... ma voi siete...»
«Sì, Madame. Io sono Zarek Tabir.»

Maria

«*La notte dalle ali nere venne amata dal vento e depose un uovo d'argento, la luna, in grembo all'oscurità. Da quell'uovo uscì Eros, che mise in moto l'universo.*» Mettere in bagno i frammenti dei lirici greci era stata un'ottima idea. Due versi, un guizzo. È così che sgorgano le migliori intuizioni. Srotolò un pezzo di carta igienica, lo guardò e ci ripensò. Troppo lungo. Troppo spreco. Povero pianeta. Riavvolse il rotolo e prese solo uno strappo.

Il mito orfico della creazione a cui facevano riferimento quei due versi era molto più affascinante di quello olimpico, molto più intriso di poesia. Nel mito orfico, è Eros il motore mobile dell'universo. Sotto la lunatica influenza di Eros, Maria si era messa a cercare, inconsciamente, tra le donne che affollavano la vita di Salvo.

Non le era venuto in mente, nemmeno per un istante, che nella tradizione orfica Eros è ermafrodita. *Cherchez la femme.* In questo caso, però, potrebbe valere *cherchez l'homme.*

L'universo di Salvo sembrava popolato da sole donne. Eppure c'erano degli uomini, dovevano essercene. Maria aveva ascoltato tutti quelli che avevano avuto contatti con Salvo nel suo ultimo mese di vita, compresi baristi e ristoratori. Sembrava che Salvo avesse una predilezione per un nuovo ristorante che aveva aperto i battenti la primavera precedente in piazzetta Liccumia. Si mangiava al fresco sotto i carrubi, lo chef era un giovane sciclitano che le aveva raccontato le sue esperienze di lavoro in Nord Europa come un pellegrinaggio in Terra Santa. Aveva dato al suo locale un nome repellente: Gordonoma. Solo un trentenne cresciuto con i cartoni animati delle serie robot poteva trovare invitante un nome del genere. Il Gordonoma, prima della tempesta mediatica abbattutasi su Scicli dopo il delitto Diodato, era quasi sempre vuoto, e probabilmente Salvo lo prediligeva per questo: poteva parlare liberamente, rilassarsi senza timore per la privacy. Lo chef proprietario le aveva raccontato che

Salvo andava spesso al ristorante accompagnato da un signore americano, un certo Laurel, un tipo aitante sulla quarantina. Parlavano in inglese, forse perché pensavano che Guglielmo non li capisse. Ma lui, reduce dagli stage presso le Nostre Signore della cucina nordeuropea, aveva imparato a masticare tanto inglese quanto bastava ad afferrare l'argomento di una conversazione, e quelle tra Salvo Diodato e il suo amico avevano due argomenti fissi: il denaro e le donne. Laurel versava del denaro a Salvo. A quale titolo? Non era chiaro.

«Parlavano di donne e di soldi, sembrava che guadagnassero grazie a delle donne.» Dietro il "suicidio" di Salvo c'era un giro di prostituzione? Uno fa lo psicoterapeuta di successo a New York per poi venire a Scicli a organizzare un bordello?

«A volte li sentivo parlare di conquiste, di quanto era stato difficile conquistare questa o quella.» Gigolo? Eros c'entrava sempre, in un modo o nell'altro. La domanda però si poneva comunque, con una minima variante: uno fa lo psicoterapeuta di successo e pubblica pure dei libri per poi venire a Scicli a prostituirsi, e si fa amministrare da un magnaccia che gli centellina la sua percentuale?

Prostituzione. Le tornò davanti agli occhi il ricordo del giro in auto con Ignazio alla Pisciotta. Ignazio! Era un sacco di tempo che non lo vedeva. Fece per chiamarlo ma ci ripensò. Troppo tardi. Ci vado domani mattina. E se lo trovo con le serrande abbassate a riparare automobili in nero, lo segnalo alla Guardia di Finanza.

XXII

Quarantanove giorni prima

Il 3 settembre

Scicli, New York, Scicli

Maria e Ignazio

Ignazio stava avvitando il bullone del piede di biella del quarto pistone con il busto proteso dentro il cofano di una berlina serie 7. Inveiva come se fosse furioso con qualcuno.

«Figlio di una buona donna!»

La commissaria si guardò intorno. Non l'aveva sentita arrivare, nonostante stesse lavorando a serrande alzate. Il che significava: tutto in regola. Niente segnalazione alla Guardia di Finanza. Meglio così, sospirò Maria, e strizzò gli occhi. Forse c'era qualcuno lì accanto a Ignazio, che lei non aveva notato nella penombra dell'officina?

«Scusa, ma con chi ce l'hai?»

Ignazio si tirò su di scatto a guardarla, gli occhi tondi come quelli di un gufo stupito di scoprirsi osservato nella notte. Non la salutò nemmeno, come se fosse sempre stata lì accanto a lui, come se non fossero trascorsi mesi dall'ultima volta che si erano visti, il pomeriggio dopo che il Defender di Salvo Diodato era stato ritrovato in mare insieme al cadavere del proprietario.

«Come, con chi ce l'ho. È evidente. Con quello.» Indicò un calendario Pirelli di parecchi anni prima, con Monica Bellucci inginocchiata nuda che soffiava un bacio.

«Quello?»

Ignazio fece una smorfia, posò la chiave dinamometrica nel cofano, andò verso il muro, sollevò il calendario di un paio di centimetri, tanto da far intravedere il crocefisso appeso sotto, e lo lasciò ricadere.

«Nascondi il crocefisso dietro le foto porno?»

«È per i clienti. Donne e motori, sa come dice il proverbio. Il crocefisso non è sexy, ma è la mia religione.»

«Si sente, da come bestemmi.»

Ignazio si pulì le mani con uno strofinaccio ricavato da una vecchia tuta da meccanico.

«Le offro un chinotto?»

«Veramente sono venuta per sentire cosa avevi da dirmi... non mi avevi accennato a un'auto che avresti voluto farmi vedere?»

«Ne è passato di tempo, commissaria. Pensavo che non le interessasse più. Proprio la settimana scorsa è venuto un collezionista che ha voluto portarsi via la DS a tutti i costi. Ma l'avevo già svuotata, e ho tenuto da parte qualcosa che potrebbe esserle utile. Si sieda, le verso un chinotto.» Maria fece un gesto di diniego. Ignazio la prese per un braccio, con dolcezza, e la fece sedere sul nuovo acquisto di cui andava particolarmente orgoglioso, un divanetto similchester in similpelle bordeaux. Il venditore l'aveva chiamata ecopelle, giocando a fregargli cento euro in più con la scusa di salvare il pianeta.

«Si sieda, sta più comoda così.»

Sparì dietro il paravento che schermava l'ufficio e riapparve con una parrucca. La commissaria lanciò un urlo di disappunto scioccata dalla sua apparizione *en travesti*.

«Questa era nella DS del dottore, commissaria.» Si tolse la parrucca e la lasciò cadere sul divanetto accanto a lei.

«E quello?» chiese la commissaria, indicando il taccuino che Ignazio teneva in mano.

Ignazio ebbe un attimo di esitazione. Gli sembrò improvvisamente ingiusto farglielo leggere lì, davanti a lui. Doveva darle una via di scampo, non voleva metterla in difficoltà.

Perché devo farla piangere qui adesso, non me lo perdonerebbe mai. Avrò tutto il tempo per consolarla, con calma, quando sarà pronta.

«Questo è il mio taccuino.»

«Bello. Posso vederlo?»

«No, commissaria. Qui ci sono i miei segreti.»

«Spero di non doverteli chiedere un giorno con un mandato di perquisizione, i tuoi segreti.»

«Lei mi pianta in asso per tutto questo tempo e poi arriva qui a fare domande» scherzò Ignazio. «Beviamoci il chinotto, e le domande me le farà la prossima volta, tutte quelle che vuole. Anche personali.»

Fece per brindare, contento dell'allusione a una relazione più intima tra loro; Maria imitò il suo gesto, senza troppa convinzione. Ignazio aveva una strana sicumera; era come se sapesse di avere in mano un poker.

«Affare fatto. Nel frattempo, cerca di trovare risposte esaurienti a domande tipo come ti sei permesso di cedere un'auto non tua, per quanto denaro ti abbiano offerto.»

«Sarà fatto, commissaria. La aspetto qui quando vuole.»

«A serrande alzate, se no ti denuncio alla Guardia di Finanza.»

«A serrande alzate.»

E mica solo le serrande, sussurrò, mentre osservava la commissaria che risaliva sulla sua Honda color carta da zucchero, rivolto alla parte di sé che era indubbiamente la più estatica davanti ad ogni apparizione di Maria.

Laccio

Il corpo fu ritrovato la mattina da un inserviente colombiano immigrato clandestino che faceva le pulizie del locale in nero. Spaventato, l'uomo non avvisò il manager. Richiuse la porta dello sgabuzzino e buona notte, anzi buon giorno. Non scherziamo. Lo avrebbero chiamato a testimoniare, avrebbe perso il lavoro al Bar d'O e pure la tranquillità. Quando sei irregolare, a New York, ti devi muovere con la destrezza del topo. Non ti deve accadere niente, la tua vita deve scorrere sempre nelle stesse caselle. New York è una scacchiera, ci sono gli spazi bianchi e quelli neri. Tu devi stare in quelli neri, dove non ti vede nessuno. Non ti devi ammalare, non devi prendere multe, non devi incappare mai, dico mai, nella polizia. Devi salire sui vagoni della metro giusti, devi comprare i vestiti giusti, informi e scuri, per confonderti nel buio. E non devi farti venire la fregola di fare il cittadino modello. Non ci saranno premi per te, solo batoste. Quindi, Franklino Rosasvelto de La Salida Diós, raccogli i tuoi stracci e pure il tuo nome partorito da un padre visionario ammiratore del presidente americano, chiudi questa porta, e che questa rogna se la gestisca Hans Joe Drumpferl, immigrato tedesco naturalizzato americano da tre generazioni, che fa il turno del pomeriggio ed è nato e vive in un tugurio con giardino a Little Falls, New Jersey, dove cucina dei barbeque pantagruelici tutte le domeniche pomeriggio e la sera, invece di pregare, parla col busto del *Führer* in tedesco – o meglio, nel dialetto bavarese del trisnonno.

Il corpo respirava. Ce l'avrebbe fatta fino al turno del pomeriggio. Sicuramente era un altro di quei repressi che per darsi il coraggio di essere quello che sono devono impasticcarsi fino a perdere i sensi. Poveri cristi. Da un certo punto di vista, facevano una vita peggiore della sua. Almeno io non ho bisogno di impasticcarmi sino a perdere coscienza per sapere chi sono, cosa mi piace, e per accettarmi così come sono e con quest'accidente di nome che mi ha dato mio padre.

I due arrivarono con tre grandi valigie nel primo pomeriggio, circa un'ora prima che iniziasse il turno di Hans Joe Drumpferl. Li accompagnavano due trans in doppiopetto grigio, senza trucco, il volto ombreggiato da un velo di barba.

Una dei due trans era di colore e aveva una spiccata somiglianza con Barack Obama, cosa che le aveva procurato il soprannome di Baracka. Entrarono nel locale dall'uscita di servizio sul retro – Baracka aveva una chiave – e andarono dritti nello sgabuzzino. Sollevarono il corpo di Laccio, ancora intorpidito. La bianca andò in camerino a truccarsi, tornò con una parrucca bionda, un contrasto stridente con il doppio petto. Fecero un make-up veloce anche a Laccio, lo vestirono, lo misero in piedi. Si misero in posa. La trans bionda reggeva di peso lui con un braccio e un cristincroce con l'altro. Sparsero delle mandorle a terra.

Laccio non si teneva in piedi e il corpo scivolò; la trans nera aiutò la bionda a sorreggerlo. Scattarono la foto: Laccio svenevole tra le due in doppio petto, il cristincroce e una montagnola di mandorle.

Unirono le grandi valigie con un sistema di zip che sembrava progettato per realizzare una sorta di bara o barella incline alle ragioni della privacy; vi adagiarono dentro Laccio; nella terza valigia riposero l'attrezzatura fotografica, il cristo del mandorlo e le mandorle, dopo averle raccolte una per una. Uscirono in fila indiana. Le due trans reggevano la doppia valigia in cui avevano allungato il corpo di Laccio; gli altri due le precedevano con la terza. Caricarono tutto nella Volvo Polar.

Al suo arrivo nel pomeriggio, Hans Joe Drumpferl non trovò niente di anomalo. Salendo sul palco del Bar d'O a preparare il *setting* per la serata, scivolò su una mandorla. Che accidente ci fa qui una mandorla, sarà una novità di quei pervertiti. Se la mise in tasca insieme a una tessera che doveva essere caduta a qualcuno degli "artisti" che si esibivano la sera, e non vide che ce n'era un'altra. Scivolò di nuovo e batté la testa.

Niente casini nel mio locale, si disse il manager, richiamato dal tonfo. Regola numero uno di chi gestisce un casino: niente casini all'interno. Perciò infilò dei guanti, mise il corpo di Hans Joe in un sacco della spazzatura, lo caricò in macchina, guidò fino a una radura di Central Park dove si ritrovavano gay dediti al *fist-fucking*, e lo lasciò lì. Era ancora caldo, qualcuno ci si sarebbe potuto divertire.

Risalì in auto e tornò subito al locale. Doveva assumere un nuovo inserviente prima di sera.

Maria e Laurel

Gli uomini. Maria aveva deciso di riascoltare gli uomini che orbitavano nell'universo prevalentemente femminile dello psicoterapeuta.

«Signor Dufeller, mi può chiarire la natura dei rapporti tra lei e il defunto Salvo Diodato?»

«Non c'erano rapporti tra noi.»

Laurel era visibilmente seccato. Lui e Salvo erano entrambi molto eleganti, attenti all'aspetto, alla scelta e alla cura degli abiti. E per questo uno dovrebbe venire sospettato di essere gay?

Maria obiettò, altrettanto seccata.

«Cenavate spesso in un ristorante in piazzetta Liccumia, ci sono testimonianze a riguardo.»

«Eravamo *business partners*. Erano cene di lavoro.»

Maria rinunciò a mostrargli la definizione di *rapporti* sul sito della Treccani.

«Che genere di *business*?»

«Investimenti. Gestione di patrimoni.»

«Salvo Diodato le aveva affidato un patrimonio personale?»

«Non esattamente. Non lui.»

«Alcune testimonianze riportano che parlavate spesso di donne, di conquiste.»

«Sì. A Salvo piaceva usare quella terminologia.»

«A che genere di conquiste alludeva?»

«Salvo era uno psicanalista piuttosto noto, le sue pazienti

appartenevano al jet set internazionale. Artiste, produttrici cinematografiche, imprenditrici, ereditiere. Donne con patrimoni personali consistenti. Io gestisco patrimoni, Salvo gestiva anime e segnalava a me i patrimoni.»

«E il *business*?»

«Versavo a Salvo una percentuale sulle somme che le sue pazienti mi affidavano in gestione.» Maria si chiese se fosse deontologicamente corretto. Uno psicanalista può avere accesso a informazioni riservate. Chissà cosa diceva l'ordine professionale, al riguardo.

«Come versava a Salvo la percentuale di sua spettanza?»

«*Cash*. Salvo preferiva il *cash*.»

Maria prese un appunto. Segnalare alla Guardia di Finanza. Potranno disporre un accertamento su un defunto?

«Signor Dufeller, può chiarirmi l'entità delle percentuali che versava a Salvo Diodato?»

Se tanto le dava tanto, la cifra di 108.660 euro si sarebbe potuta leggere anche in un altro modo.

Salvo Diodato si avvaleva della complicità di Amanda Zingelman per ripulire il denaro che riceveva da Laurel Dufeller?

Xenia

Cosa faccio? Vado a dirle che mi sono sbagliata, che non ho l'Alzheimer, che non posso avere ucciso io il mio ex psicanalista perché ho scoperto che i libri in casa mia non si spostano da soli né per mano mia? E così denuncio Zarek?

Zarek che era un clandestino, Zarek che non aveva documenti, Zarek che lavorava per tre euro al giorno nelle serre dove si coltivano i pomodori più buoni del mondo, Zarek che dormiva in una catapecchia diroccata con altri dieci clandestini come lui. Zarek che faceva il bucato la notte nell'unica pubblica fontana rimasta a Scicli, Zarek che aveva piegato il suo ingegno al bisogno, senza orgoglio, con l'umiltà e la tenacia di chi è e vuole restare vivo. Zarek, che trovava l'unico sollievo tra i suoi libri, in casa sua. Zarek che da quando si erano conosciuti consumava un pasto al giorno insieme a lei – quel che le portava Corrada bastava per tutti e due, anzi, Xenia aveva la sensazione che Corrada le portasse porzioni più abbondanti, ultimamente: lasciava sempre tutto fuori dalla porta, non entrava più, non bussava, posava l'amore e la carità sullo zerbino, e a Xenia bastava accoglierli dentro casa, appena alzata, la mattina.

Cosa vado a dire alla commissaria, io che sono inglese nel parapiglia della Brexit, le rivelo che ospito un clandestino in casa mia, io che non ho mai regolarizzato la mia residenza in Italia? Il verbo "ospitare" diventerà nascondere, il fatto che la burocrazia mi abbia scoraggiata a procedere con tutte le pratiche per prendere la residenza in questo paese farà di me una clandestina a mia volta. Dannati i miei connazionali che hanno scelto di uscire dall'Europa.

Sono in trappola.

Chissà cosa mi è preso, ho perso la testa, ma perché sono andata a parlarle, così di getto? Bastava che aspettassi un giorno, poche ore, e la verità mi si sarebbe svelata insieme a Zarek sorpreso per terra a leggere i miei libri dopo che si era introdotto furtivamente in casa mia.

Un disastro. Aveva fatto un disastro.

E adesso, per ripararlo, poteva solo combinare un disastro più grande.

XXIII

Quarantuno giorni prima

L'11 settembre

L'amore, e altre curiosità

Xenia e Zarek

Le *madeleine* erano quasi pronte. Era la prima volta che Xenia usava il forno di casa. Da quando viveva in contrada Faluomo, le poche volte che si era trovata sprovvista delle regalie gastronomiche che quell'angelo chiamato Corrada sfornava per lei, aveva sempre optato per la velocità di un'insalata di pomodori, per il subitaneo profumo del riso Basmati al vapore o per il salutismo *for dummies* degli spaghetti di farro conditi con l'olio crudo. Era merito di Corrada se Xenia aveva un'alimentazione tutto sommato regolare e se poteva sopravvivere senza ricorrere a integratori dietetici.

Aveva chiesto la ricetta delle *madeleine* a Katherine. Xenia era andata a una lezione prova insieme ad Amanda, che aveva commissionato a Katherine il monumentale trionfo di *macarons* serviti alla festa inaugurale di Palazzo dei Turchi; si erano divertite, anche se naturalmente non aveva mai provato a replicare le ricette a casa; adesso si stupiva che fosse così facile, e si rammaricava di non averci provato prima.

Che cosa assurda la vita, pensò, sfornando l'ultimo stampo di *madeleine* aromatizzate con i fiori di zagara del Libano che Zarek le aveva donato con la solennità di un pegno d'amore. Un giorno sei poeta a Damasco, il giorno dopo sei schiavo in un campo di pomodori in Sicilia.

409

Ma anche se sei schiavo, ci sono piaceri di cui resterai padrone per tutta la vita. Guardò la sua libreria. Da ragazza, aveva imparato a memoria molte delle poesie di *Spoon River*. Ai suoi tempi, studiare a memoria era considerato didatticamente riprovevole; agli insegnanti che le chiedevano perché insistesse a mandare a memoria lunghi brani e poesie, Xenia rispondeva: «Perché solo così quei versi saranno miei per sempre. Dove sarò io, ci sarà la poesia. Dove sarà la poesia, ci sarò io». Era grazie alla poesia, grazie alla compagnia che le avevano fatto le lapidi di *Spoon River*, Elmer, Herman, Bert, Tom e Charley, Ella, Kate, Mag, Edith e Lizzie, e Alexander Throckmorton e Lucinda Matlock, che Xenia non si era mai completamente annullata. Ed era grazie alla poesia, grazie ai versi di Zarek trovati in giro per casa, che aveva ripreso in mano la sua esistenza.

Il colpetto alla porta.

Dopo mesi passati a introdursi in casa clandestinamente, Zarek aveva preso l'abitudine di bussare. Con discrezione: un colpetto solo, sordo. Aspettava che Xenia andasse ad aprirgli. Aveva smesso di venire quando Xenia era fuori di casa. Perché ora i libri non gli bastavano più. Ora, era lei che veniva a cercare, per parlare con lei dei libri che avevano letto, che avrebbero voluto leggere, che uno solo tra loro due aveva letto e si rammaricava che l'altro no, e diceva devi leggerlo, devi, davvero.

La maniglia si abbassò prima che Xenia andasse ad aprire. Zarek si intrufolò dentro, guardingo.

«Cosa c'è? Sembri agitato.»

«Oggi la polizia è venuta nelle serre.»

«E perché?»

«Controllavano i documenti. Molti di noi sono scappati.»

«E tu?»

«Sono scappato anche io.»

«Ma puoi chiedere asilo politico, perché non l'hai fatto?»

Zarek guardò a terra.

«È più complicato di quello che pensi.»

Non voleva dirle che aveva paura che lo incarcerassero; aveva paura di non poterla vedere più, di non poter più godere delle conversazioni con lei. Era la sua sola amica, l'unica persona che gli avesse aperto la porta, anzi, che gliela avesse sempre lasciata aperta. Non poteva rischiare che la polizia lo privasse di lei. Era scappato. Una fesseria. A volte nella vita si fanno fesserie.

Non le disse che aveva paura che lo stessero ancora seguendo.

Si sedettero a prendere il tè in veranda, con le *madeleine* profumate ai fiori di zagara e i libri di Charif Majdalani, *Histoire de la grande maison*, *Le dernier seigneur de Marsad*, *Nos si brèves années de gloire*. Quei romanzi raccontavano la straordinaria saga di una famiglia libanese dipanata lungo più generazioni; Xenia si proponeva di rileggerne qualche passo insieme a Zarek, in omaggio alla zagara del Libano che le aveva donato.

In ogni cosa che facevano insieme c'era senso estetico, amore per la letteratura e, anche se non se l'erano ancora concesso, amore *tout court*.

Xenia cercò di dimenticare che solo pochi giorni prima era andata in commissariato ad accusarsi di un delitto che nel terrore cieco di un morbo come l'Alzheimer temeva di poter avere commesso e rimosso. Zarek stornò il pensiero degli agenti che lo avevano inseguito durante la fuga dalle serre. La sirena dell'auto della polizia che imboccava il sentiero di casa come se fosse un'autostrada a quattro corsie riportò entrambi a una realtà che avrebbero preferito non vivere, almeno non in quel momento.

Xenia ricordò un verso di Zarek: *tout présent fabrique un rêve*. Ogni istante presente è la costruzione di un sogno. Avvicinò una *madeleine* alle labbra di Zarek. Lui chiuse gli occhi e la assaporò.

Poi bussarono dei colpi decisi alla porta, e Xenia disse: «È aperto».

Era lì. Al solito posto. In fondo è bello avere almeno una certezza nella vita, sapere che un uomo lo troverai sempre lì, dove lo hai lasciato.

Era tornata. La prima cosa che aveva fatto non era stato di passare da Amanda per organizzare il prossimo party a Palazzo dei Turchi; aveva rimandato anche la telefonata a Bonaccorso, anche se doveva riconoscere che lo chef ultimamente si era un po' smussato, era meno assillante, più rispettoso. Non aveva controllato la *accomodation* per le ospiti del prossimo *coach*, e sì che ce ne sarebbe stato bisogno: l'ultima volta l'acqua della piscina era troppo calda, andava tenuta sotto controllo la temperatura. Inoltre il breakfast aveva deluso due delle ospiti che non avevano trovato il kutin, la foglia amara simile al tè che era il loro must a colazione.

Aveva ignorato ogni altra cosa, ed era subito corsa a cercarlo.

Nino era intento a riparare le reti. Alzò lo sguardo come se sapesse già che c'era lei lì, vicina, sempre più vicina, quasi davanti a lui.

«Io a te ti devo chiamare Undici Settembre» disse, invece di salutarla, e restò con lo sguardo per aria a vedere che effetto le faceva.

«E perché?» domandò Elena, divertita da quel benvenuto che mandava all'aria il copione.

«Perché lanci le bombe.»

Si mise a sedere sullo scafo accanto a lui. Gli tolse l'ago e il filo, li ripose, gli prese le mani e lo guardò fisso negli occhi, come per sfida.

«E come tutti gli Undici Settembre che si rispettino, come minimo una volta all'anno torno da te.» Non gli disse che era tornata perché la commissaria voleva interrogarla di nuovo. Non gli disse che per poter scaricare le spese del viaggio, aveva messo tutto a carico della consulenza a Bonaccorso, che avrebbe dovuto vedere quella stessa sera. E soprattutto non gli disse quel che non voleva ancora dire nemmeno a se stessa. Un ritardo, lei, andiamo! Un avvenimento inconcepibile per il meccanismo perfetto di un complicato orologio svizzero. Nino si rassegnò. Sapeva che la sua sirena stava per baciarlo e si offrì in sacrificio umano. Quella donna era montata al contrario, aveva nella testa dei pezzi di uomo. Ma era bella, era la sua sirena, ed era lì con lui. Che cosa avesse fatto prima di essere lì, dove sarebbe andata dopo, e se c'entrava o meno con la morte dello strizzacervelli, non gli interessava. Era l'Undici Settembre e lei era lì, con lui. Gli sembrò che avesse il ventre un po' gonfio. Non fece domande e assaporò il momento, sotto forma di labbra naturalmente carnose, perché lui il silicone lo considerava al massimo per sigillare qualche presa d'acqua intorno ai candelieri in coperta. Era contento che Elena fosse bella così, senza trucchi. Mai e poi mai, se fosse stato lui a fare le leggi, avrebbe permesso di usare il silicone per profanare e sfigurare dall'interno il corpo di una donna.

L'appuntato Comisso

L'appuntato Comisso non riusciva a seguire il telegiornale. E dire che per una volta, quella sera, la sua signora non si era messa in testa di fare conversazione sovrapponendosi con i suoi toni da soprano leggero alle *news* del tigì. Nel cucinino del quartiere Vinsi non volava una mosca. Tutto sembrava favorire la concentrazione e l'ascolto, ma le parole dello speaker si susseguivano senza formare un significato.

Era dentro la sua testa che volavano mosche, mosconi, zanzare, api e *laponi*, con un'amplificazione che neanche la banda del Gioia la domenica di Pasqua.

Mariamaria, che operazione aveva portato a segno quel pomeriggio! Vedeva già i titoli sui giornali. I bergamaschi dell'estate, quelli che lo avevano usato per estorcergli informazioni sulla commissaria, si sarebbero dovuti ricredere: la mente pensante dietro ogni indagine che si conduceva a Scicli era la sua, ovvero quella di Comisso appuntato Vincenzo, di fu Comisso Venerando e Giarratana Cettina, felicemente coniugato con Bellamonaca Maria Samantha. Un'operazione brillante! Si congratulava con se stesso. Aveva il mandato di tenere con discrezione sott'occhio l'inglese di Mauritius che si era autodenunciata per l'omicidio Diodato; la commissaria non le aveva creduto, e la sospettava di coprire qualcuno. «Dice di avere delle amnesie, teniamola d'occhio, Comisso.» Fatto, cara ex commissaria Gelata prossimamente appuntata Gelata. Dai controlli effettuati, l'ex appuntato Comisso prossimamente commissario Comisso verificava nell'indagata la mancanza dei requisiti legali atti a consentire il di lei soggiorno nella nostra nazione. Verificava altresì, e questo fortuitamente, ma la fortuna, si sa, aiuta gli audaci, che la suddetta autodenunciatasi intratteneva rapporti di ospitalità con un immigrato clandestino rispondente al nome di Tabir Zarek, ma come fanno quelli a chiamarsi così, come fa un cristiano a capire qual è il nome e qual è il cognome, non si potevano dare nomi più semplici che finivano in -o per i maschi e in -a per le femmine, così non si fa confusione, come da noi? Il suddetto Tabir Zarek si era rifugiato in casa dell'indagata nel pomeriggio, dopo avere eluso l'inseguimento di una pattuglia in conseguenza del tentativo di sottrarsi a un controllo dell'identità nelle serre in cui il suddetto Tabir Zarek risultava, tra l'altro, lavoratore privo di regolare contratto. A una fortuita irruzione nella residenza della Marley-Daughters Xenia, il Tabir Zarek risultava illegalmente albergato dalla suddetta, il cui permesso di soggiorno in Europa risultava fuori di validità.

I due venivano trasportati entrambi in commissariato, dove la suddita di sua maestà la regina Elisabetta cedeva a una crisi di nervi e confessava di avere mentito durante la precedente confessione in cui si attribuiva la paternità dell'omicidio Diodato; ella inveiva altresì contro i suoi connazionali rei a suo dire di averla posta in condizione di dover richiedere un permesso di soggiorno onde potere legalmente risiedere nel nostro paese; e a gran voce reclamava per il cittadino siriano sorpreso insieme a lei nella sua abitazione il diritto all'asilo politico, peraltro non richiesto dal suddetto al momento del suo ingresso nel nostro paese, avvenuto con modalità clandestine. Il Tabir Zarek taceva e le teneva una mano, rivelando con tale gesto di confidenzialità l'esistenza di una intima relazione tra loro e instillando il legittimo sospetto che la falsa confessione della Marley-Daughters Xenia fosse ispirata dal mero obiettivo di proteggere l'extracomunitario clandestino, possibilmente implicato nel delitto Diodato. Che poi, a ben vedere, erano extracomunitari clandestini tutti e due e si sa, è nelle disgrazie che nasce la solidarietà, e magari anche qualcosa di più, sorrise Comisso tra sé e sé.

Ce n'era di che stare su tutte le pagine: politica, attualità, cronaca nera e cronaca rosa.

«Maria Samantha, stirami l'uniforme, che domani vengono i giornalisti a fotografarmi.»

La sua signora lo guardò interrogativa; Comisso aspettava la domanda che desse il la al racconto delle sue gesta, ma la domanda non venne.

Curiosità, ma il tuo nome non era femmina?

XXIV

Quaranta giorni prima

Il 12 settembre

Tempo di confessioni

Maria

Una Nemesi brutta.

Maria spalancò gli occhi in piena notte con quel moncone di frase in testa, e le sembrò una sintesi esatta.

Nel mito greco, Nemesi è una ragazza di una bellezza mozzafiato, e non solo: ha pure intelligenza e discernimento, tanto che passa metà del tempo a rimediare alle minchiate combinate da sua sorella Tyche, una mezza cretina che va in giro giocando col destino degli uomini come fosse uno yo-yo da far rimbalzare all'impazzata.

Nemesi è galantuoma, e paga sempre i debiti. Anche quando ammontano a 108.660 euro?

Accese la luce e prese il prontuario di mitologia greca dal comodino. La sera prima aveva aperto una pagina a caso, come faceva quando non sapeva che pesci pigliare. Anche lei, in fondo, si affidava allo yo-yo di Tyche. Si era svegliata con quel chiodo fisso: come nel caso di Nemesi e Zeus, qui c'è una storia di debiti, e una storia di seduzione.

Amanda Zingelman era Nemesi, ma brutta: era la sua personale variante al mito greco. Salvo Diodato era Zeus; e pure per Zeus a volte finisce male, nonostante sia il re di tutti gli dèi. Proprio perché è il sovrano dell'Olimpo, cioè il maschio più potente che c'è, pazienti e ninfette non si sentono infastidite, bensì lusingate dalle sue morbose attenzioni. È il mito immortale del maschio alfa, trasversale a qualunque cultura.

A Maria, i maschi alfa facevano repulsione. Tronfi, sicuri di sé anche a sproposito, arroganti, l'unico ruolo che riconoscevano a una donna era quello di dire di sì. Sai che noia, anche se il maschio alfa in questione era un dio o un semidio. Anche se era Zeus, o Salvo Diodato.

Quel che la affascinava del mito era il fatto che gli autori antichi se ne appropriassero come in una sorta di staffetta: ognuno ne raccontava un'angolatura a modo suo, omettendo alcuni aspetti, evidenziandone altri. Era un materiale dalle forme non ben definite che ogni poeta, ogni narratore plasmava a suo piacimento, secondo la propria sensibilità. Se nell'antichità fosse esistito il reato di plagio, gli eredi di Omero avrebbero fatto causa ai tragici, e metà dei poeti latini, da Virgilio a Ovidio a Catullo, se la sarebbe vista brutta, senza un buon avvocato. Il mito di Nemesi era proprio uno di quei pasticciacci in cui, a furia di staffette, ognuno aveva ricamato del suo, senza preoccuparsi delle eventuali incongruenze con le versioni altrui.

Per esempio, c'è chi dice che, una volta l'anno, Nemesi si svegli assetata di sangue. Da dove viene questa smania di vendetta? Da un caso di seduzione: figurati un po' se quello sciupafemmine di Zeus non cercava di aggiungere la bella Nemesi alla sua collezione di farfalle. La povera ragazza resta incinta, secondo alcuni autori rifila l'uovo a Leda inventando ante litteram l'utero in affitto, e ne nasce nientepocodimeno che Elena, la donna che sarà la causa della guerra di Troia.

Ma c'è chi la racconta diversamente: è Nemesi a dare la caccia a Zeus, e quando lo prende non lo violenta: lo divora. Un terrore maschile antico, evidentemente, quanto il mito che lo esorcizza. Tra Zeus e Nemesi c'è uno slittamento di ruoli e di identità, proprio come tra lo psicanalista assassinato e la paziente del suo cuore: si sfuggono, si rincorrono, si abbandonano, partono, ritornano, si cercano, il tutto assumendo continuamente nuove forme. Ogni volta che Nemesi gli sfugge, Zeus la raggiunge, sotto le spoglie di animali sempre più agili e forti. Finché lei è soggiogata. O finché lei lo divora. Oppure lei lo divora proprio perché è soggiogata, per esasperazione. È legittima difesa, quella di Nemesi? Amanda Zingelman, donna brutta ma talmente circondata di bellezza da far passare inosservata la mancanza di armonia nei suoi lineamenti, aveva "divorato" il suo ex psicoterapeuta nonché persecutore Salvo Diodato? Per quale motivo non poteva permettere, né a se stessa né a lui, di essere felici insieme? Salvo coinvolgeva la sua ex paziente del cuore in operazioni di riciclaggio di denaro sporco? Amanda aveva tentato di ribellarsi? Che senso poteva avere altrimenti quella causale inviperita: "*Mettiteli-nel-culo*"?

Maria si alzò di scatto, come se non ci fosse tempo, anche se non erano nemmeno le cinque del mattino. Il prontuario di mitologia rimase tra le pieghe del lenzuolo, aperto sulla pagina in cui si spiegava che Nemesi esprime spesso una straordinaria, calda umanità: quella di portare a termine il proprio compito. Qualunque esso sia.

Il compito che si era data Amanda era quello di perseguire l'infelicità; complice Maria, che dopo una doccia e un caffè stava già scendendo di corsa le scale di casa, l'avrebbe compiutamente assolto quella stessa mattina.

Gwenda

La storia di ognuno di noi si può raccontare in modo diverso secondo il momento in cui si intraprende la narrazione. Gwenda diede l'indirizzo al tassista e chinò repentinamente il capo. Con quel gesto chiariva l'allergia personale alla conversazione gratuita e cortese: per tutto il tragitto dall'aeroporto di Comiso fino a Scicli non avrebbe proferito parola, assorbita nella consultazione dell'agenda online oltre che nella ricapitolazione dei propri pensieri.

Solo la storia di Salvo non cambiava mai, da qualunque angolazione tu volessi osservarla. Era sempre la stessa, a vent'anni come a quaranta e persino ora, da defunto. Era tutta la vita – e ora anche la morte – che a dispetto del nome, toccava a lei andare a salvarlo. Ci era sempre riuscita, tranne quest'ultima volta. Almeno, stando alle apparenze. Alzò il capo e osservò il panorama di serre, un'aggressione superflua alla contaminata bellezza del paesaggio. L'essere umano è la prima, irreversibile forma di contaminazione di questo pianeta.

Se Salvo le avesse dato retta, si sarebbe potuta risparmiare quel tragitto. Lo aveva rapito al suo destino poco più che diciottenne; aveva accettato di uscire di scena quando si era trasferito negli Stati Uniti, ma lo aveva sempre seguito da lontano, con discrezione. Ogni volta che c'era stato bisogno, si era insinuata di nuovo nella sua vita a riequilibrare il rapporto tra passato e futuro. Non tornare in Sicilia. Non sposarti. Non cercare tuo padre, mai.

E lui, invece. Era tornato in Sicilia con la fanfara, riuscendo a far apparire un ritorno quella che era semplicemente un'andata in un luogo che non gli apparteneva, e a cui lui non apparteneva. Aveva infranto tutte le deontologie possibili innamorandosi di una paziente – lui, che era anaffettivo. Si era messo a cercare suo padre, divulgando l'appello in una pubblica intervista. Il risultato lo si leggeva sui giornali.

Le conseguenze. Perché gli uomini agiscono senza mettere in conto le conseguenze?

Le restava una sola carta da giocare, una sola persona con cui parlare. L'unica che si fosse mai mostrata in grado di valutare i nessi causa-effetto. Già una volta, in passato, Amanda aveva saputo anteporre le ragioni della storia alle storielle personali.

Pagò l'autista e controllò l'I-watch. Presentarsi di prima mattina a casa altrui non è elegante, ma è garanzia che troverai la persona che cerchi. Picchiò al batacchio che per vezzo Amanda aveva voluto restaurare e mantenere funzionante.

Che cosa snob, un batacchio! Del resto, a che le sarebbe servito un videocitofono, quando per vedere chi bussava al portone le bastava affacciarsi da una delle enormi finestre sormontate dai minacciosi, terribili faccioni di turco che facevano la guardia al palazzo?

Katherine

Le prove di speziatura erano quasi a punto. Katherine guardò soddisfatta la lista delle granite che si era appuntata. Granita di mandorle abbrustolite alle cinque spezie cinesi. Granita di mandorle spellate alle sette spezie giapponesi.

Granita di caffè al macis, il mallo della noce moscata, più floreale ed elegante del frutto. Granita di cioccolato con le spezie ayurvediche. Intrigante, esoterica.

E per finire, la granita di limone, che lei faceva con le bucce. Era indecisa se lasciarla pura, una specie di granita regina, incontaminata. Oppure se declinare in spezie anche questa. Aveva fatto due prove: una con il pepe rosso di Sichuan, che scarmigliava la granita conferendole una piccantezza elegante, ma un po' prevedibile; l'altra con il Sichuan verde, che aveva un fuorviante sentore di tè al bergamotto. Non sapeva decidersi.

Farò così: preparo una terza granita di limone, semplice, e chiamo Gigi Caramano per aiutarmi a decidere. È una scusa. Ma almeno così lo vedo, e speriamo stavolta di non fare stupidaggini, svenimenti, rossori. È il mio socio in affari, è naturale che lo chiami per prendere insieme una decisione che riguarda il futuro del nostro *business*.

Gigi le aveva fatto una ramanzina memorabile dopo la confessione posticcia che Katherine aveva deposto in preda al panico, convinta che le troppe coincidenze avrebbero portato a incolparla del delitto facendo di lei una delle tante vittime della malagiustizia. L'unica cosa di cui si sentiva colpevole, ma ormai si guardava bene dal parlarne con chiunque, era quella ricetta di decotto di mandorle amare che aveva dato a Salvo, con leggerezza, come per gioco.

«Non c'è niente di male ad avere una crisi di panico» l'aveva redarguita il suo neo-socio Gigi Caramano «solo che invece di agire in modo indiscriminato, è meglio parlare. La prossima volta che ti trovi in un *impasse* del genere, prima di prendere qualunque decisione, devi chiamarmi.» Sto solo obbedendo a un ordine, si giustificò Katherine mentre selezionava il numero di Gigi dai contatti in rubrica.

«Gigi? È Katherine che parla.» Era rimasta così antica, si annunciava sempre al telefono, anche se il display dello smartphone rendeva la presentazione superflua. «Ho fatto tre prove diverse di granita di limone. Puoi venire nel pomeriggio a testarle con me? Non riesco a decidere da sola.»

Nessun rossore, nessun balbettio. Facile, quando dall'altra parte c'è una segreteria telefonica. Uscì in giardino e scelse tre limoni dall'albero. Questo è il segreto per una granita perfetta, nessuno te lo dice perché è troppo frustrante, se non hai l'albero di limoni in giardino. Ma se tu fai la granita con i limoni raccolti al momento, questo è l'unico segreto che vale. Rientrò in cucina, tolse le scorze con il rigalimoni e si accinse a spremere i frutti.

«Mamma, possiamo avere un po' di granita per colazione? Lui è Valter, facciamo insieme la tesina di letteratura francese.»

Era davvero sua figlia quella che le aveva parlato con garbo, affacciata nello spiraglio della porta, con Zampa in braccio e un ragazzino brufoloso alle sue spalle? Katherine rimase senza parole.

«Mamma? Ti abbiamo disturbata? Scusa, ho dimenticato di dirti che oggi non c'è lezione a scuola e a noi non andava di studiare in biblioteca, è poco confortevole.»

Sua figlia le stava spiegando che aveva bigiato la scuola per studiare con quel ragazzo in un ambiente più accogliente della biblioteca? Katherine si diede un pizzicotto.

«Certo, cara, scusa, ero assorta nei miei pensieri. Ve la porto su quando è pronta.»

«Non c'è bisogno che ti disturbi. Chiamami, scendo io a prenderla. Possiamo lasciare Zampa qui con te? Credo che abbia fame.» Il cucciolo entrò in cucina e andò subito a fiutare la ciotola nell'angolo della porta-finestra vicino al divano. Rivolse a Katherine un'occhiata a metà tra la delusione e il rimprovero: era vuota.

Katherine versò dei croccantini nella ciotola; Zampa accolse lo spuntino scodinzolando la sua approvazione; lei si sedette sul divano a guardarlo mangiare mentre cercava di riaversi dallo stupore. Se questo è l'effetto che fa quel Valter su mia figlia, me ne frego dei brufoli e della faccia da salame cotto che ho intravisto dietro la porta. Spero che la sposi.

Amanda

Amanda si avvolse nell'accappatoio, intirizzita. Le dava fastidio ammetterlo, ma le veniva la pelle d'oca ogni mattina, appena usciva dall'acqua. Forse era anche per questo che nuotava sempre così a lungo: per allontanare il momento finale in cui doveva arrendersi al brivido freddo.

La commissaria le aveva fatto ritardare il nuoto del mattino. Aveva finto di trovarsi per caso a passeggiare in spiaggia, per caso proprio alla Spaccazza, per caso proprio all'alba, ma guarda quanta casualità c'è nella vita di queste donne siciliane.

Avevano parlato. In modo informale. Non era nemmeno così acida, quando non indossava la divisa. Le aveva proposto una trattativa. Una specialità tutta italiana: Amanda aveva letto che l'avevano fatto persino con la mafia, negli anni Novanta. Si diceva che avesse funzionato.

I termini dell'accordo erano semplici: in quanto rea confessa, avrebbe potuto patteggiare una riduzione della pena perché il reato commesso era configurabile come eccesso di legittima difesa. Che ne era dunque delle altre indagate? Erano state scagionate?

Xenia era evidentemente precipitata in un altro dei suoi innamoramenti da cagna drogata di soprusi e abbandoni: tutte quelle chiacchiere sull'Alzheimer o che accidente di morbo pensava le minasse la memoria recente, le amnesie, i libri spostati... certo, come no, è chiaro che se una non ricorda di avere spostato un libro, potrebbe dimenticare anche di avere ucciso il proprio terapeuta, che sbadata. Ma se conosco Xenia anche solo per un'unghia, l'invenzione dell'Alzheimer nasce dalla volontà di proteggere quel clandestino: ecco perché non voleva mai portarmi a casa sua, chissà da quanto andava avanti quella storia, possibilissimo che lui la tenesse in ostaggio tra le pareti domestiche, e quella povera malata di mente era costretta a inventarsi ogni sorta di scuse per non portare nessuno a casa: una volta si vergognava di non avere finito i lavori di ristrutturazione, la volta dopo era perché non aveva la colf, o perché la libreria era in disordine, e che altro. Povera Xenia: se li merita, i farabutti di cui fa collezione. Li attira come la spazzatura attrae le mosche. Se non impara a cambiare profumo, è finita. Ma è proprio questo il suo problema: lei si crede spazzatura.

L'altra andata fuori di testa con la morte di Salvo era Katherine. Pessima idea partire all'improvviso per Parigi la stessa notte in cui Salvo perde la vita in circostanze poco chiare: Katherine meritava l'Oscar del *timing* infelice. Poiché non aveva fiducia nella giustizia in Italia, vista la coincidenza incresciosa, aveva pensato bene di costituirsi, così se la malagiustizia avesse indebitamente attribuito a lei la colpevolezza della morte di Salvo, avrebbe almeno potuto beneficiare di una riduzione di pena. Era così fuori di testa da non chiedersi che ne sarebbe stato della scuola di cucina e di quell'adolescente impertinente di sua figlia, senza considerare le conseguenze legali di una confessione inventata di sana pianta.

La cosa veramente strana, che Amanda faceva fatica a prendere in considerazione, era che la commissaria avesse creduto all'alibi di Elena. Quel pescatore, come si chiamava, e il maniaco spostato di mente che li aveva spiati, pare, proprio quella stessa notte. Molto strano. Perché quella notte, Elena era venuta da lei. Non l'aveva trovata, e le aveva fatto scivolare un biglietto sotto la porta. Non ne avevano mai fatto parola tra loro, come per un mutuo, tacito accordo di non belligeranza. Io non dico che il tuo alibi è costruito, tu non dici che non mi hai trovata a casa. Prese dalla sacca un piccolo asciugamano in microfibra e si frizionò i capelli.

È così pacificante guardare il mare, la mattina. Azzurro e silenzio.

È venuto il momento. Basta lasciar fluire il racconto che è in me. Lasciar scorrere le immagini, pure immagini. Confessare a me stessa.

Non mi davo pace, quella notte. Avrei potuto salvarlo, sottrarlo al suo destino, e invece. L'ho tenuto a distanza di sicurezza come un lebbroso.

L'ultima mattina della sua vita, Salvo l'aveva chiamata.

Credevo che la restituzione del bonifico l'avesse umiliato, e che non si sarebbe mai più fatto vivo. E invece. Dal primo scambio di battute al telefono ho capito che dovevo deporre le arie da vendicatrice. Salvo stava male. Parlava a sbuffi. Ho sentito che non era una recita e quando mi ha chiesto di andare da lui un'ultima volta, mi sono messa in auto e sono andata. Anche se lo odiavo. Anche se odiavo il destino che lo aveva messo sulla mia strada e che, nonostante i miei ripetuti tentativi di seminarlo, me lo ridepositava ogni volta alle costole.

Salvo l'aveva ricevuta nel piccolo giardino affacciato sul parco archeologico.

«Devo vedere delle persone più tardi, nel pomeriggio.»

«Mi hai fatta venire per dirmi questo?»

«No. Ti ho fatta venire perché ti amo.»

La violenza di quella frase. Salvo aveva violato il non detto, e l'indicibile, tra loro. Aveva continuato a parlare, senza accorgersi dello sconquasso che le aveva provocato.

«Oggi conoscerò mio padre. O quel che mi resta di lui.»
Di nuovo quella storia del padre.

Era patetico come quell'attore italiano, Totò: un grande comico che per tutta la vita si era rimpicciolito a cercare di provare che suo padre era un nobile. La madre di Salvo non aveva mai voluto rivelargli chi fosse suo padre. E lui ne aveva fatto la missione segreta della propria vita.

Le aveva raccontato che una volta ci era quasi riuscito. Era il periodo in cui aveva appena concluso il master alla Columbia University e stava per aprire lo studio a New York. Era entrato in contatto con un militare americano che aveva prestato servizio alla base NATO di Comiso. Era volato a Roma per incontrarlo sulla terrazza di un hotel all'Esquilino. L'appuntamento non ebbe mai luogo: il militare non si presentò. Salvo seppe poi che era morto in un incidente quella stessa notte. L'aveva preso come un segno del destino e aveva smesso di cercare. Almeno apparentemente.

Dopo la morte di sua madre, e dopo che Amanda si era trasferita a Scicli, era tornato a roderlo quel vecchio tarlo. Sapere. Per questo era tornato in Sicilia. Aveva trovato delle lettere, aveva scritto delle mail.

«Voglio solo quello che tutti hanno. Un padre.»

Amanda non si era trattenuta dal replicare. «Un padre per farci che?»

Le era tornato in mente lo straordinario attacco del libro di un giovane autore francese, Ludovic Degroote: «*Padre e assenza: ecco di cosa è fatto un figlio*». E anche qualora un padre ti dia la sua presenza, non è affatto detto che ciò costituisca un aiuto nella formazione della tua personalità. Io ne sono la prova vivente. Quale violenza è peggiore: quella di un padre assente che ti si nega, o quella di un padre presente che abusa di te?

Salvo aveva risposto con una violenta crisi di tosse. Significava che non aveva risposta. Nemmeno lui sapeva bene che ci avrebbe fatto, con un padre.

«Ti porto un bicchiere d'acqua?»

«No, fammi un estratto di mandorle, per piacere. In cucina c'è la ricetta. Prendi queste. E aggiungi un pugno di mandorle amare, c'è il barattolo vicino alla ricetta.»

Le aveva dato un barattolo pieno di mandorle sgusciate. Amanda era andata in cucina. Sul piano di lavoro vicino all'estrattore aveva trovato un foglio con la ricetta, scritta in inglese con alcuni errori. Chissà chi gliel'aveva data. Fece l'estratto e glielo portò.

«Perché ci metti le mandorle amare?»

«Sono quelle con l'aroma più intenso. E sono le più medicamentose.»

«Se sopravvivi.»

«Sopravvivo a tutto.»

Poi si era messo a farneticare. A un tratto, non voleva più sapere. Desiderava solo tornare indietro, rimpiangeva tutto: di averla seguita fin lì, di..., di..., di... Amanda gli impedì di continuare.

«Cosa rimpiangi tu, pusillanime. Mi hai costretta a passare una vita in fuga da te. Una vita in fuga da una felicità proposta e riproposta come se fosse il lieto fine all'esistenza. È da quando sono nata che fuggo via dalla mia vita. E da quando ti ho incontrato, mi tocca fuggire anche dalla tua.»

Avrebbe ceduto, in qualche momento, al motto di *que será, será*. Avrebbe desiderato di poter credere alla favola di una felicità senza l'obsolescenza programmata. Ma non dopo che Gwenda l'aveva messa in guardia.

Una maledizione.

No, grazie.

Si era alzata.

«Non ti disturbare ad accompagnarmi, conosco la strada.»

Aveva fatto sbattere il cancelletto e si era involata giù per vicoli e scalette.

La rabbia l'ho sfogata su Xenia, povera Xenia, ancora un po' e la condanno a morte per avermi portato un cannolo molle come un pacchero scotto. Quando abbiamo cambiato programma e ha imboccato la strada per la Pisciotta, ho tirato un sospiro di sollievo. Azzurro e silenzio. Un luogo da cui guardare il mare. Un luogo da cui osservare la propria vita con la distanza giusta per inquadrarla tutta intera.

La vibrazione del cellulare aveva svegliato lei, ma non Xenia.

«Cosa vuoi ancora?»

«È l'ultima volta in tutta la vita. Poi ti lascerò in pace per sempre, te lo prometto. L'appuntamento è fra trenta minuti. Vieni da me. Voglio darti una cosa prima di andare.»

«Sono alla Pisciotta con Xenia, con la sua macchina... be', la *tua* macchina. Mi faccio accompagnare da lei.»

«No, Xenia non deve sapere. Nessuno deve sapere.»

«Allora cosa faccio?»

«Inventati qualcosa.»

E così mi sono inventata il fotografo di «Wall Paper». Effettivamente il giornale mi aveva chiamata qualche giorno prima, quindi una parte di verità c'era. Xenia era contrariata ma è così mite e succube che si è alzata e mi ha accompagnata a Palazzo dei Turchi.

Non sono neanche entrata in casa.

Ho attraversato tutta via Loreto di corsa, come se cercassi la Madonna, fino a Chiafura. Lui era in giardino. Nello stesso posto dove l'avevo lasciato.

«Devo andare alla Pisciotta.»

«Io ero lì, perché mi hai fatta venire fin qua, allora?»

«Qualunque cosa accada, qualunque cosa si dica di me, volevo dirti che ti amo.»

Me l'hai già detto. Sai cosa me ne frega. Azioni, non parole.

L'aveva pensato.

Ma non aveva perso tempo a dirglielo.

«Ho deciso. Vado via. Lascio Scicli. Il corollario è che ti lascerò in pace.» Salvo prese le chiavi della Déesse. Gliele diede.

«Prendila tu. È parcheggiata in piazza Italia. È il mio regalo per te.»

Vuoi vedere che mentre lei saliva a piedi, Xenia era già andata a riportargli le chiavi?

«E tu come ci vai?»

«Prendo il Defender. È più pratico per guidare sulla scogliera. Ti do un passaggio?»

«No, vado a piedi.»

Salvo la trattenne. «Non ti ho mai detto la verità su di me.»

«Forse perché nemmento tu la conosci?»

«Miss Risposta Pronta International. Mia madre non era una ragazza madre per sua volontà. Mio padre la amava, però non poteva stare con noi. Credo che c'entrassero i servizi segreti.»

«Credi?»

«Lo saprò tra poco. È possibile che questo cambi la storia della mia vita. Se mio padre è la persona che penso, e se si viene a sapere che io sono suo figlio, la mia esistenza potrebbe dare fastidio a qualcuno.»

«Ho sete.»

«Serviti in cucina. Porta qualcosa anche a me.»

Sono andata in cucina e ho fatto un altro estratto. Ho riletto la ricetta. D'impulso, ho vuotato il barattolo delle mandorle amare. Ho preso un bicchiere d'acqua per me e ho portato l'estratto a Salvo. Era un modo per proteggerlo. Da qualunque cosa. Se qualcuno voleva fargli del male, io l'ho impedito. Salvo doveva morire con la stessa inconsapevolezza con cui è vissuto.

Forse ha voluto finire in mare per proteggermi a sua volta, perché non ci fossero tracce di me. Ma l'ho ucciso io. È stato lui a suggerirmi l'arma. Ha scelto me per farsi uccidere.

La notte, non riuscivo a dormire. Sono salita a Chiafura, Salvo non c'era. Allora ho preso la Déesse e sono andata a cercarlo alla Pisciotta. Non c'era, neanche lì. O meglio, non ho avuto voglia di mettermi a cercarlo in quel formicaio gay. Nel parcheggio, c'era un'altra Déesse identica alla sua. Mi sono avvicinata. Era aperta, con le chiavi appese al cruscotto.

Certo che ce n'è di gente che ha ancora fiducia nell'umanità. Oppure, più probabilmente, era aperta perché qualcuno potesse infilarsi nell'auto. I gay sono abituati a nascondersi.

Sono venuta via, lasciando che Salvo affondasse dentro il suo destino.

Alzò lo sguardo. Davanti a lei c'era quella donna, Gwenda. Chissà da quanto tempo la ascoltava parlare a se stessa a mezza voce.

«La tua colf mi ha detto che avrei potuto trovarti qui, cara. Sapevo di poter contare su di te.»

Quello stesso pomeriggio, Amanda si presentò al commissariato. Il piantone di turno la accompagnò dentro la stanza della commissaria.

Maria la fissò. Sembrava stanca.

«Signora Zingelman, è in grado di raccontarmi i dettagli dell'omicidio Diodato? Diciamo, dal bonifico di 108.660 in poi?»

Amanda si sentì come quando all'esame ti chiedono proprio l'argomento su cui ti sei preparato più a fondo.

«Sono pronta, commissaria. Le dirò tutta la verità.»

Maria sospirò.

«Comisso, scriva.»

XXV

Quindici giorni prima

Il 7 ottobre

Chi torna, chi riparte

Elena e Nino

Elena non tornava mai dopo che finiva l'estate. Nino un giorno si era fatto coraggio e gliel'aveva detto: «Da quando ci sei tu, le mie estati sono il paradiso, i miei inverni l'inferno». E ora lei gli aveva mandato un messaggio su WhatsApp, *Arrivo*. Una parola sola. *Arrivo*. Ma si pagano le parole su WhatsApp? Quella donna era un uomo.

Per ripicca, le aveva risposto con una poesia di novantanove parole, tutte d'amore, comprese le preposizioni. *Di, a, da, in, con, su, per, tra, fra*: le aveva imparate a memoria alle elementari e anche se non era andato oltre le scuole dell'obbligo, sapeva che quando c'era di mezzo Elena, persino le preposizioni trasudano amore. Gliel'aveva scritto nella nuvoletta di WhatsApp, a quella specie di maleducata sentimentale, che poi era anche il titolo che aveva dato alla poesia. Ascoltando la radio mentre riparava le reti, si era sintonizzato per caso su una trasmissione in cui tutto era noioso tranne quando a un certo punto avevano cominciato a parlare di educazione sentimentale, e lì Nino aveva rizzato le orecchie. Gli era sembrato un soprannome perfetto per Elena. Non gliel'aveva mai detto, ma in cuor suo, quand'era arrabbiato, la chiamava così: la maleducata sentimentale. La poesia aveva funzionato meglio di un amo da cinque con un calamaret-

435

to che ti fa prendere una bella spigola, e ora l'unica cosa che contava era che lì, abbracciata a lui nel suo letto, c'era una scheggia di paradiso che riscaldava l'inverno.

«Mizzega, adesso ti arrabbi, ho fatto l'amore con addosso un calzino.»

«Anche io avevo un calzino, uno solo. Me li sono messa durante la notte perché avevo freddo, ma uno si è sfilato. Chissà dov'è finito.»

«Adesso capisco.»

«Cosa capisci?»

«Dov'è andato il mio calzino. Ha visto il tuo e... non ha resistito.» Elena lo baciò. Forse anche per farlo tacere.

Stava per lasciar vincere la vita. Non l'aveva ancora detto a se stessa, né tanto meno a Nino, ma sentiva che era così. Che strana sconfitta: si sentiva come se la vincitrice fosse lei.

Nino si alzò e chiuse le imposte per sbarrare il passo al primo sole dell'alba. «In questa stagione bisogna imparare dagli animali: dormire di più, andare in letargo. E poi a te fa bene dormire.»

«Perché?»

Si morse le labbra. Voleva che fosse lei a dirglielo.

«Perché quando dormi sei ancora più bella.»

«Ci hai messo troppo a rispondermi, volevi dire un'altra cosa» protestò Elena.

Quel che avrebbe voluto dirle era: «Devi dormire tanto perché così la bambina dentro di te cresce bene». Ma non poteva, finché Elena non si decideva a dargli l'annuncio. Le si coricò accanto e la abbracciò, poggiandole una mano sul ventre con un gesto che cercò di rendere più casuale possibile. Gli sembrò di sentire la bambina muoversi, come se gli dicesse «Ciao papà, meno male che ci sei tu, poi mi insegni le preposizioni e i *vecchiareddi* e tutte le cose». Si addormentò.

Elena invece non riuscì più a prendere sonno, e rimase con gli occhi sbarrati a pensare nel buio. Le scorrevano davanti agli occhi tutte le immagini della notte in cui era morto Salvo. Era cambiato tutto nella sua vita, in quella notte. Mentre dava voce alla rabbia scattando in una corsa selvaggia, in qualche modo aveva smesso di fare resistenza. Quando, pochi giorni dopo la morte di Salvo, Nino era venuto a invitarla a compiere quel surreale viaggio in barca, per la prima volta nella vita Elena aveva mollato gli ormeggi, dentro e fuor di metafora. La sua temporanea assenza da se stessa era stata colta al balzo dalla creatura che le si era insinuata in grembo e che ora era lì, con un cuore pulsante, in attesa della decisione che sua madre non sapeva di aver già preso.

Tancredi Bonaccorso

Ricapitoliamo. Tancredi Bonaccorso aveva la sensazione di avere perso un treno, e col treno magari la coincidenza. Distrasse l'attenzione dal suo coso floscio e spense la tivù, contrariato. Per risparmiare, invece del solito porno a pagamento, si era messo a guardare il video dell'inaugurazione del ristorante a Hong Kong. La legnosetta si era presentata con un vestito rosso da strapparle a morsi. Ma mentre il video scorreva, il coso gli si era ammosciato. Se non riesco a concludere una sega, è il momento di prendere in mano la situazione.

Quando il coso non funziona, è un problema di femmine. Ricapitoliamo. Con Eva, e quelle come lei, tutto a posto. Pagare rende liberi, e stimola l'attività fisica. La legnosetta, invece, gli aveva dato picche. Gentile, professionale, niente da dire: aveva curato tutti i dettagli e gli inviti dell'apertura a Hong Kong, ma a parte questo, un gran picche: fuori dal lavoro non voleva saperne di accettare un invito.

E ora era pure in Sicilia, a Scicli. A portata di mano. Ma non si faceva sentire, non rispondeva alle telefonate. Gli aveva fatto firmare un foglio dove sottoscriveva che era contento delle modalità con cui aveva svolto l'incarico. L'unica cosa che aveva voluto da lui era un assegno, e sì che avrei tanto altro da darle, se solo mi desse una mano.

Nonna Rosaria, che Dio l'abbia in gloria, non c'era più, e con lei era venuta meno anche la possibilità di rientrare nella vita della legnosetta passando dalla porta secondaria della curiosità. Nonna, nonnina, mi sa che tu qualche cosa più di tutti noi la sapevi, sul conto dello psico-pinguino. Mi sa che ti sei portata il segreto nella tomba, a meno che non ci abbia pensato mia madre a ripulire casa tua mentre io ero a Hong Kong.

Sua madre. Femmina, anche lei. Femmina tossica, in tutti i sensi. Si era insediata a casa di nonna Rosaria e non voleva più schiodare, nonostante la nonna l'avesse lasciata in eredità a lui. Aveva persino avuto la sfacciataggine di vendere mobili, bauli, cartoline. Inutile chiedersi che ci fa coi soldi. Buchi. Mia madre è un buco nell'acqua e per questo si buca le vene, per iniettarci qualcosa che non le faccia vedere che persona tossica è.

La rabbia lo fece eccitare. Se avesse prestato orecchio a quelle minchiate di cui si riempiono la bocca gli psico-pinguini, avrebbe arguito che usava il suo coso come un randello, per punire tutte le femmine che provavano a intossicargli la vita.

Si concentrò sulla legnosetta, e riuscì a dare un finale dignitoso alla masturbazione. Un giorno di questi monto in moto e vado a Scicli, la metto al muro e glielo faccio vedere io, come si marcia a Napoli.

Laureen Andersen

Laureen Andersen stava preparando le valigie. Peccato, andarsene da Scicli proprio adesso. Le piaceva quella città, metà museo di arte barocca all'aria aperta, metà set cinematografico a singhiozzo. Ci era arrivata nel cuore dell'estate, aveva tollerato temperature equatoriali e condizionatori malfunzionanti, Dio solo sa che cosa ha fatto di male l'aria condizionata ai siciliani: la tengono spenta, se è rotta non la riparano, piuttosto si sventagliano, sudano, si liquefanno colando in rigagnoli; e quando implori di accenderla almeno un quarto d'ora, cedono all'ospite ma poi si ammalano, *etcì*, *etcià*, ti starnutiscono addosso l'evidenza che l'aria condizionata in Sicilia fa male, ma solo ai siciliani, però. Erano così divertenti, teatrali in ogni manifestazione, barocchi fuori e segreti dentro.

Davvero un peccato andarsene ora che Scicli stava per regalarle il più mite degli inverni, prospettandole corse sul bagnasciuga sotto il sole finalmente tiepido del mezzogiorno, tra il notiziario del mattino e quello della sera. Scicli le aveva regalato anche un paio di corteggiatori, uno dei quali le aveva insegnato a pronunciare correttamente il nome della città, cosa che non riusciva a nessun altro degli inviati stranieri. I francesi dicevano *Siclì*, i tedeschi dicevano *Skikli*, inglesi e americani imbrogliavano la lingua in un *Sicily*, offuscando la differenza tra l'isola intera e la fascinosa cittadina distesa lungo l'estremo lembo sudorientale delle sue coste. Sicilia, Scicli. Simili, ma non uguali. Cercò di stipare nella valigia un tailleur rosa che aveva comprato nella via centrale del passeggio, e che poi non aveva mai indossato perché uno dei suoi informatori locali le aveva detto che sarebbe stato considerato poco rispettoso presentare alla tivù le *news* sul delitto vestita di rosa.

Peccato. Soprattutto per Scicli: il delitto Diodato poteva regalare alla città un indotto di mesi, anni, persino. Un viavai di giornalisti, inquirenti, politici, diplomatici, semplici curiosi... E poi diciamolo, il turismo gastronomico ormai ha annoiato, è una bolla destinata a scoppiare; il turismo d'arte è appeso a eventi e mostre che si consumano come fumo nel tempo di un weekend... un crimine di risonanza internazionale costituisce un *plus* con grandi e durevoli potenzialità per la promozione di una città di straordinaria bellezza che è sì patrimonio dell'UNESCO ma è anche penalizzata dalla marginalità della sua collocazione geografica. Vuoi mettere i passaggi in tivù due volte al giorno? E poi i nuovi indizi che sarebbero potuti periodicamente emergere all'attenzione degli inquirenti, i servizi speciali, le tavole rotonde... e intanto mandi in onda le immagini di fondo su cui si concentra l'attenzione degli spettatori di tutto il mondo. Venghino, signori e signore, a rimirare la bellezza mozzafiato dei luoghi del delitto!

Fosse stato per lei, le indagini sul delitto di Scicli sarebbero proseguite per almeno altri sei mesi, il tempo di preparare il boom della prossima estate in un sontuoso crescendo. Gli investitori premevano, una importante holding finanziaria aveva acquistato l'intera area UNESCO; si preparava per Scicli un futuro radioso tra resort a cinque stelle e chef scandinavi pronti a riprendersi l'*heritage* di Corradino di Svevia... E cosa può funzionare meglio, per promuovere una piccola cittadina siciliana appena rispolverata dall'oblio, di una bella e lunga campagna d'informazione condotta niente poco di meno che sulla gloriosa emittente tv CNN?

Ma vatti a scontrare con Maria Gelata. Il tipo peggiore di siciliana: sola, autoesiliata, e con un debole per l'infelicità, propria e altrui. Efficiente, per carità. Ma con tutti i siciliani indolenti a disposizione, proprio lei dovevano mettere a capo delle indagini? Con un altro o un'altra ci si sarebbe potuti accordare, tu tira in lungo, porta avanti le indagini per altre due stagioni, ogni tanto dissotterriamo un nuovo indizio per ravvivare l'attenzione del pubblico; e per compensare il tuo disturbo, come si dice in Sicilia, non ci sono problemi. Non ti abbiamo mica detto di non scoprire la verità: ti abbiamo solo chiesto la cortesia di non tormentarla, di lasciarla sonnecchiare tranquilla lì dov'è quanto più a lungo possibile. Ti abbiamo suggerito di dedicarti ad altro. E non sono mica venuta io a chiedertelo, perché lo so come sei tu con le altre donne, commissaria Maria Gelata: tu non perdoni a nessuna ciò che non perdoni a te stessa.

Ti abbiamo mandato un uomo.

Bello. Affascinante. Misterioso. Un po' *borderline*, come piacciono a te. Niente da fare. Maria Gelata non si scioglie. E allora vai, accendi la tivù, sta per andare in onda l'ultimo servizio sul delitto, quello definitivo, il gran finale registrato ieri.

Laureen Andersen posò una pila di camicie piegate sul poggiagomiti del divano, e si sedette a guardare il servizio che aveva registrato poche ore prima.

«Buonasera da Scicli, qui Laureen Andersen per l'ultimo dei numerosi collegamenti che nei mesi passati hanno tenuto il pubblico con il fiato sospeso e lo sguardo puntato sulla cittadina barocca che dal 2001 è patrimonio dell'umanità. Il delitto Diodato ha un colpevole. Anzi, una colpevole. La rea confessa ha accettato di collaborare con gli inquirenti. Si tratta della paziente del cuore, Amanda Zingelman, una creativa newyorkese che è stata tra i primi stranieri ad avere investito nella cittadina barocca.» E qui, bella inquadratura sull'icona cittadina, la coppia di gemelli eunuchi sulla facciata di Palazzo dei Turchi, però senza menzionare che si trattava della neorestaurata residenza della Zingelman; ah, quella piaga della privacy. «La Zingelman, che è cittadina americana, conobbe Diodato negli anni Novanta, a New York. Condusse con lo psicoterapeuta delle star una terapia piuttosto frammentaria, che sembrava definitivamente terminata con il trasloco della Zingelman a Scicli. La perla dell'arte barocca iblea l'aveva stregata durante un viaggio, svariati anni prima; probabilmente nella volontà di spingersi sino al limite sudorientale dell'isola aveva giocato la consapevolezza che lì aveva le radici il suo psicoterapeuta del cuore. Pare infatti che proprio la Zingelman fosse la "sirena" a cui alludeva Diodato, ovvero la donna a causa della quale aveva maturato la decisione di chiudere lo studio newyorkese per trasferirsi a Scicli, città natale della madre e perla dell'arte barocca affacciata su un mare incontaminato. Tra i due si era instaurata una *liaison* in cui non sempre erano chiari ruoli e aspettative. Nel corso degli anni, si era aperta una vertiginosa spirale di reciproci ricatti e segreti che includevano, secondo alcune indiscrezioni, riciclaggio di denaro sporco. La Zingelman, tra le lacrime, ha dichiarato agli inquirenti: "Era un grande psicoterapeuta, ma un pessimo vivente". Diodato alimentava la gelosia della sua "sirena" dedicando continue attenzioni alle altre pazienti, con cui intratteneva rapporti che esulavano dalla classica terapia analitica e sconfinavano nella vita quotidiana e privata. Ecco dunque che nella più verace delle tradizioni siciliane, anche il delitto Diodato si rivela ispirato dalla passione: la passione di una donna che non si sentiva amata. Da Scicli è tutto, vi saluta Laureen Andersen che dalla prossima settimana tornerà a condurre il notiziario in studio.» E qui, non aveva badato a spese: una ripresa effettuata col drone portava lo spettatore in un volo virtuale da sopra San Matteo giù fino al mare.

Spense la tivù e tornò alle valigie. Vai con l'ultimo reportage. Manda Scicli alla deriva. Se l'attenzione internazionale non restava viva sulla cittadina barocca, la *holding* che ora era proprietaria di mezza Scicli, e che per inciso possedeva anche quote della CNN, rischiava un investimento flop, con il conseguente tracollo.

Questo non doveva assolutamente avvenire.

Katherine

La via Mormino Penna, il salotto barocco di Scicli, sembrava trasformata in Little India. Katherine era scesa per comprare le saponette all'olio di oliva e carruba che piacevano a Paulette, ed era rimasta spaesata. Il passeggio del pomeriggio, con il sole che lambisce la via da un'estremità all'altra, era costituito da centinaia di indiani, parecchio eleganti. Non sembrava un viaggio organizzato. Erano piccoli gruppi, famiglie, amici. Qualcuno aveva fatto shopping, altri portavano a spalle zainetti da turista, qualche anziana signora si faceva aria con il ventaglio di plastica di Gagà Caramano. Scorsese aveva appena terminato le riprese del sequel e i negozi erano inondati di *merchandising*. Era una folla stupenda, armoniosa, come una visione. All'improvviso da dentro un negozio si sentì un grido.

«Al ladro, al ladro!»

Un ragazzo indiano si lanciò nella folla, correndo a slalom. Teneva ben alta e visibile in mano una T-shirt con l'effigie di Gagà Caramano. Katherine si addossò a un muro e un poliziotto le fece segno di avvicinarsi a lui.

«Ci sono le transenne, signora. Aspetti qui vicino a me.»

Una macchina della polizia arrivò a sirene spiegate e inchiodò proprio nel momento in cui il ragazzo stava per uscire dalla zona transennata, quasi sotto il Palazzo dei Turchi. Due agenti in borghese scesero in contemporanea spalancando le porte anteriori. Il ragazzo alzò le mani senza lasciar cadere la T-shirt e si inginocchiò a baciare e abbracciare... aspetta un attimo! Quello somigliava da matti a Gigi, cioè, insomma, all'attore che impersonava Gagà Caramano. Era finita dentro il nuovo video?

Katherine guardò il poliziotto che con un braccio davanti al suo busto le faceva segno di non muoversi. I passanti indiani presero a danzare come in un musical di Bollywood, stringendosi a cerchio intorno al beniamino della serie tivù che aveva ormai conquistato anche l'India. Lo presero e lo sollevarono in trionfo mentre la folla acclamava, danzava, batteva le mani e cantava una nenia indiana che poco a poco si trasformava nel ritornello del nuovo singolo di Caramano. La folla si scisse in due ali aprendo un varco al passaggio di una signora paffuta che accompagnava una ragazza in abito da sposa. Le due si fermarono davanti all'attore che liberò il ladro di T-shirt, autografò la maglietta rubata per amore e diede la sua benedizione alle nozze, non senza prima avere fatto sì che il commerciante derubato venisse risarcito.

Il regista dichiarò che era buona la prima e la via venne

temporaneamente riaperta ai turisti, mentre gli attori indiani in pausa si avviavano verso il camion del catering.

L'artigiana delle saponette le raccontò che aveva sentito dire che per quel cameo, che consacrava la fama di Gagà Caramano nel subcontinente indiano, l'attore che impersonava il cantastorie di via del Carcere avesse percepito un cachet a sei zeri.

Katherine esultò. L'imprevisto le regalava un ottimo pretesto per chiamare il suo socio e raccontargli che la sua stava davvero diventando una vita da film. Gigi era venuto a trovarla il giorno prima, era di passaggio diretto a Noto dove avrebbe dovuto occuparsi della premiata salumeria Caramano, un'altra delle sue incombenze. Lei si era accinta a preparare la granita ma Gigi le aveva preso tutte e due le mani e prima che avesse il tempo di capire cosa aveva in mente, l'aveva baciata. Un miracolo. Mi ha baciata e non mi sono ritratta, non gli ho morsicato la lingua né il labbro, non sono scappata, non sono svenuta.

Era rimasta lì, a respirare la vita.

«La granita si scioglie» aveva sussurrato, giusto per dare una motivazione razionale al gesto di staccarsi da lui, di riprendersi le mani prima che si fondessero in quelle di Gigi.

«Già, è quello che succede col riscaldamento globale» aveva sorriso lui. Poi l'aveva di nuovo attratta a sé e le aveva bisbigliato all'orecchio: «Quando tu vorrai, Katherine, sono qui. Sono un tonno siciliano che aspetta che l'iceberg si sciolga per potersi impigliare nelle tue reti. Ma solo quando tu vorrai. Adesso vado via, così sei proprio sicura che sono venuto per te e non per la tua granita». Era rimasta in piedi davanti al frigorifero, non lo aveva nemmeno accompagnato all'ingresso.

Suonò il cellulare. Era Paulette.

«Mamma, è finito il sapone alla carruba, volevo chiederti se...»

«Tesoro, non puoi immaginare, ero venuta a comprartelo all'emporio e non hai idea di che cosa è successo...»

444

«Sto preparando il tè. Se non ci metti molto a rientrare facciamo colazione insieme e me lo racconti.»

«Sono già di ritorno.» Katherine riattaccò, e fece dietro front. Ultimamente accadevano cose strane: un uomo la baciava, lei non scappava, e sua figlia si mostrava capace di pensieri gentili verso di lei. Doveva essere l'effetto di quel Valter. Era riapparso in casa, sempre per fare i compiti insieme a Paulette. Dopo la merenda, aveva voluto a tutti i costi lavare e asciugare le tazze del tè, nonostante Katherine avesse insistito a ricordargli che avevano la lavastoviglie. Sembrava che quel Valter con tutta la sua educazione e il suo garbo contagiasse sua figlia. Si sfiorò le labbra come per accarezzare il ricordo del bacio di Gigi. Chissà, forse la vita sta per sorridermi.

Gwenda e H

Gwenda scese dal gommone che l'aveva accompagnata sull'isolotto e ammirò il tramonto sul mare di Marzamemi.

Era riuscita nella sua missione. Ora, per convincere H ad accettare l'accordo, avrebbe dovuto usare tutto il suo savoir-faire.

«Cara, è un onore riceverla nella mia umile magione. Rachid, porta una pashmina alla signora, ci mettiamo in veranda. Prego, cara, venga con me, questa è l'ora migliore per osservare i fenicotteri rosa.»

«Non sono qui per fare *bird watching*» osservò Gwenda.

H accusò il colpo. Da un'inglese si sarebbe aspettato più *sense of humour*.

«Ma certo, non siamo mica obbligati per contratto!» provò a scherzare. Quella donna era un manico di scopa invecchiato.

«Il delitto Diodato necessitava di una rapida soluzione. Non si poteva tergiversare oltre. Il rischio di arrivare a infastidire persone che non devono venire coinvolte era troppo alto.»

«Concordo sulla prima parte, di cui onestamente ero all'oscuro. Riguardo alla seconda, le mie motivazioni sono, diciamo così, più umanitarie. Ci sono investitori che rischiano il tracollo. Scicli significa molto per parecchie persone, in questo momento.»

«Molto?»

«Diciamo, molta ricchezza e molte opportunità di lavoro.»

Era venuto il momento di essere propositiva.

«Possiamo impegnarci a trasmettere le fiction girate a Scicli, e anche tutte le serie tv in stile Bollywood che verranno filmate prossimamente, su una serie di emittenti internazionali collegate.»

H valutò l'apertura che Gwenda gli stava concedendo. «Ci serve di più. Scicli deve comparire almeno due volte al giorno su due canali televisivi internazionali fuori dalle fiction e dalle serie tv, o qui si blocca tutto l'ingranaggio.»

«Ci impegneremo in tal senso.»

Rachid portò una pashmina color cipria e due Campari Orange. H amava il Campari Orange. Un cocktail, anzi un tandem, in disuso. Non lo prepara più nessuno, perché con due soli ingredienti è troppo facile essere grossolani e sbagliare. Aveva trovato raffinata la scelta di Amanda Zingelman, di offrire solo Campari Orange alla festa d'inaugurazione di Palazzo dei Turchi. Si fece un appunto mentale. Doveva mandare qualcuno a parlare con la Zingelman per ottenere la gestione di Palazzo dei Turchi dopo la condanna.

Gwenda lo studiava. Quell'uomo poteva avere forse vent'anni meno di lei. Ai miei tempi, noi pensavamo alle persone. Erano le persone che ci interessava proteggere. Oggi questo *parvenu* mi parla di holding, di investimenti, di opportunità di lavoro e guadagno, e mi dà anche lezioni di filantropia. Ma va bene così. Avrà i suoi passaggi in tivù con il falso pretesto pseudo-umanitario di dare lavoro precario a qualche ragazzo del posto.

Missione accettabilmente compiuta.

Si congedò, accettò la mano che le porgeva il marinaio per aiutarla a salire sul gommone e si lasciò riaccompagnare a riva, sulla balata di Marzamemi.

Prima di risalire sull'auto parcheggiata in divieto di sosta sullo spiazzo tra la tonnara e il mare, si voltò indietro a guardare l'isolotto. Il gommone stava facendo ritorno alla base. Il marinaio non era solo. C'era una donna a bordo. Guarda un po' questo H, ha le squillo che aspettano a riva. Prese il binocolo. Ah, però. La "squillo" era Laureen Andersen della CNN.

C'era di che aspettarsi un colpo di coda del caso Diodato. Quei due sarebbero stati disposti ad ammazzare la madre, pur di restare dov'erano.

Servi. Questo erano. Due servi. Con una nitida visione del portafogli, e nessun senso della Storia.

XXVI

Otto giorni prima

Il 14 ottobre

Speculazioni

Laureen Andersen

«Buona sera da Laureen Andersen, benvenuti alla puntata speciale di *Sensi di colpa*! Oggi andiamo in onda da Scicli, cittadina gioiello dell'arte barocca nell'estremità sudorientale di quell'isola incantevole chiamata Sicilia.»

La telecamera riprese il pubblico assiepato tra la via Mormino Penna e il Palazzo dei Turchi. La regia fece partire dieci secondi di cartoline da Scicli.

«Abbiamo due ospiti d'eccezione che ringraziamo per aver accolto il nostro invito: Katherine Odin, titolare a Scicli della scuola di cucina G. Caramano, e Xenia Marley-Daughters, ricercatrice di tecniche dell'insegnamento e dell'apprendimento linguistico e *visiting professor* nelle università di Ragusa e Malta.»

Le due ospiti ringraziarono con un sorriso.

«Vediamo ora il filmato preparato dalla regia.»

Il filmato, ricchissimo di immagini dei monumenti barocchi e dei suggestivi paesaggi della campagna sciclitana, muretti a secco, mandorli, ulivi, carrubi sullo sfondo di un mare turchese, era presentato da una voce fuori campo che illustrava il complesso rapporto che si instaura tra paziente e terapeuta. Terminava con la domanda: «E voi, vi sentireste in colpa, voi, se il vostro terapeuta morisse?».

Le luci si riaccesero sul salottino da talk show allestito sul gazebo dell'orchestra davanti al municipio. Laureen Andersen riprese il microfono.

«Abbiamo qui due giovani donne a cui il senso di colpa ha giocato uno scherzo pericoloso. Entrambe, per motivi diversi, hanno confessato l'omicidio del loro terapeuta e sono poi state scagionate nel corso delle indagini. Mi rivolgo per prima a Katherine Odin. Signora Odin, la pubblicità ricevuta in modo indiretto dal delitto Diodato l'ha aiutata a far conoscere la sua scuola di cucina in tutto il mondo?»

Katherine arrossì come un peperone arrostito. Ma cosa intende dire, questa svergognata? Non penserà mica che io abbia voluto farmi pubblicità in un modo così macabro? Adesso mi alzo, le do un papagno sul naso, saluto il pubblico e vado via. Ma guarda un po' che malacreanza.

Una vocina però le suggerì: "Di' quello che sta per succedere, racconta il futuro. Usa la televisione prima che sia la televisione a usare te". Diede un colpetto di tosse e cominciò.

«Un importante editore francese mi ha commissionato il mio primo libro di ricette che uscirà tra sei mesi e si intitolerà *Les recettes du cafard*, è già prenotabile online anche attraverso la mia pagina Facebook e sarà presto disponibile anche in inglese, tedesco, giapponese, cinese, hindi e ovviamente in italiano. La mia scuola di cucina è a Scicli, sopra la chiesa di San Matteo, si chiama scuola di cucina G. Caramano, come il famoso personaggio delle canzoni, il secondino che racconta in musica la vita di Scicli, ma non per questo motivo però: Caramano è il nome del mio socio, e benché sia un socio di minoranza ci è piaciuto intitolare la scuola al suo prestigioso cognome. Sul sito *scuolacucinagcaramanoscicli. com* è possibile consultare il programma dei corsi. Per chi desidera c'è anche la possibilità di alloggiare con vista su Scicli e piscina privata.»

«Grazie, signora Odin» la interruppe Laureen Andersen. L'occhio di bue si spense su Katherine e si accese su Xenia.

«Signora Marley-Daughters, si dice di lei che abbia trovato il vero amore grazie al senso di colpa.» Xenia si maledisse in cuor suo per aver accettato l'invito. Ma che sciocchezze va dicendo, che banalizzazione immonda. Dal pubblico, Zarek le sorrise. Voleva dire su, avanti, forza.

«A volte accadono cose a cui non si sa dare un senso, ma se si impara ad aspettare, il senso si palesa presto o tardi.» Restò in silenzio. Laureen Andersen non lasciò passare più di un decimo di secondo prima di riprendere la parola.

«Talvolta però il senso di colpa può risultare davvero micidiale. È il caso di Amanda Zingelman, anche lei rea confessa come le altre ex pazienti dello psicoterapeuta assassinato. La Zingelman però non è stata scagionata come le altre. Gli indizi hanno spinto gli inquirenti ad accettare la sua confessione; l'ex paziente è attualmente agli arresti domiciliari in attesa di giudizio. Purtroppo non è stato possibile avere un collegamento da casa della Zingelman, che si trova proprio qui accanto.» La regia inquadrò il Palazzo dei Turchi e mandò in primo piano i dettagli dei temibili faccioni con turbante che incorniciavano le grandi finestre.

«Ricordiamo però per dovere di cronaca che sul delitto Diodato sta ancora indagando l'FBI, che ha ritenuto opportuno proseguire le indagini. Tutto è ancora possibile! Da Scicli vi saluta Laureen Andersen. La regia può andare con le immagini.»

E giù due minuti di *real estate* dissimulato da cartoline sciclitane realizzate con il drone.

H spense la tivù. Quella Laureen Andersen non era solo un gran pezzo di gnocca, aveva anche un discreto pezzo di cervello.

Maria

La notte dalle ali neri depose l'uovo d'argento, l'ineluttabile evidenza, nel grembo di Maria. L'evidenza è probatoria.

453

Se c'è evidenza di reato, è reato. Il rapporto deposto come un uovo dall'FBI le schiudeva l'evidenza nelle viscere. Il corpo di Laccio era stato ritrovato, maciullato e in via di decomposizione, in un'area di Central Park frequentata da gay e trans dediti a pratiche sessuali estreme. Suo marito, non che le importasse qualcosa, solo lo smacco di non averlo mai saputo, pensato, intuito, lei che si credeva così brava a indagare la natura umana – suo marito era gay. Il rapporto articolato in una trentina di pagine inviato al ministero dell'Interno, che l'aveva girato alla sua attenzione in quanto rilevante per la riapertura delle indagini sull'omicidio Diodato, documentava che Laccio intratteneva frequentazioni intime con persone del suo stesso sesso.

La notizia la sconvolgeva persino più della sua morte.

Lei non ci aveva mai pensato, non si era mai domandata, e forse non avrebbe mai creduto, senza quel rapporto che le deponeva in grembo l'evidenza.

Suo marito, uno straniero.

Sicuramente straniero per lei, che non aveva mai saputo che Laccio avesse un doppio passaporto, italiano e americano, e anche un *social security number* grazie al quale quel che restava del suo corpo era stato identificato.

Ora Maria si dava della stolta per non avere mai indovinato che la noia grigia del loro matrimonio fosse solo una tendina, un siparietto che poteva lasciar presagire la farsa, sempre che si possedesse il senso del comico, e non era il suo caso.

Si erano sposati per solitudine. Lei, una siciliana rigettata dall'isola come un corpo divenuto estraneo, lui un artista disadattato che chiamava "madre" una madre superiora. Non ci avevano messo molto a perdersi, poco dopo le nozze. Poteva anche individuare il momento esatto: era stato quando avevano acquistato l'appartamento nel quartiere Vinsi. Avevano diviso la grande camera da letto in due, per ricavare uno studio-libreria. L'idea era che avrebbero usato a tempi alterni lo studio, Laccio di giorno mentre Maria era al lavoro, e Maria la sera. Poi era successo qualche volta che Maria tirasse in lungo tutta la notte; un giorno si era portata nello studio una brandina pieghevole acquistata dal camion dei materassi. Il letto a una piazza e mezza, così romantico, così francese, era diventato il giaciglio di Laccio. Lo aveva ridotto esattamente così: un giaciglio. Non cambiava quasi mai le lenzuola, come gli animali che amano dormire immersi nel proprio odore. Da quasi otto anni, Maria si coricava sulla brandina pieghevole nello studio. Chiudere una porta, addormentarsi da soli con i propri pensieri, senza piedi o mani che sfiorandosi anche casualmente potessero fare contatto ricreando un'intimità: quella era stata l'anticamera. Si erano persi. Lui dietro i suoi cristi, lei dietro i suoi peccatori – in fondo i criminali questo sono: peccatori, talvolta redenti dai cristi.

Per il sesso non c'era tempo, poi non c'era voglia, poi c'era paura che suonasse come un'idea balzana, ma che ti sei messo/a in testa, proprio adesso che. La brandina era troppo malferma, il letto aveva sempre lenzuola ingiallite da cambiare. Una delle ultime volte che ci avevano provato, avevano lasciato la cosa a metà perché Laccio aveva perso l'erezione. Maria non gli aveva mai perdonato l'episodio, che aveva sommariamente archiviato come una inammissibile perdita di tempo. Poco per volta, avevano rimosso il sesso dal fattuale al verbale: «Questa sera collaudiamo la ceretta della nuova estetista», «Domenica pomeriggio ammortizziamo il costo dei nuovi boxer», senza punti interrogativi perché nel frattempo chi aveva formulato la domanda era già passato in cucina o in bagno e si stava dedicando ad altre occupazioni. Il simil-approccio sessuale era diventato un po' come un saluto di routine, come quando gli americani si domandano con brio «*Hi, how are you?*» ed è inutile provare a rispondere perché sono già altrove, non sentono, e poi comunque la risposta non era contemplata, era solo una formula di cortesia. Cortesia. Il loro era diventato un matrimonio di cortesia, come un'auto a cui ti adatti perché è una soluzione temporanea, un favore che ti fanno perché tu non debba restare a piedi. Maria aveva deciso che le andava bene così. Il suo letto era sempre in ordine, poteva dormire con i calzini se aveva freddo d'inverno, e quanto al sesso, lo si può fare anche da soli, ottimizzando i tempi e con una buona certezza del risultato. Senza tanti preliminari, andando subito al sodo. Poteva godere in meno di un minuto. L'aveva fatto anche nel bagno del commissariato. Più di una volta. Ma un conto è farlo perché vuoi, tutt'altro è farlo perché tuo marito è, o è diventato, gay, ed era questa la domanda che Maria si rivolgeva ora, sfogliando il rapporto dell'FBI che la ingravidava sbattendole in ventre l'evidente verità.

Che cosa ho fatto? Che cosa ho fatto della mia vita? E come ho fatto a sapere così poco della vita della persona apparentemente più vicina a me?

Ignazio

«Quello è un porco, te lo dico io!» Ignazio andava avanti e indietro trasportando pezzi di motore che sembravano pesantissimi.

La commissaria si guardò intorno, smarrita. Era scesa dalla Honda color carta da zucchero con il dito già atteggiato in un *j'accuse*, e il turpiloquio di Ignazio non era nel copione.

«Quello, chi?» chiese, inseguendo con gli occhi il suo andirivieni.

«Come, chi?» Senza fermarsi, Ignazio alzò gli occhi al cielo e li abbassò verso di lei con un'espressione tra l'incredulità e il compatimento.

Ce l'aveva di nuovo con Dio.

«Ignazio, non sono venuta per sentirti bestemmiare.»

Il tono da solo fu sufficiente a fargli sospendere l'andirivieni.

«È successo qualcosa?» domandò Ignazio. Maria era pallida.

Lavora troppo, quando sarò io a prendermi cura di lei le farò prendere un'aspettativa e ce ne andremo in giro in fuoristrada ad assaporare le bellezze di quest'isola selvaggia.

«Sì.»

Non disse cosa.

Ignazio capì. Aveva ascoltato la radio la mattina, ma gli era sembrato più delicato fare finta di niente. Ora, quella risposta senza fronzoli lasciava intendere che la commissaria sapeva che lui sapeva. Non poteva più rimandare.

Girò dietro il paravento e prese il taccuino che le aveva negato l'ultima volta.

«Questo quaderno non è la mia agenda, commissaria. L'ho trovato nella DS dello psicanalista, insieme alla parrucca.» Mentì. Non sapeva bene perché. Forse gli sembrava meno grave dire che quel taccuino era entrato nella sua vita a cose fatte, piuttosto che ammettere la verità e confessare a Maria che aveva spiato Laccio. A quale titolo? Poteva confessarle che lo seguiva nella speranza di riuscire a dimostrarle che suo marito era gay, e che l'unico vero uomo tra le cui braccia lei potesse trovare rifugio e sollievo era lui, Ignazio?

«E allora perché non me l'hai consegnato quando te l'ho chiesto?»

«Le giuro, l'ho tenuto in un cassetto senza leggerlo. Ma proprio il giorno che lei è venuta mi ci è caduto lo sguardo e ho letto qualche pagina. Avevo paura che il contenuto la facesse soffrire. Stamattina ho ascoltato la radio... ormai sa come stanno le cose.»

Fece per abbracciarla ma era troppo tardi. Aveva commesso un passo falso. La radio.

Allora anche lui sapeva. Tutti lo sanno.

Maria si ritrasse respingendolo con forza. Corse fuori, salì in macchina e mise in moto, senza voltarsi.

Ma pur senza vederla in faccia, Ignazio lo sapeva, che stava piangendo. Sapeva esattamente cosa stava provando, con quel suo carattere orgoglioso. Poteva indovinare i suoi pensieri: pazienza l'FBI, ma che lo debba sapere anche Ignazio, che mio marito era gay...

È orgogliosa e ferita. Ma un giorno tornerà. Tornerà da me.

Laureen Andersen

«Buon giorno da Scicli, qui Laureen Andersen per una *breaking news*. L'FBI sconfessa gli inquirenti italiani e riapre il caso Diodato. La morte dello psicoterapeuta newyorkese di origine sciclitana non sarebbe stata causata dalla ex paziente e rea confessa Amanda Zingelman, ma dall'artista sciclitano gay Laccio Diotallevi. Invaghitosi dello psicoterapeuta che lo aveva aiutato a far apprezzare negli Stati Uniti il suo potenziale artistico, Diotallevi non aveva poi sopportato che le sue *avances* venissero respinte. Si era trasformato in un vero e proprio stalker, seguiva spesso Diodato e si trovava alla spiaggia della Pisciotta la notte dell'assassinio. Riparato negli Stati Uniti subito dopo il delitto, ufficialmente con la motivazione di realizzare un'opera per un collezionista privato, Diotallevi ha trovato la morte in un'area di Central Park frequentata da gay dediti a pratiche sessuali estreme. Il rapporto dell'FBI ricostruisce le ultime settimane di vita di Diotallevi. Nei prossimi servizi seguiremo tutte le tappe del caso Diodato, dall'incontro tra lo psicoterapeuta e l'artista sino al funesto epilogo. Vi diamo appuntamento questa sera con una puntata speciale del talk show *Sensi di colpa* in onda da Scicli durante il quale presenteremo uno scoop assoluto: un'intervista ad Amanda Zingelman, l'ex paziente di Salvo Diodato che si era autodenunciata come esecutrice del delitto. Anche lei rea confessa per senso di colpa?»

La regia le fece cenno di terminare e fece partire una carrellata di immagini d'archivio della storica nevicata su Scicli a Capodanno 2015, un caso unico negli ultimi centotredici anni. Evvai! Che magnifica opportunità per promuovere Scicli d'inverno, era un repertorio vergine tutto da sfruttare, prezioso per illustrarne la peculiare piacevolezza del clima. Se quella guastafeste della commissaria stavolta cala le arie da primadonna e si attiene al copione, ce n'è per arrivare almeno fino alla fioritura dei mandorli. E lì, è il botto assicurato, prenotazioni per Pasqua e *real estate* che lievita.

Guardò l'orologio. Doveva sbrigarsi. Aveva appuntamento dal notaio per il rogito. Perché guardare gli altri arricchirsi? Aveva deciso di acquistare anche lei un paio di case-caverna a Chiafura. L'agente le aveva assicurato che avrebbe potuto rivenderle dopo un paio di anni al trecento per cento del prezzo di acquisto.

XXVII

Signore e signori,
la verità

Maria

«Commissaria, c'è una busta per lei. C'è scritto "Personale".»

Maria diede uno sguardo distratto alla busta che le porgeva Comisso, fremente di ansia e curiosità.

«Devo farla analizzare, commissaria? Prima che lei la apra.»

Sulla busta non era indicato il mittente, cosa che aveva scatenato le fantasie da film poliziesco di cui si cibava Comisso.

Maria non rispose e la aprì.

Dentro, c'era una foto di suo marito. Laccio non era solo.

A reggere un cristincroce insieme a lui, accanto all'ex presidente degli Stati Uniti, su una specie di palcoscenico coperto da una pioggia di mandorle, c'era una persona che Maria avrebbe potuto definire soltanto come un sosia, o un gemello di suo marito. Truccato da donna. E con una parrucca simile, se non uguale, a quella che Ignazio le aveva mostrato, ritrovata dentro la DS dello psicoterapeuta defunto. Maria lasciò cadere la foto e si appoggiò alla scrivania.

«Mariamaria!» Troppi cristi. Troppi uomini. Tutti uguali. Tutti lì solo per darle il tormento.

Gwenda

Gwenda misurava a falcate il grande giardino di casa Cuseni. Era furiosa. Fu-ri-o-sa.

Era riuscita ad avallare il delitto passionale. Amanda, finalmente una persona con il senso della Storia, aveva abbracciato la complessità e la gravità della situazione e si era costituita. Era la parola "fine" alle indagini su Salvo e sulla sua famiglia.

E invece no.

Quei due mercenari al servizio della holding che stava acquisendo poco per volta l'intero patrimonio immobiliare di Scicli dovevano creare un tam tam senza fine. Non gli bastavano le fiction, i documentari, le interviste, tutto quello che aveva concesso.

No.

Loro volevano le *news*. *Breaking news*.

Le *news* che bucano il video.

E allora vai con le tendenze omosessuali, lo stalking, le pratiche sessuali estreme.

Quelli proteggono patrimoni, sono pronti a rimestare fino al gomito dentro gli escrementi, solo per far lievitare il settore immobiliare.

Ed è chiaro dove vogliono andare dipingendo Scicli come il paradiso dei gay: vogliono spodestare Taormina e smuovere il dollaro rosa. Come se di bolle non ne avessimo già viste tante, in anni recenti.

Del resto, era la legge non detta degli scandali made in USA: i democratici si fottono il posto per un pompino, i repubblicani per il bottino.

Furiosa.

Era fu-ri-o-sa.

Perché adesso, tutto ciò che aveva costruito nella vita era in bilico, come un possente castello di carte reso precario da un gesto avventato nel posizionare l'ultima, quella con su scritta la parola *fine*.

Le undici di sera. Maria rientrava sempre più tardi. Andava in bagno a lavarsi i denti e si infilava subito a letto, nello studio. Ora che Laccio non c'è più potrei riprendermi lo spazio, dormire nella stanza da letto e lavorare nello studio. Lo pensava, ma non lo faceva.

Girò la chiave nella toppa e sentì una insolita docilità nell'apertura. La luce nella stanza di Laccio era accesa.

«Cosa fai qui?»

Lui la aspettava seduto sul letto.

«Dovresti cambiare le lenzuola» disse.

«Non ti chiedo come sei entrato.»

«Non te lo direi.»

Maria sospirò. Rinunciò a replicare e si voltò per andare a posare la borsa. Era stanca.

Lui la trattenne e le fece segno di sederglisi accanto. Era un gesto accogliente. Maria ottemperò.

Erano estremamente vicini, e al tempo stesso puntigliosamente attenti a non sfiorarsi. Come la prima volta, quando Maria lo aveva invitato a parlare di letteratura nel suo seminterrato sulla Prenestina. Non aveva un divano e si erano seduti sul letto. Attenti a non sfiorarsi.

Se avesse potuto cancellare tutti quegli anni in mezzo. Ricominciare daccapo.

«Immagino che tu abbia da raccontarmi di me un bel po' di cose che io non so ancora.» Lui le sfiorò una mano.

«La cosa più semplice sarebbe stata farti sparire. Quando mi fermai davanti a te quella notte sotto la sopraelevata provai tenerezza. Non è un sentimento che provo di frequente. Captai un bagliore d'intelligenza e cultura nel tuo sguardo. L'intelligenza e la cultura non si eliminano. Sono così rare, e specialmente, così rare insieme. Singolarmente, l'intelligenza viene spesso confusa con la furbizia e la cultura con l'erudizione. Quando le incontri insieme, devi renderle tue alleate. Per questo ti invitai a uscire da quella storia. L'indomani, avrei dovuto farti seguire, per evitarti passi falsi. Me ne occupai personalmente. Eri così pura. Mi sentivo un mostro, a contaminarti. Una verità te l'ho detta: il mio lavoro eri tu. Avevo scommesso su di te. E ho vinto. Ho fatto in modo che la tua intelligenza e la tua cultura si piegassero al nostro servizio. Missione compiuta, dovevo ripartire. Non ci sono molte spiegazioni che uno come me sia autorizzato a dare, quindi non te ne diedi nessuna. Ero sicuro che avresti voluto entrare in polizia. Non era necessario per te, ma era necessario per me creare un'irregolarità nel tuo esame. Ho dovuto fare in modo di giocare alla pari. Tu avevi un asso nella manica, io ne avevo un altro. Un piccolo scambio. So che non me l'hai mai perdonato. So che non mi perdonerai di avere collezionato un primato imbarazzante: tutte le volte compaio nella tua vita insieme a un morto ammazzato.»

Era una confessione?

«Salvo Diodato era figlio di un'altissima carica degli Stati Uniti. Non si poteva rischiare lo scandalo e venne tutto messo a tacere. La madre era una sprovveduta, non capì mai a chi aveva veramente concesso le sue grazie. Salvo venne affidato a una spia dormiente, una docente universitaria inglese che curò che ricevesse un'educazione adeguata. Prima della scorsa estate, Salvo aveva già tentato una volta di risalire a suo padre. La sua dormiente è stata bravissima nell'instradarlo alla difficile arte di non sapere. Ma qualche tempo fa è saltato fuori uno che sosteneva di essere suo fratello, un trans represso collezionista d'arte che attraverso Salvo è entrato in contatto con tuo marito. Ha rotto le dighe. Oggi come allora, è stato necessario andare alla fonte per impedire lo stillicidio di notizie.»

«Ma Diodato aveva cinquantacinque anni. Che scandalo vuoi mai che sia? Suo padre sarà morto da un pezzo.»

«Gli uomini di potere non muoiono mai, neanche se li assassini. La scoperta del figlio illegittimo di un democratico fa troppo gola ai repubblicani in difficoltà, figurarsi poi se il padre è un'icona della nazione e il figlio frequenta gay e trans. Noi dovevamo soltanto farlo sparire per un po', fino a dopo le elezioni. Ma gli interessi economici hanno prevalso sull'opportunità politica e quella sera, la situazione ci è sfuggita di mano. Ormai c'erano altre persone, in intimità con lui, che sapevano troppo. Ai gruppi finanziari che hanno investito nell'immobiliare a Scicli serviva uno scandalo per dare notorietà al territorio una volta sfumato l'effimero successo cinematografico: l'hanno avuto, a spese della politica.»

Maria ascoltava senza guardarlo. E Laccio? Aveva "fatto sparire" anche Laccio? Lui continuò, come se le avesse letto nel pensiero.

«Pensavo che tuo marito fosse perfetto per te.»

«Cosa ne sai tu di mio marito?»

«Non ho mai smesso di sapere di te.»

«Vorresti insinuare che Laccio me l'hai mandato tu?»

Annuì.

Era strano il modo in cui Laccio era comparso nella sua vita. Come quando esci di casa pensando che ti serve un bottone, giri l'angolo e trovi che ha appena aperto una merceria specializzata in bottoni.

Si era presentato al commissariato con una lettera per lei. Dentro c'era scritto: «*Sono l'uomo giusto. Dammi una chance*».

Maria era scoppiata a ridere. Non aveva mai creduto a Laccio quando le ripeteva che quella lettera non l'aveva scritta lui, che non sapeva nemmeno cosa ci fosse scritto dentro. Gliel'aveva data la madre superiora, chiusa. Dopo che la risata aveva sciolto il ghiaccio tra loro, Laccio aveva invitato Maria a vedere i suoi cristi. Era bastata una cena insieme. Avevano entrambi poco tempo e altre passioni. Affare fatto.

«La madre di Diodato ebbe per lungo tempo una relazione con un militare della base di Comiso. Dopo Salvo, ebbe un secondo figlio, che crebbe in un convento a Comiso.»

Laccio?

«Vedeva il padre regolarmente, e una volta al mese anche

la madre, ma senza sapere che erano i suoi genitori. Fu il padre a insegnargli l'inglese.»

Non sapevo nemmeno che mio marito sapesse l'inglese, figurati un po'. Non sapevo che aveva doppio passaporto, italiano e americano. Non sapevo che era gay. Non sapevo niente di lui. E so ben poco anche di me.

«Ti ci voleva un marito artista, abbastanza addentro le sue cose da non disturbare te nelle tue. Lo so, non sei mai stata innamorata, ma questo faceva parte del gioco. In fondo cosa ti importa oggi se lui era omosessuale? Non avevate rapporti. Non saresti stata gelosa nemmeno di un'altra donna. Certo, hai lo scotto di non avere indovinato la verità. Ma la verità, se non la indovini, prima o poi viene a trovarti. Si tratta solo di aspettare.»

«Vai via.»

«Non vuoi sentire la verità?»

«Non voglio sentire la *tua* verità.»

EPILOGO

Scicli, una mattina di ottobre

Don Rino 'U Cosabeddaru e il fabbro della Strada Nuova

«Compare, lo vedesti che siamo famosi?»

«Famosi? Chi?»

Don Rino 'U Cosabeddaru riemerse dal retro del suo antro di Alì Babà. Il suo amico fabbro era venuto a fargli visita, sbarbato a festa, nell'orario in cui di solito assaporava la colazione di pane e cipolla seduto sull'incudine. L'avvenimento inconsueto lasciava pregustare qualche informazione importante.

«Noi, siamo famosi» allargò le mani il fabbro, come per indicare tutto intorno. «La città di Scicli.»

«Buono, buono» rispose Don Rino, venendo incontro all'amico che era rimasto sulla soglia. «E come avvenne?»

Il fabbro era stato dal barbiere e sapeva la lezione a memoria, fresca fresca. Riferì che compare Turiddu, 'u pissicologo di Nuova York, aveva il difetto dei polpi, e che c'era uno di qua che pure ce l'aveva, lo stesso difetto, e quindi si erano intesi, ma 'u pissicologo aveva detto di no, e quello dei nostri, piccato, lo aveva spinto nel mare e se n'era andato in America, pensa un po', proprio a Nuova York, ed era morto in un posto dove fanno delle cose che, per amore della croce che portava al collo, il fabbro della Strada Nuova proprio non voleva riferire. Nel frattempo le matte, quelle che 'u pissicologo ci pigliava i soldi, morto lui erano tutte impazzite davvero, e dicevano tutte «L'ho ucciso io, l'ho ucciso io!» neanche fosse una gara di bellezza, e alla povera commissaria Gelata le si era gelato il cervello e aveva respinto le confessioni delle altre ma aveva accettato quella della matta di Nuova York, che era più matta di tutte perché era innamorata del pissicologo e pare che 'u pissicologo non ce l'avesse proprio sempre il difetto dei polpi, perché anche lui era innamorato di lei, e comunque un difetto ce l'avevano tutti e due, perché invece di campare e volersi bene passavano il tempo a inseguirsi da una parte all'altra del mare.

«E quindi, com'è finita?» domandò Don Rino, spaesato.

«È finita che la matta di Nuova York è agli arresti domiciliari dentro il Palazzo dei Turchi perché non è che puoi confessare un delitto così, a piacimento. Se l'hai fatto, lo confessi, se vuoi. Se non l'hai fatto, stai zitto. Quella che se la passa male è la commissaria, che ha perso due volte: primo perché ha creduto alla matta, che coi soldi, si sa, si fa presto a essere convincenti. Secondo, perché quando sembrava tutto finito è uscita fuori la storia del marito polpo, che quando 'u pissicologo gli ha detto di no, gliel'ha fatta pagare ammazzandolo. Non è bello per una commissaria di polizia, averci il marito polpo e assassino.»

Don Rino annuì. Ma c'era qualcosa che non gli quadrava.

«E perché dici che siamo famosi, compare? Che c'entriamo noi con tutto questo?»

«Siamo famosi perché si parla di Scicli su tutti i giornali e non solo in Italia, magari in America e nel resto del mondo. Guarda qui, compare: questo è l'assegno che mi hanno dato ieri per la mia bottega, se la sono comprata con tutto dentro, e non hanno fatto questione di prezzo. C'è gente di Nuova York e dell'estero che si sta comprando tutta Scicli e la faranno diventare che al confronto a Taormina ci fanno la nuova discarica. Negozi, hotel, ristoranti, turisti tutto l'anno come a Firenze e Venezia. Questo delitto del pissicologo è venuto a fagiolo. Quando guardava i film del commissario

Montalbano in tivù, la gente pensava che fosse tutto un cinema quel che vedeva; e anche quando vanno al cinema a vedere i film che i registi famosi sono venuti fin qui per girarli perché posti belli così non se ne trovano da nessun'altra parte, poi usciti dal cinema pensano che sia tutta finzione; e anche quando guardano sul telefono i film delle canzoni, che mio nipote mi ha detto che si chiamano video, gli viene sempre il dubbio che sia tutto inventato. Ora invece tutto il mondo ha visto Scicli al telegiornale, bella senza trucchi, e si sono tutti quanti innamorati della nostra città. Vedi che uno di questi giorni vengono a comprare anche la tua bottega, e tu te ne vai in pensione con tanti zeri che non li sai nemmeno contare.»

Don Rino era dubbioso. È vero che da una cosa aspra come un limone si fa una cosa dolce come il limoncello, ma ora la realtà superava il teatro. Muore un cristiano, ne muore anche un altro, e la popolazione esulta perché i due morti, riposino in pace, portano fama e denari.

Guardò il fabbro fisso negli occhi.

«Ma tu che pensi, compare, di questa storia montata come un teatro: è la verità?»

Ringraziamenti

L'anticipo ricevuto per questo libro è stato devoluto a svariati bar.

Ringrazio per la gentilezza, l'accoglienza, e la cortesia nel non chiedermi se volevo qualcos'altro mentre trascorrevo lunghe ore di scrittura seduta ai loro tavoli, spesso in compagnia dei miei cani, i gestori e il personale della Bottiglieria Pigneto a Roma, di Casa Brétonne, del Caffè Frangipane e di VotaVota Sweet Corner a Marina di Ragusa (la Marzarellì del libro, dove Nino ripara le reti) di Enchanté, dei Banchi e di Monsù a Ragusa (dove si trova in realtà la chiesa di Santa Maria delle Scale che nel libro ho trasportato a Scicli), di Enoteca Rappa, del Caffè dell'Arte, del Rosy Bar e degli Orti di San Giorgio a Modica, di Kaffa Street Bar a Frigintini e del bar Pentagono a Chiaramonte Gulfi, dove si trova la casa che ho immaginato appartenesse a Xenia, e che nel romanzo ho trasportato nelle campagne sciclitane.

Ringrazio i miei lettori-cavia: gli amici librai Katuscia Da Corte e Tonino Pittarelli che non mi hanno scoraggiata dopo avere letto la primigenia versione; Piero Savio, Rosanna Magnano e Salvo "Carota" Caruso per il tifo da ultrà e l'occasionale supporto psicologico, gli ineffabili Manuel Grigoletto ed Elisabetta Convento che hanno trasformato una vacanza in Sicilia in una sessione di editing con degustazione di granite, Cettina Flaccavento musa delle unità di tempo e di luogo, Nathalie Leleu per l'editing sulle poesie di Zarek Tabir, Alberto Bottalico consulente musicale suo malgrado e mio marito Antonio Cicero, il cui sincero dolore alla notizia che un noto modello di fuoristrada sarebbe uscito di produzione mi ha ispirato il personaggio di Ignazio.

Ringrazio Enrico Maltese, che fra i tanti autori divenuti colonne della mia vita, tra cui Epitteto e Marco Aurelio, mi ha consigliato anche la lettura de *I miti greci* di Robert Graves: più che un libro, un forziere, da cui ho attinto spunti a piene mani, per di più divertendomi a leggere l'originale, che la seriosa edizione italiana ha purtroppo epurato del *British sense of humour* e di una certa trasgressività che permeava l'approccio alla vita dell'autore, poeta e filologo di statura callimachea.

Ringrazio le "Girls United" che con il loro lavoro al ristorante mi hanno reso possibile organizzare le giornate con un tempo dedicato alla scrittura: Giovanna, Giusy, Marina, Natalia, e anche Erminia, Ada, Angela e Rosa: senza di voi non ce l'avrei fatta.

Ringrazio infine Fabio e Sabina che mi hanno regalato il mare davanti a cui ho terminato di scrivere questo libro.

I fatti e i personaggi narrati sono tutti inventati e ogni riferimento alla realtà è da ritenersi puramente casuale, a parte che Scicli esiste, che è diventata una mecca delle serie tv e che da oltre dieci anni continua a stordirmi con quotidiane overdosi di bellezza. L'unico personaggio realmente esistente è Zampa, randagio timido ma dotato di una sua verve, di cui non saprei ben dire se io abbia adottato lui, o se lui abbia adottato me. L'ho descritto senza affabulazione alcuna, fidandomi che non mi avrebbe fatto causa per avere gravemente leso la sua privacy e/o sfruttato la sua immagine.

Finito di stampare presso Grafica Veneta S.p.A.
Via Malcanton, 2 – Trebaseleghe (PD)

More than a
Game

More than a Game

GQ on Sport

ORION

The right of the authors hereunder to be identified as the authors of the works listed has been asserted by them in accordance with the Copyright, Designs and Patents Act 1988.

Blood Sport   Robert Ashton 1995
Hard Ruck   Frank Keating 1989
Patriot Games   Andrew Walpole 1995
Kurds United   Gareth Smyth 1993
Completely Pucked   Alex Kershaw 1993
Manslaughter United   Chris Hulme 1995
Red Hot Property   Jim White 1994
Mexican Rave   Andrew Downie 1995
Crease Lightning   Mick Imlah 1993
She's Got Balls   Ian Ridley 1993
Spot the Brawl   David Cohen 1996
Return to Senna   Russell Bulgin 1994
Back on Board   Clive Gammon 1993
Crash Course   Russell Bulgin 1994
Ring True   Alex Kershaw 1993
The Spokesmen   Russell Bulgin 1994
Death of a Boxer   Eamonn O'Neill 1996
The Wild One   Alex Kershaw 1993
Belles of the Ball   Pete Davies 1994
One Track Mind   Richard Williams 1991
Up Hill and Down Dale   Chris Hulme 1996
Simply the Worst; To Surf Them All My Days; Wimbledon Commoners; Cape Crusaders; Bad Kids on The Block   Simon Barnes, 1994, 1995, 1996
Hill Start   The Condé Nast Publications Ltd 1993
Fast and Loose   Russell Bulgin 1992
Captain Sensible   Matthew Engel 1994
Captain Beefheart   Mick Imlah 1990
Village People   Andrea Waind 1993
Swings and Roundabouts   Ben Webb 1993
The Mark of a Man   Dave Hill 1990
Heavy Duty   Ian Hamilton 1993
Bat Out of Hell   Matthew Engel 1991
Baized and Confused   Julie Welch 1995
Goals to Newcastle   Alex Kershaw 1993
Centre of Attention   The Condé Nast Publications Ltd 1992
The Pawn King   Dominic Lawson 1989
Race Relations   Richard Williams 1996

First published in 1997 by
Orion Books Ltd
Orion House, 5 Upper St Martin's Lane
London WC2H 9EA

A CIP catalogue record for this book is available
from the British Library

ISBN: 0 75281 011 1

Filmset by Selwood Systems, Midsomer Norton
Printed and bound in Great Britain by
Butler & Tanner Ltd, Frome and London

Contents

Contents

GENTLEMEN AND PLAYERS

Preface

Ian Botham

Sport has been my life since I was a kid. From a very young age I wanted and intended to play sport for a living, and when I got thrown out of school at the age of fifteen I turned professional straight away. For many years there was little else I thought about; I used to eat, drink, sleep, walk, smell and breathe cricket. Sport for me has always been much, much more than just a game.

Luckily, I had a gift – you have to have some kind of ability to play a hard leather ball travelling at 100 mph. And I've always thought that it's a great privilege and honour to have that gift. Many people would give up a great deal for it. How many schoolboys dream of playing football for Manchester United or cricket for England? Well, only eleven can, so you have to make the most of that ability.

The sportsmen and women in this collection have two things in common: a very solid backbone and total self-belief. You need tunnel vision if you want to succeed in sport. There's only one route to being the best and you have to ruthlessly put everything else out of the way. Sport is cut-throat and no one else is going to do it for you. It's sink or swim.

Negative thoughts are something I've tried to avoid throughout my career, and my life, but without sport I'd probably be doing 25 years on the Isle of Wight as a guest of Her Majesty's Government (well, at least that's what some people tell me). Sport has taught me personal discipline and determination, but it can also teach you the value of working as one of a team. Cricket allows and encourages you to excel individually, yet it will always be a team game and you have to learn to balance the two. It's very much like life – you can succeed as an individual, but you must never forget there are others around you.

Sport has given me a great deal – and not just financially. It's opened doors and opened my eyes, and I've seen things around the world that others will never see. But you also give up a lot for those perks. You have to have total commitment. You have no family life; you are on the road for eleven months of the year. I was in Australia when my wife Kathy discovered she was pregnant with Liam. I missed my daughter Sarah's birth because I was on tour. For many years, Viv Richards and I joked that we knew each other better than we did our wives.

Sport can hurt physically, too, and I have had my fair share of injuries. In fact, as some of these articles powerfully show, sport can kill – it comes with the territory. But if you're facing a very quick bowler you cannot let yourself stop to think for one moment that you might get killed; if you have doubts or fears you shouldn't be out there. My one great advantage as a batsman was that I could also dish it out as a bowler. In my prime I was certainly fast enough to worry most lower order batsmen. And they knew I'd do it – and I did do it. If a guy's hanging around, stick it on his nose. I had no remorse; it's part of the game. Make him think that if you can't bowl him out, you're going to knock him out. These are the facts of sport; cricket is a tough game.

As much as sport is a business, a global entertainment industry, it can also be a matter of personal principle and honesty. It's hard to keep politics out of sport, as it is with most things, and cricket has had its share of controversies. Many cricketers were attacked for playing in South Africa during the eighties, but I'll tell you one thing: sportsmen break down more barriers than politicians ever will because the public knows that sportsmen are basically honest people.

Still, for all the bad press I've got over the years I've received much more favourable attention, and I think the quality of the sportswriting in Britain is second to none. At its best, sports journalism conveys all the passion and depth of emotion of sport. It communicates the sheer enjoyment of playing and watching it. I've always thought that sport should be played as competitively as hell – you don't give an inch, and you don't expect an inch – but when you come off the pitch you've got to be able to slap each other on the back and have a laugh.

That's why of all the pieces in this collection, perhaps the one that illustrates the point best is *Village People*, the article on the local cricket team in Leicestershire. This, to me, is what cricket is all about. It's about guys who've worked hard all week relishing their Saturday or Sunday game. It's about guys who want to have a bit of rivalry, a bit of fun and who dream of pumping a six out of the ground or of taking a vital wicket with a late inswinger. Oh, and just as importantly, it's also about having a few beers afterwards.

Introduction

Simon Barnes

'**F**uck you. You are a great champion.'

This was the seven-word tribute of Larry Holmes to Mike Tyson, when at last Holmes rose from the canvas following their World Heavyweight Championship fight in Atlantic City in 1988.

It is a line that sums up all of boxing – rivalry, sordidness, brutality, grudging respect – and with it, perhaps, all of sport. And every one of us newspapermen there on that unpleasant night knew it. We discussed it afterwards, and agreed: yes, it was probably the great boxing quote of all time. But none of us was able to use it.

F*** you? —— you? It's not the same, is it? It doesn't work if it isn't 'Fuck'. Without the word spelt out in full, it means fuck all.

That is newspapers for you: offices and pubs are full of casual obscenity, but most newspapers are ... well, not necessarily careful about language, but careful about bad words, anyway. The phrase 'family newspaper' is an ineluctable part of our lives. Newspapers are not in the business of giving gratuitous offence. It is a limitation of newspaper writing, and one everybody in the business, whether writing or reading, understands, and accepts. There are may other necessary limitations, and most of these concern time and space.

Newspapers have dominated sportswriting for years, and have produced their own totem figures and doyens. Panting distantly in their wake have been the writers for specialist sports magazines: those who tend to cater for the Anorak Tendency. Sportswriting has, in short, been set about with restrictions. A 'long' piece in newspaper terms is a thousand words; a long deadline is the Sunday man's week-to-week routine.

But ten years ago, a new player enetered the game. This was the phenomenon of men's magazines. A monthly magazine for men that had actual words in it – words for actually reading. *GQ* was the pioneer and, in my totally unbiased opinion as the long-term author of the magazine's sports column, it leads the way still, leaving the rest panting distantly in its wake.

Sport is, of course, a blindingly obvious subject for a men's magazine – but it could not be tackled in a blindingly obvious way. Certainly, one of the first things *GQ* was able to offer was a new way of writing about sport; but this was not so much a cunning plan as a necessity. The magazine was doomed, as it were, to offer a whole suit of new freedoms to its sports-writers. Heady and rather alarming freedoms.

Freedom of vocabulary was simply the most obvious one and, inevitably, it appealed to the schoolboy within us. But space and time were the others, and these possibilities meant that the craft of sportswriting had to be reinvented.

Unlike newspapers, a magazine can offer an author a decent length of time to research and to write. These are, you would think, luxuries – especially to those of us who are often required to read an 800-word match report over the telephone to a deaf-mute copy-taker the instant the final whistle has gone. Such a discipline is nerve-wracking, but as long as you can get it done *at all*, you have done a good job. No one expects a masterpiece under such circumstances. In some ways, the ferocious restrictions make the job easier.

But a long magazine deadline gives you the disconcerting and agora-phobic freedom to research, to write, to *think*. And time, for a magazine, involves a further restriction: that of, to use a spot of jargon, lead-time. The logistics of producing a colour magazine insist that copy is filed, not on the final whistle, but about three months before the whistle is blown for the kick-off.

You can make of this what you choose. But the best way to react to such a restriction is to use it as a freedom. You are not responding to the news, a salivating Pavlov's dog leaping up at every clang of the bell, every blast of the whistle. No, you must anticipate, still better, *create* the story before it happens.

Thus, we have Ayrton Senna, musing upon life and death as he prepared for a new season with a new team. An extraodinary man, Senna, and it produced remarkable copy. His death, an event I still find utterly shocking, more or less coincided with the appearance of the piece in *GQ*. But far from making a fool of the magazine and the author of the piece, it added a deep and fascinating insight into the life and death of the most extraordinary sportsman I have ever met.

A magazine like *GQ* has plenty of pages to fill and, as I say, fill them for people who are actually going to read them. I remember Ben Elton talking about the old-style men's magazines like *Playboy*. 'Nobody reads the articles in 'em about biplanes do they? Why not? Because these magazines are for masturbation.'

Thus we who write for *GQ* live in the ever-present danger of being read, and not necessarily by wankers, either. And to fill those pages with all those words – 'oh, the usual 3,000 or so' – takes a bit of thought.

Well, thoughts – plural – really. To write a piece for newspaper, or a magazine, at about a quarter of this massive *GQ*-length, you require a single thought. The best method is to find a really good idea, and then to pursue it remorselessly to the end, where ideally you make a nice joke and bale out stylishly. If this is an interview piece you look for a few good quotes, and if you get them, that's your piece written for you.

For a long, feature piece, you have to stretch your mind a little bit more: look a little further. You must seek the non-obvious. This a good quality in the best of newspaper writing, but an absolute essential for any writer who hopes to complete the terrifying amount of words that *GQ* demands. If you write for *GQ* you are condemned to try and join the best. There is no other way.

In other words, a writer, and for that matter a reader, has the freedom to use his mind. And there is a further freedom, too: freedom of subject matter. Most traditional forms of sportswriting involve the star performers of mainstream sports. Indeed, there are plenty of them in these pages, though handled with a leisurely, discursive freedom you cannot find in the traditional places.

A magazine reader does not have the same expectations. If Alan Shearer scores a hat-trick, a newspaper reader will expect to read about him the next day. But a magazine reader, and more especially a *GQ* reader, is hoping for a series of stimulating surprises. He *might* find an incisive and thoughtful piece about Shearer's inner demons, but he's more likely to discover a much better and more revealing piece about the demons of, say, Kevin Keegan. Or, indeed, he might find a feature on bare-knuckle boxing or surfing or village cricket.

A magazine is not restricted by the same conventions of reader expectation. You can supply something not found elsewhere. You need not worry about offending people or alienating them; the whole ethos of the magazine, is that readers are there to be challenged. This is the tradition of the magazine, largely established by my late friend Michael VerMeulen, and carried on zestfully by his successor as editor, Angus MacKinnon.

Thus for example, the cosy clubbability of rugby union is challenged by an acerbic piece on violence in which the game's code of *omerta* is set aside. There will be readers who would find such a piece offensive or even impossible in a newspaper, or even in a different magazine. But the same reader will read the piece in *GQ* and find it enthralling. That is because the magazine is always slightly uncomfortable to be with. It is not like a cosy member of the family, nor even like a friend. It is the strong, self-opinionated person that you can never quite make up your mind whether you like or not. You admire him, but you are slightly uneasy with him. The people around him might not altogether approve of everything he says; some might not care for him at all. But they feel compelled to listen. The self-confidence is too compelling. And just when you think he is beginning to become rather a bore, he surprises you with his genuine intelligence. He makes a broad joke, and then suddenly he is demanding you follow him in the turning of an intellectual somersault.

All of this does not constitute a revolution in writing. But it has been a vast change for sportswriting. Sport is a big subject these days, and one used by politicians and media moguls as the fast track to power. Sport has long been a central aspect of cultural history, and it becomes more so with every passing week. In *GQ* magazine, it is possible to come to terms both with sport's essential triviality, and with its extraordinary and increasingly powerful place in the world. The pieces gathered here reflect that – as will the stories in the current issue of the magazine. Writing on sport for *GQ* is always a stimulating and challenging business. And I will tell you something else: it is bloody good fun, too.

Sporting Life

Blood Sport

Robert Ashton

July, 1995

I n the theatre of violence the script is predictable but compelling. *Crack*. A head butt, delivered with a sickening crunch, bloodies a nose. *Thwack*. A carefully aimed elbow is swung with bone-crushing intensity. *Smack*. A knee connects with a groin. And the mob howls in appreciation, springing to its feet, eyes popping, veins pumped.

This no-holds-barred human cockfight in a modern amphitheatre in Charlotte, North Carolina, is legal. Winner pockets a $52,000 purse; loser faces intensive care. Six thousand enthusiasts have come to see blood spilt, hear bones snap, and maybe pick up a couple of busted teeth for souvenirs. 'Rip his head off,' brays a rabid meathead. 'Kill the muthafucker!' Two fighters trapped inside an eight-sided chain-link fence – The Octagon – seem prepared to oblige. With a sickening, repetitive thud, bare knuckles beat a steady rhythm against bleeding skull.

Bludgeoned to a pulp, the fallen contender is carried from the caged pit under the harsh lights of cameras beaming to 220,000 TV viewers. A couple of blonde girls in ass-skimming shorts hop up and down between bouts, drawing enthusiastic whoops from the audience. The hollering swells when some stodgy guitar work, accompanied by a rock 'n' roll light show, kicks in and another pair of brawlers take the stage.

This is not just wrestling or boxing. Neither contender is wearing gloves, there hasn't been a weigh-in and there are no judges or scoring system. A sign on the wall boasts: THERE ARE NO RULES. That's not strictly true – there's a stiff penalty for eye-gouging and biting is frowned upon, but merciless kicks, elbow and knee shots and joint-popping locks and choke holds are *de rigueur*. It's a knockout contest: there are eight carefully selected contestants, and whoever is left standing advances to the next round, which means the winner will fight up to three times in one night.

This is the Ultimate Fighting Championship V. Not since the legendary John L Sullivan pickled his fists in turpentine and fought bare-knuckle bouts at the beginning of the last century has the world seen anything like it. While boxing in Britain undergoes another of its periodic exercises in self-examination following Gerald McClellan's possible brain damage at the hands of Nigel Benn, America is upping the ante. 'In Western culture we look for the *It* girl, whether she's Marilyn Monroe or Madonna,' foams Art Devie, the Brooklyn-born motormouth promoter of the UFC. 'And we also look for Superman. We want to know who *the toughest guy in the world is*.'

Charlotte is a dreary little town. Bang in the middle of the Carolinas, flanked by Tennessee to the west and the Atlantic to the east, this Old South stronghold's place in the Bible Belt is unrivalled. Only a few miles down the road, disgraced TV evangelist Jim Bakker built a resort for his followers, a sort of Godneyland theme park, next door to Billy Graham's childhood home.

Bible punchers and beefy sluggers make strange bedfellows. Public outcry against these ungloved dust-ups is curiously muted, but the political lobby isn't convinced the quest for Superman should take place within the city limits. John McCain, the Republican Senator for Arizona, has made several overtures to North Carolina Governor Jim Hunt to have the UFC outlawed. And, fearing the folksy backwater will be tarnished by what he calls a 'barbaric blood sport', the state's attorney general, Mike Easley, searched the statute books to find a way to ban it. Unfortunately for him, North Carolina is one of only a handful of US states which doesn't have a boxing commission with the powers to regulate anything-goes bare-knuckle fighting.

When Easley's efforts failed, he pleaded with the town's mayor, Richard Vinroot, to beef up its local laws to see off the invasion of hulking ruffians with a hungry media circus in tow. 'It's something we don't really want to have in our city, but we don't have an ordinance that can stop it,' grumbles Vinroot. 'I'm sure the promoters are absolutely delighted.'

Art Davie revels in stirring up some pretty powerful nests. The 48-year-old Vietnam vet and former adman is part of a steely triumvirate (which includes Hollywood bigshot John Milius and Brazilian law graduate Rorion Gracie) who are responsible for breathing life back into the sort of savage prize mills which largely died out with the introduction of the Queensberry Rules in 1867.

But the trinity claim a nobler tradition than the manly pugilism prac-tised by granite-fisted bulls in Regency London. Their inspiration is the

Greek *pankration*, a vicious free-for-all blend of boxing and wrestling, where combatants stopped opponents by breaking limbs or killing them outright. 'We live in times where we are meant to be politically correct,' asserts Davie. 'There doesn't seem to be a place for the warrior spirit, it is an anachronism. But I don't think this should be engineered out of human experience.'

Far from regarding such organised brutality as a breakdown in civilisation, Davie justifies the UFC with the conviction of an evangelist. 'Cultures go through a maturation process and wind up repeating at their later stages some earlier forms,' he blithely insists. 'That's why we're bringing back the kind of fighting they had in Ancient Greece. It's not the end of the West, it is the renaissance of the West.'

Spreading the word, the pay-for-view production company Semaphore Entertainment Group came on board in 1993 to broadcast the fighting live to the nation. The team is already looking at staging similar events in Europe, South America and Japan.

Davie's partner Rorion Gracie brought something else to the party: his lean, mean, fighting-machine younger brother, Royce, defending UFC champion. The Gracies are part of a Brazilian warring dynasty, headed by the 82-year-old patriarch Helio. This white-haired grandfather has been a fighter all his life, learning his craft in the back streets of Rio. Although only five-foot-eight in his socks and 140 pounds wet, Helio developed his own unique fighting style, Gracie Jiu-jitsu, and became revered as a national hero.

Considering his father's pedigree, Royce's career options were cast. 'When my father was younger he had to prove himself and would take on *anyone* – we grew up watching that,' explains the brooding 28-year-old, before trotting out the Gracie claim that no member of the family has lost a fight in 65 years.

Royce is one reason the fighters have converged on Charlotte. They want to take him out. However, this time that privilege falls solely to a tough bird called Ken Shamrock, whose dynamite blow earned him the nickname One-Punch Shamrock. Because Shamrock has not had the opportunity to avenge his defeat to Royce in the very first UFC, tonight they are fighting a one-off grudge match separate from the three-round eliminator.

The softly spoken, meditative Shamrock, one broken neck and a multi-break nose to his credit, can't wait. 'I finally get to meet Royce Gracie,' he says, flexing 205 pounds of battle-scarred hardware. But more powerful forces than Shamrock would need to be summoned to make Gracie sweat. 'I'll just pull enough stuff and see what juice comes out,' he growls, sharpening his gameplan on a punch bag at a local hardcore gym. 'Put the devil in the other side of the ring and I will walk in to meet him.'

The eight contenders (and four stand-ins, in case of injuries) on the bill have all had full-contact experience, cracking bones in prizefights in Mexico or bouncing troublemakers at clubs. Invariably they've been plucked from the 400 hopefuls who sent Davie their CVs and videos because of their prowess in the martial arts. 'I've had applications from people who claim their art is so deadly they can't reveal it,' he cackles. 'Every month, I get to hear from someone who has defeated a wild bull.'

With furrowed brows and bull necks, their intimidating biceps folded, the gladiators stare stoically ahead at the pre-fight meeting. Gracie, Canadian Dave Beneteau and Russian Oleg Taktarov provide the international flavour. The other muscle has been marshalled from everywhere between New Jersey and California. Many are married with kids and mortgages and – apart from a few youthful digressions – have led pretty blameless lives. At least three fighters profess to be God-fearing souls.

Why do it? Pride. And the money. It costs about $750,000 to stage a UFC, but with pay-for-view TV at $19.95 a pop, ticket sales, merchandising and licensing agreements, Davie estimates it generates 'mid-seven figures' revenue. Considering he has wisely taken the precaution of arranging insurance to cover death during combat, the total pot of $100,000 begins to look paltry.

But that's big bucks for those who juggle jobs like firefighting and paramedic work with martial arts instruction. 'I do this stuff so my kid can have a better life,' says Joe Charles, aka The Ghetto Man. When he's not knocking out people, Joe's knocking on school doors selling educational software. 'My mom wanted me to stop all this fighting, but now that I'm getting paid she's standing behind me.'

They also consider themselves to be natural-born fighters. 'I love competition. I like to fight,' proclaims Shamrock, a father of three, whose chosen method of shootfighting has made him a *manga* cartoon hero in Japan. 'To be a good fighter you've got to be born with it in your system, the ability to overcome fear.'

None of the fighters appears to be troubled by fear. Waiting for his tilt at Royce, Shamrock hops around, chirpy as you like. He looks more in tune for a dinner date with his wife Tina than preparing to go the distance with one of the most dangerous men on earth. 'If a guy stares you down in a bar, adrenalin will start going through your body,' he says, a one-time troublemaker who spent his teenage years in and out of juvenile homes. 'Some people interpret that as fear, but I use it to get psyched up. When I'm fighting everything becomes numb to me and I don't feel any pain.'

Showtime. Time to step up and dance. The arena is about two-thirds full, but the UFC has got stiff competition. The Eagles are playing across town. Some of the crowd look like they've done a fair bit of sparring themselves, but there's also the beer-bellied backwoods boys wrapped in baseball caps, plaid and tattoos, and a smattering of women. 'All those close clinches, the muscles . . . it's a goddamn, freakin' turn on,' giggles 23-year-old Casey.

The evening's entertainment opens at a savage pace when Dave Beneteau pins down Cancio, a Miami-based Gung Fu practitioner, and rains at least two dozen blows on his face, which quickly turns to mush. It's all over before the redneck in the 'I'd just kick your butt' T-shirt has time to eat his pizza.

'How ya'll doin'?' Tracy sidles up to get a better view. 'I wanna see heads busted up,' he confides. It looks a distinct possibility as a giant called Jon Hess proceeds to batter Andy 'The Hammer' Anderson. This rumble stays on its feet despite the monster's bowling ball-sized fists quickly bloodying the smaller man's ear. But with no protective gloves there's a limit to how many times a man can drive knuckles into solid cranium without them breaking. Hess finds out the hard way. He wins the bout, but a fractured hand puts him out of business.

And so it goes on. But when a lake of blood fails to materialise on the canvas during the grudge match between Gracie and Shamrock, Tracy and the rest of the audience lose patience. The bout turns into a 33-minute war of attrition, and its relatively mild brutality is not nearly enough to quell the mantra-like chant 'bullshit, bullshit, bullshit'. Sensing the pay-for-view audience might be reaching for the remote control, the fight is declared a draw.

The Michigan-based Greco-Roman wrestler Dan Severn peps things up in his semi-final clash with Oleg Taktarov. Severn turns his rival into a floor mop before cudgelling him with a combination of pistol-cracking piledrivers and knee blows. The Elvis-loving Russian is renowned for being able to take a shot, but this is extreme punishment and his head begins to turn into something resembling chopped liver. The fight is stopped and a lackey wipes up the blood.

On a roll, Severn dispatches the other finalist, Beneteau, in double-quick time to become king of The Octagon. As the herd teems into the carpark, they reflect on the evening's blood-letting and $15 well spent. At about a penny a punch, the lust for witnessing real violence from the safety of a plastic seat has been satisfied – for now. But there's precious little debate about the morality of the spectacle. 'Who cares, man?' asks a gangly youth.

Davie hurries past, mentally pencilling in his next batch of willing fodder. He can't have missed a banner proposing the definitive challenge: TYSON VERSUS ROYCE GRACIE. Iron Mike against Superman. Unmissable.

Hard Ruck

Frank Keating

February, 1989

The other Saturday I was ordering a tea-time round of drinks in a Welsh rugby clubhouse after a bloodthirsty local 'derby' between neighbouring village teams when I broke off to join in the applause for an ugly brute with cauliflower ears who had just returned from a token visit to the hospital. The opponent he had deliberately 'done over' on the pitch a couple of hours before was being prepared for an emergency operation to reassemble his broken jaw and slashed cheekbone.

The cheers were not for this visit of sorrow or contrition – but for the *macho* skulduggery itself. I was later horrified to realise that I too had joined in the guffawing backslaps for the hard-man hero as he recounted with an almost satisfied grin how many stitches his opponent had needed. 'Nobody messes around with our Ivor and gets away with it,' was the general smug and triumphant consensus. And these were compatriots and neighbours: there wasn't even the excuse of hyped up nationalism. To adapt Dr Johnson – 'The Welsh are a fair people; they *never* act kindly towards one another.'

You notice I don't name names. It is inadvisable these days. Rugby players have become writ happy. Already this season, to my knowledge, there have been three High Court actions over injuries sustained on the rugby field. In France, a player was killed in a pitch brawl, and the opposing club had to defend *en masse* charges of manslaughter. One of Britain's leading experts on sport and the law, Edward Grayson QC, says that not only the culprit thugs could be liable to legal action 'but also referees who allow a game to degenerate into violence through lax control, or coaches who over-motivate players to such an extent that serious injury might be caused as a result'.

This spring, on March 18, a vengeful match takes place at Cardiff. The

last time Wales (in the sporting jargon) 'entertained' England at the National Stadium was on March 7, 1987. Inside five minutes, the English lock
and Lancashire police constable (no less), Wade Dooley, broke the cheekbone of the Welsh forward, Phil Davies, with a purler of a right hander.

Afterwards, Dooley and three other England players, including the
captain, Richard Hill, were dropped from the team for the next match.
The irony of Dooley's chosen profession seemed totally to have escaped
his masters. Indeed, that same month in Wales, a Cardiff police constable,
Richard Johnson, was dismissed from the Force and jailed for six months
for *biting off the ear of a fellow cop* in the match between Cardiff and
Newport Police. Not many weeks before, the Pontypool and Wales scrum-
half, David Bishop, was jailed for a month, later suspended on appeal,
after pleading guilty of assault by taking a running kick at a floored
Newbridge player, Chris Jarman.

Off the field, Bishop has twice been charged with assault. He phrases
exactly the double standards his games have so long fostered and hidden
behind: 'I'm no bad boy at all. Nor do I pretend I'm an angel. It's a hard
game and you've got to play it hard; it's a physical game and you've got
to play it physical. Tempers boil over sometimes – so what, you can only
regret it when they do. But basically, as well as a test of skill and speed,
rugby is also a test of manhood. What's wrong with that? It's just the shit
press that blows it up out of all proportion.'

Aye, there's the nub – that thin line between heroic *manhood* and mean-
spirited *machismo*. It has always been the dilemma for rugby. It could have
been any Saturday afternoon of the century, couldn't it, that the muscle-
preening prop stood naked in the showers admiring his rippling physique?
'Look at Adonis,' chaffs a caustic team mate. 'What do you mean, "Adonis"?' answers the self-admiring thicko – '*the* Donis!'

Ever since the 14-year-old committee of the Rugby Union demanded in
their Rules of 1885 that the referee be sole arbiter of fair and unfair play,
the macho men have, by definition, had licence to examine the limits
they could get away with – though those earliest Rules contained such
parentheses as, 'though it is lawful to hold an opposing player in the
scrimmage, it is not legal to attempt to *throttle* or *strangle* an opponent' . . .
or to 'hold a player and *hack* him at the same time'.

In the bar afterwards, rugby has never entertained squealers. Wimps in
the clubhouse get as short shrift as randy nymphs outside it. One of
rugger's first lily-livered wets to dare go public was the poet Rupert Brooke,
who submitted these lines to, of all magazines, the *Rugby School Annual*,
when he was 17 in 1904:

'When first I played I nearly died,
The bitter memory still rankles –
They formed a scrum with *me* inside!
Some kicked the ball and some my ankles,
I did not like the game at all,
Yet, after all the harm they'd done me,
Whenever I came near the ball,
They knocked me down and stood upon me.'

There, you see, you've got to laugh, haven't you, at the utter, pansified drippiness of yon simpering Wupert Bwooke? The complexity of this hooligan game is such, too, that even those whose spirits are embedded close and warmly to the heart of the freemasonry itself find enormous satisfaction in letting you count their own stitches and bruises acquired in ancient battles – like the actor Richard Burton's classic, tongue-rolling, lip-smacking litany of verbs that describe his treatment during the last club rugby match he ever played, when he was 28, against a neighbouring village team of Welsh colliers – '. . . troglodytes burned to the bone by the fury of their work, bow-legged and embittered because they weren't playing for or hadn't played for and would never play for Cardiff or Swansea or Neath or Aberavon, men who smiled seldom and when they did it was like a scalpel . . . and I was elbowed, gouged, dug, planted, raked, hoed, kicked a great deal, sandwiched, and once humiliatingly taken from behind with nobody in front of me when I had nothing to do but run 15 yards to score.'

Burton had to play *Hamlet* at the Old Vic the following Monday – but such, he recalled, were his muscle cramps after the experience, 'I was compelled to play the Prince of Denmark as if he were the hunchbacked Richard III.'

All good stuff for the clubhouse yarns – but it leaves you none the wiser as you attempt to pin rugby's two-faced philosophies to the noticeboard. I've been a hanger-on through the last three tours by the British Lions and loitered on the fringes of club rugby for some three decades now. But I'm still none the wiser about the acceptable levels of violence.

I played the game for a few years as a kid. I left school as a fancypants scrum-half and had a trial for Gloucester, then as now a rampaging collection of toughs. The old myths and mystiques, I notice, still abound. Beat out that old gospel! The old jokes are always the best. Halfway through that first trial match almost 30 autumns ago I was shovelled up from the touchline and carted off to Gloucester Infirmary. Thus ended my first-class rugby career. But my concussion was mild enough to allow me to remember the pre-match exhortation by Gloucester's England forward, a bald, demonic, agate-eyed warrior called Peter Ford.

'If it's dark and moves, kick it; it might be the ball. If it's dark and still, either rake it back with your studs or just stand on it. If it squeals, say a loud "Sorry" in earshot of the ref.'

The doughty Peter, still a legend all over Gloucester, became an England selector when he retired from playing. One of his front-row stokers in that fearsome old Gloucester pack was Roy Fowker, a bargee on the nearby Sharpness Canal. The whole county knew him just as 'Our Fowker'. He imparted his wisdom to me with relish; it had stood the test of time. 'If one of them other buggers in the backs drops the thing and you find yourself first to get there, just pick it up, and charge like a battering ram at the nearest bloke who gets in the way; but if someone of their side goes to pick it up first, then just drive your bloody boot in at his fingers; that'll learn him.'

The philosophy, I fancy, has not changed one jot, however much the coaches who've been to study PE at Loughborough College might nowadays wrap it up in academic semantics. It's called 'taking out your man'.

Our Fowker also showed me how the cultural divide can increase violence on the field. Not only north-south, but east-west, too. Like Gloucester would – and still – always play their hardest (*i.e.* dirtiest) against the presumed hooray-Herberts from, say, Harlequins, the snooty London club based at the middle-class shrine of Twickenham itself. One time (by then I was safely behind the touchline myself, as a paid observer on the Gloucester *Citizen*), Roy had so thunderously duffed up a Harlequin winger with pretensions to play for England that I suggested he made amends in the clubhouse afterwards.

Pint nursed by his giant's mitt, Fowker approached his poor, prancing adversary of the afternoon. The still quivering Quin had won his Blue at Oxford and was now one of the country's most promising barristers. The conversation went like this:

Fowker: 'What be y'doin' furra livin' then?'

QC Quin: 'Actually, I work at the Bar.'

Fowker: 'Which one?'

QC Quin: 'Lincoln's Inn, actually.'

Fowker: 'What be 'ee there then? Potman, is it?'

So, any suggestion of a cultural gap can inspire violence in rugby. There is also the generation gap – that is, the old buffer in the clubhouse forever tut-tutting about the meekness of today's youth and the comparative namby-pambiness of strict refereeing. A few years ago at Cardiff there was an almighty punch-up between the two macho forwards Geoff Wheel of Wales and Willie Duggan of Ireland. Wheel had, by all accounts, thrown the first left-hook after Willie had fraternally warned him with mischievous Kilkenny cunning that if he tried any strong-arm stunts he'd be carted from the field of play, not as Geoffrey Wheel, but as Meals on Wheels.

Bomph! Crack! The two of them went at it hell for whatever – till the ref sent them packing. At which point, as half of us in the pressbox licked our pencils and became all po-faced about the game being besmirched and all that, the other half – mostly former players – started attacking us for being so pathetically prim about a man's game, a physical contact sport. I remember Wilf Wooller, rampaging old Welsh centre of 50 years before, was next to me. I feared for my own chin as Wilf thundered:

'By God! If they'd sent players off for punching so punily in my day, there wouldn't have been one player left by the half-time whistle. Punches are part and parcel of the game. When we played Ireland we'd spend the next eight hours licking each other's wounds over pints of Guinness in the bar. Wheel v Duggan could have been staged at a vicarage tea party!'

So is a major determining force the need for new generations to prove their manhood to the bellicose ancients who went before them, gruff old warriors like Wooller who wear their rugger scars like campaign medals?

I asked the best prop forward in Britain, David Sole, who used to play for the crack English side, Bath, before returning to his native heath in Edinburgh to be nearer his international colleagues. 'Oh, sure,' says David, 'there are a few front-row psychopaths around, especially in Wales.' There are ways, he says, of calming them:

'Go in *really* hard that first scrum. Stags charging to show who's boss. If someone really whacks you in the first set-to, you can't let them get away with it, you must whack them back.'

Had he ever maliciously felled an opponent on purpose? A long pause, then the eyes twinkle. 'Probably ... but never to do as much damage as the fellow concerned might have done in the first place. And to actually run straight up to an opponent, pre-meditated, and whack him or boot him in the head, no, never.'

For Bath, Sole packed down alongside the England prop, Gareth Chilcott, a four-square personification of the brick outhouse, 17 stones and standing just five feet and a fagpaper, with a Wormwood Scrubs 'haircut' framed by two voluptuous cauliflower ears – but as gentle and good-natured a soul as you could wish to meet off the field. Gareth has been sent off for a string of misdeeds: butting, punching, kicking, and stamping – ('What do you mean,' asked a girlfriend of mine, 'stamping on people's *toes*?' 'No,' admitted the man they call Coochie, 'stamping on much more sensitive parts, I'm afraid!'). But since the second of his England caps Chilcott has been a reformed character – 'though you've still got to play it physical, especially in those first two or three close-quarter exchanges. You've just got to prove you ain't no babby-ass boy.' And he says no more, though leaving a lot, still, to the imagination. Babby-ass, indeed.

Chilcott was one of the England players temporarily dropped after the Dooley duff-up in Cardiff – unfairly, many said, for he was convicted on his reputation rather than being the sinner who repenteth. Most blame was fixed on the England captain that day, Richard Hill. He has never played for England since. He agrees there might have been too much adrenalin flowing.

'But that's me, I'm a combative little fellow. There's nothing worse than a dull, lifeless dressing-room. I tend to strut about firing everyone up, shouting at blokes, geeing them up, whacking their backsides to get the blood flowing. Especially the forwards. It's good when you see the glint come in their eyes, it means they're ready to go – though I agree there's a fine line about it, and the danger can be that they get so worked up they go out there and charge about like headless chickens, whacking everything that moves. As for me actually whopping someone, well, I'm only a little bloke aren't I, I'm not going to hurt anyone seriously, am I?'

His replacement, Richard Harding, far from gloating at the crackdown on dirty play that led to him being given the job, closed ranks within the freemasonry like the best of them:

'I feel extremely sorry for anyone who takes the rap, who are made scapegoats for something that goes on every day of the week in rugby – so does every player in England. Far worse than a few punches has been going on for years. And as for the piety and pomposity emanating from Wales after one of their chaps got hit, well, they've had a heck of a lot of psychopaths strutting about their rugby fields for years, haven't they?'

Harding's Bristol club was involved – against Newport – on the only occasion in first-class rugby when a referee, George Crawford, sent *himself* off for dirty play. Two years ago, after 20 minutes of scrapping, gouging and punching between the two sides, Crawford got fed up with issuing final warnings, turned tail and awarded himself an early bath, cancelling the match.

'It was sheer lunacy,' recalls Crawford, who also happens to be a Metropolitan Police Superintendent, 'a running fist-fight. Can you imagine the sheer horror of watching players who had been friends half an hour beforehand, tearing into each other with their faces contorted in hate? To hear the blows was sickening. Given a single death from violent action and this once marvellous game could be placed alongside the victim in the same grave. Any parent should be concerned about their child playing.'

And what happened to the peaceable Superintendent? He was given a severe reprimand by the game's governing body, the RFU at Twickenham, for abdicating his responsibilities. Other referees would sympathise. England's finest Union official, Colin High, had eight seasons as a senior ref before he sent his first two blackguards off three years ago. 'One was for putting the boot in with malice; the other simply measured the opposite guy, and though the punch only travelled that far' – and he holds out his hand like a fisherman boasting about a medium-sized trout – 'it was viciously intended to inflict maximum damage, which it did. Mind you, it's really all a matter of degree; if you sent everyone off just for throwing a measly punch, then I don't think we'd have anyone left on the field of play.'

Where does that leave us? The rise in sendings-off through the decade – in Wales (207 clubs) 137 in 1980–81, 211 last year; in England (1,903 clubs) 1,184 in 1980–81, 1,378 last year – does not mean much except, most players will tell you, that a few more refs got out of bed on the wrong side that morning.

Or is it a necessity for them to live up to all the old clubhouse myths of derring-do and the heroic dirty deeds of legend? Is violence whipped up by the captains, with their Henry V exhortations in the dressing-room; or the touchline coaches whose bellowing *'Take him out!'* can mean only one thing – render an opponent physically ineffective for the rest of the game?

Or might it be that rugby players – for the sake of not being wet and unmanly – never *ever* apologise to an opponent for losing their rag; unless getting blind drunk with each other serves always as a tacit apology?

Not quite true. The only man I've ever known apologise for dirty play on the rugby field was Andy Ripley, of Rosslyn Park and England. Last season, when I did a farewell interview with Andy after he had retired from 20 years as a credit to the game, he asked if he could add one line of his own. Sure, I said. 'Could you publicly apologise for me to Bob Anderson, of Gosforth, the only man I knowingly fouled in my career.' Ah, sweet, eh?

So is rugby an enduring, honest game full of Andy Ripleys, fun and good fellowship, comradely challenge and chivalry, ruined only rarely by the odd playground bully?

'Most certainly not,' says John Davidson, the Moseley prop who was forced to retire from the game after his jaw and cheekbone were smashed by a Swansea opponent's punch – 'the club circuit in England and Wales includes about a dozen players who are, quite simply, psychopathic thugs: it's the only way to describe them; they are bonkers and they are very dangerous.'

Thus, on the whole, I think the Psychopathic Thugs have it.

Patriot Games

Andrew Walpole

October, 1995

'Hrvatska! Hrvatska! Let's go Croatia! Let's go!' crackles a guttural-sounding voice over the in-flight intercom as the Croatian football team's plane begins its slow descent into the sun-drenched Ukrainian capital of Kiev.

'Blazevic ... Prosinecki ... Beli ... Suker ... Ivic ...' intones the voice, proceeding to reel off a long list of unfamiliar sounding names amid a chorus of cheers – and the odd catcall – from the passengers on board flight 490 from Zagreb. The master of ceremonies behind the microphone is Zorislav Srebric, the Croatian Football Federation's Mr Fixit. Finally, after paying tribute to all manner of players, officials, fans and hangers-on, he reaches a surname which is vaguely familiar to British ears. 'Boban!' cries Srebric loudly. 'Zvonimir Boban!'

This name belongs to the man lazily sprawled out in his seat at the rear of the plane. He acknowledges the applause with a wry smile before joining the rest of the team in idly leafing through various Croatian newspapers.

His name is all over the back pages. Not just in Croatia either. At 27, Zvonimir Boban is a sure-fire candidate for inclusion in anyone's World Football XI. Not only is he an integral part of the all-conquering Italian side AC Milan, he's also captain of a Croatian national team which many rate the best in Europe on current form.

A mark of Croatia's rising status was to have been this month's game against England at Wembley, a fixture now cancelled. However, on October 8, they will secure a place in next year's European Championships when they take on Italy – a team they have already beaten once and left trailing behind them in their qualifying group. But for now, we are in the Ukraine, where Croatia are playing a crucial qualifying game against their hosts.

Despite their status, the blank-faced youth in uniform keeps the team waiting for an age in Ukrainian customs before they are finally given a cursory wave through. Even the mighty Boban barely merits a second look as he hands over his passport. In Croatia, Boban gets the red-carpet treatment wherever he goes: fans call him 'The Duke'; the press revere him as a kind of sporting renaissance man; and his picture – even in this predominantly Catholic country – probably hangs on more bedroom walls than the Pope's.

Closer inspection of Boban's appearance reveals a small clue about the reason for his god-like status back home. Alone among the tracksuited throng, he is the one wearing his baseball cap turned round the wrong way with its peak nearly touching his shoulders. This is reminiscent of another complex individual, Eric Cantona, a man who betrays his fierce streak of independence by always wearing his shirt with the collar turned up – while his Manchester United team-mates, to a man, turn theirs down.

The comparison with Cantona is apt. Just as the Frenchman's kung-fu kick at a Crystal Palace fan at Selhurst Park is indelibly etched into the memory of every Briton, no Croat will ever forget the moment when Boban kicked a Serbian policeman who attacked him during a full-scale riot between rival Dinamo Zagreb and Red Star Belgrade fans in Zagreb in May 1990. The ethnic violence which ended that match was a harbinger of one of the twentieth century's bloodiest and most bitter civil wars; a conflict which has so far claimed the lives of around 10,000 people, made thousands more homeless and resulted in Serbs controlling nearly a third of Croatian territory.

During a bumpy ride from the airport in a rickety bus which probably first saw service when Stalin still ruled, the full significance of Boban's retaliatory lunge begins to sink in. When we finally arrive at the towering concrete monument to bad design which will serve as the team's hotel for the next three days, he is asked if he ever regrets lashing out in the way that he did in front of a TV audience of millions.

'No, I would do exactly the same thing again if I had to,' he explains quietly in passable, if halting, English. 'The Serbian police were attacking our fans in the most incredible way. When I asked them to stop, one of them called me "a son of a bitch". He was just a boy, so I did nothing, but then another policeman tried to hit me in the stomach and I just reacted in the same way as anyone would. I defended myself.'

Boban peers thoughtfully into the gloomy hotel lobby and admits that this kick was possibly a turning-point in his life. 'It was like an explosion,' he says. 'I felt all my nationalistic feelings coming to the surface and in that moment, I knew that I had balls.'

Afterwards, he spent three weeks in hiding because striking a policeman carried a sentence of hard labour. 'I really thought that I might have to go to prison,' he says. 'But in the end the policeman was punished because he had attacked me in my place of work.'

The main reason Boban has no regrets about this incident is because such a powerful Croatian side has emerged from the wreckage of the former Yugoslavia; a phoenix-from-the-ashes team built around the crop of exciting young Croatian players who played with him in Yugoslavia's World Youth Championship winning side of 1987: the full-back Robert Jarni; the striker Davor Suker; the midfielder Robert Prosinecki.

Four years ago, the presence of this promising Croatian quartet (coupled with the talented Montenegrin Savicevic) made Yugoslavia strong favourites for the 1992 European Football Championships, until the outbreak of war forced their withdrawal. Now the same foursome are holding the reins of a good dark-horse bet for Euro '96. Only this time they are a team of exiles. It's not just Boban who flies in from abroad for their games: Jarni comes from Juventus, Suker and Prosinecki from their respective Spanish clubs, Seville and Oviedo. So do others – like Gazza's former Lazio team-mate Alen Boksic and the German-based pair, Slaven Bilic and Elvis Brajkovic.

What draws this raggle-taggle band of footballing gypsies home is a burning desire to pull on the distinctive red-and-white-checked shirts of Hrvatska-Croatia. 'It just does not compare with playing for Yugoslavia,' says Boban. 'The Croatian team is where my heart is now.'

Passion and pride are often hollow words in football circles. But in this case, Croatia's results bear them out: since they first stepped onto the international football stage in 1990, Croatia have played twenty, won twelve, drawn four, and lost four. Which is a remarkable record for a country that wasn't even on the world map five years ago. Especially when you consider that initially the team had to pay their own air fares and hotel bills in order to balance the Croatian Football Federation's shoestring budget. Even now, the players only get expenses and will have to wait for their appearance money until qualification for Euro '96 is guaranteed.

'I don't think any team has ever been admitted to FIFA under such difficult circumstances,' says the Croatian Football Federation's General Secretary Ante Pavlovic. Just persuading world football's governing body to let them play home games in the capital Zagreb – which has been largely untouched by the war – took an age. They still can't play in Split –

home of the country's most successful club, Hadjuk – because it's deemed to be unsafe.

Then there was the sheer mental strain that an unceasing toll of death and destruction placed on the team. 'Every player was afraid that one day they would get a call saying that his friend or a member of his family had been killed,' says Pavlovic, casting his mind back to the bleak winter of 1991–2 when the fighting was at its peak.

One squad member, Nenad Pralija, lost a brother. So did the team's number-one fan, 39-year-old Zelgko Katavic – a long-haired, gap-toothed, fifteen-stone truck driver from Osijek whose sizeable beer gut has earned him the nickname 'Beli'.

But shouldering the burden of grief together has forged a close bond between players, coaches, fans and administrators; one which is extremely rare in the money-driven world of professional football. Boban has paid for operations on Croatian civilians injured in the war and donated money to a bomb-ravaged church. Boksic organised collections for humanitarian relief at his Lazio club. And when, earlier this year, the legendary Beli made a marathon 72-hour trek overland through five countries to watch the team's game in Estonia, all the players had a whip-round to pay for his flight home.

Over drinks at a reception at the Croatian Embassy in Kiev, the team's 62-year-old technical director Tomislav Ivic lauds his players' newfound sense of patriotism and social responsibility. 'All the players want to contribute something to the building of a new country. They see it as their duty,' says the former Ajax and Paris St Germain coach. 'They know that there isn't one ambassador in the world who can do what they can to promote a new Croatia.'

But the man the Croatians call 'Little Napoleon' only really wants to talk about football, or to be more precise, formations. Putting his arm around me, he demands a full breakdown on England's likely starting line-up and tactics for this September's friendly. Then, grabbing my notebook and pen, he draws page after page of diagrams illustrating how Boban played a crucial role in countering the threat of Roberto Baggio during Croatia's tumultuous win over Italy in Palermo last year. 'Boban is so important to this team,' he says. 'He is a natural leader not just on the pitch, but in the dressing room, in the training ground, even in the hotel.'

The owlish Zdravko Reic, a close confidant of Boban's and a veteran Croatian football correspondent who has covered four World Cups and seven European Championships, paints an even grander portrait. 'Boban is a man of great culture and humanity. He doesn't just read sports papers, he reads novels and philosophy,' he says. 'If he wasn't a footballer, he could have been a government minister or a professor.'

Or maybe even a priest. 'I do read a lot of books, but I always come back to the Bible – especially the New Testament,' says Boban quietly. 'It's my guiding principle in life. I have had a great religious feeling inside me since I was about fifteen.' Which is why, presumably, he pays for churches to be repaired and shattered limbs mended. 'It gives me a good feeling inside – yes. I want to set a good example, of course. But I don't like to talk about things like that too much. Somehow they become plastic – not real – when journalists write about them.'

But five years on from that infamous kick, can he find forgiveness in his Christian heart and cultured head for the Serbs? Boban cites his friendship with his AC Milan colleague Savicevic who hails from Montenegro, Serbia's ally. 'You can't generalise and say all Serbs are bad and all Croatians good,' he says. They often discuss the war: 'We are a long way apart – but he does not agree with attacks on civilians. He is not an "ultra".'

As a cluster of painfully thin Ukrainian boys crowd round our table begging for an autograph, Boban turns his mind to the following day's game. The omens are not good. He clutches his groin which has been troubling him for weeks. Worse still, he has also lost a precious necklace which was a wedding present and is engraved with an image of his favourite bird – the seagull.

His gloomy prognosis is based on reason as well as superstition. It's the end of a long, hard season and the team are not in the best of spirits: Prosinecki is suspended, Jarni is also carrying a niggling injury and there is universal annoyance that the Federation hasn't brought its own supplies of food to a city which is close to the site of the Chernobyl nuclear disaster.

Twenty-four hours later, the lack of atmosphere in the Ukraine's national stadium appears to deaden the team's spirit further. Twenty years ago, when Dinamo Kiev were among the most feared sides in Europe, this ground was frequently a seething cauldron filled to the brim with 100,000 spectators. But today's game clashes with a religious festival in Kiev, resulting in a crowd of barely 5,000 – and a large proportion of them are in uniform too. 'It's like a cemetery,' says the Ukrainian press attaché wearily.

Led by the imposing figure of Beli, the small band of Croatian fans try hard to add colour to the drab spectacle by draping a series of huge red and white banners over the rows of empty seats. In the press box, the mood is equally patriotic; the Croatian journalists all stand when their own national anthem is played. Their Ukrainian counterparts stay seated – to the fury of the press attaché. 'Stand up, you fucking bastards, stand up,' he shouts. 'Show some respect.'

Croatia opt for a defensive 5–3–2 system, they concede an early goal and then have their goalkeeper sent off for the second game in a row. Boban, playing in a deeper position than usual, shows only flashes of brilliance. He nearly scores with a curling 25-yard drive before his groin gives way and he is substituted just before half-time. Without him, his team-mates fail to reduce the deficit and at the end of 90 minutes, the bottle of champagne the Croatian pressmen had brought is quietly packed away.

On the plane back to Zagreb, the talk is not of Euro '96, but the minutiae of Croatian football politics. Will 'Attila' (the team's manager Miroslav Blazevic) and 'Little Napoleon' still be at the managerial helm this time next year? Or will the Federation's new vice-president Vlatko Markovic, who is not only the team's ex-manager, but also a good friend of the country's football-mad President Franjo Tudjman, get his old job back?

But the whispering stops as £10-million worth of talent comes loping down the aisle in the shape of Gazza's former Lazio team-mate Alen Boksic. He stops in front of the beer-guzzling Beli, punches him playfully on the chest and ruffles his hair like a lion playing with an oversized cub. Their banter is temporarily drowned out by the sound of the in-flight intercom. It's the Federation's Srebric rallying his weary troops again with the now all too familiar war cry of 'Let's go Croatia! Let's go!'

Like Srebric, Boban's confidence in the team remains undented by the temporary setback in the Ukraine. 'We will learn from this defeat,' he says. 'Perhaps it will teach us that we need to be better prepared before we go into a big tournament where you play maybe three games in seven days. But if we can get our preparation right then we will have a very good chance. We already believe that we can beat anyone in the world in a one-off.'

This is not mere sabre-rattling; some of the wisest football sages in the world agree with Boban. England's Terry Venables has gone on record saying that Croatia are the continent's best team on current form; Arrigo Sacchi, national coach of Italy, has made no secret of his admiration either. 'Croatia are the European team who have made the biggest leap in the FIFA rankings,' he said recently. 'They have a lot of very good players.'

The former England international Steve Coppell takes an even more bullish view of Croatia's chances next year: 'Given the nationalistic fervour that they take into every game with them now, I am sure they will be a real force to be reckoned with. Boksic is a terrific player and in Boban they have a very talented individual who can win a game by himself. I think they are well capable of doing what Romania and Bulgaria did in the World Cup last year – and surprising a few of the big names.'

Kurds United

Gareth Smyth

November, 1993

I t is a pleasant spring afternoon in Arbil in north-eastern Iraq. Mohammed Khalil leans forward on the bench at the town's football ground
as he watches two local sides and scouts for promising young players.
Mr Mohammed is a calm, broad man of 53. His hair is carefully parted,
his moustache neatly brushed and he wears an immaculate cream tank
top. But his brow is furrowed and he fiddles nervously with his prayer
beads. In short, he seems preoccupied. As well he might. Mr Mohammed
has much on his mind. It is not easy being manager of Arbil, the leading
football team in Iraqi Kurdistan.

'We are suffering financially, physically, morally,' he says. 'Our players
must learn new ways. Some special circumstances make it difficult for
them to play their best.' This is something of an understatement. Five
years ago Mr Mohammed led Arbil to promotion into the top division of
the Iraqi league. Since then, Iraqi Kurdistan has been devastated, and is
today under economic siege from all its neighbours. Football is played in
the shadow of Saddam Hussein, amid an uneasy armed truce between
Kurdish guerrillas and the Iraqi army. And since Iraqi teams from outside
Kurdistan are not allowed to come to an area which Saddam says is run
by 'bandits, Zionists and US imperialists', Arbil must play all their games
away from home in territory controlled by the Iraqi government.

Arbil is the Kurdish equivalent of Milan or Liverpool. Football here is
fever. As mothers hang out washing and grandfathers smoke pipes, small
boys chase balls or stones along hot, dusty streets until their fathers call
them in at dusk. Arbil's fans understand Mr Mohammed's difficulties and
are pleased simply that his team still plays competitive football. But most
were disappointed when Arbil finished last season seventeenth in Iraq's
premier league of 24 clubs. Arbil's fans expect success.

At the entrance to Arbil's ground, and supported by two outsize concrete footballs, stands a painting depicting the Football Martyr. The glazed, timeless face of eternal youth belongs to former player and Kurdish guerrilla Mursil Hussain Mursil, who was killed by an Iraqi helicopter gunship in 1978 while fighting in the mountains. The Kurds call their fighters *peshmerga*, which means 'those who face death'. The hero is remembered respectfully as fans file past.

Inside the dusty ground, only the heavy concrete plinth and surround remain of the larger-than-life portrait of Saddam Hussein, which once dominated the field. The image of Iraq's president has been obliterated by the defiantly generous spray of Kalashnikov fire. Expunging the thousand faces of Saddam was a priority when, as the allies created a so-called safe haven in the wake of the Gulf war, Iraqi troops fell back behind a 320-mile 'green line' and Kurdish guerrillas took over a swathe of 50,000 square kilometres in the north-east of Iraq.

Kurds make few forward plans. Too many fathers, sons and brothers died at the hands of the Iraqi regime or in the long war against Iran. Too many children were buried when more than a million Kurds fled across mountain passes to Turkey and Iran as Saddam crushed the uprising of 1991. Landmines still regularly blow off victims' legs, and some 4,000 villages remain in ruins. More sheep grazed the hillsides this year than last and more land was cultivated, but food shortages are endemic. Cross-border smuggling is a lifeline to this once prosperous land which remains under a strict trade embargo from both the United Nations and Saddam.

Rumours travel fast and feed uncertainty. Faith in the Western allies is weakening, while the fear grows that Saddam's troops and security police, or *mukharabat*, will return. As it is, the *mukharabat* or its recruits are blamed for a spate of bombs in the cafés and streets of Arbil, and the murder of several foreign aid workers. The two-year equilibrium of 'free Kurdistan' on Iraqi soil is ultimately unstable. This is a surreal 'normality'. Saddam still pays the workers at the massive Dokan dam, south-east of Arbil, since they transfer hydro-electric power to the Iraqi regime, which, in return, supplies intermittent electricity to the Kurds. Similarly, the pro-government newspapers *al-Iraq* and *al-Thaura* – with Saddam's face beaming out from their front pages – are freely available in Arbil's bazaar.

Frequently, mass graves of bound skeletons are unearthed and remind the Kurds of the horrors of Saddam's 'Anfal' campaign of 1987–8, in which perhaps 180,000 men, women and children were eliminated. Yet flickery Rambo films are all the rage in Kurdish cinemas, and refugees sleep, eat and wash up in the torture chambers of former prisons. Life goes on. The

Kurds settle back into their traditional pursuits of farming, raising children, and wiling away the day in tea shops. The passion for football stirs.

The mountains of northern Iraq, bordering Turkey and Iran, rise to nearly 12,000 feet. This rocky, inhospitable terrain has provided refuge for the Kurds through centuries of conflict with hostile neighbours. South of the former mountain resort of Salahuddin, the road wends steeply downwards. Arbil is the first city south of the mountains, nestling between the Greater and Lesser Zabs, two main tributaries of the mighty Tigris river, in one of the most fertile tracts of agricultural land in the world. The rolling plain which leads to Baghdad and beyond is suitably flat for playing the world's most popular game.

A sign in English, put up by the Iraqi Ministry of Tourism, proclaims Arbil the longest continuously inhabited city in the world. Archaeological research dates Arba Elo ('city of the four gods') to at least 5,000 BC, making it contemporary with, or even preceding, Ur, Babylon and Nineveh, the great cities of ancient Mesopotamia, one of the world's first civilisations. As the gateway to the mountains and routes east, Arbil was a natural trading centre and stopping-off post: in 401 BC the 'ten thousand' of the Athenian Xenophon dropped in on their march back to Greece following an away defeat in Persia.

In today's geopolitics, Arbil is the capital of the statelet and fledgling democracy of 'free Kurdistan'. The reassuring buzz of allied jets is heard almost daily – evidence that the football ground is just north of the 36th Parallel and so within the 'no-fly zone' created to stop Saddam bombing the Kurds. But the positions of the Republican Guards, the crack troops left mostly unscathed by the Gulf war, are fewer than twenty miles away across the plain, and Saddam's embargo is slowly strangling everyday life.

When Mohammed Khalil uses the standard manager's excuse for the team's poor form – circumstances beyond his control – he has a better case than most. It is not, for example, difficult to believe his players' claims that Baghdad referees will not award penalties or offsides to Arbil. At the same time, the blockade rules out the high-protein, high-carbohydrate diet beloved by footballers the world over: while the team eat better than many Kurds, their staple fare is still bread, rice and tea. And they cannot recuperate adequately because they are constantly travelling to and from fixtures.

Arbil used to perform before home gates of 20,000 noisy fans. No longer. Since no other team in the Iraqi premier division can come to the Kurdish zone, Arbil play all their 'home' games at Mosul, the Iraqi government-controlled city 70 miles away. For every game – whether 'at home' in Mosul or away in Baghdad, Basra or Najaf – the players' ancient Nissan bus must pass the checkpoints of the 'green line'. It is a very stressful journey. On one side of the line are lightly armed, nervous Kurdish *peshmerga* in loose-fitting brown garb and Korean-made trainers; on the other side, more than 100,000 combat-ready Iraqi troops backed up by tanks and heavy artillery.

Kurds pass across the line in both directions, mainly visiting relatives, but getting through has become more difficult as Saddam has tightened the embargo. Few concessions are made to Arbil's team bus and its occupants. If the Iraqi soldiers on duty are sympathetic, the players may be waved through quickly, but if not they may have to wait in line for hours before being frisked and having their kit bags turned out.

For supporters, the crossing is even more fraught. Fewer and fewer brave a trip which can involve many hours' delay, if not detention, questioning and beatings. Most of the handful who continue to make the journey are boys too young for the military call-up: Saddam's troops guarding the checkpoints sometimes amuse themselves by conscripting older fans for the Iraqi army.

At several points on the line, the *peshmerga* and Iraqi soldiers glower at one another from barely 100 yards apart. North-west of Arbil, Iraqi troops have taken to burning petrol confiscated from returning Kurds: the billowing, sinister smoke visible for miles serves both to demonstrate the plentiful supply of petrol south of the line and to intimidate. If that weren't enough, the occasional shell flies over. The 'green line' is no place for the faint-hearted.

Kamiran Mohammed, Arbil's 26-year-old midfield playmaker, scored eleven goals last season in 44 games. Handsome and clean-cut, he is married with two small sons. He sports designer stubble, wears fashionable clothes with turn-ups on his trousers and accepts the adoration of young boys with an embarrassed smile. No doubt he would be a heart-throb, too, if women in this Muslim land watched football.

Open-mouthed fans gather behind the grille surrounding the pitch as we talk. Their fascination is as much with the pale-skinned Western reporter as with their footballing hero, and they strain to catch every word of the translated exchange. Kamiran is softly spoken, polite, and happy to answer questions. His ambitions, he says, with a gentle shrug of the shoulders, are 'to remain a good player, to train and practise, and to serve my country and people'. His ideal player, he says, is the German midfielder

Lothar Matthaus, but off the field he comes across more as a Kurdish Gary Lineker.

Kamiran recounts what might have turned into the standard rags-to-riches story. He began with a small rubber ball in the street, his potential was recognised at school and by the age of fourteen he was playing for Arbil's youth team. As he moved rapidly into the first eleven, it was clear that Kamiran's talent could make him a star of Iraqi football.

The Brazilian Romereo, imported to manage the Iraqi national side, took an early interest in the 'number ten from Arbil'. Kamiran flourished. He became the linchpin of the Iraqi youth team and was top scorer when they won the 1985 Jordan Independence championship. He played for the full national side in March 1986 in two friendlies against Ipswich Town. Racking his brain, he can remember one name from Bobby Ferguson's outfit, that of defender Terry Butcher. 'He was a good player, their captain, the number five. When I dribbled past him, he kicked me!' (Ipswich won the first game one-nil, and the second was a nil-all draw.)

Kamiran was included in the Iraq squad for the 1986 Gulf Championship in Bahrain, but Romereo left shortly afterwards, reportedly disillusioned by the way Iraqi football was run. Kamiran was never picked again. Arbil supporters believe fervently that Kamiran's international career was cut short because he is a Kurd, and not an Arab. Behind Kamiran's smile and charm lies a deep disappointment. 'I hoped I would be the best player in Iraq,' he says, 'but those in Baghdad have not given me the chance.'

'Those in Baghdad', Saddam and his circle, dominate football as they dominate everything else in Iraq. Despite an official policy of respect for Kurdish rights, the reality is discrimination and favouritism – generally in favour of Sunni Arabs over Shia Arabs or Kurds, and specifically in favour of Sunni Arabs from Tikrit, Saddam's birthplace. The head of both the Iraqi football association and the country's Olympic committee is Udai Hussein, the president's eldest son and former deputy head of Iraq's intelligence service. Udai was appointed to these posts straight after graduating from engineering college with a 99.5 per cent grade. His career was briefly thwarted when, in 1988, he bludgeoned to death a presidential food-taster who had acted as go-between for Saddam and a lover (the ex-wife of the chairman of Iraqi Airways). Udai's action, apparently in respect for his mother's honour, threatened to make the dalliance public and so dent Saddam's image as a devoted husband and family man. An angry Saddam threw his son into jail. But Udai's mother intervened. 'Why arrest him?' she reportedly asked her husband. 'After all, it is not the first time he has killed. Nor is he the only one in his family who has killed.' She had a point. Before slaughtering the food-taster, Udai had killed two army officers, one who had resisted his attempts to seduce his daughter and one who had resisted his attempts to seduce his wife.

Saddam relented. After a spell of luxurious exile in Switzerland, Udai resumed his position in charge of Iraqi sport. During the Gulf war he flew Kuwaiti footballers to Baghdad in an unsuccessful attempt to persuade them to play for Iraq – Kuwait was, after all, Iraq's 'nineteenth province'. Following the war, Udai announced that Iraq's 'victory' would be honoured annually by a 'Mother of all Battles' football championship.

In the anti-Saddam uprisings which followed the Gulf war, according to Shia sources, in the southern city of Basra, Udai personally selected and then executed dissidents in front of large numbers of detainees. In May 1992, three spectators were killed when Udai ordered his bodyguards to open fire on a football crowd chanting anti-Saddam slogans at a match in Baghdad. Udai now heads Iraq's bid to qualify for next summer's World Cup finals in the United States.

Sniffing around Arbil's ground, decked out in the traditional baggy trousers, is the diminutive Sadiq 'Gichka' ('The Small') Sa'aid, aka 'the sports encyclopaedia'. Gichka is in his late forties, but has a boyish enthusiasm which rarely leaves him silent. The gusto in his defence of the law forbidding back-passes to the goalkeeper makes the curled ends of his moustache vibrate. He salivates and sighs while reeling off the names of the 1970 Brazilian World Cup team – Pele, Tostão, Jairzinho, Rivelino ... he knows them all. His eyes radiate as he recalls the contrasting styles of the Charlton brothers. His face drops as he mourns Bobby Moore. He sees the funny side of Paul Gascoigne, collapsing in near hysterics over a long tale whose punchline is an Italian referee giving Gazza some gum: 'He found a new way to keep him quiet!'

Gichka has been a sports reporter since 1976, working 'underground' in the days when the punishment for working on an illegal newspaper was an unpleasant death. These days he works for *Briety*, one of the two new Kurdish daily newspapers, and also broadcasts a sports spot on local radio. Although Gichka is now too afraid to attend Arbil's games, manager Mohammed Khalil can't relax, because the newspaperman's absence doesn't prevent him writing columns offering comment and advice on tactics.

But Gichka's hyperactivity is, in part, a withdrawal symptom from not seeing live football. He misses watching Arbil, and the team, he believes, misses its supporters. 'The fans are the twelfth player in the side,' he says.

'Arbil haven't their support and it affects their play. The fans are unhappy. They feel rejected.' Gichka helped organise a petition bemoaning their plight which has been sent to the Kurdish parliament elected last year; he is not confident that the politicians will be able to help.

Samir Abdullah also wants to meet the journalist from Britain. Mr Samir is an earnest 40-year-old, clipboard-toting administrator in charge of the local football leagues. With the gently severe air of a scoutmaster, he points out matter-of-factly that Western aid (which prevented starvation last winter, if not the one before) has not included help for football. Sport, he says, is important for the education of young people and for the morale of everyone. Understandably, the Kurds have developed great skills in making things last – football kit, corner flags and referees' whistles, as much as tyres, cisterns or UNICEF tents. But a pair of boots costs about 800 dinas ($30) – perhaps a month's wages for the few Kurds in gainful employment. And shin pads are like gold dust. Can I make sure, Mr Samir asks, that John Major is told?

Mr Samir is nonetheless delighted that Arbil's manager, Mohammed Khalil, is scouting at the knockout competition for local teams which he has organised at Arbil's ground. The tournament commemorates the fourteenth anniversary of the death of Mullah Mustapha Barzani, the legendary Kurdish guerrilla leader who defied Baghdad in the Sixties and early Seventies. But the spring rains have given way to soaring summer temperatures.

The pitch is dry, and suddenly, tempers flare. A game between Asir and Seka ends with a pitch invasion and general punch-up after Asiri players, two-one down, dispute a close decision and then assault the hapless referee. Watching with me from behind the goalposts, Gichka tut-tuts and shakes his head: it all brings back unpleasant memories of a near riot in 1987, when Arbil had a goal disallowed in a match against Zaura in Baghdad.

Gichka decides he must return to his office to write a column for tomorrow's newspaper deploring such hooliganism. Just before he scampers off past the painting of the Football Martyr, his shadow lengthening in the twilight, I can't resist asking him if the Kurds use the expressions, 'it's a game of two halves' and 'the game's not over until the final whistle blows'. Of course, Gichka replies, his smile restored. I dare not ask him if the Kurds also say that football is more serious than life or death.

Completely Pucked

Alex Kershaw

May, 1993

It took nine policemen to subdue John Kordic, the 6'2", 27-year-old heavyweight champ of the National Hockey League, as he struggled in a Quebec motel room last August. Finally strapped onto a stretcher, with yellow rope around his feet and double handcuffs restraining his bulging arms, his face bloated by steroids, Kordic was still conscious and swearing as he was carried out.

An hour later, the NHL's most notorious 'goon' – or 'enforcer' – was dead. His final days had been short on glory, long on desperation and capped years of famous drug and alcohol abuse. Sent packing by four NHL teams, the John Belushi of hockey had racked up 997 penalty minutes in 245 games, averaging nearly 30 minutes in the sin-bin for every point he scored.

'Kordic's real battle was not with fellow enforcers on the ice but with himself,' says Claude Bédard, the sports editor of the *Journal de Québec*. It was no coincidence, Bédard adds, that at the time of his death, Kordic's golden years had faded into rejection and despair. As one of the many coaches Kordic played for put it: 'John always had a time bomb inside him, a time bomb set to explode.'

Indeed, few were surprised that the NHL's most feared prizefighter had finally gone down to defeat in the long struggle with himself. The fastest, most violent professional team sport in the world had, after all, flipped the switch that turned on Kordic, the fighting machine who left blood on the ice all over North America. But no one, least of all Kordic himself, knew how to turn the switch off.

John Kordic wasn't always a goon. As a schoolboy, he was coached in the finer techniques of hockey by his father, Ivan, a Croatian immigrant who settled in Edmonton in the early Sixties. Kordic dreamt of playing defense. And yet, by 1986, the year he picked up a winner's medal in hockey's equivalent of the FA Cup, the Stanley Cup, his father's pride was already tinged with remorse. He hadn't raised his eldest son to be a hockey star paid a reputed $200,000 for his right hook as much as his ability to skate.

'John wanted to be seen as a hockey player, not just a fighter,' says Claude Bédard. We are seated in the press gallery overlooking the ice in the Coliseum, the Québec Nordiques' cavernous stadium. A game against the New York Islanders is in its third quarter. 'John was very frustrated. Two months before he died, he told me he sometimes cried himself to sleep at night. He wanted to stay in hockey, but the only way he thought he could do that was by continuing to fight. He felt trapped.'

Hockey requires superlative skill, reactions and agility. It also demands almost superhuman stamina and strength. A fight breaks out below us as a New York Islanders enforcer smashes a Nordiques player against the perimeter wall and then mercilessly cuffs him. 'Hockey,' says an indifferent Bédard, 'is probably the toughest game in sport. The average player's lifespan at the top is five years. You either play well, deal with the pressure, or you fall by the wayside. At the top, it's a hard, hard game.'

Given such demands, Kordic struggled doubly hard with the role in which hockey cast him. After joining the Montreal Canadiens in 1985, he confided: 'Everyone pretty well knows my role and it's no secret what I have to do.' Kordic had been hired to be an obstructer, an enforcer, a goon, a 'bare-knuckled caricature of a professional athlete', as *Sports Illustrated* later described him.

Right to the end, Kordic complained to family and friends that he didn't want to fight. But he was afraid his career might end all too soon if he did not. And yet, in public, he appeared to revel in the violence. Playing for Sherbrooke in the American Hockey League in 1985–6, Kordic littered the ice with the bloodied and beaten. After beating up Gord Donnelly of the Nordiques in 1986, Kordic skated off the ice, kissed his fist and raised it in gladiator style before the baying crowd.

Nobody could 'take' Kordic. According to a former coach, Kordic 'beat the shit out of everyone', becoming a figure on *Hockey Night in Canada* highlight tapes. In the NHL's bad boy Hall of Fame, he will always rank with the greats alongside Stu 'The Grim Reaper' Grimson and Dave 'The Hammer' Schultz, the all-time top goon with 472 penalty minutes in one season.

Already a cult figure with Montreal Canadiens by Christmas 1986, off the ice Kordic was beginning to crack up. To lighten up after matches, to while away the long, lonely hours in hotel rooms, Kordic began snorting cocaine, the fans' boozy mantra – 'Kordic! Kordic! Kordic!' – still ringing in his ears. But there was another ingredient to the drug cocktail which was to kill him six years later. In the autumn of 1986, when he had reported to training camp for the Montreal Canadiens, Kordic did so looking like the Incredible Bulk, having added fifteen pounds of synthetic muscle over the summer.

The first NHL player to get seriously into steroids, Kordic always knew the NHL's punishment for drug abuse would be severe. Found with a rolled-up $50 bill and a line of coke, he could expect to be banned for at least half a season. Then again, faced with losing a Cup-winning player, a coach might well turn a blind eye. Found injecting steroids, Kordic could simply shrug his bulky shoulders, smug in the knowledge that steroid use in the NHL is legal if prescribed by a doctor.

As Kordic battered his way through the crowded ranks of NHL tough guys, it was not only the anabolics and cocaine that began to take their toll. On the outside, Kordic was an imposing wall of taut meat. Inside, his psyche was all flab. His father had begun to beg him to quit hockey rather than fight on. Montreal players and coaches increasingly saw a red-eyed Kordic during post-game conversations with his father, even when the Canadiens had won. Kordic later admitted that his father's disapproval prompted him to drown his anguish in Bloody Marys.

In the autumn of 1988, Montreal traded Kordic to the Toronto Maple Leafs. The Stanley Cup hero of just two seasons before would not be missed behind the scenes. He had become a liability, his life off the ice a gathering shadow of the unpredictable aggression he showed on it. There was the time Kordic's landlady called Montreal coach Pat Burns in the middle of the night to get her spaced-out tenant off the roof. (His team-mates had long called him Sniffy.) An incident in which Kordic was said to have thrown an ashtray at Burns only hastened his exit.

In Toronto, Kordic's descent, already fast gaining fatal momentum, became a nosedive. Within months, by December 1988, he was suspended for ten games for 'highsticking' Edmonton Oiler Keith Acton, cynically breaking his nose. While Kordic was serving his suspension, the then general manager of the Leafs, Gord Stellick, was told by a senior Toronto police officer that Kordic 'was hanging around with hookers and druggies'. Kordic protested his innocence. But there was no denying he was already a late-night celebrity with the Toronto police. There were also stories of dressing-room scuffles with fellow players.

Then, in October 1989, Ivan Kordic suddenly died, aged 54, of liver cancer. Father and son's differences remained unresolved. Kordic started missing games. His cocaine habit snowballed, and his mood swings became more extreme. He appeared desperately short of cash. At least twice he asked for a salary advance. His father's death, all those who knew him now agree, removed the last brake on Kordic's escalating drug abuse and vodka binges. Kordic totalled a $40,000 Corvette roadster in a crash.

In the summer of 1990, the Maple Leafs' management encouraged Kordic to enter a drug rehabilitation clinic. The stay was short-lived and, by February 1991, Kordic had moved on yet again, to the Washington Capitals. In Washington, Kordic played just seven games. By now downing a bottle of vodka a day, he was suspended twice for alcohol-related offences before finally being dispatched to yet another substance abuse centre, this time in Minneapolis.

While in Minneapolis, Kordic found a soul-mate in rehab clinic companion Bryan Fogarty, a former Québec Nordiques defenseman. At Fogarty's suggestion, Kordic approached the Nordiques' manager, Pierre Pagé, for a job. Acutely aware of what they would be taking on, the Nordiques set stringent terms before signing Kordic in August 1991. Pagé agreed to give Kordic 'one last chance in the NHL' on condition he did not drink and would be tested regularly for drugs. Yet, only a month before signing for the Nordiques, Kordic had been involved in what the *Journal de Québec* described as a 'racial incident in East Montreal'. Kordic said he had tried to help a young white youth who was being chased by several blacks. He had used a baseball bat to fend off the assailants.

Kordic's addiction had a pattern – he would spend months clean between binges – and it soon reasserted itself in Quebec. The perennial loner soon became a fixture at bars and strip joints along the Boulevard Hamel, a neon-lit motel strip in a suburb of the French-speaking city. Late one night, two weeks after arriving in Quebec, while he sat sipping soft drinks with Fogarty in a strip club, Kordic met Nancy Massé. A former *Penthouse* model, 23-year-old Massé did not recognise Kordic. Painfully shy, he finally summoned up courage to ask her to a game.

Miss Budweiser X 1992 sits flicking through a scrapbook of cuttings and pictures of John Kordic, her centrefold figure snug in tight leggings and breast-hugging top. It is four months after Kordic's death and three days before Christmas 1992. Outside, the temperature is rising from the previous night's twenty degrees below. A foot of ice-crusted snow muffles the cries of children on sledges.

As Massé turns the pages of the scrapbook, past 'Death of a Goon' and

'Death Trap' headlines, a picture of Kordic's last months develops. His expressions grow wearier, his face grows more bloated and his body more oversized in each snapshot. 'John wasn't the tough guy everybody thought,' says Massé wistfully in a thick French accent. 'He was a little boy in a big body, a gentle giant. He was a good guy. He had to fight. He had no choice.'

The Kordic whom Massé loved, she swears, was the very opposite of his public persona. When Kordic was straight, he was 'cute', human, insecure and touchingly vain. She remembers plucking his eyebrows, and his habit of constantly running his fingers through his mousy brown, gelled hair. She recalls, a smile fluttering across her tanned features, the nightly *pssss* of hairspray before John came to bed. 'John was a big "Mou". He used to cry during movies. Every time he watched the video of "November Rain" by Guns 'n' Roses, he'd start crying. He used to say, "Don't you ever tell anybody I cry." He hid his problems very well.'

Massé remembers the first meal she cooked for Kordic. He wouldn't touch the wine-laced beef bourguignon she had slaved over. He said he'd quit drinking. And for the first two weeks of their relationship, adds Massé, although they slept together, she and Kordic simply cuddled. For some things Kordic could wait.

But time was fast slipping away for Kordic on the ice. His stay with the Québec side that had finished bottom of its division for the five previous seasons was to last just five months. Kordic had played nineteen games, scored two points and spent 115 minutes in the sin-bin when, in January 1992, the Nordiques released him after he failed a blood test. Kordic had not stopped drinking, snorting or shooting up. Although Nordiques manager Pagé denied Kordic had tested positive for cocaine, Massé admits Kordic was using the drug at the time.

'When we signed Kordic, we knew it was his last chance,' says Nordiques vice-president Jean Legaut, as we sit in a brasserie popular with Québeçois power-brokers. An amiable, bluff character, Legaut has long been respected in the NHL for his frank, passionate views. He agrees Kordic's death has stirred a long-overdue debate about the violence in his beloved sport.

'There has been too much fighting,' concedes Legaut. 'An emphasis on strength rather than skill was killing the game. But I still think one good fight, as far as most Canadian fans are concerned, is acceptable. At the end of the day, hockey's like boxing. Once the bell rings, the bullshit stops. All the fighters in hockey have the same fear – the day they lose a fight, they lose their career.'

No one can recall Kordic losing a fight on the Coliseum's ice. Then again, Kordic wasn't just a bare-knuckle pugilist. Throughout his career, he broke the honourable goon's rule by using his stick. 'He was living on the edge of a precipice,' says Jean Martineau, the Nordiques' press manager. 'You can't do that every day. Eventually, you fall off.'

In the weeks after he was 'released' from the Québec Nordiques, John Kordic began to disappear for days at a time. And then, one freezing morning in late January, Massé received a 6am wake-up call.

'I'm calling to say goodbye,' said Kordic.

'Why don't you say hi?' replied Massé.

After frantically calling 'every damn hotel in Quebec', Massé tracked Kordic later that morning to a motel in the suburbs. He was still conscious. The sleeping pills had not yet taken effect. She took him home in an ambulance, poured coffee down his throat, kept him awake. 'When I look back,' says Massé, 'I realise John was just crying wolf. He wanted attention. The suicide attempt wasn't serious. It was a cry for help.'

In March 1992, Kordic signed a minor league contract with the Edmonton Oilers, finishing the season with a different team, Edmonton's American Hockey League farm team in Cape Breton. Despite again spending most games on his backside in the sin-bin, according to coach Don MacAdam, Kordic performed well in Nova Scotia. 'When he went to Cape Breton,' recalls Massé, 'MacAdam tried him in a different position. John was a changed man. I never saw him so happy.'

By early spring, the season over, Kordic was back on the thawing, muddy backstreets of Quebec. He moved in with Massé. On July 7, she woke to red roses, marmalade on soggy toast, coffee and a marriage proposal. When she agreed, Kordic sobbed with relief. They spent the afternoon driving round Old Quebec in a horse-drawn carriage, planning the rest of their lives together. She still wears the diamond-encrusted ring.

In the autumn, they would return to Edmonton, settle down, start afresh. Kordic said he was 27, that he had to stay a goon to make his last chance with the Edmonton Oilers work. He was even beginning to contemplate his first meeting on ice with his 22-year-old brother, Danny. A 6'5" defenseman for the Philadelphia Fliers, Danny now shows signs of becoming the skilful all-round player John Kordic had always longed to be.

Kordic told Massé he wanted to start a family. On the surface, she remembers, he appeared happy, forever bellowing the line 'Me Tarzan, you Jane' from the song 'Superman' by his favourite Edmonton band, The Crash Test Dummies. 'He was always singing that fucking song,' smiles

Massé. 'In the car, everywhere. I guess he related to the words. He'd beat his chest like Tarzan. He used to say the guy on the album cover looked like him, only with wings and a cape.'

There was just one problem. Massé was engaged to a serious drug addict. Kordic was still snorting cocaine when he thought she wasn't looking and openly injecting steroids when she was, usually in his fleshy left buttock. 'He hated needles,' says Massé. 'He would tremble when injecting himself. Sometimes the needle would snap off and he'd shout, "Nancy! Nancy!"'

At 3.30am on July 16, Quebec police responded to a noise complaint at the Kordic-Massé house. After a minor scuffle with the officers, Kordic was charged with assaulting Massé and later barred from living with her pending a hearing in court on August 11. The charge was to weigh heavily on Kordic, despite his lawyer Serge Goulet's confidence that he would be found not guilty.

'John didn't beat me up – he just pushed me up against the wall,' Massé now says, pointing to the wall which Kordic then punched. 'I was saying, "You don't touch me, you're high." You see, John never wanted to admit he was high. Then, at 1am, my ex-boyfriend Eric arrived at the front door. John told him: "If you're still there in five minutes, I'm going to kill you." So Eric called the cops.'

Despite the court order, the couple continued to see each other. Kordic would pick Massé up at the Cabaret Folichon, an 'up-market' strip club on the outskirts of Quebec, when her shift ended around 2am. Staff there remember him variously as a fast drinker, fond of Bloody Marys and Caesars, but also as a quiet, shy young man who didn't appear to get drunk and who, when harassed, would signal for them to sort out the problem.

Pending his hearing, Kordic stayed for three weeks with Bruce Cashman, the manager of the World Gym, a Quebec establishment popular with Nordiques players. 'John was a great guy,' recalls Cashman. 'Sometimes he was OK. But then you'd lose him for a few days and he'd come back in a bad way.'

Ten days before his death, Kordic called James Fearing, who had been his drug and alcohol counsellor during his stay in Minneapolis the previous summer. Fearing scheduled a visit to Quebec for two weeks later. By then, it would be too late.

There were other, muted calls for help. 'The week before he died,' recalls Massé, 'John told me: "Never mind what happens. I will always love you, even to my grave." He was crying. He said: "Just don't ask questions – don't doubt that I love you." He told me he had always dreamed about being a star when he was a kid. He said the only thing he wanted now was to be unknown.'

According to evidence presented during the inquest on his death, John Kordic blew $12,000 in the fortnight before he died. More than enough for the new mountain bike Massé remembers him buying. Certainly enough, during the last week of his life, for the four grams of cocaine he was allegedly snorting each day as he wandered in a daze around the suburb of Ancienne-Lorett.

At 2.45am on Thursday August 6, 1992, John Kordic showed up briefly at the Cabaret Folichon. It was just before closing time, and he was carrying luggage. Kordic spoke with Massé and appeared to one eyewitness to have breathing problems. 'He told me he loved me,' recalls Massé, 'that we would spend Sunday together, that the court case the following Tuesday would soon be over.'

On Friday August 7, according to the *Toronto Globe and Mail*, an English-speaking man checked into the Maxim motel less than a kilometre from the Cabaret Folichon and its gaggle of tanned strippers. No one saw Kordic arrive at the spruce, family-run establishment. But staff there say he stayed in the English-speaking man's room and left twice during the night, at 2am and 5am on Saturday morning. The second time he did not return. A cab driver reportedly took Kordic to a house where he could buy 'some chips – some very strong chips' – making it clear he was referring to cocaine.

At 4.30pm the next afternoon, bloody and bruised, Kordic staggered back to the four-star Maxim, slapped a $100 bill on the counter and ordered a room. Co-owner Marlene Bouchard, a chic middle-aged woman with a mass of blonde hair, reluctantly obliged. 'He looked like he'd been in a fight,' she recalls, as she sits near the polished counter in the Maxim's airy reception. 'He had a big bruise on his face, blood on his hands. He could hardly breathe and he was leaning on the counter for support. He said: "Don't you know who I am?" I asked him if he wanted to go to hospital, but he said he wanted to sleep. He asked me to give him a wake-up call at 11pm.'

At 8pm, Massé claims a sober Kordic called her. She had just been crowned Miss Budweiser X. 'He told me he'd seen my picture in the paper and liked it. He said he'd been playing baseball with some guys and that he was going for a nap. He wanted me to call him back later. I never got the chance.'

At about 9pm, Kordic began to ring the Maxim's reception desk. 'It was fuck this, fuck that,' recalled Bouchard. 'He kept calling, for about twenty minutes. We tried to reach his girlfriend at the Folichon. Residents began to complain. Around ten, we called the police.'

In an attempt to calm Kordic down, Bouchard's brother and Michel Marcoux, the Maxim's assistant manager, ventured to room 205 and knocked. 'The place was a mess,' remembers Marcoux, standing in the room's doorway and pointing to the room's queen-size bed. 'Two suitcases of clothes were everywhere. The furniture was damaged. There was blood on the bed, just there. Kordic looked really paranoid. He had big problems breathing. He was thumping himself in the chest all the time, like Tarzan. He kept running his hands through his hair.'

Shortly after 10pm, two local police officers arrived. A few minutes later, they were joined by seven others. All nine unbelted their guns, leaving them in the hall outside room 205 before entering. For a few minutes, they struggled to restrain the massive, 238-pound NHL heavyweight champion as he ranted, swore, pounded on the walls and sweated from the steroids he had almost certainly injected earlier. At 11.11pm, seven minutes into the journey to Université Laval Hospital, Kordic's final fight, this time for life, was over. A paramedic attempted mouth-to-mouth. A policeman massaged his heart.

Kordic's autopsy report showed heart failure and a build-up of fluid on the lungs – consistent, experts say, with steroid abuse, as was Kordic's aggressive psychological state, dubbed 'steroid rage'. Several vials of the drug were, in fact, later found in his motel room, along with dozens of unused syringes. Needle tracks scarred one unnaturally muscular arm. At the time of his death, Kordic was 28 pounds over his normal weight. He looked more of a goon than ever.

Near the end of her well-thumbed scrapbook, Nancy Massé has glued a black and white picture of Ivan Kordic embracing his son. John Kordic is holding the Stanley Cup aloft. 'John never accepted his father's death,' says Massé. 'He told me: "Nancy, everything I've done in my life – it was for my father. Now he's gone. And he was not proud of me."'

As she closes the scrapbook of their life together, Massé says she can still hear Kordic's playful shouts; his disguised screams for help, 'Nancy! Nancy!', still echo inside her head. Almost a year to the day after she first met Kordic, Nancy Massé recalls, she threw a single, dead engagement rose onto his coffin.

John Kordic was buried on a windswept hillside overlooking Edmonton. His grave is a yard from his father's.

Manslaughter United

Chris Hulme

April, 1995

The players of HMP Kingston's football team have signed on for life. But, for 90 minutes every Saturday, they're free to escape into a world where the only penalty for foul play is a red card.

Eighteen or so footballers are listening to their coach explain the rudiments of defending corner-kicks. 'One of the few things England got right under Graham Taylor was that we didn't concede goals from corners,' barks Nigel Wheeler, a physical education instructor. 'That's because we were organised.' Wheeler orders players into the goal mouth, assigning five positions to be defended as surely as if they were in the Alamo.

Practice corner-kicks are fired over. On cue, the goalkeeper screams 'out' and the players charge after the ball, hoping to catch imaginary opponents in an off-side position. The drill works well for the first few corners but breaks down as they lose concentration. They are called into a huddle. In these moments, it is just possible to forget whom Nigel Wheeler, fresh-faced and 32, is coaching. The players listen with the same desire to get things right for match day that you'd expect of internationals or, for that matter, local league players. Football – the great leveller among men – is shutting out the rest of the universe.

The illusion soon fades. A 50-foot-high wall that towers over much of the pitch, and a security guard patrolling on the distant touchline, bring reality back into focus. This is a unique football team. It will never play an away match, never have a post-match drink with the opposition, never have a Cup run, never invite along dads, brothers and friends to watch, and never get drunk the night before a game. Wheeler is a prison officer and the players are convicts doing life sentences. They are murderers, rapists, arsonists and child abductors to a man.

Her Majesty's Prison Kingston has been locking up lifers for over a century. Like many British jails, its name tells you nothing about its location. Kingston Prison is in Portsmouth, Hampshire. It stands about one mile across flat, industrial hinterland from Fratton Park, the home of the town's Endsleigh First Division club. Kingston is a category B jail – only terrorists and mass murderers are considered a greater risk to the public. The prison resembles a small castle, complete with turrets. Only the characteristically small cell windows suggest that its true function is not to defend the old port from foreign invaders, but to lock up the enemy within. The main cell block has three corridors stretching out from one central area – a spot occupied by a snooker table. There is a second level, with a balcony. The guards prefer this radial design to what you might find in a more modern prison. They can get a good view of what is going on by simply looking in three directions. There are no hidden corners.

The jail has had a football team for as long as anyone can remember. It is a member of the Portsmouth North End league. Special dispensations allow Kingston to play an entire season at home and also permit blue goal posts. They need to be this colour to stand out against the security wall that runs behind both goals and along one side of the pitch. It has a white strip painted from ground to well above eye-level, interspersed with giant red numbers – all designed to aid capture in the event of an escape attempt. (There has been one in ten years: the prisoner got away only to be recaptured during a bank raid two weeks later.)

Wheeler has managed the team since moving from London's Wormwood Scrubs eight years ago. A father of two young children, he looks like a sportsman. He's about 5ft 7in, has neatly slicked-back dark hair and a well-developed physique.

He shares a cluttered office with another instructor and Kingston's head of physical education. Two desks and five cabinets prop up assorted files, books and papers. Sports gear litters the floor. On a pinboard, a photograph of Kingston's 1988 championship-winning team stands out from the Home Office memos. It's a relaxed room.

Wheeler plays in the team, as does another prison officer, Kevin Pratt. 'There's no real problem us being staff,' he says, searching out his boots ahead of training. 'The prisoners would create if we didn't deserve our place. But they voted Kevin player of the year last season. They appreciate what he does for the side.'

The lifers have a football session on Tuesdays, open to all inmates, squad training on Thursdays, and league games on Saturday afternoons. If they're lucky, they sometimes get a Sunday friendly. The prison supplies their boots and kit, but many players have their own. A handful of inmates watch on match days.

Running the team is clearly a labour of love. Wheeler is training to become a fully qualified FA coach and obviously enjoys taking a call from a PEI at another jail, who wants to chat about a convict. The man has just been transferred from Kingston, having been downgraded to security category C. He was Kingston's captain. 'He's a great sweeper. A bit unorthodox,' chortles Wheeler, 'but he'll stick his boot in there for you. By the way, if you see him with a pair of red Spall shorts, they're ours. I want them back.'

As we walk to collect the players, unlocking and locking a monotonous number of iron bar gates, he mentions that they'll be keen to get going as the last two matches were postponed. The players are waiting by the snooker table. They wear an assortment of old T-shirts, shorts and track suits, and carry their boots. Most are between about 25 and 35, though there is a grey-haired man, probably in his fifties. They look like a gang of builders. Going through three sets of locked doors, we leave the bright artificial light and surprising warmth of the prison for the great outdoors. Beneath a blanket of grey clouds the players start warming up and knocking passes around.

The postponements have created some antagonism. Wheeler knows the players are frustrated because one, it transpires, complained to the Governor. He calls a team meeting and spells out the facts of life: 'Look, the Governor was never going to change our decision, so it's no good complaining to him. In future, you should just accept that when a match is called off the PEI's decision isn't going to be reversed. We've just re-laid the pitch. It would be ripped up if we'd played in those conditions.'

The session gets going. After working on corner-kicks, the team splits into groups for games of two-touch possession. To save the turf, the squad then moves to the other end of the pitch for passing shuttles. Then it's a full-scale practice match. Two captains are chosen to pick the sides. 'Dobbo, you've got a lot to say for yourself – you pick one team. Phil, you do the other.'

Joining in, it seems sensible to be alert to the possibility of heavy tackles, maybe worse. The thought that any one of these prisoners could have been given a hard time by the Great British Press during their trials comes to mind. The paranoia is not helped by two prisoners taking the first opportunity to chat. It's hard not to clam up.

Soon, though, the great leveller takes over. The prisoners and the prison officers simply become players in the beautiful game. Well, an unremarkable football match anyway. The only thought that stays in the mind is that if somebody knocks you over on this pitch you don't call him a fucking psycho. They troop off afterwards, disappointed the session has come to an end.

The afternoon is locked out for another day. Showered and changed, the Kingston captain, Phil Sussex, is happy to talk. He sits down in the empty cell where we meet and rolls a cigarette. Wearing blue jeans and a sweatshirt with 'The Gunners' written across the chest, he looks older than he did in the game. Then, his fair red hair flopped forward, showing his fringe. Now it is combed back, revealing a receding hair line. He has slightly bulging eyes and a stubbly beard. You imagine he could affect a good stare.

His London accent reminds me of Glenn Hoddle. 'I dunno about that,' he laughs, 'but I used to love to watch him play.'

Sussex is a friendly, world-weary captain. If you were sent to Kingston and wanted to join the football team, he would be the man to ask for advice. But what would he say? 'The first thing you'll come up against is that if you can actually play, you're an immediate threat to one of the lads in the team,' he says, puffing out smoke. 'Maybe he's a tryer, someone who does his best for 90 minutes. You could take his place. So you'd get little niggles. Nothing physical – but people would say to me, the captain, "Cor, I don't think he's any good."

'Everyone gets it. Trevor, the tall black guy who plays up front with me, got a lot of stick when he came here. He was too flash. He'd say to me and Nigel, "They're all saying I'm fucking rubbish". All I could tell him was "keep trying". Outside, if you can't get in a team or if you fall out with someone, you can join another side. In here, you can't.

'It's also different because outside, if you call your goalkeeper a prat during a game you can have a joke about it with him in the pub. Here, you might stare at each other across the landing for two days.' He chuckles at how childish it sounds. 'It has happened.'

The prison thing, as he calls it, affects all aspects of Kingston FC. Team talks are rarely open discussions. 'The lads are reluctant to criticise each other. The last thing you need in here is another enemy.'

He is suitably circumspect about team-mates. 'We're OK when we all work hard. We've got a lot of lads who've been in jail since they were fifteen. They've only ever played jail football. Jail football in young offenders' institutions is murder-ball. They just kick anything that moves. They have to adjust.'

Being captain means that he gets a steady flow of visitors to his cell. 'We talk about who is and isn't playing well. Before our last game, I was handed about five team sheets to give to Nigel. The lads are very keen.'

Match day is the highlight of the week. Sussex wakes up at 7am when his cell light is switched on by officers performing a security check, via the door spy-hole. He then has a coffee from a flask he is allowed to keep in his room and listens to his battery-powered radio. His door opens at 7.45am. Breakfast is always a fry-up at weekends. On most week days he'd then go to work in the prison print shop – earning £7, which pays for tobacco, batteries, phone cards, and a few extras. At 9.30am on Saturdays, however, he's one of a small group of players allowed out on to the pitch. They set up the nets and corner flags, then knock a ball around until Wheeler calls a team talk at 11.30am. An hour later they are 'banged up' again. On the stroke of 1.30pm, their doors open and they stand, kitted out and ready for action.

'We normally have good, physical games,' says Sussex. 'Some visiting players and referees are a bit intimidated about coming into the jail – especially if it's their first time. But a lot of them we see year-in, year-out. You don't generally have a lot of time for a chat. When the match is finished by about 3.45pm we have to go inside for our tea.' They are locked in their cells again at 9pm.

Opposing teams are not above taunting the Kingston players. 'Some-times if we're winning, you'll hear one say to another, "I'm finding those three pints hard to digest".' Sussex laughs off the irritation through gritted teeth. 'I always think, "Cor mate, I've been in here seven years; I dunno how long I'm gonna be in here, and you reckon all I'm thinking about is fucking drink." It's the last thing on your mind.'

Having consecutive games postponed was nevertheless an aching hard-ship. 'I have a right downer if the game is cancelled. Weekends are the longest days. You can only play so many games of snooker. Boredom is a major problem in prison. I often bury my head in my chess computer.'

Most prisoners doing long sentences have what you might call a resigned temperament. The prison officers describe them as being 'settled into their sentence'. To anyone else, they can come across as defeated men. It's hard to imagine them pulling together in a team. Sussex understands the impression. 'It does feel good when you win – but it's only recently that I made any sort of fuss when I scored a goal. You'd sort of creep to the half-way line thinking, is it OK to celebrate? Being a lifer, you've got this shadow over you all the time. You can't really forget it when you play football. Your sentence is different to everyone else's in the prison system. You're on your own. Prison is a competitive society. You know that if you don't look after number one nobody else will. I even do it on the football pitch. I might make a comment, trying to encourage someone, and I'll think, "I hope the screws fucking heard that".'

The regime at Kingston, he says, places a great deal of emphasis on behaviour. A fight between players might be glossed over at a jail like Swaleside in Kent, where he did an earlier part of his sentence. At Kingston, though, it's the nightmare scenario. The players know it could add time to their sentences. They are, consequently, one of the best behaved football teams. Kingston once went three seasons without picking up a single booking. The irony is lost on Sussex, who for the first time loses his genial tone. An edge of anxiety enters his voice. 'There are staff who think I get too aggressive during football. So I've gone for 50–50 balls and pulled out. Nigel, the manager, will ask me, "Why did you pull out?" But there might be other officers watching on the side-lines. They could write a report about you and you wouldn't even know about it. They could add years to your time. It's my future.'

Phil Sussex can't remember what started the fight. But he was one of three men who killed a man outside a London pub in 1987. The court was told that one of many blows, a kick to the head above one eye, caused the victim to lose consciousness. He died 73 days later in hospital.

Sussex was a builder, working in and around Islington, where he grew up. The son of an engineer, he had a girlfriend and a baby daughter. He spent too much money on drink. Sussex led the kind of life that could have got him dubbed Mad Phil. Nobody said it to his face. He'd done two stretches inside for burglary.

To protest your innocence during a life sentence would prolong your incarceration indefinitely. The prison service says you have to admit guilt to come to terms with your crime. So Sussex makes no bones about the fact that he is guilty. You are, however, left with the understanding that he has swallowed the bitterest pill of the three men who were convicted of murder.

'It was just a poxy pub fight,' he says. 'I broke it up once, and took one of my co-defendants back inside the pub. He went outside again and carried on leathering this fella. In court, they tried to say that all three of us had planned it.' He smiles an empty smile, as if to say he has no right to complain. 'A geezer died. He was 35 and had two sons. I was there.'

The subject won't go away so easily. 'I don't feel guilty of murder,' he says spontaneously. 'It's something I've tried to get across to these people. I mean, they ask about remorse. I'm remorseful, of course I am. But I'm remorseful every time I read in a newspaper that someone's been killed. I can't connect it to me personally. I know that I didn't hit him.'

He would be annoyed if you told him Britain was soft on criminals. Or that lifers get off lightly because they have their own cells, TV rooms and access to telephones, and that many, like Phil, do GCSEs while they are banged up.

'I don't see the sense in giving a man fifteen or twenty years in jail. After five years, you know if that man is going to be a threat again,' he says, frowning. 'You couldn't not know. You can watch him all day, every day. There are evil people in here, people who you think should never be let out. But 99 per cent of the murderers I've ever spoken to ... it was down to five seconds of sheer madness. Even the big tough guys. They can't believe they did it. Guys who've killed their wives or turned around and hit someone with a glass.' He shakes his head. 'You can't take some mistakes back.'

He feels sad that some convicts are treated as lepers. 'There was one time when I was one of two captains picking five-a-side teams. This bloke, who I knew had killed his baby daughter, was standing behind us. We didn't see him. We picked the teams and he was left out. So he says to me [Phil puts on a generic northern accent], "You'll have to fucking have me. Hard luck." I let it go, but I said to him afterwards, "There's no need to be like that – I've given you no trouble whatsoever. It's silly to say that. I didn't see you." And then he said to me, "You know what I'm in here for, don't you?" I said, "Yeah, I do know." Then he started telling me about how it happened. The child was crying and wouldn't stop. He threw her at the wall. It was terrible, inexcusable. But he's not going to go out of here and throw children at the wall. He was a young man, trying to be a father, trying to run a household, on the dole. And it all got to him. There's no excuse for what he's done – there's no excuse for violence – but he's not an animal.'

Sussex's dream is to be released in 1999, by which time he'll have served twelve years. 'I just want a job where I earn enough to support myself. That's it. I won't need anything else.' Avoiding eye contact, he adds, 'I'll be 37 if I get out then. Which, luckily, is still, you know, fairly young.' He would then be on indefinite probation. Like all lifers, one mistake could see him hauled back to jail.

The football team gives him some kind of mental release from confinement. But the frustration of being deprived of freedom is written all over his face as he tells the story of how Kingston were deprived of a fixture. 'We used to have a team travel from London every year, blokes who all worked for the same firm. The last time they were here, some prat broke into their changing room and stole all their money. That was bloody annoying. It's petty shit like that which makes people think, "Tie them to the wall. Put fucking balls and chains on them." Things like that ruin it. We haven't seen that team again and we don't expect to. That's sad. They were a nice bunch of lads – we had a good game of football and a laugh. The result didn't matter.' Cupping his mouth with one hand, he sighs, 'We never found out who took the money.'

At least Phil Sussex knows he is the first name on the Kingston team sheet. Craig Dobson, a 28-year-old Mancunian of the United variety, wishes he was so lucky. Dobson was recently relegated to the substitutes' bench – something he finds hard to accept. 'You'll have to ask Nigel why. I like to think I always give 100 per cent.'

Dobson is a younger and more nervous presence in the cell than the Kingston captain. He answers questions in the clipped style of a media-wary footballer. He'd fit in well at Dalglish's Blackburn Rovers.

Dobson, it turns out, is the player who complained to the Governor about the postponements. 'Most of us would play if the pitch was under two foot of water,' he says. 'There's nowt else to do.'

Television helps. 'I'll watch Halifax v Runcorn. I don't care as long as it's football.' The prison has Sky Sport, but he only sees the first half of Monday and Wednesday night matches as they get banged up at half-time. Dobson listens to the rest of the matches on the radio.

During Italia '90, he spent a month in hospital recovering from an operation. 'I saw every game,' he says cheerfully. USA '94 was more difficult because so many matches started after 9pm. Mexico '86 was the last World Cup Dobson watched at home. The following year he broke into his grandmother's house to steal valuables and beat her to death when she confronted him. The crime seems all the more shocking for absurd reasons: Dobson has blond, stylishly cut hair and seems too clean-cut for this environment.

'It was a domestic,' he says, pausing uncomfortably before blurting out the word 'murder'. 'It's past now. I've got to get on with it.' Dobson has no hope of release until 2001. How does he cope with the gravity of his crime, and with missing the best years of his life? 'I've always said you do your jail or you swing. I'm not one for swinging,' he shrugs.

Family support is important. 'I get visits from me Dad and Mum – though they're split up now. My brother sometimes comes, too, but he's got commitments – a wife, child and job.'

Despite everything that's happened, Dobson's father is still proud of him. Last year Mr Dobson donated a new kit to the team. It was a gesture of support for Kingston prison football club. In some small way, it was probably also a means of exercising his love for his son. It's a melancholy thought that he'll never see him wear it.

Red Hot Property

Jim White

October, 1994

You get a whiff of it the moment you step off the tram at Old Trafford station. Wafting down the Warwick Road, over the heads of the thousands making their way to Old Trafford stadium to worship Manchester United, striking nostrils with even more force than that rich aromatic match-day combination of hot dogs, police-horse manure and beery farts, is an unmistakable smell: money.

The whiff is everywhere. Once a fortnight this quarter of a Manchester industrial estate hosts more than just a football match. It transmogrifies into a bazaar, as teeming, colourful and chaotic as anything in Istanbul. Every centimetre of pavement within half a mile of the ground is occupied by commerce. Fast-food wagons churn out cholesterol by the coronary load; stalls sell souvenir scarves, hats, badges and posters; a man trades in rare match programmes; boys with bin-liners jammed with T-shirts yell: 'Get your Cantona, only a fiver'; youths by the dozen off-load piles of magazines, newspaper supplements, lottery tickets; a woman under a golf umbrella paints adolescent complexions red, white, yellow or green; and men with shifty faces move against the tidal flow calling out their mantra: 'Anyone need tickets? I'll buy or sell.'

But the most extraordinary sight comes once you have fought your way into the shadow of the ground itself. There, snaking round crush barriers cemented into the forecourt, is the queue for the Manchester United superstore. People already burdened by United apparel – shirts, sweaters, jackets, earrings – line up for at least an hour behind at least 2,000 others for the privilege of buying yet more stuff: 3-D posters of Giggsie (£5.99), Peter Schmeichel souvenir drinking mugs (£9.99), Lee Sharpe duvet covers (£25.99). Also goat-skin leather purses with embossed club crest (£12.99), and embroidered away colours toddlers' romper suits (£14.99). A range of

1,500 items of United memorabilia is available to empty the pockets of the faithful.

'Sometimes on a match day,' says Edward Freedman, United's merchandising manager, whose office overlooks the superstore, 'the chairman comes here, and we both stand and look out over the queue. Then we smile at each other.'

Manchester United are not simply the most successful football team in the country, they are also the most successful footballing business. In a financial sector which traditionally involved about as much chance of a good return on investment as opening your wallet over a drain, at United they have introduced a new word to the football vocabulary: profit. A projected £10 million worth of it last season.

'If we were asked to recommend the shares of a football club,' said a City analyst when United's interim results were published in April, 'these are the only ones we would feel comfortable about.'

It has not always been like this. For years the club's only source of income was from the click of the turnstile, with the odd bit of loose change accruing from television fees, sales of programmes, and profits from the dodgy pies supplied by the chairman Louis Edwards' meat company. Then fifteen years ago, Martin Edwards succeeded his father and diversification became the goal.

'We took a look round and realised the potential of the place,' explains Danny McGregor, United's commercial manager and a long-time Edwards associate. 'And, I suppose you could say we set about exploiting it. In the best sense of the word.'

Under Edwards' leadership, the numbers of executive boxes were increased, facilities upgraded, the rich middle-class of Manchester encouraged to attend, sponsorship deals signed. The tills began to ring. Not everyone, though, was happy about it. Disappointed by a team failing to match the standards set by Sir Matt Busby, the club's guiding light for 40 years, many of Manchester's die-hard fans believed that the chairman's commercial assiduousness was motivated less by an effort to make United the top side in the land, than by a desire to fatten up the enterprise in order to maximise his stake. Such suspicions were hardly allayed when twice in the Eighties he tried to sell out – first in 1987 to Robert Maxwell for a reported £10 million, and then again in 1989 to a consortium headed by a Manx businessman called Michael Knighton for more than £20 million.

Four years on, Edwards remains in his grand offices with a sweeping view of the stadium. How glad he must be he failed to sell. In 1994 the club is worth, at a conservative estimate, eight times more than it was when Robert Maxwell's frame was in the picture. Edwards' own shares in the club – he holds 3.38 million – are valued at more than £20 million. More pertinently, in the last published accounts in 1993, it was shown that the Edwards bank account was improved by £174,500 in salary and over £600,000 in share dividend payments.

Three important things have happened since Edwards tried to sell. First, the club was floated on the stock exchange, and a host of professional expertise was brought in to ensure that the share-holders had a regular dividend fix. Second, United and other top clubs broke away from the Football League and negotiated an astral-sized television deal of their own; an arrangement in which, unlike the past, the gargantuan fees were not shared with the poorer, lower-division clubs. And third, a team emerged under Alex Ferguson, the manager, which started playing the most beautiful football seen in this country for 25 years. Even better, this was a team stuffed with photogenic teen idols and newsworthy foreign geniuses. They were a running, shooting advertisement for Martin Edwards' brand.

'Winning things is great business,' says Danny McGregor. 'Hey, when you've got a great team, all of a sudden people don't complain if the rolls in the hospitality restaurants are stale.' Indeed, such is the aura surrounding Ferguson's team that people travel from Norway, from Ireland, from Malta to watch them play: all, inevitably, on the club's own 'see a match meet a player and have supper at Harry Ramsden's fishshop only £270 for the weekend' package trips. They even fetch up at Old Trafford when there isn't a game on. But not to worry, they can spend money. Every day, bar match days, you can go on a guided tour of the stadium and last season more than 100,000 people took the opportunity. At £4.95 for an adult, £2.95 for children, the tour alone generated more income than a third division club might make in half a season.

All this makes Edward Freedman a very happy merchandising manager indeed. He sits in his office reeling off the financial superlatives.

'We have the best-selling replica football shirts in the country. We have seven titles in the top-selling videos in the country, including the number one. Our Manchester United magazine sells more than 100,000 copies a month, making it the biggest-selling football title. More than 10 per cent of Great Universal Stores mail-order business involves Manchester United merchandise. We...'

So it goes on. In the two years since Freedman arrived from Tottenham Hotspur he has set about marketing United with the unabashed enthusiasm of a McDonald's executive. And the McDonald's of football is what United have become – the universal cultural imperialists. Go into a sports shop in Bristol, for instance, a city with two long-established clubs of its own, and you will find the biggest-selling line is not Rovers or City, but the United kit in all its vulgar permutations.

'Manchester United is a unique brand,' says Freedman. 'Arsenal, for instance, despite all their huge success on the pitch, are big only in north London. United, however, are national, international, global. So, with skilful marketing you can achieve anything.'

As well as a huge mail-order operation, Freedman has opened up United superstores in the high streets of Belfast, Dublin, Plymouth and Manchester. By 1996, long-suffering parents will be able to finance their offspring's requirements for red paraphernalia in Sydney and Tokyo, too.

Such entrepreneurial vigour has pushed the contribution of merchandising to the United plc balance sheet from the barely noticeable in 1991, to nearly 30 per cent of turnover last season. Propelled by an advertising campaign worth billions provided gratis by the media, the average spend in the souvenir shop by match-goers is now £2 per head per game. There are, it seems, no limits.

'Yes there are limits,' insists Freedman. 'We will not sanction anything which diminishes the good name of our club. That is why we need to sort that lot out.'

He points out of his office window, down on to Sir Matt Busby Way, where the match-day open market sites itself. There the freelance salesmen act with extraordinary dispatch to exploit an opportunity. The game after Sir Matt Busby died there was a man selling red and white carnations to lay on the impromptu shrine which had developed on the stadium forecourt; a week after Leeds fans – despite their team's urgent appeals not to – chanted throughout a pre-match minute's silence in Busby's memory, T-shirts saying 'Leeds Scum, even your players are ashamed of you' were moving swiftly at a tenner a throw. And every game, the same band of touts ply their trade, supplying tickets on demand to anyone with pockets deep enough.

'Where d'you think we get 'em?' said one of the touts, a man with an angry scar linking nose to ear, when asked how he managed to have a fistful of tickets for every game in United's calendar. 'The system's corrupt from top to bottom. We're just the corruption you can see, mate, selling them for those what prefer not to have their faces known. Want tickets for Wembley, by the way? I got best views.'

Officially, such activity makes the club officials apoplectic. 'We cannot allow that sort of thing within sight of our ground,' says Edward Freedman. 'For two reasons: one, it is not the image we want associated with our club. And two: these are poor-quality goods and over-priced tickets that rip off our supporters.'

But, unofficially, they accept it is not so easy stopping those who seek to jump aboard United's financial juggernaut.

'We are trying,' Freedman says. 'What we have done is to bring those who were keen to play by our rules into the fold, by supplying them with goods. About 90 per cent of those merchandisers you see out there are supplied by us. As for the ticket touts and other parasites, we have taken steps to discourage them.'

United's steps include employing a security firm headed by a man called Ned Kelly, a bruiser who bears the aggrieved look and fearsome sandy moustache of an Afrikaner resistance fighter. Kelly and his men patrol the streets round the stadium encouraging freelancers to pack their stalls and scalpers to disappear. He also co-ordinates undercover teams ('hush-hush, sorry, can't talk about it') which have infiltrated Manchester's unofficial souvenir trade with an eye to prosecution.

'We have also copyrighted the club emblem and the club name,' says Freedman. 'It is now a criminal offence to pass off merchandise as genuine. If you want to make money from this club, you come through us. You need a licence.'

'Licence?' laughs Steve, a jack-the-lad entrepreneur who runs a T-shirt business called Barney's Football Chic and was not keen to have his surname advertised. 'Don't make me laugh. A licence from them? If you want decent United clobber you come to me. It's them what should be paying me for giving them some cool.'

Steve's shirts cater to a different palate than that favoured by the mass of trippers who pour into Freedman's shops. He offers clever parodies of designer sportswear labels with United themes; the big mover is the L'Eric Sportif, a twist on the Le Coq Sportif logo incorporating a cartoon of Cantona. His shirts are both very expensive and tricky to track down.

'It's like finding a new night club,' said Steve. 'You want to keep it to yourself, don't want everyone coming, do you? So I don't want everyone wearing my stuff, otherwise it's no longer cool. I've sold 500 L'Erics so far; I could sell ten times that.' Steve, who like most of his mates in the cool parts of Old Trafford is decked out top to toe in American sports labels – Ralph Lauren, Timberland – prints his sight gags on T-shirts bought from the Champion company, an expensive source.

'I resent this idea put about by the club that anything unofficial is a poor-quality rip-off,' he says. 'Sure, some of the stuff for sale outside the ground will fall apart. But the lads I want to sell to are too sharp to buy that anyway. I would rather die than see a Barney T with a baggy neck.'

You can buy Barney shirts only by mail order through the United fanzines. Like Barney, these publications are aimed at those in the know. There are four of them, sold by their editors outside the ground, on trains, on coaches, anywhere that United fans congregate. Rude, opinionated and acidic, all used to be stocked in the souvenir shop. But when Alex Ferguson discovered quite how rude, opinionated and acidic they were about some of his players, he had them banned. Now their relationship with the club remains distant. Which is how their editors would prefer it.

All four were founded in the dark days of the late Eighties and still view the money-making operations co-ordinated by Our Martin (as they call him) with suspicion; they see United as *their* club, and not a property to finance the expensive Edwards lifestyle. But with a nice piece of irony, as interest in the club has reached boiling point, they too, all four of them, have started to make money. Andy Mitten, for instance, a 20-year-old journalism student who runs the title *United We Stand*, found himself selling over 1,500 copies at the game against Wimbledon in south London last season.

'It was unbelievable. I don't know where these people came from,' he remembers. 'They came decked out in all the souvenirs; they just hoovered up anything to do with United.'

But what has made all four titles much more cheerful publications is not making money, but the fact that United have started winning again on the field. 'In the end, what we care about is what happens there. Of course we all whinge and moan about the commercialisation,' says 'Red Eye', a contributor to *Red Issue*. 'But if a kid buying a United shirt in Portsmouth means the club has enough money to buy a Roy Keane or two and it keeps admission prices down, then who are we to worry? Anyway, you've got to admit they've got their act together to make the most of their success. I mean Liverpool didn't. They could have been making millions in the Eighties. One good thing about greed: it certainly helps you get your act together.'

Over the close season, while Alex Ferguson was busy strengthening thighs and hamstrings on the training pitch, Edward Freedman was busy getting his act together off it. Last spring he took over the lease on a 57,000-square-foot car spares warehouse abutting Old Trafford stadium, a place the size of a fringe-of-town megastore, which has been converted into a souvenir supermarket. Opened for the new buying season, it is a monster shop, where United stuff can be bought by the trolley load: Reds 'R' Us.

'When I looked at those queues on a match day and the fact that it took an hour to get into the shop and I thought of how many people must be put off from coming in, I realised something had to be done,' says Freedman. 'Our critics may complain about exploitation. Not true. No other club, no other chairman, pumps as much back into the organisation as ours does. No, no, no. We are satisfying a demand, no more than that. And I tell you, the way we are going, football will be the growth business of the Nineties.'

It was on the final day of last season that the growth business of the Nineties took another spurt. Old Trafford was in carnival, the championship won again, the celebrations tumbling from the stands. It seemed, the United merchandising department thought, the perfect opportunity to unveil their 'new concept in sports marketing'.

Just before kick-off, four girls walked on to the pitch carrying an airship load of red balloons. At the count of three conducted over the Old Trafford public address system, the balloons were released. And there in the centre circle usually graced by Hughes, Cantona and Giggs was a man in a big fluffy comedy devil's outfit. He was, the frantic public address system announcer said, Fred the Red: 'The new Manchester United character mascot', the Ronald McDonald of Old Trafford. To celebrate his arrival, the crowd's attention was drawn to the Fred the Red catalogue, stapled into the centre of the match programme, just before the news of ticket price rises for the new season. Merchandise of a range and quantity that would need a superstore of its own were on offer: Fred pens, Fred shirts, Fred India rubbers; a Fred TV cartoon is planned. For a moment, as Fred waved to the crowd, you wondered what United were more proud of here – the finest set of footballers assembled in a generation, or the invention of a new way to satisfy demand.

At the end of the game, when the team received the Premiership trophy and squatted on their haunches for the traditional winners' photographs, Fred was still there, bouncing around waving as if he was the main attraction. Suddenly, on a signal prearranged amongst themselves, the players charged at him, downed him and, with a roar of encouragement from the crowd you could have heard in Liverpool, tore his monster suit off.

Footballers 1, Commercial Activity 0. It could be the last victory for a very long time.

Mexican Rave

Andrew Downie

December, 1995

It's a hot, dry Sunday afternoon in northern Mexico and 20,000 football fans are packed into Torreón's Corona Stadium, a squat, low-slung ground that is buzzing with noise and anticipation. The fanatical supporters of the local Santos Laguna team are on their feet and the atmosphere is almost as overwhelming as the 90-degree heat that smothers this arid industrial city and the barren hills around it.

On one side of the ground, a grey plume of smoke billows from a flare on the pitch, while in the stand opposite two men hammer out a war dance on oversize tom-tom drums. One row behind, a chorus of ten buglers trumpet a charge worthy of a team nicknamed 'The Warriors'.

The fans are here for Santos' first home game of the season, a match that should see them take two comfortable points from the Tigres, a team from nearby Monterrey. The boys in green and white hoops need a win today to make up for last week's opening-day loss against Atlas, and just seventeen minutes into the game the fans get the start they so desperately want. A nod across goal is met perfectly by the head of centre forward Carlos Juarez and the ball flies into the back of the net.

A roar spews from the terraces and within seconds a chant rings around the ground: 'SAN-TOS, SAN-TOS, SAN-TOS.' Yet in the top corner of the main stand, the exultant cries are not sung with a Mexican accent. 'Worra team,' says a voice in an unmistakable Lancashire brogue. 'Aye,' agrees his friend, speaking in thick Glaswegian. 'Pure magic.'

Graham Cruickshank and Neil Crowther clap furiously and wave their Santos flags before settling down to watch their heroes stroke the ball about the green turf below. The two men – football fanatics, British eccentrics, Santos devotees – raise a cold beer to their lips and smile once more at the sheer improbability of it all.

In 1986, Graham and Neil were like any other football-mad Brits desperate to see their countries play in the World Cup Finals in Mexico. Graham, a Partick Thistle fan from Glasgow, and Neil, a Manchester City supporter from Middleton in Lancashire, joined tens of thousands of Scots and English supporters who came to Mexico in search of sun, sea, cheap booze and maybe even a half-decent game of football.

The two young men drank bottles of tequila, ate platefuls of tacos and flirted with the local women. They liked Mexico. In fact, they liked it so much they stayed, married, and got jobs in Mexico City. Life was good to them: they bought attractive houses and new cars. The climate was favourable and daily life a little less structured than at home.

But of all the things they missed – Heinz baked beans, fish and chips and *Coronation Street* – one thing topped the list: a good football match. Ever since they arrived in Mexico, the lads had been regulars at first division matches. They had seen every team in the country at one time or another, although when they could get tickets they preferred to go to the big games, the Mexican equivalent of Manchester United v Liverpool or Rangers v Celtic.

Then, in 1993, after years of having their soccer wanderlust satisfied by attending a dozen or so uninvolving encounters a year, the two friends decided they wanted something a bit more intense, a team to remind them of Manchester City or Partick Thistle. 'We were fed up watching the same crap,' says Graham. 'So we decided to pick a team and follow them.'

It was not a difficult decision. Their strict criteria ruled out the five clubs in Mexico City (too close to home), the three teams allied to universities ('too poofy and full of students,' according to Graham) and three of the most wealthy provincial sides (too successful). That left seven teams. In the end, of course, they opted to support a side as ordinary as it was obscure. Or, as Graham explains: 'We went for a team that didnae have any supporters.'

The Santos Barmy Army was born.

Why anyone not raised in the dusty, soulless city of Torreón would want to support Santos is a mystery; it's like a couple of lads from north London deciding to follow Grimsby. Formed just twelve years ago as the local social security works side, the team of journeymen have spent most of their seven years in the first division fighting to avoid relegation. They have few class players and no need to waste money paying someone to polish silverware.

But still, within a short time, Neil and Graham became Santos experts. By reading newspaper reports, watching television and consulting Mexican in-laws, they memorised the personal details of each team member. They bought green and white hooped jerseys, Santos T-shirts and flags and, just like fanatical six-year-olds, scribbled the name Santos all over the football they used for a kickabout. They took to their role with gusto.

According to the blokeish logic adopted by the pair, the complete absence of glamour, flair or anything resembling success made Santos even more appealing. 'That's why we went to support them,' explains Graham. 'They were rubbish.'

There aren't many sports stadiums in the word named after a beer. There is no Newcastle Brown Park in the north-east, no Tartan Special Stadium in Scotland. Even in America, Adland itself, the Budweiser Dome or the Miller Lite Field has yet to catch on.

Completed in 1970, Torreón's Estadio Corona is not the most impressive of grounds. A throwback to the days before such disasters as Hillsborough and Bradford made football authorities radically rethink football stadium design, the ground is terraced and has a very conspicuous lack of executive boxes. The poor buy tickets at windows marked 'sun'; the rich take their seats in the area called 'shade'.

But despite the flamboyance of Santos fans, it's unlikely the concrete bowl has ever seen anything like Neil and Graham. But then again neither have Graham and Neil ever seen anything like the Estadio Corona. Although they have followed Santos religiously for more than two years, neither of them has ever got to see Santos play at home – until now. 'We cannae get tickets,' moaned Graham last season. 'The fans up there are mental.'

Indeed, the vast majority of the 20,000 seats at the compact ground are full on match day. Santos supporters are famous for their devotion – they are the best in Mexico, according to one newspaper poll. Both parts of the ground – sun and shade – are full long before kick-off.

Santos home games don't start until 4pm, but that doesn't stop the Santos Barmy Army marching to the ground at 1.30pm. There are things to buy: Neil stocks up on T-shirts and car stickers; Graham buys presents for his family. 'Ah've got tae get a strip for the wee man,' says Graham, referring to his five-year-old son Norman Alonso. 'And my daughter Claudia watches the games with me on the telly, so ah've tae get a shirt for her too.' Claudia is three.

The sight of two fair-skinned foreigners shopping for Santos shirts puzzles the home fans. A row of pre-pubescent girls – Santos cheerleaders – point and snigger and self-consciously try to avoid revealing their silver and green pompoms hidden among the pile of clothes that surround their spangly tights. The pompoms do make an appearance at half-time, but the crowd isn't watching; they are too busy discussing Juarez's header and asking themselves why Santos aren't pushing forward in search of a match-clinching goal.

It's a question that is aired more and more in the second half as Santos let the Tigres back into the game. After having a penalty claim turned down by the referee – while the home fans are chanting the traditional Mexican '¡ratero, ratero!' ('robber, robber!') at the man in black, Neil is screaming, 'The referee's a wanker' – Santos lose control and when Tigres' American international, Tab Ramos, is sent off sixteen minutes from time, the away side really begin to battle. With ten minutes to go, there is a goal-mouth scramble and Tigres are level.

Across the stadium faces drop as orange peel and beer-filled plastic cups fly onto the pitch. Neil and Graham cannot believe it. They don't know what to do – roar the boys on for the last ten minutes or cry because their heroes have let them down.

A jovial Scot with a face almost as red as his hair, Señor Cruickshank is not the kind of Glaswegian to whom the word dour could ever be applied. The former head of the Mexican-Scottish Society and a well-known member of the country's 3,500-strong British community, 33-year-old Graham is a fairly decent chap when he's away from the soccer field. A warehouse manager before Mexico '86, he left his job to join forces with his new wife at her Mexico City travel agency, now renamed Caledonian Travel.

Neil, meanwhile, is a slightly built 34-year-old with keen eyes and a curly moustache whose occasional outbursts on the football field have earned him the nickname 'Mad Dog'. Off the pitch he is a smartly dressed teacher who runs his own company teaching English to Mexican executives. A former marketing man for ITV, Neil met his wife Carmen in a city-centre bar just before the England v Paraguay match in 1986. The two hit it off so well that he took her home to England, where they lived for several years before returning to Mexico City in 1991.

The two Brits met later that year when they turned out for a UK expat team that had entered the annual 'Little World Cup' organised by other exiled football fanatics living in Mexico. The British team had a mixed tournament – they beat Switzerland and lost to Argentina – but the two lads clicked and, as Neil puts it, 'have been drinking together ever since'.

Graham is the more social of the two, and also the more rambunctious.

Neil is a little more sensible and circumspect, especially among strangers. Together, though, they are like teenagers, forever swapping obscure and exclusive references to subjects such as Seventies footballers, Eighties singers and Nineties acquaintances. The string of invariably unfunny and personal jokes are inevitably followed by a grin from Graham and a cackle from Neil.

And to hear them tell it, their footballing escapades are rivalled only by their drinking sessions, which can last hours – or even days in exceptional circumstances like World Cups and local tournaments. The two can drink so much Corona beer that they like to be referred to as the 'crate twins'. At games, they regale the opposition and their bewildered fans with the theme from *It Ain't Half Hot Mum*. Another terrace favourite is the chant: 'Steve Wright, Steve Wright, 275 and 285, Steve Wright, Steve Wright, National Radio One.' Jimmy Hill comes in for frequent abuse, as do Manchester United, Rangers, Celtic and a host of others. Of course, no one in Mexico has a clue what they are on about.

And the exuberance goes beyond football stadiums. Graham, for example, narrowly avoided arrest during the run-up to last August's presidential election when he threatened to scale a flagpole and steal a campaign banner emblazoned with the initials of the *Partido Trabajadores* (Workers Party). The huge, red and yellow flags that waved above the city's main thoroughfare were perfect for Glasgow's Firhill, the home of Partick Thistle, says Graham. 'PT – Partick Thistle – the boys would've loved that back home,' he says, laughing. Partick Thistle (Billy Connolly once said that when he was growing up he thought the team was called 'Partick Thistle Nil') play in red and yellow.

Graham and Neil's friends and family have become accustomed to their obsessive undertakings and even Neil's father has got in on the fun. On his most recent trip to Mexico earlier this year, the retired British Gas technician went to see Santos play twice. They won both times. 'He thought they were brilliant,' says Neil. 'He's never seen them lose.'

The Cruickshank clan is equally enthusiastic about Graham's compulsions, although his wife, Eugenia Burgos de Cruickshank, is by now resigned to her husband's fanaticisms: if it's not Santos, it's Partick Thistle; if it's not Partick Thistle, it's Scotland; if it's not Scotland, it's one of the four teams her husband regularly plays for in his new home. 'Ooooooh,' she sighs, rolling her eyes skywards and dismissing her chuckling hubby with a flick of the wrist. 'He's *loco*.'

Graham and Neil are not the only football supporters in Mexico who are '*loco*' – the country is full of fans who take their devotion to extremes. When the country's biggest team, Club America, was knocked out of the cup play-offs last summer by arch rivals Cruz Azul, two fans committed suicide. A Cruz Azul fan then strung himself to his lavatory cistern and jumped to his death when his team lost in the final a week later.

Fanatical supporters don't just die from hanging. Just weeks after the professional season ended, two teenagers were shot dead in the south-eastern suburbs of Mexico City after their team won a narrow victory over a rival squad. The first was targeted for no other reason than he had scored the winning goal. Then, within hours, another youth was murdered in the northern outskirts of the city when a fight over a disallowed goal led later to a gun battle between opposing players. The same weekend, a 16-year-old was killed in Ecatepec, an area just outside Mexico City, when he took a bullet in the head after an argument on the field.

The soccer psychosis spills over into the top-flight game, which is rife with indiscipline. Players routinely abuse their managers in public and feuding between players and officials is common. When Club America's star striker, Luis Garcia, disagreed with the tactics of his new manager last season he brazenly told reporters: 'A 10-year-old knows more about football than he does.' Mexican goalkeeper Jorge Campos said if the federation sacked national manager Miguel Mejia Baron, who played Campos at centre forward as well as in goal, then he wouldn't play for his country ever again.

Football crazy, indeed.

So Graham and Neil were in good company when two years ago the mighty Santos Laguna, who just a few months before narrowly avoided relegation, began just their sixth season in Division One. The Warriors made their usual inauspicious start to the new season with a few defeats, a few draws and an occasional win. They perked up a little as the campaign progressed and at the halfway stage had gained nineteen points from nineteen games – a respectable, if unspectacular, total.

But during the approach to the play-offs, Santos suddenly set the league alight. Over the next three months, they went fourteen games without defeat. For the first time they qualified as one of the eight teams to progress to the league's lucrative home-and-away knockout stage. From then on, as far as Neil and Graham were concerned, it was Fantasy Football. In the first round, Santos beat Atlas 3–2 on aggregate. In the semi-final, a 2–0 win at home to Toluca was enough to give them a place in the final, even after losing the second leg 1–0 away from home.

The final showdown was in May last year against the Autonomous University of Guadalajara (more commonly known as Tecos), a team that had led the league for most of the season and proved themselves the best in the country. It was an unlikely showdown: Tecos, the toast of the year, versus Santos, the perennial no-hopers. The first game of the home-and-away final took place in Torreón with Santos grabbing a vital 1–0 victory to take to the return leg a few days later. Despite their exhaustive efforts to get a ticket, neither Neil nor Graham had managed to see any of Santos' play-off matches live. Instead, they were forced to don their strips and wave their flags at local bars that carried the games live on television.

Then, on the eve of the final match, Neil got an unexpected phone call from a business contact in Guadalajara, a director who had taken language classes from the Englishman. He had one spare ticket for the game. Neil flew to the city, 250 miles north-west of the capital, the next morning. The game was finely balanced and went to extra time after Tecos won 1–0 to leave the aggregate score level. However, within a few minutes of the restart, Tecos scored again, and 25 minutes later the Santos football fairy tale was over.

Needless to say, the less than bashful Brits are convinced that the side's sudden charge up the league was down to one thing, their generous patronage. 'They were rubbish and then we started supporting them and look what happened,' says Neil. 'Aye,' agrees Graham. 'The home team doesnae know what's come over them when we're in the stadium. A few choruses from *It Ain't Half Hot Mum* and they're intimidated. It's us, man. We're magic.'

At the final whistle in the Corona Stadium, Neil and Graham get onto the pitch and seize the opportunity to meet their idols. Neil tells Tigres' best player and recent signing Martin Ubaldi he should have stayed with his old club Atlas. Graham greets dejected goalscorer Carlos Juarez with a comforting, 'That's the way these things go, eh?'

About 45 minutes later, the players wearily leave the stadium and head for the team bus, the mood much calmer than the hostile wrath that erupted at the end of the match. Neil and Graham are no longer dispirited; they are content to have a beer in their hands and to have had the chance to see their heroes perform on their home turf. When a friendly steward allows them to greet the players in the tunnel, the remnants of the black mood disappear totally.

Graham even takes the manager aside to offer a piece of advice. 'Listen,' he says, resting his hand on Patricio Hernandez's shoulder like a father sharing years of experience with his young son, 'give it a few weeks and they'll be winning. Nae bother.'

The players are also a little happier – despite dropping a vital point at home. But they are not as happy as Neil, who is at that moment having his picture taken with the players. 'This is it,' he beams, wrapping an arm around the neck of defender Hector Esparza. 'This is a dream.'

Crease Lightning

Mick Imlah

May, 1993

There are fast bowlers and *fast* bowlers, and England has two of the latter. In the heat and dust of Calcutta, Devon Malcolm is steaming in to bowl to Sachin Tendulkar, while in the dead of the English winter, in the whitewashed indoor net at the County Ground in Bristol, David 'Syd' Lawrence is shaping up off six or seven paces to bowl to me.

Lawrence knows this won't be quick, in his terms; he is still feeling his way back into bowling after a dreadful injury, and, as he's said, he doesn't want to harm me. But the trick of fast bowling is not in the bowler's mind; it's in what he puts into the mind of the batsman. Syd describes this acutely: 'You know it might bowl you, or get you caught. But, as well as your wicket, there's yourself to protect. You know it could hit you in the face. It could break your arm. It could smash your fingers. It could smack you in the ribs, or in the groin. And, you know, this will *hurt*.' (He reminded me of these uncertainties as I was strapping on my pads under a noticeboard on which a number of medical emergency numbers were prominent, as well as an advert for something called a 'Batting Clinic'.) Syd is boisterous, cheerful, all (I'm afraid) bounce. His seventeen stones are compressed into bulgy muscles; if there hadn't been cricket, he'd have been a heavyweight boxer, and from 22 yards, as he leaps and coils up his arms to bowl, he looks huge.

The first ball is full length; I get more or less into position, and it squirts away off a thick outside edge towards point. Bold for an instant, I nearly make a joke about scampering a single, but think better of it, remembering Syd's earlier remark: 'I've met a lot of good people through cricket – but I've also met a lot of wankers through cricket.' Besides, any notion that batting against him is *not impossible* is premature. I have a sense of where the second ball's gone, but I can't say I've seen it. It didn't seem short-pitched, but it's whammed into the rear netting at something above waist height, and I reconstruct a flight path that takes the ball through the narrow gap between my gloves and my box. 'Let me know,' calls Syd, 'when you want me to step up the pace.' 'Ready when you are.'

Now I know the thing to do is to get into line – to get my feet across so that my head is over the ball. *So that my head is over the ball.* But some other instinct intervenes, and when I think Syd might be putting his back into it, I'm backing out of it – the two little steps to leg that are the signature shuffle of the batting coward. My bat, meanwhile, is completing a slow, horizontal curve at something that fizzed by long ago. I have given the bowler my measure (about an inch and a half), and Syd settles into a patient, scornful groove of what – to him – are little outswingers. I can't even lay my heavy, stupid bat on these. It's as if we dwell in different time scales, like a fly and human swatter. I wanted to ask him to bowl a bouncer at me, but I'd have to lie down before he delivered it.

These horrible symptoms begin to afflict the club batsman at around 60 miles an hour. At full fitness, off his full run, Lawrence comes through about 90. The fact is that Derek Pringle would be a bit sharp for us. A friend of mine, a good club cricketer, remembers being embarrassed by the *pace* of Derek *Underwood*. But is it always so much easier for the really good players?

A left-handed county opener, in the middle of a reasonably successful season, describes the exhilarating effect of two overs from Warwickshire's Allan Donald – currently the fastest bowler in the world – just before lunch. (He'd survived somehow, and could look forward to facing Donald again after the interval.) 'Lunch was chicken salad, but I didn't know I was eating it until I'd had about two thirds. I went to the loo, and sat down with my pants on. It was like being concussed.' Herbert Sutcliffe, one of the greatest opening batsmen, put it this way: that some can play fast bowling and some cannot, but if they all told the truth, none of them like it.

And top-flight batsmen have been lumping it a lot of late. From the mid-Seventies until the end of the Eighties, Test cricket was dominated by the West Indies; not because they had batsmen of the quality of Gordon Greenidge, Desmond Haynes, Clive Lloyd and Viv Richards, but because they could regularly field four bowlers of the highest pace in the same side, choosing over that period from Roberts, Daniel, Garner, Holding, Marshall, Croft, Clarke, Walsh, Patterson, any of three Benjamins, Davis, Gray, Ambrose, Bishop and Moseley. Meanwhile, England had only Bob Willis (and Graham Dilley on occasions) of comparable pace – and when

Willis retired in 1984, they had no one. If there had ever been any truth in the myth of whistling down the pit for your new pace man – and of Test-opening bowlers only Harold Larwood and the twice-capped Les Jackson were ever miners (Fred Trueman worked in a colliery office) – then the seam was long since exhausted. But a new fast-bowling stereotype had replaced it in the leagues – a big, black stereotype. And it was from this new resource of England-qualified black players that two real candidates emerged.

Devon Malcolm – distinguished at the time by thick spectacles – came first, making his debut in 1989 against Australia. He can recall it now with a smile. 'I had Geoff Marsh lbw before he'd made ten – he was dead, man. Even the non-striking batsman was shaking his head . . .' Then the umpire shook his, and, at the end of the day, Australia were 301 for no wicket. Malcolm went on to concede more runs (166) in an innings than any Test debutant since 1954; and the chairman of the selectors' consolatory praise was all the fainter for getting his name wrong ('I think we saw some promise from Malcolm Devon').

In the first Test in the West Indies the following winter, things didn't seem to be getting any better. On a boiling-hot Jamaican morning, Greenidge and Haynes were making leisurely progress; Malcolm's bowling was wayward, and he'd begun to blunder in the field. 'I was at long leg, Greenidge flicked it down towards me, and put pressure on me by shouting for two. It went straight through my legs for four. I said to myself, whatever else you do in this game, you do that again, and you're knackered.' Two overs later, Malcolm very nearly did do it again; only this time the ball struck his knee, and he was able to recover and throw instantly. The throw was hard and flat and straight. Greenidge was out by a yard. ('That was *so sweet*.')

England had entered the series, and Malcolm had made his first mark. Some overs later, he had the great Viv Richards lbw, and the foundations were laid for a famous victory. In the second innings, his victims were Greenidge, Haynes, Richards again, and Jeff Dujon – three of them clean bowled. In the next Test, at Trinidad, he took ten wickets and set up what would have been a second win but for the rain that fell on the fifth afternoon. England were transformed from the side that had suffered fourteen defeats in fifteen games against the West Indies; and the difference was Malcolm. The difference was pace.

Malcolm had another good tour in Australia in 1990–91, but the next summer saw him dropped to make way for Lawrence. Fast bowlers have traditionally been most destructive in pairs, but the fact that Malcolm and Lawrence are so similar in style has combined with the natural conservatism of the England selectors to prevent them playing together in Tests. Hence they've had, in effect, only one international career between them, and are yet to achieve a joint total of 100 Test wickets.

But while the selectors regard them as the same bowler, and while they are equally popular in the changing room, they're quite different in temperament. Lawrence, born and raised in Gloucester, is ebullient and energetic in everything he does, emphatically one of the lads. Malcolm, born and raised in Jamaica, is 'the sort of bloke who takes four-and-a-half hours to put on his shoes', according to Mickey Stewart, the former England manager. Both on and off the field he sometimes gives the impression of remembering warmer days.

I met him at Lilleshall, where the England players, preparing for the winter tour of India, were examining their individual shortcomings. (Mike Gatting, for example, batting in the net, to self: 'HOW DID YOU MISS THAT YOU FAT C***?') Malcolm was comparing videos of his action before and after his coaches' adjustments. He is more technically minded than you might expect, especially to judge from his batting. Indeed, it was the sight, not of fear, but of sound technique in an opposition batsman that made him want to be a professional cricketer.

At eighteen, the game was a matter of 'scaring guys' in the Yorkshire leagues ('six for twenty, seven for fifteen and so on') until, in a game against a Yorkshire Schools XI, he bowled to Ashley Metcalfe, now an opening batsman for the county. 'And it was just like watching Boycott on TV. Everything was so correct and solid – not stepping away and giving it this business.' He sweeps his arms contemptuously in a sideways swish. 'That was the day I knew I loved cricket.' The wicket of Boycott himself, yorked in the only recorded victory of the Yorkshire League XI over the county side, provided Malcolm with his route into the first-class game. The Derbyshire coach Phil Russell saw the headlines ('Yorkshire Devon Creamed'), gave him a net, offered him a contract, and that was the end of a career in accountancy.

We love our fast bowlers, but we don't like theirs. The only cricketers with the power to injure others, they can make proper villains of themselves. Of course, the ball which hits one batsman in the temple is exactly the same as the ball which another batsman gloves to the keeper, but some bowlers have not seemed to prefer the second outcome enough. Jeff Thompson, the fastest of all measured bowlers at just under 100mph, ruffled a few feathers with his talk of English 'stiff upper lips' and his love of splitting them; still, it was the English who invented the angle of attack known as Bodyline. But black fast bowlers, which until the Eighties meant West Indian fast bowlers, have usually seemed the most physically threatening.

In the early days of West Indian Test cricket, quick bowling was even seen as an instrument of voodoo. On the eve of the Test match in Georgetown in 1935, England's opener and captain, Bob Wyatt, was approached by a Guyanan carrying a beautifully carved miniature coffin, which he opened to reveal the model of a corpse, as he hissed: 'This is what Martindale do to you.' The next morning, a short ball from the Bajan Manny Martindale reared and broke Wyatt's jaw in three places. The injury was so bad that there was indeed fear for his life. Two later West Indians, Roy Gilchrist and Charlie Griffith, sometimes seemed intent on murder at twenty paces. The controversial Griffith, before his fearsome bouncer was finally denounced as a chuck, very nearly killed the Indian captain, Nari Contractor, in a game in Barbados; a brain operation saved the batsman's life, but he never played again.

Accidents will happen, but some bowlers encourage batsmen to think that accidents are part of their plan. Verbal intimidation – what Lawrence derides as 'yapping' – has been in use since the prime of 'Old' Clarke two centuries ago: Clarke's custom was to 'prey upon the terrors of his victims by making caustic and cocksure remarks about what he would do with them when he had them in front of him'. (Anyone who doubts that the underarm bowling of Clarke could fulfil these threats is referred to the case of 'Long' Robinson, who had two fingers of his right hand 'struck off by the violence of the ball'.)

The arch-aggressor Trueman was in Clarke's 'cocksure' tradition: at the age of sixteen, he greeted a hard-faced veteran, arriving at the crease, with the news he'd let him have one off the mark, but after that he was going to 'pin' him 'to the fucking sightscreen'. These days yapping is more an Australian speciality. Both Malcolm and Lawrence prefer, as the latter puts it, to 'let the ball do the talking'.

Violent, abusive or, worst of all, successful fast bowlers make things harder for those who follow. The recent legislation limiting bowlers to one bouncer per batsman per over is a response to what had become the standard West Indies practice of three bouncers an over all day. But the ruling dismays both Malcolm and Lawrence, neither of whom used to bowl an excessive number of short balls. For Malcolm, it's a 'crap rule'. For Lawrence, it's another instance of how the game is constantly being redesigned for the benefit of batsmen. 'Can you imagine them ever saying that a batter is only allowed to play one cover drive or one pull shot per over? But it's been the same every time bowlers have gained an advantage – they change the rules to hamper them. What they're after, in effect, is for you to bowl the ball the batsman wants. Sometimes you think they'd be happier with a bowling machine at either end to serve batters. I think it's very strange . . .'

Complaints like this intensify when fast bowlers consider what the wear and tear of their occupation tends to inflict on them. Freddie Trueman's boast is 'I bowled for twenty years and I never pulled a muscle.' But for most fast bowlers, physical breakdown – hamstring, shin splints, back strains, knee damage – comes with, and jeopardises, the job. Lawrence talks of fellow bowlers – Lillee, Foster, Fraser, Bishop – who have lost a year or more to serious structural damage; and of others – such as the ill-fated Ricky Ellcock of Middlesex – who will never bowl again: all crippled by doing what the body is not built to do. As Lawrence says: 'No other sport asks you to go repeatedly through such unnatural movement – to run 40 yards, to leap sideways, to set yourself like a catapult, to fling it down, and at the moment of delivery all the pressure comes down on your braced left leg, and it's all absorbed by your left knee . . .'

At this he looks rueful. For if Lawrence never takes another Test wicket, he will always be remembered for one of the most spectacular injuries in the history of televised sport. In Wellington, fifteen months ago, he was bowling with characteristic wholeheartedness in a Test match that was yawning towards a draw, when his knee snapped in two with a noise louder than the crack of a Robin Smith square cut. It was nine months before Lawrence was able to bowl again, and even now there is stiffness around the repaired kneecap. But he manfully accepts his ration of serious injury and looks forward with a visible appetite to the new season and several beyond. At 29, he wants to emulate Lillee, Willis and Hadlee, all opening the bowling in Tests when they were 35.

These great names apart, the omens are against him. Among English bowlers, it's not so much the ability that fades as the will. It's one thing for Devon Malcolm, say, to run in on a bouncy wicket in Perth in front of 30,000 people; another to trudge back to his mark with all his sweaters on at half past five on a blustery May afternoon at Derby. Frank Tyson, the fastest bowler in the world for two winters during the Fifties, has described how his will was nobbled by bowling on the notoriously dead wicket at his county ground at Northampton. What Tyson lost was that motor of optimism and self-belief, without which there would be no fast bowling:

the conviction that he could take a wicket with every ball, the prejudice in favour of himself that had a bowler like Trueman sensing movement off the pitch and errors in the stroke where none existed.

English county cricket is unique in asking men to bowl fast nearly every day for four consecutive months. And even those days when the body is willing, the feel for the job can be fickle. Malcolm summarises the feeling: 'Sometimes you pick up the ball, and it feels *nice*, and you know you're going to take wickets. Other mornings – Jesus, it feels like a football, and you know, damn, you're going to struggle all day.' But Malcolm will never compromise his bowling nature. 'I'm a strike bowler,' he insists. 'I'll go for four runs an over, not two.' And if the rewards for absolute speed are intermittent, then they're high when they come; those enthralling phases when rhythm and fitness and pitch combine perfectly, and the world's best batsmen can only grope and fend as helplessly as me against David Lawrence at half pace. As Frank Tyson puts it: 'To those who have bowled quick, really quick, there is no comparable feeling in the world.'

She's Got Balls

Ian Ridley

October, 1993

The sign on the door prepares you: 'Nudity required. Apply within.' In fact, the whole tatty block which houses the London office of the *Daily* and *Sunday Sport* on its third floor prepares you. It is located a few hundred yards from the City and the opulent, glassy headquarters of major companies, and another few hundred from Shoreditch and its inner-city graffiti of despair. The entrance is around the back. Welcome to the twilight zone of the British press.

In the open-plan *Sport* office – all grey carpet tiles and yellowing back issues – sales and marketing director Karren Brady is on the telephone to her boss, publisher David Sullivan.

'It's about five and half inches in height,' she is saying. 'They want to do an insert.' 'It' is an advertisement, but could just as easily be a suppository. Everything here seems to be an innuendo.

In such surroundings, it is difficult to take Brady as seriously as she deserves. For, at 25, she is both a linchpin of the *Sport* empire of sleaze and the managing director of Birmingham City, the only woman in charge of a professional football club. Inevitably, when Sullivan paid £25 million to acquire the club last March, it was said that Brady had been bought a plaything by her boyfriend. But she adamantly denies both allegations, just as she denies any amorous involvement with either the boxer Chris Pyatt, who lives in (and thus helps out with the mortgage on) her £150,000 flat looking out over Tower Bridge, or the Arsenal footballer Kevin Campbell.

For our interview, Brady chooses a rather different environment, an airy Italian restaurant in Knightsbridge. To get there she drives me through the West End in her Porsche Carrera. Such manifestations of style are in contrast with the tackiness of the *Sport*. But then, pretty and pretty tough –

'as nails,' says Sullivan – Brady is a woman of contrasts, surprises even, almost daring people to judge her and, gratifyingly, not judging others herself.

This supposed soft-porn bimbo was in fact a convent and then a public schoolgirl, a captain of hockey, swimming and badminton who passed nine O-levels and four A-levels, in English, history, politics and economics, at the predominantly male Aldenham School in Hertfordshire. She has, though, no qualms about being associated with two men, Sullivan and Pyatt, whose colourful pasts include court appearances, at the end of which they were cleared, or about giving two-word answers to footballers who fancy themselves and their chances of making passes of the off-field variety. And she has no difficulty reconciling an interest in boxing with a delicate taste in shoes – more than 100 pairs at the last count – and £800 evening gowns. ('I bought it on holiday in Capri,' she says of one gown, 'and I was really pleased when I saw the same one in Harrods for £1,200.')

At sixteen, Brady was turned down for a job as a check-out girl in Waitrose for being too glamorous. 'I was really pissed off. I really wanted that job,' she says. 'I've never shopped there since.' At eighteen, spurning the chance of going to university because she didn't like what it had done to some friends, she joined ad agency Saatchi & Saatchi.

'I remember,' she says, 'being sent to supermarkets to check on the position of a cheese they were advertising and report back. I noticed that if you moved the cheese to a better position they sold better and nobody bothered to move them back. I thought that was what the aim was. I suppose it did show that I am a person who makes things happen.'

After a year of the three-year traineeship impatience took her to the ad sales department at the London radio station LBC. She first encountered Sullivan working there; he was impressed with her hard sales pitch. An initial £5,000 commission developed into £2 million worth of advertising. Soon Sullivan asked her to work for him full-time.

'I just thought it was really exciting,' she says, looking back on £32,000 a year and a Volkswagen Golf. (The Mercedes, given to her by a boyfriend, had gone back when they split.) Her parents – her father is a wealthy businessman who owns a printing business in north London and has an estate in Enfield – just thought it was 'weird'. Her mother, she says, simply told everyone at the tennis club that her daughter was 'in advertising'.

Brady describes the *Sport* as 'an adult publication for a young group who want a good laugh and a bit of sex thrown in'. And those telephone sex lines? 'Most of it is nonsense, drivel but harmless,' although she does check 'anything sensitive in there'.

'I think,' she says, 'it is good and important that people can see inde-
pendents come into the market and find a niche, make a hole and dig
away at that hole. Some pretend they are buying it for the sport coverage,
but there will always be an image problem. The paper is unique because
it accepts that it is different.' They can't take on the *Sun*, which she
admires, and its 'investigations'. 'They are nasty to people and use them
up. We don't. Mainly because we can't afford to.'

And when she meets men and the talk invariably gets around to what
she does for a living? 'Some say, "What's that?" Others say, "Oh, that's
the paper with big tits, isn't it?" Then you know that they are a raving
punter and you just walk off.'

Brady is frank to a fault. And fruity. She is wearing a Wonder Bra, she
reveals. 'I was called fried eggs and all that at school. Size does matter. It's
just like men worrying about their willies, and some of them have good
reason.' She smirks at the recent memory of her Jamaican holiday hotel
with its adjacent naturist beach, where some American gentlemen had
apparently over-inflated opinions of themselves.

As for Sullivan: 'I am not like his women, I'm not his type. I am probably
too strong a character. We are very alike in that we both like people who
get things done. I don't want to know how you get from A to B, I just
want to know that you are at B. But we are unalike when it comes to
money. I asked him to get me a Ralph Lauren blazer when he was on
holiday in the States because it was cheaper over there, but he couldn't
understand how anyone could spend £400 on a jacket. I think,' she adds,
'he chose me because I am honest and loyal.' Then she tells me off the
record, so as not to cause any offence, the name of the broadsheet newspaper whose £63,000 a year (a third as much again as she gets now) she
rejected because she likes the job and the people where she is.

'I am sure,' Brady says, 'David would have been successful in any business
he chose to go into. He chose this one because he admired Hugh Hefner.'
And Sullivan's background and reputation? 'All I would say is don't judge
him without knowing him.' And the same, it seems, applies to her.

The graffiti prepares you: 'The Board Must Go'. In fact, the whole area
surrounding Birmingham City Football Club in the once industrial suburb
of Bordesley prepares you. 'Welcome to St Andrews', it says outside the
ground, though the barbed wire crowning the fencing to deter would-be
burglars suggests otherwise.

Around the stadium are a partly demolished warehouse and new housing
estates, a bingo club and an evangelical church. The ground itself, with

its carpeted bars, suites and boxes looking out on outmoded terracing, has for years been all gravelled car parks, weather-beaten corrugated roofing and peeling paint – though a £20,000 lick this summer helped. Welcome to the twilight zone of English football.

Second City and second-rate, the club has 118 years of under-achievement behind it. The club did reach the Cup Final in 1931 and 1956, won the League Cup in 1963, and the Leyland Daf Cup for lower division teams two years ago. And there have been great players, notably Trevor Francis, who burst onto the scene as a 16-year-old. But mostly there haven't been. Mostly, the club has been a joke. 'You draw some, you lose some,' lamented their most famous supporter and former director, the comedian Jasper Carrott. 'After three games this season, I know my club Birmingham City are going to be relegated. Is this a record?' a fan once wondered in a Sunday newspaper. 'Keep Right on to the End of the Road' has been their theme song, and it has often seemed as if they were almost there.

Sullivan, a Welshman who supported Newport County as a boy, had been seeking a club and decided that Birmingham was ripe. Many thought it was just the latest joke. They would be called Bummingham Titty; the programme would have to go on the top shelf of paper shops; the *Sport* would carry fanciful stories like 'Football Found at St Andrews'.

But Sullivan and Brady assured the fans that the club would be separate from the newspaper, though a silly summer story that football's Madonna was seeking to bring football's Maradona to the club confirmed the link. More importantly, they invested £1.5 million in new players, who kept them out of the Second Division last season and suggested a Premier League promotion campaign this one, and they have also announced a £4.5 million plan to turn the ground over sixteen weeks into a 25,000-capacity all-seater by next summer. This, and the desperation of football supporters watching their club dying under previous regimes, led to them being warmly welcomed. For dying Birmingham most certainly was.

'I thought it would be bad,' Brady says, 'but I didn't realise how bad. In my first week I wondered what I had taken on. There wasn't an area of the club that was making money. If you asked how much money the shop had taken in the past year, no one could give you an answer because there was no paperwork. It took three months to find some. I saw two prongs on top of the floodlights and wondered what they were. Nobody knew. They turned out to be receivers for mobile phones, which we were paying for.'

Brady did not pretend to know anything about running a football club. She went to Arsenal – the club she had supported from her father's executive box at Highbury, not missing a game for six years – and asked the managing director Ken Friar for ten minutes of his time. When Arsenal's vice-chairman David Dein – one of football's new breed of aggressive marketeers – walked in, she closed the door behind both men and picked their brains for four hours. 'They told me not to let my heart rule my head, never to get involved, and to put everything out to tender.'

There were early moments of naivety. Soon after taking over, Brady was invited out to lunch by Doug Ellis, the chairman of Birmingham's big brother, Aston Villa, and known in the game as 'Deadly', and the club's manager Ron Atkinson, known as 'Big'. She took her own club's manager, Terry Cooper, 'for protection'. Flicking through a Villa programme, she read about a player called Dalian Atkinson. 'Is that your son?' she asked Big Ron. 'He said, "Yeah", and I said, "How nice". I could see everyone looking down and thought, I'm on a wind-up here. Then he told me that Dalian was black.'

What was her own players' reaction to her? 'They were very shy. They were the most polite, well-behaved bunch of individuals I had ever met.' You point out that the club were once known as the Brummie Bashers. 'Well, they are not like that now. The first time I went to a pre-match meal you could have heard a pin drop. And when I asked them if there were any questions, there was just quiet.' And the players' wives? She does not worry what they think of her.

'I feel sisterly towards the players,' Brady says, 'and the whole place lights up when they are around. You see kids playing outside the gates and when they see a player it makes their day. I do see what a club means in people's lives.' Thus Brady has quickly learnt what all associated with football come to know: that it is unlike other businesses, that it is hard not to let heart rule head. 'I just loved being back,' she said after returning from a summer break. 'I just wanted to stay there 'til ten o'clock at night.' At first she was going to run the club two days a week; but now she prefers to base herself there.

Inevitably, Brady has had to put up with being patronised. When Birmingham played at Watford, she was shown to a room for directors' wives before persuading the jobsworth of her status. 'But I don't mind,' she says. 'Only people full of themselves would be offended.' What she does hate is anyone calling her 'babe', 'love' or 'darling', as anyone who has done could tell you. And she would suspend any of her players who wolf-whistled at her.

Brady thinks the fact that she was one of only a few girls at a mostly male public school has helped her cope with masculine occasions. At the Midland Football Writers' Dinner one well-known player was touching her elbow. When drunk enough, he propositioned her. 'I told him to piss off,' she says. She thinks that the eight-foot lilies sent anonymously and which she gave away to the secretaries came from the same player, out to win a bet. She would like, she says, to go out for lunch with Ron Atkinson, 'just by myself to hear his views on football and my players, but I know everyone would then ask him, "Oh Ron, did you get your leg over, then?"'

She has her favourite players, she admits, but she wouldn't want to marry a footballer. 'I would just worry about the injuries. Besides, I don't think I'm a footballer's wife.' Nor a boxer's. 'I was at a Frank Bruno fight sitting behind his wife and she was shouting and crying when he was being hit. I just couldn't go through all that.'

Brady first went to a fight with Sullivan to entertain business clients, and then when the *Sport* sponsored bills. 'What is the appeal? Well, it's not the sight of men's bodies. I prefer my men slightly overweight. Having said that, my ultimate dream man is Jimmy Nail and he's skinny. Actually, there's not a lot of appeal to boxing when I think about it. I had a boxer fall on me at ringside about a year ago. I hate sitting at ringside. All that sweat and blood.'

She was at the Michael Watson-Chris Eubank fight. Watson had been staying in a cottage on her father's estate as he trained, doing his running about the grounds. On that night when he didn't get up, Brady thought he was just suffering from exhaustion. 'Then when I knew Michael was having brain surgery, I just thought, "I have never known anyone who has died in my life. I am going to know somebody who is going to die."' She's relieved, of course, that she still doesn't.

'I suppose the appeal of boxing for me is seeing people do well when they have worked really hard. I see all the effort that Chris has put in just for that moment and know he deserves it. And he has status and money when he might so easily have been on the street.'

As for her own status and success, Brady is all too aware of the problem. 'People who see successful young women think that there must be an angle there,' she says. 'It's too good to be true that a woman from a good upbringing can walk into a good job and be a director. They think, "Oh well, she's bonking the boss."'

Yes, such attitudes die hard. A photograph in Brady's St Andrews office shows her at a lunch, meeting Prince Edward. 'This is Karren Brady,' he was told. 'She's taking Birmingham City Football Club by storm.' 'I bet she is,' he replied.

Spot the Brawl

David Cohen

April, 1996

Sergeant Ray Whitworth, in his hard hat and luminous yellow bib, stands between the dugouts of managers Bruce Rioch and Alex Ferguson and surveys his beat: the high-tension cauldron that is Fortress Highbury. He has the best vantage point in the stadium but, unlike the 38,000 baying supporters viscerally connected to the ball being kicked around the pitch, he is calmly and rationally not watching the football.

Whitworth doesn't see Dennis Bergkamp's opportunist goal (roooooaaaaar) nor Peter Schmeichel's save from Ian Wright's spectacular diving header (a torrent of applause). Instead his eyes are trained dispassionately a couple of degrees above the fray, trying to assess, as he puts it, 'the mood, the density, the stress'. As the game gallops towards the final whistle, he focuses attention on the south-west corner where the 2,700 away fans exchange verbals and posture with the adjacent Arsenal supporters.

'Oi! Oi you! That's enough. Sit down and shut up!' he commands an over-excited spectator who has left his seat (in the disabled section, no less) to hurl insults ('You ponce! You ponce!') at Roy Keane on the near touch line. 'I'm an epileptic. I felt a fit coming on and shouting is the only way to stop it,' the man explains. 'That's the most novel excuse I've ever heard,' mutters Whitworth.

With seconds remaining on the clock, hundreds of orange-bibbed stewards form a chain around the perimeter of the pitch. 'We have to be prepared for a pitch invasion as a matter of course,' Whitworth explains, tuned into the police radio, digesting last-minute tactics and deployments. 'By taking possession, we're sending out a high-profile statement that the pitch is ours. We're saying: "Don't even think about it, mate."'

But the flashpoint is expected after the game when, according to Whitworth's intelligence, the Arsenal and Manchester United hooligans, whom he refers to as 'the hardcore', have planned to meet outside the stadium for 'an off' – slang for a violent confrontation. In the hooligan league table, Arsenal's lot ('the Gooners'), who are about 200-strong, rank about middle. 'Our hooligans weigh up the opposition before wading in, whereas there are some groups who will take on anybody,' says Whitworth. 'The Millwall hardcore walk down the road and give you a slap just for being there. But our hooligans are discriminating.'

Sergeant Whitworth and his partner Police Constable Billy Miller ('Just call us Billy and Ray') are Arsenal's football intelligence officers. Together with their boss, match commander Paul Mathias, who has presided over 150 matches and is also the chief superintendent of the nearby Holloway police station, they form the most experienced football intelligence unit in the country. Foreign dignitaries and police officers from all over Europe – most recently France, Russia and Norway – come to observe the Highbury operation first-hand. Their expertise is much appreciated by Arsenal too, so much so that when the Gunners won the European Cup Winners Cup in 1994, George Graham had them photographed with the trophy, insisting: 'Billy and Ray are part of the team.' Never mind that Ray is an ardent Blackpool supporter.

There are more than 92 football intelligence officers (FIOs) countrywide, at least one for each professional football club, though not all are full-time like Miller and Whitworth. Their intelligence is co-ordinated by the Football Unit at NICS (National Criminal Intelligence Service), which maintains a database of some 5,000 known hooligans. On their combined shoulders rests the safety of hundreds of thousands of supporters every week, not to mention the worldwide reputation of English football. In the run-up to Euro '96, the biggest event to be held in this country since the 1966 World Cup, the work of FIOs has gained heightened significance.

Since FIOs were introduced in the late Eighties, public disorder at domestic matches – once so chronic it was tagged 'the English Disease' – has become the exception rather than the rule. The advent of all-seater stadiums, closed-circuit television inside grounds and better-trained stewards, has helped too, and it is now increasingly difficult for hooligans to wreak chaos during the game. But the hooligans have not gone away, says Chief Superintendent Mathias, they have merely changed their strategy: 'They are most likely to riot when England play away because they perceive that surveillance abroad is weaker [hence the mayhem at Dublin's Lansdowne Road in February 1995 when the England-Ireland friendly had to be abandoned]. Also, they have become more sophisticated on the domestic scene, preferring to meet before or after a game. These aren't chance meetings. They call each other on mobile phones and set up where and when. It's Billy's and Ray's job to find out their plans. The nitty gritty of how they do it is secret. But every time a confrontation is headed off, it is because their intelligence has enabled our men to be in the right place at the right time.'

At 8am on the morning of the Manchester United match, Whitworth and Miller arrive at the 'Football Office' at Highbury Vale Police Station, less than a mile from the ground, to begin preparations. Their office – like a *Boy's Own* den – is festooned with framed Arsenal jerseys, programmes, scarves and press cuttings. In one corner, alongside joke banknotes printed with the head of Bruce Grobbelaar ('Bank of Grobbland – promise to let in one goal in return for £50'), there are photographs of the Arsenal hardcore. These include the back view of one of the infamous Gooner 'generals' known as 'Fatman' (a massive character with a torso like a hippo), shots of smashed-up latrines and close-ups of various weapons – flick-knives disguised as pens, CS gas canisters and truncheons. Below the display is a stick of rock, still in its wrapper, with the message 'Just for you' on the label. The rock, says Miller, is 'a gift' from one of the Arsenal hooligans: 'I daren't eat it in case he stuck it up his arse.'

Whitworth and Miller are both in their late thirties but could not be more different: Ray is ginger-haired, tubby, dour and phlegmatic like a bulldog, while Billy is a lithe and exuberant puppy. Whitworth refuses to talk about hooligans, but Miller can't help himself. He opens a cupboard to reveal about a hundred neatly stacked videos – 'the Hooligan File' – and grins broadly. 'The real juicy bits, you'll never see. We're not trying to be difficult, it's just that we have a rapport with these people. They hate to be misrepresented. Every time an inaccurate report is published, they're on the phone to me letting off steam, "Look at what this fat-cunt-wanker wrote. We'll show you fucking pussyfoots!" '

Miller points to a cutting alleging that one of the Arsenal hooligan leaders – by the name of Charlie – has National Front connections. 'Our boys aren't racists. Won't tolerate it. Some of them are black and that really wound them up. The whole National Front/Combat 18 angle on hooligans is overdone, inaccurate and out of date. It might apply to the chaps from Chelsea. But if Charlie comes back to Highbury [he hasn't been for five years], he'll be slaughtered.'

On match days, Whitworth and Miller divide their duties as follows:

Miller is confined to tracking the movements and intentions of the two sets of hooligans; Whitworth is in charge of Miller and is also responsible for every other piece of the complex puzzle – a logistical headache which involves the deployment of more than 130 serials (policemen).

'One fast ball I haven't thought of and I'm in the shit,' says Whitworth, as he puts together the intelligence briefing sheet headlined 'For Police Eyes Only'.

'You mean *we're* in the shit,' responds Miller. 'We're a team. Remember?'

'We are?' muses Whitworth. 'How come I deal with all the shit parts then?'

'Aaah . . .' says Miller, 'because you're that part of the team.'

The Manchester United FIO, Steve Barnes, arrives mid-morning. There have been reports of a death threat against Eric Cantona, but no special arrangements have been made. 'Players like Cantona and Ince get death threats all the time,' says Barnes. 'We don't regard this one as serious.'

'Hurrummpph,' says Whitworth. 'Footballers like nothing better than to be treated like superstars. I take the view of the chief superintendent of Copenhagen who, when asked to provide a police escort, replied: "May I remind you that you are just football players. Not even Pavarotti got an escort." '

Whitworth and Barnes swap intelligence. Before the season starts, every game is graded – A, B or C – and police manning levels are set accordingly. The bitter London derbies against Tottenham and Chelsea are 'high-risk' Cs, but the Manchester United game is a 'medium-risk' B. The grading is determined by a combination of factors such as: the anticipated crowd (the game was sold out seven weeks ago, although, as Whitworth says, 'some without tickets will be full of determination to get into the ground and may even charge the turnstiles or march through someone's house believing their back garden leads to the football ground'); the reputation of the visiting supporters ('United can turn out 400 hooligans; I'd expect at least one clash,' says Miller); and 'bad blood' between teams (United's Alex Ferguson has been on the radio appealing for a truce – in 1991, a fracas between the players resulted in steep fines and Arsenal being docked two points in the league).

Manchester United and Arsenal have the worst tout problem in the country. Today, Whitworth is running a special undercover tout sting, codenamed 'Box Office Six'. The officers on the sting include two skinheads in denim jackets and two women in tall leather boots, one with 'Gunners' emblazoned on her jumper. While Whitworth briefs the serial in charge of traffic and skip removals ('the shite-est job of them all'), Miller and the others indulge in typical non-PC gag-swapping: 'Why is Will Carling's willy all different colours?' asks one. 'Because he dips it in Di,' they answer in unison. 'Apparently they found the murder weapon for the OJ Simpson case,' tries another. 'It's a six-foot-two spade.' They hoot.

There used to be 60 touts working Highbury but their numbers have halved since the Criminal Justice Act of 1994 made touting at football matches a criminal and arrestable offence (fines vary from £50 to £500). 'We have a couple of Mr Bigs who are extremely rich,' says Miller. 'Then you've got "the needy and the greedy", runners and old men supplementing their benefit.'

Whitworth hands out identikit photographs of half a dozen touts arrested in the previous operation and assigns the beats: Gillespie Road to the skinheads, Avenell Road to the female officers. 'We estimate that with tickets going at four times the cover price [£80], the touts will be out in force,' says Whitworth. 'There is also intelligence that they will sell a programme for £50 with a free ticket inside. We know of two safe houses being used to store tickets. Their addresses are disclosed in your package. Happy hunting.'

Miller offers some last-minute advice. 'The touts are like a union. Once they know you're there, they'll organise a sacrificial lamb. He'll be the one shouting: "Tickets! Tickets!" He's actually saying: "Woo-woo, come and get me, lads!" Because as soon as you arrest him, your cover is blown. And while you're in the charge room filling out the paperwork, it'll be, "Let's nip out and do some business." Leave the loudmouth to the officer in uniform.'

At 11.45am, match commander Mathias (code-name 'Gold') strides in for the main briefing. Until now, Whitworth has been running the show, nervously ticking off in his mind every detail needed to keep the operation on track. Mathias welcomes the officers to Highbury and asks Miller to outline the latest intelligence. 'Today's information is coming in thick and fast and is changing by the minute. We now have two definite locations where the hooligans intend to meet. The feeling is that if both groups are found, they can be herded to the ground quite happily. They do not want a confrontation before the match because they wish to see it. We feel the main danger will come after the final whistle.'

With 40 minutes to kick-off, Miller and five serials are parked outside the Highbury Arms where the Arsenal hardcore are drinking. The stereotype of the football thug being a young, unemployed skinhead in bovver boots with 'Arsenal' tattooed on his forehead is long out of date, claims Miller. 'Some are professional types, solicitors even.' From inside the van, on

Miller's instructions, a cameraman aims the lens at various 'known' hooligans. 'We're starting to photograph them in preparation for Euro '96,' says
Miller, who alternates between wielding a massive £18,000 video camera
and mingling, in full uniform, with the hardcore.

The hardcore spill down the hill in an untidy band across the road
and proceed menacingly towards the ground. Miller and his men attach
themselves like limpets to the side of the moving mass. Miller talks covertly
into his radio, tension etched across his brow for the first time. Mounted
police and two 'furry crocodiles' (police dogs) appear out of nowhere and
keep station alongside. The hardcore turn sharp right and head, briskly
now, some still with drinks in hand, for the away supporters' gate. 'Head
them off!' bellows a serial on horseback.

Miller appears to be keeping certain individuals, the leaders, in his
sights. 'They are saying, "We are here. Where are you?"' he explains. 'It's
all about not losing face.' Their way barred, the hooligans make a U-turn
and head for the turnstiles.

Inside the stadium, Whitworth takes up his position between the
dugouts. In the glass-fronted police control room high above the south-
west corner, Mathias shifts his gaze between the crowd and the banks of
television screens.

With a single lever, the video operator manipulates an externally
mounted camera and scans the whole ground, going in tight or pulling
back for an overview, looking for booze under the seats, infiltration of
Manchester United supporters into the Arsenal part of the ground, whatever is required. It costs Mathias £100,000 a year to police Arsenal, excluding the £55,000 he pays in salaries to Whitworth and Miller. Prior to
joining the police, Whitworth was a quartermaster in the army and Miller,
who left school at fifteen, a community officer 'with a talent for getting
on with ordinary people'. 'These years as FIO have been the best of my
life,' he says. 'I can't believe they pay me for what I do.'

The game passes without incident, but afterwards, as the police intelligence indicated, a fracas develops outside the ground as 60 of the opposing hardcores come face to face. Punches fly. There's a flurry of kicks. 'Get
between them! Get between them!' Mathias shouts at his men over the
radio, watching the mêlée unfold on the video monitor. Police sirens blare.
Within seconds it's snuffed out, the fighters separated and dispersed.

This is football's equivalent of safe sex: the hooligans get to offload
some testosterone, the police maintain order (without having to resort to
water cannons and the like) and the virginity of the average football fan
is left intact.

I catch up with Miller and ask him how he does it. 'You saw things today that you don't know you saw. I'm like a magician; you can observe what I do but you won't know how I do it. I've got to know who to talk to and when, who I can't go near. It's like dealing with dangerous dogs – pat the wrong one and it bites your hand off. There are those within the hardcore who wouldn't piss on me if I was on fire, who call those who speak to me turncoats. I have friends ... wrong word ... I have contacts with people who are the front-runners in the firm. If they got overturned, I'd lose my influence.'

Some European clubs such as Paris St Germain actually employ ex-hooligans to control their hooligans. 'This poacher-turned-gamekeeper model is quite possibly the way forward,' says Miller. 'I've learned that they have their own hierarchy and that to police them successfully you have to respect that. Football hooliganism is a club that you join for life. Once you're a Gooner, once you're in the firm, you don't leave. If they say, "We want to see your arse at Arsenal on Saturday," and you don't pitch, you lose the protection of the group.'

Back at the nick, Whitworth confirms eight arrests in total: three for public disorder, two hapless touts, one drugs bust and two drunks, all bailed and released. There is a message on the answering machine from a local resident complaining about fans urinating against his garage door. It's 7pm, ten hours since Whitworth last ate anything, and he looks exhausted. He works 60 to 70 hours a week, significantly longer than the average sergeant's 40-hour lot. 'No complaints,' he says, sipping his Perrier and burping appreciatively.

This season is Whitworth's last in the job (it is a highly sought after, high-profile position and there is a three-year rotation), but he will go out in a blaze of glory, tipped as he is to be the England football liaison officer for Euro '96. He stuffs a pile of paperwork into his briefcase and mumbles something about 'the job never being over' and having 'post-match reports to compile'. But for tonight, he's off for a bath, to bed, 'and if I can keep my eyes open, *Match of the Day*'. A good game. The first chance he'll have had to watch the football.

Return to Senna

Russell Bulgin

June, 1994

Estoril, Portugal, January 18, 1994. This is Ayrton Senna's first day with the Williams Grand Prix team, and the significance of the moment isn't lost on the attendant press circus: the world's fastest racing driver is about to step into Formula One's fastest car. This is the consummation of one of motor racing's longest courtships. Team boss Frank Williams has been trying to get Senna into one of his cars for almost ten years. Senna has been trying to get himself into a Williams for at least two. But now it's confirmed, official, and everywhere Senna walks, pit-to-motorhome-to-car, someone from Williams sidles three paces behind. To carry his Rothmans jacket. To hold his yellow helmet. Just, it seems, to be there.

And when Senna finally wriggles into the car, he has to endure four laps trailing a Renault Espace laden with photographers at 40mph: PR counts for more than powerslides. Motordrives whirr as Senna dawdles with nearly 800 horsepower keening under his right foot. This is media-pleasing, pure and simple, and, to the average racing driver, dull, a distraction.

But Senna is not the average driver, never has been. I remember when I first saw him, a callow 21-year-old, at Brands Hatch in 1981. The occasion was a Formula Ford race, low-key but important to a gridful of racing drivers. Ayrton Senna da Silva – as he was then known – led but, close to the chequered flag, got chopped by a backmarker. The cars collided and a coolant pipe was ripped from Senna's car, sluicing the rear tyres. Senna indulged in a quick spin, then continued, green fluid swooshing from the spindly yellow-and-black car. Kept going to finish the race in the top six.

Thirteen years and three World Championships later, Senna is just as determined, if not more so. For his dominance of Formula One has been thwarted in recent years: he could only look on as Williams provided title-winning cars for Nigel Mansell in 1992 and Alain Prost in 1993. But now he is in the car he most wants to drive – the car which should take him to his fourth championship. And he's here in Estoril to work, even when trailing the Espace.

On the pitwall, headphones crackle. Senna is doing his set-up laps right now, eager to work, eager to drive.

'I see 11,000 revs, second gear,' he says on the radio, over the nagging whine of the Renault engine. 'I see one-six-four on the dashboard – I don't know what this means.'

'It means,' comes a reply, English, downbeat, almost sardonic, 'that you've got plenty of fuel, Ayrton ...' The Espace peels off. Senna floors the throttle, goes third-fourth-fifth gear, the V10 engine barking thrash-metal ugly and, amid a flowery cascade of titanium twinkles as the chassis repeatedly smites the road surface – 164 litres of race-blend Elf is a heavy fuel load – begins a new career in a new team.

Later, in the dusty pit garage, Senna is thinking about speed. About the nub of his job. Car change, season to season. Technical regulations alter: last year computerised active suspension was permitted, but for 1994 it's banned. This makes it difficult, year on year, to judge pure pace.

So is Senna getting faster? The question doesn't throw him. He just does what he does: places his chin in hand, squeezes his cheeks between thumb and forefinger and says nothing at all. For twelve seconds. Then he looks up. 'Maybe not. But I am getting wiser...

'There is a limit,' he continues in his excellent but formal English. 'There is only so much you can do. What you can get is more consistent, or precise, or quick with the decisions – the correct decisions. That is what I think. In fact, where I can pick up speed is difficult to say, because my limit is as fast as I can go.'

'As fast as I can go.' There, in a phrase, is the id of Senna. Tom Walkinshaw, mastermind of the Benetton Formula One team, suggested that there were three drivers in Grand Prix racing who could give a team a win when, on the day, it didn't deserve victory. They were his driver, German Michael Schumacher; four-time World Champion Alain Prost, now retired; and Ayrton Senna, with 41 Grand Prix wins, a record 62 pole positions, nineteen fastest laps and 614 championship points from 158 races.

There's another pause from Senna. Ten seconds. 'I have been going faster,' the Brazilian says. 'Over these last ten years, the results speak for themselves. Perhaps I am understanding better where the limits are to going faster, where to go faster, more consistency.'

Senna began racing at the age of four. His São Paulo family was well-to-do: his father hired a driver to take Senna to the kart track each day, after school. He raced karts in Brazil and Europe and began car racing in Britain in 1981. He won in Formula Ford, the learning category. By 1983, he was on the shopping lists of Grand Prix team owners.

McLaren boss Ron Dennis offered to fund Senna in Formula Three in return for an option on his future services. Senna demurred: he wanted control and won the Formula Three championship with funds he found from Brazil. Frank Williams gave him his first taste of Grand Prix power, in a private test at Donington Park in June 1983. But Williams and Senna couldn't agree terms, and Williams would have to wait until January 1994 for Ayrton Senna to drive one of his cars again.

Senna joined Toleman for the 1984 season and was a lap away from winning the Monaco Grand Prix when the rain-lashed race was abandoned. Joining Lotus, he won his first Grand Prix in Portugal the following year. Then came McLaren. Six years, three World Championships. Supersuccess. And its price.

A friend called me in 1988. He had dined, he said, with Senna on the evening he clinched his first World Championship in Japan. Their conversation was in Portuguese – low-key, sentimental. About the old days: racing in São Paulo's Parque Anhembi as kids, in go-karts. About time past. Senna, said the voice on the phone, had everything and nothing at all. He seemed the loneliest man in the world.

Senna is regarded by his peers in Formula One as many things: aloof, difficult, infuriating, slightly petulant, overly obsessive ... Yet he understands the value of psychology better than any other driver, knows full well that he is, quite simply, the fastest – which is why he demands respect and will take umbrage when he is baulked by a young driver; which is why he will negotiate his contracts interminably until he wins the terms he considers his due.

As Ron Dennis of McLaren once remarked: 'With Senna, we deal in units of $1 million.' In Formula One, they say that Senna is worth $70 million. That the Banco Nacional sash slathered across the midriff of his overalls, and the similarly logo'd cap he always wears out of the cockpit, earn him $6 million per year. His Williams pay-packet for 1994 is estimated to be $13 million. The contract with Williams, it is rumoured, consists of three documents, each around an inch thick: management, promotions and the tax plan.

He has his own London office, with an ex-International Management Group financial expert looking after his affairs. He has a private jet. A helicopter. Seven floors of an office block in São Paulo are devoted to his business operations. His payroll, he says, 'is over 50 people right now, easily. I think between 50 and 100 people.' In Brazil, Senna is the official importer for Audi cars and DeLonghi heaters.

He has invested over $1 million in an educational comic detailing his racing exploits for children in Brazil. He is religious, reading the Bible when going long-haul first class. He has homes in Brazil, Portugal and who knows where else. He has ordered a £530,000 McLaren F1 road car for delivery in 1995. He is reputed to have made $1 million last year just for three days' filming television advertisements for a German company.

That was a bonus, as 1993 was a critical year for Ayrton Senna, racing driver. McLaren's long-term masterplan had combined Senna's skills with the R&D of Honda to take three World Championships. Then Honda pulled out. McLaren had to make do with customer Ford engines, less advanced than the latest versions supplied by the Benetton team. For once, McLaren was at a competitive disadvantage. Senna wasn't used to that.

There was a quote attributed to him: 'I am programmed to win.' Senna looks up, answers: 'I never said that.' Yet can he get any satisfaction from finishing seventh in a race, if he drove to the limit of the car and the track? The reply, for once, is instant. 'No.'

So what is success? Senna is insistent: 'It is to do it right. To be competitive as long as I can. Which means to be well physically, and in my mind, to perform and exploit my potential, and learn through this as well. To be in the right place, so I can develop my potential and be competitive.'

The right place, the right team, for Senna in 1993 was Williams. Williams had the technical depth in designer Patrick Head and avant-garde aerodynamicist Adrian Newey; it had powerful Renault engines and its cars bristled with clever-clever hypertechnology. Williams also had Alain Prost. Prost and Senna had been team-mates at McLaren, but their relationship deteriorated quickly. At Suzuka in 1989 the two McLarens collided in the penultimate round of the World Championship, giving the title to Prost.

Senna was cast as the bad guy. Aggressive, unyielding, he was heavily criticised after the collision. But the rarely seen helicopter film of the incident, motor racing's equivalent of the Zapruder footage of Kennedy's assassination, clearly shows Prost moving over on Senna, wheels banging wheels, nudging him off. A year later, Senna and Prost, by now with Ferrari, collided again at Suzuka. This time, Prost lost his championship chance as a result. Some saw it as Senna's revenge.

So Prost didn't want Senna at Williams and had power of veto over his team-mate. Damon Hill, untried but amenable, got the drive. Senna offered to race the Williams for nothing: a bold gesture, albeit one which would have been tempered somewhat by his retention of the Banco Nacional millions. Prost refused. Senna stayed at McLaren. With Ford engines, a power disadvantage and, perhaps, a point to prove.

So he tested an IndyCar early last year. 'Well, I wanted to see what it was like.' Would he have followed Nigel Mansell and raced in America? 'Yes. I was not happy about the situation in Formula One, and I was looking for alternatives.' A pause. 'Driving, or not driving. Or driving something else.'

But could Senna actually stop racing? More than most drivers', his life is racing: his whole philosophy of self-improvement is centred on going faster and learning more. 'At that time, for a period of time, yes. But as it turned out I did not, and I decided the best thing was really to try and recoup. I decided the best thing was to drive for McLaren, and it was the right thing to do.'

He negotiated with McLaren race by race, winning as he went in South Africa and at Britain's Donington circuit: in fact, he would win five Grands Prix through the year, further cementing his reputation. The contract was eventually signed after seven races. And it was Senna who buckled. 'I said, "I cannot take [this] anymore – it does not work. Now, somehow, we have to make a deal, a decision, or I will not compete anymore." ' In other words, Senna the driver got the better of Senna the formidable businessman.

But Prost announced his retirement in late 1993, and Senna signed with Williams and Renault for 1994. Leaving McLaren seemed hard. 'It was and it is. I have friends there. We worked together, occasionally we had our differences, but we worked together for six years; nothing can change that. We are friends, and it is tough to change that. Because for me it was not only racing or business, it was a big part of my life.'

And what motivates Senna today? He has three World Championships: Alain Prost had four, and Juan Manuel Fangio won a record five in the Fifties. Senna, say the whisperers, is shooting for six. There's an edge to his voice now. 'I will tell you one thing: it took me ten years of Formula One to win three championships. I will not be driving another ten years to win another three championships. It would not be easy – and I know how hard it is because I did it.'

Yet when Senna mentions Fangio – now 82 and in ill-health – his toughness drops away. The Brazilian seems awed by the Argentinian. 'I had admired Fangio so much,' he says, 'because his attitude is the way to behave as a sportsman, as a man. His conduct, and his clear understanding of what racing is about, even now though he has been retired for a long time, his understanding is very good. It is simple, not complicated, but very precise.

'And I am sure,' Senna adds, 'if Fangio was 30 years old, with the knowledge that he has, driving an ordinary Grand Prix car, he would be just as competitive as he was in his day, because he has got the mentality and, for sure, the skills, otherwise he would not have done so well.'

Senna's life – fast, ardent and acute – has given him everything. Does it ever seem like a dream? One decade: from a rented house in Reading to becoming a global synonym for going into corners deeper, braking later, pushing the throttle earlier, lap after endless lap. 'No, because it has not happened one day to the next. It has happened fast, but it has always been growing, one on top of the other.'

Senna, dark eyes bright beneath the blue baseball cap, warms slowly. 'I was given the opportunity to learn and mature in the situation as it developed.' But does he ever wonder about it all, the money and the madness? 'Sometimes I am jogging, and I am thinking while I am jogging, *"I won three World Championships!"* ' Senna becomes a little more animated, more Latin. The words rush: the pauses, the chin-stroking, seem an age away. 'Then it sounds like [much quieter], "I won three World Championships." And then five seconds, ten seconds later, it sounds like [almost whispering], "I won three championships." Half a minute later, it's [laid-back], "Yeah, I won three championships." '

This is Senna putting his career, his life, in perspective. 'Do you understand? I know how good, how important it was for me, but I have absorbed it in a healthy way. It is not like I say, "Yeah, I am three times World Champion, I am the best". So I am very aware … It is a great achievement, but at the same time it has a lot of logic, a lot of work. Time after time, day after day, week after week, year after year, for 30 years. It's not just a headline.'

Senna won last season's Japanese Grand Prix. The track was wet-dry, the conditions taxing. During the race, rookie Eddie Irvine, racing for Jordan, repassed Senna after being lapped. This was a minor breach of racing etiquette. After the race, Senna visited the Jordan team office. Discussion disintegrated into scuffle. Senna hit Irvine, and a journalist had a C90 cassette rolling.

Which is why Senna begins the 1994 season with a six-month suspended ban from FISA, the sport's governing body. Another transgression and he will miss races. When asked about the downside of Formula One, Senna hits the pause button. For ten seconds. Then for a further 27 seconds of silence.

'The decisions,' he says, 'that are made on the political side of Formula One are not always the correct ones, or the fair ones, for different reasons. But no matter what they are, you have to accept them if you want to be a Formula One driver. Because you have no choice, no matter how good or bad you feel about them. The only alternative you have is to accept, or not to drive. And because I love driving so much I have to accept, in different moments of my career, situations which in ordinary life, no one would be able to impose, or enforce. But it is part of Formula One.'

Politics, then, is an irritation, a background noise. Containable, at a price. But what frightens Senna? I recall sitting with him in a Welsh café, miles from anywhere, in August 1986 after a day spent testing rally cars. A stream burbled outside as the rhythm of the day faded, the stories of what was happening in Formula One fizzled out. And Senna started to discuss risk, the possibility of getting hurt. He did so as if he were talking about an old friend, and his tone remained absolutely level, cool, as he rationalised the dangers of his job, the downside of going wheel-to-wheel at 200mph. Risk was to be teased, he suggested, but never trivialised.

And now? 'Well,' Senna says, 'if I ever happen to have an accident that eventually costs my life, I hope it is in one go. I would not like to be in a hospital suffering from whatever injury it was. If I am going to live, I like to live fully. Very intensely, because I am an intense person. It would ruin my life if I had to live partially. So my fear is really to get injured, to get badly hurt.'

Eight years ago, Ayrton Senna described his perfect day as follows: 'A sunny day, no wind, not too hot . . . Silverstone is nice. Quick car, competitive car, easy with the mechanics, everybody relaxed. And just drive it. Drive it very quick, on the limit. And then, at the end of the day, transfer myself to Brazil, go to the disco, go to the cinema – all in 24 hours.'

Ask the question today, and the answer is immediate: 'I want to wake up at home in Brazil, near the park, or the beach house, with my family and my friends there. Go to the race track, race. Maybe have half an hour just to get used to everything, then have the race in the afternoon. Go back home.'

For Ayrton Senna, then, everything and nothing changes. More money, more success, more intensity: but still, at his core, he remains the kid racing karts, the guy defining himself by finding new ways of going faster. Except that now there's a difference: an advantage of a thousandth of a second can be repaid in millions of dollars. Reminded of his answer back in 1985, Ayrton Senna beams. 'Yes,' he says slowly, 'I am still looking for the same things.' At 200mph, then, a life so simple. And so complex.

Unsung Heroes

Back on Board

Clive Gammon

July, 1993

This is Kilcummin beach in County Kerry, south-west Ireland. Long lines of rollers cream in from the Atlantic Ocean and a man sits in the dunes above it pulling on a wetsuit. A wet, cold wetsuit. 'Like putting on a used condom that's been lying out in the grass all night,' he says. When he's done, he tucks his surfboard under his arm and walks towards the water.

Nobody is going to mistake him for one of those blond, clean-cut, innocently hedonistic characters out of *Baywatch*. He's about nine stone and built, as he says himself, like a water biscuit. He's so frail-looking that, when you first meet him, you feel a strong urge to get him a bowl of hot soup. His face is mobile, flickering with constant mood changes, a tad slant-eyed, a touch other-worldly. It is one of those magician's faces that the poet WH Auden noticed as characteristic of the Welsh.

Don't be fooled by his appearance. Twenty-seven-year-old Carwyn Williams is as terrier-tough, as instinctively balanced, as Welsh fly halves used to be. And he has the right bloodline: his father was a miner from Seven Sisters in the Neath Valley and he grew up speaking the old language.

But it was in a different sport that, almost five years ago, Williams made an astonishing breakthrough. In a tournament at Hossegor, on the Atlantic coast of France, in August 1988, he beat Damien Harriman, the Australian world surfing champion. Other spectacular wins followed and, the following year, he became the first European in the sport's history to be invited to join pro-surfing's world circuit, hitherto a monopoly of about 32 boardriders, mainly Australian and American, but joined latterly by one or two Brazilians.

The rules of the pro-surfing circuit vary somewhat from year to year, but its basic structure is comparable with that of Formula One motor racing. Each year there are ten major events, and points won at them count towards the World Championship. As in Formula One, the venues change occasionally, but typically, one would be in Australia, two in Japan (mainly because they're big fans and big bankrollers of the sport) and others in France, South Africa and Brazil.

Individual surfers fight their way up through the lower formulae to the top. For a European, let alone a boy from industrial South Wales, to make it to the top tier is the equivalent of the Oakland Raiders recruiting a wide receiver from Holland Park Comprehensive.

'All of a sudden the whole world wanted to know who I was,' says Williams. 'Nobody from Europe had done this before.'

Williams' life started turning into a rosy dream. *Surfer* magazine, the bible of the sport, commented: 'At this point, Carwyn is a blitz-or-bomb performer: a walkover when he's out of synch, a world-beater when he's firing. [But] he may have the pure talent of a top sixteen performer...'

'My car was full of prize money,' he remembers. 'I hid different currencies under the mats – francs, escudos, pesetas. Where else would I keep it? I lived in my car.'

Lucrative sponsorship offers also flooded in. 'I didn't know what to do,' he says. 'I even went home to Wales to barter one company off against another.' Finally, he decided on a French firm called Quiksilver, and dyed his hair red to celebrate.

Williams had arrived: he had a sponsor, a manager, coaches, sports psychiatrists and a bright future. Less than a year later, however, just days after he'd been offered a 25 per cent increase on his Quiksilver contract (but was pressing for 50), the dream was over. It came to an end at the side of a French motorway.

'A crowd of us were driving up from Spain,' says Williams, 'and I was planning to stop in on this French competition, just to win some spending money before going to South Africa. I was sort of drowsing in the back of the car when we hit. We were doing 100-plus in a Mercedes, and the driver didn't see this caravan. It exploded when we hit it, and we hurtled off the road into a tree.'

Williams snapped every ligament holding his right leg together. He was told he would never surf again.

'It went straight by me the first time,' he says. 'Then I started freaking, shouting, telling the doctor what a stupid man he was. I was crazy for a couple of weeks. I didn't really start believing it for a few months.'

But now, astonishingly, after a four-year struggle, Williams is here, working the Irish surf. It has a special significance for him. 'I remember,' he'd told me the previous evening, as we sat over a couple of pints at Dick Mack's in Dingle, 'lying in the hospital bed and thinking, "I never surfed Ireland. And maybe I never will now." '

And so we'd come to the west of Ireland, almost as a psychological part of Carwyn Williams' fight back. 'Know something?' he says. 'I used to want to blow Ireland up, right off the map. Nothing to do with politics, of course. But because it gets in the way of the waves coming across the Atlantic Ocean to Wales, see? Our waves.'

Now, at Kilcummin, he puts on a bravura performance, making the most of waves that aren't really living up to Ireland's reputation as surfing's last frontier; unvisited, as yet, by the pro circuit. (Although it is very much on the future agenda: according to Dr Paul Russell, doctor of wave physics at Plymouth Polytechnic, Ireland has the best and biggest wave pattern outside of Hawaii.)

Meanwhile, Williams is making the most of what's there. And what comes through at Kilcummin beach is the special elegance of his style as, at speed, he puts on a performance which almost requires the jargon of the sport to be described. One that features his 'cutbacks' (or 're-entries') as he turns figures-of-eight in white water, his '360s' (which should be self-explanatory), his 'floaters', as he works horizontally along a wave, then free falls to the bottom of it, still standing. And, above all, his 'airings out', when he actually seems to move in the air, flipping, changing direction like a water sprite.

Williams, you learn very quickly, is something of a paradox. He's travelled the world since he was a teenager, hunting the great, classic surf breaks of Hawaii and Australia. But his passion for waves stems from somewhere very different.

He'll put it simply enough. 'In Swansea, where I was brought up, you get a lot of respect if you surf.' It's inner-city surfing he's talking about. Well, almost. The little beach called Langland, where he surfs, is actually a three-mile bus trip from Swansea city centre. Scenically, it's not in the same class as the magnificent beaches further west on the Gower Peninsula, and a lot less classy than it once was. In summer, it's jammed with day-trippers from the Valleys. But in winter, it belongs to arguably the toughest bunch of surfers in the world.

Winter surfing in Langland means howling offshore winds, helmets and gloves, and not being able to feel your feet for cold. 'Langland is hardcore,' says Williams. 'I started out surfing in shorts and a rugby jersey. It was six months before I stood up on a surfboard, probably because I was so cold.

I could only stay in the sea for twenty minutes at a time. I used to go blue and orange and stuff.'

Langland may be a world away from the Beach Boys, but it was here that Williams laid down the basis of his skills, learning them well. In one year, aged seventeen, he won the Welsh, British and European titles. And by the time he was nineteen, he'd picked up enough prize money to start on the road that would, in the end, take him to the top of his sport.

With £1,500, he had enough money for a six-month trip to Australia. Half of it went on an air ticket, and much of the rest on an ancient Morris 1100, in which he slept. 'I travelled thousands of miles in that 1100, all for competitions,' he says. 'Most of the time, I kept the ocean on my left, and every time I saw some surf I'd stop a while. I'd thought I was something when I left Europe. I'd won all this stuff, hadn't I? But when I got there I found I was just a beginner. "Talented but immature," they said. I realised then I'd have to go to Australia year after year.'

There are also professional reasons for his travels abroad. 'See,' he says, 'in Wales, we don't get quality big surf. If the surf sets big, it's got a lot of wind behind it, gale force sou'westerly. It makes them easier. They've got a lot of gradual slope to them. So you have to go to the other side of the world to get the big swells coming through with no wind on them – just marching walls of water that hit a rock bottom under the sea and break fantastically. When I first got to see waves like that in the Pacific, I couldn't handle them. I was hanging on like death.'

Williams arrived in Honolulu when he was just out of his teens and once again adopted his normal hobo lifestyle. 'I checked all my stuff into an airport locker,' he says, 'slept on a bench, caught the bus to Waikiki, and got up onto the roof of the Hyatt Hotel to figure out where I was.'

Buying a rotting old '76 Chevy, in which, again, he lived, he took to touring the north side of the island.

'Hawaii is the testing ground to see if you've got it or not. And at the end of two months, I'd surfed the best they'd got, the heaviest two waves. I was six weeks on Sunset. During the second week, I had a twenty-foot wave break in front of me and I just ... my body just stopped, and I watched the wave march, twenty foot of white water going fast. And I thought, "You twat! What do you do it for? You're gonna die!" I lost my brains. My body was all limp. And the wave marched over me. But I lived. It was a mighty boost to my inner strength.'

It was not only the waves that he had to contend with. 'Hawaiians are very fierce about their territory, and you see some terrible things at the

Pipeline [the place where the largest waves break]. Look at a guy the wrong way and he'll either paddle over and hit you, or give you a choice: your face or your fin? Then they punch out your choice. They are very tough. In the summer there's no waves, so they train all the time. Big guys!'

So Williams trained and trained all that winter in Hawaii, survived the injuries, and beat the Pipeline. He went to Australia again to start his first season on the big pro circuit – which ended up against that tree in France. He was shipped home to hospital in Swansea, where, during a long, hot summer, he went so low he was constantly crying.

'I kept catching myself thinking, hey, in six weeks' time the circuit is going to start over again, and I was still kidding myself that I would be there. I didn't sleep at all, even after they let me out of the hospital, all the rest of that year. The pain was one thing, but also my brain was chanting, "You're not going to surf again." I was in a deep hole. I went down for nearly a year and a half.'

Williams drank heavily through most of the injury, and was in serious danger of becoming an alcoholic. Then, on St David's Day, 1991, he had an operation in Cardiff to try to rebuild his knee.

'Part of me started to think I might get better,' he says. 'But I'd been out of the sea for a year and a half. I was thinking of other ways of life, but I didn't have any qualifications. I was spinning out. Then I thought, "Bollocks to that." I had to get back to surfing, pure surfing, as a start, never mind the circuit and the competitions.'

Even though he'd lost two stone, he kept working himself, cycling and swimming. And one day last spring, he walked down to Langland with his board and got back in the water.

'God, it was as easy as riding a bike. I got up on the first wave and felt the wind coming into my face like it used to. I was knackered all the time. But after I'd got in the water I started sleeping and eating properly again.'

And then, in the summer, he somehow raised £1,000, bought another old vehicle (this time a Renault van), and took off. 'I surfed three times a day – with leg braces on,' he says. 'I ran up and down sand dunes. I got healthier and healthier.'

It was no coincidence that during that summer the big tournament at Hossegor would take place, the one in which, two years earlier, he'd beaten Damien Harriman, the world champion. Harriman still held the title and would be surfing in this French event.

'The day before it started, I went down there to ask if I could judge maybe, or commentate, or even work with the night security. And then the organiser told me, "There are two spots left in the qualifying round."

I was scared, but, my God, I was there on the beach again, in a competition situation. I had to borrow this big old board. And, oh God, I came second out of 80 people in the water.

'I was on the podium that evening, thousands of people there – they get huge crowds in France. I threw my arms up in the air. I'd won a thousand quid and it was all on again.' And as he came out of the water, French television was waiting for him. 'I was almost a legend again,' he laughs.

In a better world, there would be a perfect ending at this point. But that night Williams couldn't sleep for the pain in his leg. He couldn't even run properly; his leg wasn't good enough yet.

Yet now, here in Ireland, he pulls off his wetsuit and frees himself from the braces he wears beneath it. 'There's been loads of pressure since to make me compete again,' he says. 'But my leg still hurts – I can't disguise it. Still, I'm training really hard and getting strong with it, even though I'll have to use two leg braces for ever.'

He looks around for them to pack them away because it's time for us to be heading back across Ireland to catch the ferry to Wales. But a wild-looking County Kerry bullock is galloping away with one of the braces in its jaws. We go in pursuit of it, without success. Williams takes the loss as a sign: 'Maybe Ireland's telling me that I won't need to wear the brace one day.'

And Ireland delivers a last message, too. We've been unlucky with her fabled surf, but now, and just too late, as we drive back along the coast, a big sou'westerly swell, born out in the Atlantic Ocean somewhere, starts putting a perfect wave onto a surfing spot called Inch Point.

We pull over, and Williams, I can see, is itching to drag his wetsuit on. 'But we'll miss the last ferry,' I tell him sternly. 'We'll only just make it as it is.' He takes the point. 'I'll be coming back to Ireland, though,' he says, 'now I've seen the potential.'

That may be some time off. This month he is working on his comeback in Australia, riding the great winter waves they have there. And that perfect ending is still possible – so long as his right knee starts to match up with his courage.

Crash Course

Russell Bulgin

April, 1994

ohnny Herbert is talking about the shunt, the immediate aftermath, the blurry seconds when he knew, if nothing else, that he was still alive. Still strapped in the car, still conscious, still aware. 'And then,' he says, 'eventually when I stopped and I looked down, my first thought was that I had lost everything from the left knee down. That was the first thing.'

August 21, 1988 was the day Herbert's dreams were put on hold. The occasion was an international Formula 3000 race at Brands Hatch, his home circuit: the seventh round of an eleven-race championship designed to mould future Grand Prix drivers.

Autosport magazine reported events with dour understatement: 'Herbert and [Gregor] Foitek collided at around 150mph, their cars cannoning violently left into the bridge, whereupon the GA machine [belonging to Foitek] cartwheeled sickeningly down the guardrail. Johnny's car rebounded into the path of Grouillard, who had no alternative but to ram him hard, while Blundell, amazingly, got through.'

This was a bloody, gothic accident, littering a daisy chain of shattered carbon fibre across tarmac streaked with trails of locked-up rubber. Before the race, Herbert was perhaps half a year away from becoming a Grand Prix driver: eleven months previously, the Benetton Formula One team had tested him, at Brands Hatch, and he had coolly outpaced regular driver Thierry Boutsen. Herbert hadn't sat in a Grand Prix car before, but in less than twenty miles he was driving the 800bhp Formula One Benetton with the same smooth, deep turn-in style he used in his 170bhp Reynard Formula Three car.

On the day of the shunt, Frank Williams of the Williams Grand Prix team was supposed to be at Brands Hatch with a Formula One contract in his pocket for Herbert. Nigel Mansell was leaving Williams for Ferrari, and it seemed a strong possibility that Herbert, just 24, the son of an electrician from Romford, Essex, and ex-pupil of Forest Lodge Comprehensive, would replace him.

As ever, Herbert had done his stuff. He felt good, relaxed, confident. He had already won one race in the Formula 3000 series, at Jerez, Spain. The previous season he had dominated the British Formula Three Championship. Eight years of karting had taught him to race hard, drive smoothly, think ahead. Brands Hatch began as business as usual. Herbert qualified on pole position in his Eddie Jordan Racing Reynard-Cosworth. Led from the start. Dropped his lap times into the one minute sixteen seconds bracket. Controlled the race. Then two cars collided. Red flag. Restart.

Herbert got too much wheelspin, which happens on the sloping start line at Brands. No problem. Team-mate Martin Donnelly led through the first corner. As Herbert chased, so Swiss driver Gregor Foitek banged wheels with him. Foitek and Herbert had already had a coming together at Vallelunga in Italy, back in April. It had been a somewhat silly, low-speed collision. Slightly concussed, Herbert was forced to miss a race, but bounced back to take seventh place at Silverstone and then a third at Monza, Italy. Now he was ready to win again. But at the second turn, Foitek pushed Herbert's Reynard-Cosworth.

A little tap, nose to gearbox. Two more corners, and on to the long straight. Foitek moved to overtake. *Autosport* described what followed as 'the biggest British racing accident for a decade or more'.

'I remember that there was a tiny knock and then it just went very sideways,' says Herbert, in a chillingly matter-of-fact way. 'I remember going along sideways as if I was being pushed for a while, and then it went left. I remember hitting the first barrier and the car spinning, then I hit the second one and kept spinning a lot, and then stopping and looking down and seeing this big hole at the front of the car.'

There was, in fact, no front to the car. It had been ripped off in the initial impact: Herbert had hit the barrier, quite literally, feet-first at around 100mph. His description of what happened is flat, rational, studied. No talk of impact, of dry fear, of self-doubt. No mention of Foitek. No recriminations. Just one of those things.

Herbert talks about his accident – his smashed ankles, his crushed heels, his pain – as if it happened to someone else: someone he didn't know too well. Does replaying the accident in his mind bother him? 'No, not at all,' he says, sounding slightly bored. Why not? 'Well, I don't see why it should.

The way I look at it, even if I had lost my legs I had to get on with the rest of my life, so it did not really matter. Some people might go hysterical and scream, but that does not really do anything. It does not bring them back. Why get hysterical over something you have lost and will not come back?'

Herbert is short and blond, disconcertingly pink-cheeked, blue-eyed, almost impish. His conversation is straight and easy-going. Dyslexia makes him struggle for the odd word: he says he works on his vocabulary, checks the thesaurus program on his computer. Often he will throw his head back and wriggle out a deep, rib-shaking giggle, a loud guffaw which seems at odds with his compact, thick-necked build. In Formula One, they say Herbert likes a laugh. He's a bloke rather than blokey; talented in the car, ordinary out of it. To be ordinary amid the hype of Grand Prix racing is to be extraordinary. And that – along with a sublime ability to drive – could be Herbert's secret.

But it is not enough to explain how Herbert came back to racing after a vicious accident, finally got into Formula One with first Benetton and then Team Lotus. Herbert, always laid-back, can be stubborn too. 'At school,' says his former manager Mike Thompson, 'he had some sort of argument with the teacher and they told him to go to the headmaster, and he refused. So they eventually dragged him up to his headmaster still clutching his desk.'

Thompson was there after the crash, in Sidcup General Hospital, with Herbert's parents. The left ankle was badly smashed. It could not be screwed together because, as Herbert explains, 'it was all mushy. They were always moaning that I would have to have the thing cut off, but I think that was just the doctors giving the worst scenario you could have. Because it was full up with dirt, basically, with tyres and flags and marshals and most of Brands Hatch.'

Herbert smiles. The joke is weak, mistimed. He's bored with telling the story. 'The way the body is,' he continues, 'they just get as much as they can out quickly, then sew it together and see what happens. And the body will take care of all the shit in there. I think the last time I had something come out was 1991 or 1992, and it was a blade of grass.'

Benetton team manager Peter Collins kept close contact with Herbert in hospital. Collins is one of racing's finest talent-spotters; he had championed a young British driver named Nigel Mansell at Lotus back in 1981, and he felt the same way about Herbert. Quick, tough, aggressive and down-to-earth.

Collins recalls: 'On the Thursday after the accident when I saw him I said, "How are you feeling? I just cannot believe what went wrong; it was a terrible accident." And Johnny said, "No, it's not a problem." And I said, "Why's that?" He said, "I have watched the video about 30 times – and I did not make a mistake." So the injuries were irrelevant. The only thing he was concerned about at the time was whether he'd made a mistake. And when Johnny had watched the video and convinced himself that he did not make a mistake as such – the accident happened because he was effectively pushed, or they tangled wheels – his mind was totally clear about where he was going.'

There were problems, though. 'We didn't have any insurance,' admits Mike Thompson. 'I thought Eddie Jordan was doing it; Eddie thought I was doing it. So in the event I put him in a private hospital.' Thompson raised money from racing car designer Adrian Reynard and team sponsor Q8. 'We found the rest,' he says, adding, 'it wasn't a big deal.' Actually, it was: the bill was £8,000 for the first month alone.

Morphine made the pain subside. Herbert says of his lost weeks: 'I could actually sit there and be talking normally, and then, if I closed my eyes, me and my wife would be under a waterfall with no clothes on. Then we started to cuddle each other, and then our skin fell off and these monsters appeared, and then I would eat her, and then another monster would come up and eat me, and there were all these monsters and they were just eating each other. But if I opened my eyes it would go.'

Barely a month after the accident, the monsters still real, Herbert was signed by Collins to drive for Benetton in the 1989 Formula One World Championship. This was an unprecedented show of faith in a driver who might not be able to walk again, let alone drive a stiff, truculently vibrating racing car. To Collins, it signalled the start of an estrangement with the Italian executives of the British-based Benetton team which would eventually see him leave to rebuild the Lotus Formula One operation. To Herbert, it was a lifeline. Benetton would fund a rehabilitation programme in an Austrian sports clinic, but more importantly, Herbert now had a target, a focus. In December 1988, less than four months after almost losing his left foot, he would once again be testing a Benetton Grand Prix car.

The Herberts were not a racing family. 'My dad was an electrician, but he used to play Sunday soccer. He was pretty useless at it. I always remember being there, but I do not remember watching him.' So what fired Herbert's imagination? 'My uncle Pete used to run this go-kart track in Cornwall, and every year we used to go on holiday for two weeks. I used to thrash about there every day. It started just from that: there was nothing in the family beforehand.'

Herbert is fuzzy on details and dates. Where most racing drivers can recount their times to two decimal places, he can't remember the make or colour of his first Formula Ford car. It's a side-effect of dyslexia, he says. 'But I don't get my words back-to-front, like I think [fellow dyslexic] Jackie Stewart does,' he adds with a firmness that suggests this distinction is important to him.

Karting is where kids prove that they can race: Ayrton Senna, Alain Prost and Nigel Mansell all karted. To become a Grand Prix driver without a past life in karting is not impossible, but karting makes racing intuitive and overtaking instinctive. Herbert's first kart was old and heavy. The first race was at Tilbury Docks. Herbert was short, light, quick of reflex and utterly absorbed by his new sport. He was ten years old.

'I took it seriously,' he says now. 'I was disappointed if I did not win, and I always pushed myself – I wanted to win. But it was really just for enjoyment.' Herbert karted for eight years, winning the 1979 British Junior Championship at fifteen and then, three years later, the British 135 International Championship. In 1983, he switched from the nimble alacrity of a kart to a Formula Ford single-seater. He tested at Brands Hatch. 'I hated it because the thing slid everywhere. I was used to something that had grip, and the power was disappointing, and the gears. I remember the first time I drove I did not know anything about heel-and-toe; I spun at Paddock because I was just whacking it in gear and it locked up.'

He learned fast and raced in novice Formula Ford, but was sidelined by an accident at Oulton Park: a suspension arm pierced his calf. In 1985 he almost won the prestigious RAC Formula Ford 1600 Championship, scoring a superb victory in the 200-car knockout Formula Ford Festival driving the unfancied Quest, a car built by a company owned by Mike Thompson. Thompson became Herbert's first mentor; he found money to race with and built Herbert a Formula Ford 2000 car, which didn't work. So Herbert moved up to Formula Three, the toughest category for young drivers with an eye on Grand Prix racing. He finished fourth first time out. At the end-of-season Cellnet Superprix, he was third.

Peter Collins noticed him there: 'His body language after finishing third in the Superprix at Brands, where he was obviously displeased, said a lot. And his demeanour, which just exuded inner confidence without being cocky. Those things made him stand out as somebody who was a bit different.'

To enable Herbert to contest a full season of Formula Three in 1987,

Thompson assembled a group of seven investors and guaranteed the £125,000 which Eddie Jordan Racing required: the money men would get their return if Herbert landed a paying drive in Formula One. 'He had an absolutely brilliant natural talent,' says Jordan, who now has his own Grand Prix team. 'If I was to be ultra-critical, I would say that sometimes his mind wandered from the callous, calculating style – there were often times that he wanted to dice for the sake of having fun. But you could see that overall there was never any doubt that he would come around. He was never a crasher. He was always very kind on the car. He could always get the most out of it when you wanted him to.'

Herbert won five races and secured the title before the end of the season. In September 1987 he duly tested a Benetton Formula One car at Brands Hatch. Collins remembers: 'He just adapted so quickly, and it all just happened so naturally. It was beyond belief. He went quicker than Boutsen on the day in 30 laps, and really never put a wheel wrong. But it was more than just going quick. It was the way he approached the whole thing. He made the odd mistake, and instead of rushing everything to try and keep up the image of good lap times, if he got it slightly wrong he would roll off the lap.'

Herbert tested twice more for Benetton, but lost out when the team came to selecting its number-two driver for 1988. Alessandro Nannini, an Italian, was chosen. The next time he drove a Formula One car, at Monza, tyre-testing for Lotus, he was third fastest among a field of Grand Prix regulars at one point. Herbert had made his mark. He was quick, consistent and on the up. It was just a matter of time. He was racing hard in Formula 3000 – he won his debut race in the series, as he had in Formula Three – and Formula One looked a foregone conclusion. Then came Brands Hatch. And the accident.

'What got Johnny through that was sheer determination,' says Mike Thompson. 'At the end of November we went up to Buckmore Park, me and him, with a couple of 100cc karts, and we just went round and round and round. For about a month we were up there every week for two or three days, just pounding round. Because we knew he had that drive, that test in the Benetton at Silverstone, so we had to get him a bit brain-fit, and while he was going round we put lead on his helmet to build up his neck muscles.'

Herbert's crushed heels meant that he was now one inch shorter. He had a permanent limp and his right foot – his throttle foot – had lost 15 per cent of its articulation. The training was tough. 'We used to wrap all this foam round his leg, but at that stage the foot was still bleeding,' says Thompson quietly. 'It was healed up, but there were still cuts and so on that had not cleared up. But we were talking about weeks before he had to get in the Formula One car, so he had to get used to using his foot. The first day was a bit fraught, but thereafter he was actually doing bloody good times.'

Herbert had to be helped into the cockpit of the Benetton at Silverstone. He still couldn't walk. Did he have any apprehensions about driving again? 'None really. I got back in it just the same.' He drove it just the same, too, even though he was in considerable pain. He was fast in the test – both fast and consistent enough to secure a Grand Prix drive for the following year.

Today, Herbert still can't run and he strolls with a slight deliberation in his thick-soled Reeboks. When he took part in his first Grand Prix at Rio de Janeiro in March 1989, he used a bicycle to commute the few hundred yards from motorhome to pit-lane. In the car, however, he was supreme. He qualified tenth. In 106-degree heat, he finished the race fourth – the best Grand Prix debut performance since 1970. At Imola, a month later, he qualified 22nd and finished tenth. Although he qualified and finished at Monaco, he was off the pace. In Canada he finished fifth, but failed to qualify in Detroit.

'I thought it would all just come back,' he says now, with no trace of emotion in his voice. 'I did not realise that I did not have any strength at the time. When I did Rio, it was good, but the circuit hid the problem I had.' Herbert's problem was physical: he couldn't summon up the huge effort – the 150lb of pressure – required to press a Formula One car's brake pedal. At Rio this didn't matter: the circuit was flat, with constant radius corners placing a premium on line, smoothness and dab-braking. But at most other circuits, it did.

There was another problem, too: how Herbert was perceived by a Grand Prix pit-lane obsessed with the superficial. In Europe, Formula One drivers are regarded as athletes, and the sight of Herbert having to be helped in and out of the car proved too much for some of the Benetton hierarchy. 'There was Rick Mears in the States with crushed feet, racing at Indy,' says Peter Collins, 'and people saying, "God, what a guy, isn't he fantastic?" So it depends how you want to present things.'

Herbert was replaced by Italian Emanuele Pirro. 'Johnny understood,' said Collins. 'I think in some respects he was relieved. The right thing to do would have been for Johnny to have stood down after Monaco, or even Imola maybe, and to have given him six races off. But I knew because of the politics of the place that the moment I said, "Let's give him a rest," you would never see him in a Benetton again.'

Herbert continued to test for the Benetton team and drove for Tyrrell in the Belgian and Portuguese Grands Prix, when its regular driver Jean Alesi had clashing Formula 3000 commitments. He qualified strongly at Spa in Belgium, but food poisoning – 'I still don't know why I ate lobster' – kept him from racing at Estoril.

Formula One had seen Johnny Herbert and had delivered its verdict: he had lost it. He was physically incapable of driving to that standard. He was history. So Herbert did what the also-rans and never-weres did: in 1990 he went to race in Japan's domestic championships. The hardware was good, the testing seemingly limitless, and the team budgets were generous. Herbert spent his life commuting from Heathrow to Narita, but he kept racing: he earned an estimated £200,000 per year. If his career was about to fold, at least he would have some money in the bank.

Herbert had raced Mazda sports cars for some time and, in 1991, drove one in the Le Mans 24 Hours, accompanied by German Volker Weidler and Belgian Bertrand Gachot. Unfancied at the outset, the three won the race and gave a delighted manufacturer its – and Japan's – first victory at the French classic. The success proved vital for Herbert: suddenly, he was making news in Europe again. His recollections of the Le Mans endurance epic highlight two things – that it was an important step in his career, and that he does not think of himself as a long-distance sports car racer. 'I like my sleep,' he says, smiling, 'so I wasn't very good in the morning.' But what he doesn't say is that he had to drive the final two one-and-a-half-hour stints, thus proving that he was, at last, fully race-fit again.

In mid-1991, Herbert rejoined Peter Collins, who was now back at Lotus. He was a Grand Prix regular, even if three years later than he expected, and integral to the future of his team. Where Benetton had thought big following Collins' departure, hiring three-time World Champion Nelson Piquet, Lotus was small and Collins invested in technology rather than a superstar racer. The 1991 Lotus, an update of an older design, was neither fast nor reliable. But a new car for 1992 saw Herbert take two sixth places, and 1993's Lotus 107B allowed him to race wheel-to-wheel with Michael Schumacher's Benetton in the Brazilian Grand Prix, finishing fourth after a duel which had all the insolent ferocity of a kart race.

But then Herbert's hopes faded. Lotus had decided upon a hi-tech solution to finding Formula One speed, but the team's active suspension system was overly complex, difficult to optimise on a race weekend. The Lotus 107B was a quick-corner car, and Monza, home to the Italian Grand

Prix, is a fast circuit. Herbert qualified seventh and then battled with the Ferrari of Gerhard Berger in the race. He passed the Austrian, ran wide and cannoned into the barrier. This was a 150mph shunt. And, typically, Herbert got out of the car, shaken and bruised, and talked to commentator Murray Walker on BBC television. It looked like a big accident, suggested Walker. 'I've only had one that was bigger,' replied Herbert.

A total of three fourth places and one fifth gave Herbert eleventh place in the 1993 World Championships, and for 1994 he has re-signed with Lotus and Peter Collins. He has finally made it. He earns a reasonable living. 'I do not want to be an absolute multi-millionaire,' he says, perhaps referring to Ayrton Senna's reputed $1 million-a-race pay cheque in 1993. 'I probably want to be comfortable. I do not see why I should be earning $20 million per year – that is just a joke.' He lives not in a Monaco apartment but in a Warwickshire village with his wife and his two young daughters. 'I am just a normal guy at home, really. I go to Tesco and do some shopping, then I might go to B&Q for a bit of paint. My first job when I get home is to get out the pooper scooper and cut the grass.' Herbert laughs. It might be a wind-up. But it's probably true.

Peter Collins has one story which he believes best illustrates Herbert's character. Rewind to the critical second Benetton test in December 1988. Herbert hasn't driven a racing car since his accident: if he performs poorly, the Benetton management will veto Collins' decision and Herbert will not race a Grand Prix car the following season. Herbert, still unable to walk properly, has to lap Silverstone competitively, and that means in a time of one minute and twelve seconds.

'He was still in quite a lot of pain,' Collins recalls. 'He went out and was doing seventeens on a damp track, and he came into the pits. We rolled the car back into the garage, and he flicked the visor up and looked up at me and said, with a really worried look in his eyes, "I don't think I can do it."' Collins pauses. 'Then he looked at me, and his eyes glistened. And he just burst into a big grin and went out and did twelves. That just sums him up.'

Ring True

Alex Kershaw

July, 1993

He belongs to an age of Zeppelins, Marlene Dietrich and four-ounce gloves. At his best, before Cassius Clay was even born, he'd have made Bratwurst of Frank Bruno. For those who are old enough to remember, he will forever be the greatest German fighter, the only mortal to knock out the best boxer of all time.

The high point of Max Schmeling's boxing career – when he laid out the legendary Joe Louis one muggy evening in 1936 in New York's Yankee Stadium before 40,000 baying fans – was to prove a bittersweet victory. Indeed, it has always been Schmeling's misfortune that by the late Thirties, as the shadow of National Socialism gathered across Europe, boxing had become politicised and its stars cast as representatives of rival ideologies. In 1938, when Schmeling, seen as a model Nazi, lost a return bout against Louis, it was as if the entire 'free world' rejoiced. Today, it is still said that Schmeling was 'Hitler's heavyweight', that in knocking out Louis in 1936 he was adding grist to Hitler's fantasies of Aryan superiority. As recently as October 1991, an article in *American Heritage*, a popular history magazine, described Schmeling as 'vehemently pro-Hitler'.

Max Schmeling deserves better. That he was manipulated by Nazi propaganda chief Joseph Goebbels is in little doubt. But the man who once boasted the likes of Greta Garbo and Marlene Dietrich among his admirers was never a Nazi. Schmeling not only openly consorted with his Jewish friends in the Thirties, he also risked his life to save others from Nazi persecution.

Schmeling has never spoken about this remarkable chapter in his life. Nor of his generosity to Joe Louis, who died, broke and broken, in Las Vegas in 1981 after years of mental decline.

Such is Max Schmeling's humility that even in his autobiography,

Memories, he plays down other episodes which make him, as one Jewish émigré from Nazi Germany puts it, 'a truly great German'.

Max Schmeling sits in his neat office on the outskirts of Hamburg where, since hanging up his boxing gloves in 1948, he has worked for Coca-Cola. He now owns a part-share in a bottling plant and distribution company, Max Schmeling & Co. He is not rich, but certainly well-off.

It was with some reluctance that he agreed to this interview; years earlier he had granted what he hoped would be his last. Nonetheless, he was welcoming. His eyebrows are as bushy, his nose as flat as in the sepia-faded photographs of him weighing in with Joe Louis in the Thirties. His fleshy, speckled right hand, once the most feared in the world, is still a bone crusher.

'I don't think boxing's better than it was in my day,' says Schmeling. 'The sport is easier today. When I started boxing professionally, in 1924, we had to go twenty rounds. Can you imagine! We also used four-ounce gloves. Today you have six ounces and just twelve rounds.'

Born the son of a merchant seaman in 1905, by the mid-Twenties Schmeling had jabbed his way through the ranks of Europe's best boxers like no other Teuton before him, averaging a fight a month. He became German national champion in 1928. In the Thirties, his age and a lone 'negro' stood between Max Schmeling and world domination. He was already, at 30, past his physical best when he first saw Joe Louis fight against Paulino Uzcudun in December 1935 in Madison Square Garden.

There was no way, insisted reporters, that Schmeling could beat Louis, at 21 the most awesome boxer anyone had ever seen. Hadn't Schmeling seen Louis drive two of Uzcudun's teeth through his lower lip? Didn't he know Uzcudun had collapsed in his dressing room after the fight? Sure, said Schmeling, he knew all right. But he'd also seen something. Oh yeah? scoffed the press. Like what? Schmeling wasn't saying.

'I saw something which made me think I had a chance,' Schmeling now recalls. 'Joe had a wonderful straight hand, but he'd punch and then sometimes drop it.'

If Louis had a weakness, Schmeling had spotted it. He returned to Berlin armed with films of Louis in action. While an over-confident Louis slacked in his training, Schmeling took time out to lunch with Adolf Hitler in Munich. Why was Schmeling risking Germany's reputation, scolded Hitler, in a fight against a 'negro cotton-picker'? What made Schmeling think he'd last a round with the man tagged as the 'dark destroyer': the 'sepia slugger' who'd pulverised Primo Carnera (Mussolini's favourite), Kingfish

Levinsky, Max Baer, Paulino Uzcudun and Charley Retzlaff in just sixteen rounds? Hadn't Schmeling already been humiliated in 1933 by Max Baer, of all things a Jew?

Hitler was not alone in writing Schmeling off. One of America's best sports writers, Paul Gallico, warned: 'Stay in Germany. Have no truck with this man [Louis]. He will do something to you from which you will never fully recover. You haven't a chance.' One cartoonist pictured Louis preparing for the Schmeling fight. 'Worry?' read the punchline issuing from Louis. 'Sure I worry – how to crack a hundred in mah golf.'

On June 19, 1936, Schmeling entered the ring in the Yankee Stadium first, his glistening hair greased back above bushy brows. Louis followed. For a few seconds the pair stood there motionless, staring at each other in the still heat. Did Schmeling really believe, deep down, that he could possibly win? 'Every boxer has to believe they can win when they go into the ring,' Schmeling says, smiling. 'Otherwise, you're done for.'

Within minutes, Schmeling showed that he had, after all, found Louis' Achilles' heel. In the fourth round, sure enough, Louis dropped his guard. Schmeling hit him smack in the face. Fear flickered across Louis' dazed features. A split second later, he hit the canvas for the first time in his professional career.

Six rounds later, Schmeling again caught Louis with a roundhouse right. Unbelievably, Louis sagged to his knees, cradled his head in his hands and fell backwards. The news-reels show Schmeling leaping into the air in victory, both arms above his head, his face bruised but ecstatic.

The left side of his jaw swollen like a softball, Louis skulked in his Harlem apartment for three days after his defeat, too ashamed to show his face. His ego was badly bruised, his 'jungle killer' reputation lay in tatters. 'This stuff about Louis and the "dead-pan killer",' scoffed one smug reporter, 'is so much bunk. This 22-year-old Negro is made of much the same stuff as any other boy of his age. He proved it in the dressing room when he wept unashamed.'

Black America wept with him. Schmeling still vividly recalls the 'hysteria and depression' he witnessed in Harlem as he drove to his mid-town hotel after the fight. As riots broke out in other American cities, some commentators even saw Louis' defeat as a blow to the nascent civil rights movement.

Hitler was beside himself. 'Most cordial felicitations on your splendid victory,' read his telegram. Goebbels went further: 'I know that you have fought for Germany. Your victory is a German victory. We are proud of you. Heil Hitler and hearty greetings.'

When, in July 1936, Schmeling arrived back in Frankfurt – on the ill-fated airship *Hindenburg* – to a hero's welcome, he gazed down at a landing area 'black with people'. A few days later, Hitler again requested Schmeling's presence. This time, Schmeling brought his wife and mother to lunch with the Führer in Berlin. Hitler insisted on replaying Schmeling's victory on film. In his memoirs, Schmeling remembers Hitler slapping his thigh whenever Louis caught a punch.

'Hitler was very interested in boxing,' says Schmeling. 'When we met, we did not speak about politics, only about the fight and the sporting situation. You have to remember the Berlin Olympic Games were due to start three weeks later. Hess was there, Goebbels – the whole government. Of course, he [Hitler] was a devil. No question about it. And the whole system was rotten. But I couldn't say Hitler was a beast when I met him. He was polite, charming.'

Legend has it that when Joe Louis beat James Braddock in 1937 to become world heavyweight champion, his first words were: 'Bring on Schmeling'. It was a challenge Schmeling gladly accepted. Within months, a rematch was scheduled for June 22, 1938. Schmeling would be 33, Louis still only 24.

Two years, says Schmeling, can seem a long time to a boxer in his thirties. In terms of the fast-changing political situation of that era, they were an aeon. In 1936, Max Schmeling had been lionised as boxing's white hope made good. But since then Hitler had forged the Axis pact with Italy and Japan, stepped up his persecution of the Jews and annexed Austria. In 1938, judging by American headlines, Schmeling had returned from hell as Nazism personified.

So hostile were the scenes that greeted Schmeling as he arrived in New York that police were forced to escort him through backstreets to his hotel where yet more demonstrators chanted 'Boycott Nazi Schmeling'. When he later strolled along Fifth Avenue, passers-by gave him the Nazi salute. Throughout his stay in Manhattan, Schmeling received sacks of hate-mail.

As the showdown between Nazism and democracy drew closer, the pre-fight atmosphere hissed with rumour: Hitler would make Schmeling minister of sport if he recaptured the title; Max Machon, Schmeling's American trainer, had a Nazi uniform in his closet; Schmeling had said no black man could beat a member of the master race.

There were also deeper-seated fears that Schmeling might take the title back to Germany. Not even the South's most rabid, extreme racists wanted to see the next heavyweight championship fight staged, as one journalist warned, 'in the land bossed by Hitler'. That the Louis-Schmeling fight was more than just another boxing match was underlined four days before the fight when eighteen American citizens were indicted on charges of spying for the Nazis – by which time President Roosevelt had already invited Louis to the White House.

'The politicisation of sport which was pushed so hard by the Third Reich found a sort of echo on the other side of the Atlantic,' writes Schmeling. 'The one group came to emulate the other one, and this was bad for sport. At the time I was a young man with only the thought of a title fight in my head. I had tried in all honesty to persuade Hitler of the virtues of my Jewish manager, Joe Jacobs. Now I wanted to make clear to the Americans my right to a title fight ... The one attempt was as naive as the other.'

It is an unfair question, loaded with judgmental hindsight, but was Schmeling seduced by the Nazis? Did he knowingly let himself be exploited by Goebbels for propaganda?

He may have been guilty of naivety. 'We have no strikes in Germany,' he allegedly told one American journalist. 'Most everybody has a job. Times are good. We have only one union. We have only one party. Everybody agreeable. Everybody happy.'

But, unlike many of his peers, Schmeling never joined the Nazi party. 'The unfortunate thing during the Thirties was that every German was seen as a Nazi,' Schmeling says now. 'Even the people who were against Hitler.' As a public figure, it was never going to be easy for him to distance himself from Nazism. But his lingering in the Nazi limelight may be explained less by vanity than by the presence at his side of the glamorous Polish-born Anny Ondra (who would later become his wife), one of Goebbels' favourite celluloid Fräuleins.

Schmeling remained loyal to his Jewish friends and associates, even after the enactment of the Nuremberg Laws of 1935, which stripped Jews of German citizenship. Those friends included Dr Kurt Schindler, who accompanied him to New York for his first fight against Louis; and Paul Damski, a boxing promoter, who first introduced Schmeling to Anny.

'Nobody else would have their picture taken like this, but I didn't care,' says Schmeling as he pulls out a photograph taken of him with Jewish friends in 1937. 'When the photograph appeared, I had a call from the propaganda minister [Goebbels].'

'How are you, Mr Schmeling?' said Goebbels. 'Did you have a good trip? What about this picture taken of you in Holland with Jews?' Schmeling countered: 'I believe I'm a good German and that I behave just as good Germans behave.'

In a later conversation, Goebbels again admonished him. 'You don't bother about the law,' Goebbels reportedly snapped. 'You come to the Führer, you come to me, and still you constantly associate with Jews.'

The most 'distasteful' of Schmeling's associates, in Goebbels' jaundiced eyes, was Yussel 'Joe' Jacobs – Schmeling's long-time American manager. On Broadway, Jacobs was known as 'Yussel the Muscle' thanks to his reputation as a financial tough guy, ever ready to argue the toss with rival promoters and stand his corner with referees.

Schmeling, the supposed embodiment of Nazi sporting prowess, and the diminutive, fast-talking Jacobs, the son of an Orthodox Hungarian-Jewish tailor, made an unlikely couple. As naive about politics as he was insightful about boxing, Jacobs joined the crowd in chanting 'Deutschland, Deutschland über alles', even making the Nazi salute, when Schmeling beat Steve Hamas in Hamburg in 1935. 'Everybody was singing,' grins Schmeling. 'Joe had his arm in the air and a cigar, as ever, between his lips.'

The morning of June 22, 1938, was a close, humid Wednesday. Dazzled by flashbulbs, stripped down to his shorts, Max Schmeling hit the scales at 193 pounds at the pre-fight weigh-in. Eight ounces lighter, Louis spent the afternoon at a friend's apartment. At 3pm he wolfed down salad and steak, then strolled along the Harlem River with his manager Jack Blackburn and a friend, Freddie Wilson.

'How d'ya feel, Joe?' Wilson asked.

'I'm scared.'

'Scared?'

'Yeah. I'm scared I might kill Schmeling tonight.'

He nearly did. But not before Schmeling was almost lynched by a Yankee Stadium crowd which seemed to comprise every anti-fascist in America. With a heavy cotton towel over his head, protected by a huddle of policemen, Schmeling was pelted with banana skins, cigarette packs and paper cups as he jogged the hundred yards from his dressing room to the ring in the centre of the Yankee Stadium's baseball field.

The crowd was so intimidating that 'Doc' Casey, Schmeling's American second, dared not step into the ring. 'It wasn't a boxing fight but a political fight,' recalls Schmeling, shaking his head. 'The fans were not against me personally. It was the political situation.'

Schmeling had entered the lion's den. Yet Louis faced perhaps even greater pressures. He had lost once to Schmeling, and the fight would decide if Louis' life work was a success or a failure. It would be the defining moment in his career. There would be no second chances.

Six months sparring with Mike Tyson might have prepared Schmeling for the onslaught Louis was about to unleash. The first black sports star to gain lasting fame had learned the lesson of his 1936 defeat, and had opted to throw everything into the first rounds in the hope of out-punching Schmeling before the German's technical skill could tell.

With a flurry of jabs and bruising swipes to the body and head, Louis had Schmeling on the ropes only a minute into the fight. 'Move, Max, move!' screamed his trainer Max Machon as Schmeling appeared dazed, over-awed by Louis' primal aggression. A minute later, Louis jabbed to find his range, catching Schmeling with a deft right hook. He then smashed his fist into Schmeling's left side with such venom that, as an X-ray later revealed, he fractured one of Schmeling's vertebrae. Creased up in pain, he went down for the first time; he struggled to his feet and, incredibly, stood up again.

As Schmeling stumbled in agony, Louis threw a crunching left hook, followed by a right cross. Yet again Schmeling went down. Max Machon threw a white towel into the ring. It was ignored. The referee began to count. At eight, Machon jumped into the ring, petrified that Schmeling would be maimed. The referee quickly waved his arms over Schmeling. Official result: technical knock-out after 124 seconds of the first round.

Louis' victory sparked delirious street parties in ghettoes from Harlem to Oakland. The descendant of a slave had struck a blow not only for his race but also America – and democracy. In Chicago, crowds fired shots in the air. Former heavyweight champion 'Jersey Joe' Walcott, one of Louis' sparring partners, recalled years later how 'people came pouring out of their houses. They were so happy. It was like New Year's Eve.'

Heywood Broun, a journalist from the *New York World-Telegram*, summed up Louis' victory with remarkable prescience: 'One hundred years from now, some historian may theorise, in a footnote at least, that the decline of Nazi prestige began with a left hook delivered by a former unskilled automotive worker [Louis].'

There would be no be-bopping in the streets when Schmeling returned to Germany. Even before Schmeling had boarded the liner *Bremen* for the trip home, Goebbels was propagating the myth that Louis had been guilty of intentional fouling. Louis had used lead padding in his gloves, insisted the propaganda minister. In a fair fight, the cotton-picker wouldn't have stood a chance.

In his memoirs, Schmeling recalls that for Goebbels and Hitler he no longer existed after his loss. For several months, his name disappeared from the sports pages. And the film of his defeat was edited to emphasise Louis' bodypunches.

The coming Second World War would confirm the Louis-Schmeling fight in America's memory as Nazism's first defeat. 'Joe has a date for a return engagement with Max Schmeling,' trumpeted the *Chicago Tribune* when Louis later enlisted in the army in January 1942.

Schmeling had already seen action as a paratrooper by the time photographs of Louis taking his army medical put a lump in Uncle Sam's throat. He had been decorated for bravery as a Wehrmacht paratrooper and spent the summer of 1941 in hospital after a bad landing in Crete.

While recovering, Schmeling befriended a Welsh PoW who shared the same ward. Schmeling offered the Welshman cigarettes and an orange, and chatted to him about Tommy Farr, the Welsh miner and British heavyweight champion whom Schmeling had beaten in the Thirties.

After later telling a journalist about the Welshman, Schmeling was severely reprimanded by a military tribunal for having said the British were 'fair fighters'.

Joe Louis' war was no less eventful. Fast mythologised as the 'first American to KO a Nazi', Louis twice risked his world title in charity bouts which raised millions of dollars for the war effort. After gracing a 1943 propaganda film, *This is the Army*, which also starred Ronald Reagan, Louis saw out the war touring American bases in Europe, boosting the morale of both black and white GIs.

When peace broke out, Schmeling and Louis briefly returned to the ring, retiring in 1948 and 1949 respectively. After spells as a tobacco farmer and boxing referee, Schmeling signed up for Coca-Cola and to this day promotes the brand in Germany. In the late Eighties, Schmeling set up a charitable trust. Ageing boxers, ailing sports writers, juvenile delinquents and his local church all now benefit from his generosity. Schmeling continues to enjoy his unique status as Germany's best-loved boxer.

Fate was not so kind to Joe Louis. His last decades were overshadowed by demeaning comebacks, a broken marriage, booze, drugs and mental illness.

To make matters worse, in the early Fifties, the taxman finally got wise to the Brown Bomber's high-spending ways. Not only had Louis somehow blown the millions of dollars he had made since turning professional in 1934 (his generosity was legendary in Harlem), he had also paid barely a cent in tax.

Had Las Vegas high-rollers not seen him all right, finding him a $50,000-

a-year 'job' in 1971 greeting guests at Caesar's Palace, Joe Louis would almost certainly have spent his last decade shuffling in welfare queues. So destitute was Louis by the late Seventies that, in 1977, after he had been floored by a heart attack and was suffering from a cerebral haemorrhage which left him confined to a wheelchair and barely able to speak, Frank Sinatra had to pick up his medical bill. When he died in 1981, Louis owed the Internal Revenue Services millions.

One of Joe Louis' few comforts in his last years was his friendship with Max Schmeling. In 1954, haunted by memories of the animosity whipped up by the press in 1938, Schmeling had tracked Louis down to a Chicago golf club. He vividly remembers how embracing Louis for the first time outside a boxing ring meant far more to him than a third bout against the fighter even Muhammad Ali once called the 'greatest'.

'From that day, our friendship really started,' says Schmeling. 'We had never really been enemies. It was the press who created the rivalry. I visited Joe five or six times in Las Vegas before he died. His son [Joe Louis Barrow Jnr] visited me two years ago.'

It's December 1989, in Las Vegas. One-arm bandits all over town cough up nickels and dimes. Two thousand people, including Muhammad Ali, Larry Holmes, Sugar Ray Leonard, Don King and many others, pack the ballroom at the Sands Hotel. 'Schmeling! Schmeling! Schmeling!' they chant as an old man, his back straight, his head held upright, strides towards a banquet table. Mike Tyson enters, with a rolling swagger, and sits beside Schmeling. Henri Lewin, the president of the Sands Hotel, then crowns Schmeling and Tyson with diamond circlets.

'I'd decided to throw a special party to honour Mike Tyson and Max Schmeling, two of the greatest boxers ever,' recalls 70-year-old Lewin. 'Unfortunately, at one point during the evening, a former fighter stood up. He was half-drunk. He grabbed a microphone, pointed to Schmeling and said: 'Fucking arsehole. He's a Nazi.''

Lewin jumped to his feet, seething with rage, tears welling in his eyes, memories of being a 'Jew-boy' in Nazi Germany suddenly flooding back.

'I want you all to know,' Lewin stuttered, 'Max hasn't got that coming to him ... I'm now 70. I don't think I should wait any longer. I'm gonna tell you the real story.'

Schmeling's face crumpled with emotion.

'What the hell, Max,' said Lewin. 'Hitler can't arrest you any more. Why do you care about it?'

To stunned silence, Lewin told the boxing world how, during

Blood Sports: At America's fifth ultimate fighting championship, above and below, the bare-knuckle savagery knows no bounds. *Barry Lewis/Network*

Escape to Victory: left to right, HMP Kingston's Mick, Bob, Nigel Wheeler (PE officer), Craig Dobson, Andy, Trevor, Kevin Pratt (officer), Phil Sussex (captain), Nigel (surnames withheld at prison's request).
Tim Richmond

Macho the day: left to right, Neil and Graham celebrate a Santos goal.
John Running

Mexican Rave: Neil and Graham with a Santos star.
John Running

Lone shark: Carwyn Williams in the deserted seas off County Kerry, surfing's last frontier.
Conor Horgan

Speed thrills: horrific injuries, a dope charge and a bad attitude almost wrecked
Gary Havelock's career on the track. *Julian Broad*

Death of a boxer: Murray takes a blow to the head from Drew Docherty. *Wattie Cheung*

The end: Murray collapses and the referee stops the fight. *Wattie Cheung*

Return to Senna: looking out at his last Grand Prix start, San Marino, 1994.
Dario Mitidieri

Alessi is more: could Jean Alessi live up to Ferrari fans' hopes in 1991.
Costantino Ruspoli

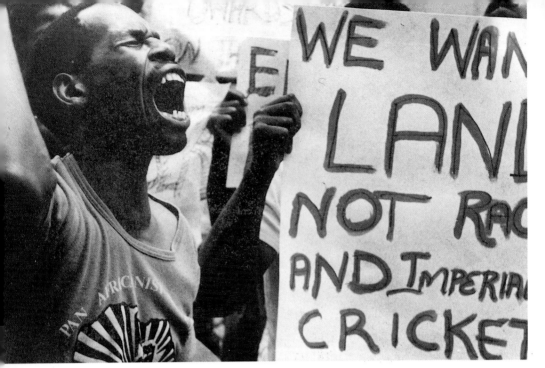

Cape crusaders: cricket has provided South Africa with a potent symbol of both hate and hope. *Denis Farrel/Associated Press*

Village people: Bob 'Zimmer' Cooper taking a last drag before striding out to the crease – winning isn't everything. *Henry Bourne*

Hit or missile: Australian batsman Dean Jones under fire from Sussex bowler Tony Piggott - Hove, 1989. *Adrian Murrell/Allsport*

Ring True: Max Schmeling's victory over Joe Louis in 1936 was hailed by Hitler as a triumph for the master race.
Associated Press / Topham Picturepoint

Heavy duty: he's British and he's bad. Can Lennox Lewis break America's hold on heavyweight boxing?
Kim Knott

She's got balls: from the *Sport* to Birmingham City Karren Brady is in a league of her own.
David Eustace

The sky's the limit for Premier League clubs perhaps. But for Third Division Rochdale FC, survival is the goal.
Simon Buckley

Krystallnacht, on November 9, 1938, Schmeling had saved his life.

While synagogues blazed and pogroms raged throughout Germany, for four days Schmeling had hidden Henri and his brother Werber Lewin in his own apartment in the bijou Excelsior Hotel in Berlin. Schmeling had left directions with staff that he was ill and should not be disturbed.

In 1939, the Lewin brothers fled Germany. After surviving the war in a PoW camp in Shanghai, they emigrated to the Golden State in 1947, where Henri Lewin worked as a waiter in San Francisco before becoming a highly successful hotel owner and occasional fight promoter.

'Max definitely risked his life,' insists Lewin now, the faint strain of a German accent still audible. 'Max ordered food for himself and then gave it to us. Hitler would have made chop suey of Max if he'd known. I wouldn't be alive today if it were not for Max – one helluva guy.'

Lewin did not tell the assembled glitterati in Las Vegas of another gesture from Schmeling, following Louis' death from a heart attack in 1981. 'When Joe died, Max called me from Germany and asked me to take some money to Joe Louis' widow,' recalls Lewin.

Lewin found Martha Louis seated beside her husband's coffin in the ballroom in Caesar's Palace. He handed over an envelope containing $5,000. 'Oh, Henri,' said Martha Louis. 'You don't know what this man has done for Joe and me for years and years. Nobody gave us anything. I mean, we were desperate. But Max was always Joe's friend. This man always helped us.'

Max Schmeling has turned a room adjoining his sunlit Hamburg office into an intimate archive. A black and white poster, taken in the Thirties, priced 30 pfennigs, covers one wall. It shows Max Schmeling embracing his stunning blonde wife, Anny Ondra, who died in 1978. On a facing wall hang the portraits of every pre-war heavyweight champion. As Max Schmeling gazes wistfully at Jack Johnson, Bob Fitzsimmons, Jack Dempsey and Joe Louis, I recall a moving line from Joan Didion's latest book, *Sentimental Journeys*: 'You can't imagine how it is when everyone you know is gone.'

A box of red Everlast boxing gloves waits to be signed and returned to some American fans. Nearby, on a coffee table, sits a pocket bible bound in silver, a gift from a Jewish community in Israel. A dedication written on the bible's flyleaf reads: 'In the name of humanity and in honour of Israel, to a great German – Max Schmeling.'

The Spokesmen

Russell Bulgin

January, 1994

Under the flat glare of the stadium lights, Chris Boardman's skin seemed the gloomy tint of putty: a hue exclusive to the terminally ill, rock veterans with a history of pharmacological experimentation and, ironically, the super-fit. Off the bike, a crisp arc of yellow-painted carbon fibre, the 24-year-old Boardman was trailed by video cameras stacked on shoulders and by preening men in blazers with clipboards. But when his conehead hat sank deep into his shoulder blades, when man and machine became one biomechanical blur around the Bordeaux velodrome, the bike's narrow tyres thwacking rhythmically against the pale track surface, Boardman smashed the world hour record. Alone out on the track, he travelled 52.27 kilometres in sixty minutes: 32.6 miles flat-out against a heart pounding at 185 beats per minute.

Boardman's approach on July 23, 1993, was rational, scientific, carbohydrate-loaded. He had already won an Olympic gold for Britain at Barcelona the year before. His bicycle would be fetishised in the cycling media: it weighed precisely 15.6 pounds and cost perhaps £30,000; it was stiff, long-slung and bespoke for its rider. Boardman's training was considered: his coach Peter Keen, a lecturer in physiology at Brighton University, seemed as interested in psychological conditioning as in conventional notions of muscle mass and anaerobic endurance. A trackside computer screen flashed Boardman his pace in monochrome, lap by lap: 52.21 kilometres per hour, 52.23, 52.30. His legs were muscled to circle the pedals: Boardman was as function-specific as a human being has ever been.

Boardman had trained in Bordeaux for two weeks. But after overnight rain, the summer morning of his attempt on the record smouldered warm and damp. And, for the first time, the lights in the stadium were turned on. This rise in humidity affected Boardman's pace as his grey pallor grew slick with sweat. On a stationary trainer, perfecting his pace, he had lost two kilograms in an hour; the core temperature of his body climbed four degrees at Bordeaux. (A six-degree increase is fatal.) He could have gone quicker still in cooler, drier conditions. And he might yet have to.

Just one week before, a 27-year-old Scotsman named Graeme Obree had attempted to break the world hour record, which had stood since 1984. Obree's training regime had been rather different to Boardman's: it had centred on blasting up and down a main road outside Ayr and fuelling up on cornflakes doused in UHT milk and marmalade sandwiches. And Obree's bike had been different, too: it was a home-built special which incorporated parts from a washing machine and a lump of steel found lying in the gutter of that same long, undulating stretch of Ayrshire dual carriageway. But Obree had broken the world hour record just the same.

The world hour record is the race to nowhere. This is, as cycling journalist Andy Sutcliffe says, 'crucifying yourself for 60 minutes'. That simple. That brutal. Traditionally, breaking this record serves as the finale to a successful road racing career. Fausto Coppi, Jacques Anquetil and Eddy Merckx won twelve Tours de France between them – and each man went on to hold the world hour record. The record, then, serves as a reminder of greatness, of cardiovascular superiority, of a job well done. It is cycling's ultimate haul of fame, a grand gesture signalling both pay-off and send-off.

To attempt the record and fail is to have an otherwise enviable reputation brought into question. Even three-time Tour de France winner Miguel Indurain has discussed tackling the hour record – but only when he no longer spends each July cranking through the Pyrenees and sprinting around Paris.

For Obree and Boardman, amateurs both, there were also risks. Success would mean a chance of turning pro, of earning more than the odd hundred quid for humbling British club racers in early-morning time trials around the country. But failure in an hour record attempt would stall their careers.

Italian Francesco Moser took the hour record in Mexico City in 1984. Moser brought science and a calculated veneer of mythology to his challenge. His bike was aerodynamic – a sloping top tube, slippery disc wheels – and, thanks to his coach Francesco Conconi, his approach scientific. On January 24, 1984, Moser set a record of 51.151 kilometres at an altitude of 2,000 metres. Conconi even knew that air resistance – aerodynamic drag – increased by 1 per cent for every drop of three degrees Celsius. At 8.30am that January morning, the ambient temperature was just six degrees Celsius. The air itself was too slow, and so Moser had waited for the day to warm up. After Mexico, he tried again, in Milan and Stuttgart. He set a record at sea-level, but could not beat the Mexico marker. That pace seemed unsurpassable – and Moser merchandised the myth. His vineyard even produced wine branded with a '51.15' label.

Fifty-one-fifteen became an athletic benchmark, one of those cast-iron statistics which seem destined never to be beaten, if only because the chance of under-achievement was too great for an established professional to tolerate. But for Boardman and Obree, the hour record represented a chance to grow. Neither man is a traditional road racer, but a skilled time triallist, speeding individually against the clock for ten, 25 or 50 miles. The competition does not come against the cut and thrust of the pack or in thinking tactically, jostling for the final sprint head-down and elbows-out. Instead, time triallists spin. Turn big gears smoothly, powerfully, consistently, in a self-inflicted choreography of power, precision and pace. The world hour record is, simply, the ultimate time trial.

British cycling knew little about Obree. Merseysider Boardman, by contrast, was high-profile. He had taken the Olympic gold at Barcelona in the 4,000 metres pursuit, using an innovative LotusSport bicycle which matched the expensive constructional techniques and composite materials of a Grand Prix car with a radical look at the way the wind plays over a bicycle frame.

When a bicycle is travelling at over eighteen mph, the greatest single impediment it faces is aerodynamic drag. Streamlining becomes paramount. The LotusSport bike incorporated a number of ideas developed by Norfolk-based inventor Mike Burrows, including a single-sided front fork. Most bicycles secure the front wheel between two forkblades; Burrows, aiming to quell turbulence, dispensed with one blade and made the rear chainstays single-sided, too.

The resulting machine may have been intriguingly asymmetric, but it was undeniably effective. A stretched-out riding position gave Boardman a flat back and a low frontal area: the LotusSport bike teased air molecules with a hi-tech insouciance, clobbering a roster of design preconceptions – part art, part science, part mumbo-jumbo – which had seen mainstream bicycle development concentrate on tiny refinements over the past 40 years rather than massive design leaps. If, as Ludwig Mies van der Rohe suggested, God really is in the details, then modern bicycle design is nothing more than a slavish deification of established practice – and the LotusSport machine positively heretical.

The LotusSport bike had but one technical flaw – it was a couple of kilograms heavier than was ideal – yet came with a whole raft of offstage commercial complications. After the hype of the Barcelona Olympics, Lotus, Burrows and Boardman went their separate ways. Boardman continued to race and win for his club, the North Wirral Velo, and Burrows later began to work with a Scotsman. His name was Graeme Obree.

It was not Obree's physical conditioning which got him noticed. It was his bicycle. From a distance, it looked like a bastard cross between a kid's BMX racer and the kind of cruiser Harrison Ford might have thrown a leg over in *Blade Runner*. Tall where it should have been short, squat where it should have been long, Obree's bike was defiantly odd. Painted in a plain white finish, the fat downtube carried a bald notice in black block capitals: 'DESIGNED & BUILT X G. OBREE'. A homemade bike? Coming after the engineered sophistication of the Lotus bicycle, this ungainly machine looked funny. Funny-peculiar and, yes, funny-ha-ha.

The riding position was weird, too. This was not the fluid, graceful curve adopted by Boardman, but a hunched, crunched pose which rounded the shoulders, tucked the hands under the chest and snapped Obree's elbows back cleanly into his hips. The resulting stance may have had an aerodynamic benefit – it resembled, after all, the egg-like crouch adopted by a downhill skier – but at the cost of labouring the rider's breathing. And oxygen uptake and efficient air processing lay at the heart of surviving the aerobic excesses of the hour record.

Mike Burrows pronounced Obree's machine to have the most aerodynamic riding position he had seen. A drag saving of 6 per cent was suggested by various cycling experts: this was an estimate as the bike had never seen a wind tunnel, much less been scientifically tested. It represented Obree's intuition, nothing more.

But the design seemed to work. Obree took the British hour record at Herne Hill with it, managing a distance of 49.383 kilometres. He came head to head with Boardman at the National 25-Mile event: he would have beaten Boardman but for a puncture and subsequent bicycle change. He lost by just 58 seconds, despite the stoppage. Then, one weekend in late June 1993, Obree won a ten-mile time trial in Herne Bay in eighteen minutes 27 seconds against a strong wind, outpacing the opposition by one second short of two minutes. Eighteen hours later he broke the ten-year-old British 50-mile record by 50 seconds: he shattered the course record by an astonishing seventeen minutes and one second. The funny bike wasn't so funny any more.

And when Boardman announced that he would be attempting the world hour record in Bordeaux in late July, with two French custom-built Corima bikes, with his trainer Peter Keen, his logistics man Peter Woodworth and mechanics Paul Jennings and Dave O'Brien, Obree revealed that he, too, would be trying for the record. One week earlier, at the Hamar track in Norway.

Boardman would be tested at the Institute of Physiology in Chichester, confirming he would have to generate at least 410 watts of power for an hour – 740 watts equal one horsepower – and maintain a heart rate that could not fall below 180 beats per minute for the duration of the record attempt. He would train for two weeks at Bordeaux, taking eleven seconds off Moser's record in an unofficial run. Boardman was taper-training, reducing the volume of his training but increasing its intensity so he would peak precisely on the day of his record attempt. His warm-ups were metronomic, increasing his speed and his heartbeat in tiny increments: this was training as science, man as machine.

Obree, meanwhile, planned to fly from Glasgow to Oslo on Wednesday and go for the record on Friday. He would be accompanied by his wife Ann, his manager, some friends and the boss of a Surrey-based accountancy recruitment firm which was, unfathomably, sponsoring the record attempt. He would bring with him a loaf of Scottish bread, his marmalade and his cornflakes.

'To my mind, the design of the bike is more important than the materials used in it, or the quality of engineering in it,' says Obree. 'As long as the engineering is of a reasonable quality, the design is what makes it work.'

Obree, whispers the British cycling grapevine, is an eccentric. Quiet, slightly boyish. Unemployed, slightly odd. He does his own thing. He doesn't have a telephone. But, in conversation, Obree is bright and sharp. True, he can slide from enthusiastic schoolboy to deep thinker in the space of a sentence, but that's a quirk rather than a character defect. Each time his conversation pins him as dangerously naive, he immediately bounces back with a thought, an insight, that is plainly clever.

'You can make a biplane out of titanium – but it is still a biplane, isn't it?' Obree looks up. 'And you can make a jet out of the cheapest materials that you can make a jet out of, but it is going to go faster than the biplane, isn't it? So the design is what counts.'

Obree's grandfather's brother was a southern Scottish cycling champion in the late Thirties and his uncle a Royal Navy champion. But Obree started at the age of fifteen, turning up at his local cycling club 'in Doc Martens and a parka'. It was a tough baptism, he recalls. 'You sort of hang about and get cold. And the beginner will be soaking with sweat and you either hang on, or you go home. And if you do it long enough, you eventually stay with the bunch.'

He became a Scottish junior time trial champion. Broke his thigh when he was hit by a car out road training at night: dazzled by the headlights, he had nowhere to hide. Attended Glasgow University for two terms, travelling two hours each way each day by bus, to study design engineering. There wasn't enough time to train on his bike in the week – and he wanted to cycle. He was thinking about the big time.

He suspected he would be competitive. 'Because of the velocity I was travelling at on the road. Against the likes of, let us say, Chris Boardman in the national championship. I knew that I could go as fast as him in a straight line. With few hills, or few undulations, in terms of speed, I could go as fast, if not faster. So from that point of view I thought, well, I should really go for it.'

He trained. By himself. 'What I do,' Obree says, 'is train to how my body feels at the time. The hardest thing is not forcing yourself to train, but forcing yourself not to train. So I ride my bike every day whenever possible, and only once I am out on the bike do I make the decision – do I feel ready for training? Basically I make time for recuperation. It is the recuperation that makes you stronger – it is part of the training. Sometimes I can train as little as an hour in a week. On an average, though, without feeling tired, I would do about three hours of static training and about ten or eleven hours on my bike on the road.'

Because he was broke, Obree built his own bike. He had already discovered an unusual riding position which increased his speed. 'When you have got a strong headwind, if you go to the front of the race and crouch over the bars almost squirrel-style, with your hands quite close together on the handlebars, you can pull out an advantage. So that is how it started. But you can only hold that for about a mile or so.'

There are two other effects of the Obree position. It allows him to use the narrow, flat handlebars as a lever to push against and as a platform to support his body while he turns strength-sapping gears designed for speed. And, when viewed from head-on, his bicycle is exceptionally narrow in cross-section: when Obree is pedalling hard, his knees almost touch.

'If you lie on your back with your eyes closed and simulate a pedalling action in mid-air,' says Obree, smiling, 'you find your legs are very close together. It is the natural position to pedal in.' Critically, it also reduces the size of the hole Obree and his bike punch in the air, trimming drag.

Building the bike took 'four months in total. There was a lot of work.

Each tube had to be manipulated under heat to give it that aerodynamic shape.' Obree scrounged parts. Design, after all, was paramount, the provenance of the components less important. Obree explains: 'I had an old washing machine outside the back door. The bearings that hold the washing machine have got to go at 1,200rpm and, with that weight in it, they have got to be good-quality bearings.' He is being serious. 'It was a reasonably new washing machine – it just wasn't working. I knew there was a good bearing system somewhere in there which, if it could be adapted, would be really durable.'

A piece of steel was required to make a crank arm. 'I was cycling along – I think it was the next day – and at the side of the dual carriageway there was a good piece of steel and I just picked it up. I had to cut it away and shape it, but it was a good-quality piece of steel.'

The rules of the UCI, cycle sport's governing body, demand that any rider attempting the world hour record must have two bicycles at their disposal. By the time that Obree was ready for Oslo, Mike Burrows was helping him out.

Burrows came up with a carbon-fibre monoblade fork for the original bike – now nicknamed Old Faithful – and helped design the second bike. This, although it looked similar to the original, was professionally made of steel, panelled in carbon fibre and carried a few one-off titanium components.

Obree decided to use the new bike for his record attempt in Oslo. He hadn't ridden it much and it pulled a much bigger top gear than he had used before: for each turn of the pedals he would travel 120 inches. On the old bike, he moved 116 inches per revolution. So in theory, he would be faster still – if he was strong enough.

The night before the hour attempt, a disco in the hotel meant he couldn't sleep properly. The way Obree works is up and at 'em: wake up, cornflakes, warm-up and ride. This morning he got hassled at the track – a video crew even followed him into the lavatory – and became increasingly nervous in the 90 minutes he had to hang around before the 11am start.

He tried. And failed. He covered 50.690 kilometres: 51.15 remained inviolate. Obree knew why: it was the new bike. 'It seemed OK just riding round, but once I started putting pressure on it I realised that my position was not quite right and it took its toll on the hour record. Plus, I did use too big a gear on it. I risked putting it up to a higher gear, and it was too big a gear.'

Obree then asked if he could try for the record again in the afternoon. The UCI officials thought he was joking: this was, after all, the toughest challenge in cycling. But Obree was serious, and the officials eventually allowed him another attempt at 9am the following morning. It had to be early because they had planes to catch. Obree would use Old Faithful. He says that 'stupidity and necessity' made him want to go again, immediately. 'Sometimes,' Obree says, 'I operate at my best when the chips are down and I am coming back from behind, against the odds to come back, because you just have to do it. I just had to do it.'

He got out of bed just after 8am, had his cornflakes, ate his marmalade sandwiches and got to the track. Did five or six warm-up laps. Didn't bother with embrocation oils or psychology or heartbeat monitors or computers. Just tucked his head down and rode. And he travelled further in an hour than any man had managed before: 51.596 kilometres. The record was his. Moser's reign, the myth of 51.15, was forgotten. 'Obree is strong, very strong,' said Moser. 'I'm surprised by what he did in Norway, but I don't think it was a product of chance.'

'The best moment was when the gun went off, before I finished.' Obree's face lights up. 'Because the gun goes off when you have actually beaten the record, and that took about 59 and a half minutes. That was the best moment, because I had done it. And half a minute later I had finished.' Obree gives a big kid's grin. 'It felt brilliant.'

A week later, Boardman beat him in Bordeaux: he managed to travel 0.674 of a kilometre further in 60 minutes. Graeme Obree vowed to try again. For the time being, though, his recollections of breaking the world hour record will have to be enough.

Death of a Boxer

Eamonn O'Neill

May, 1996

Scottish boxer James Murray was buried on a bleak, unforgiving autumn day last year. He had collapsed fighting for the British bantamweight title on Friday, October 13, 1995, while challenging the champion, fellow Scot Drew Docherty. Two days later, his life-support system was switched off by doctors in a Glasgow hospital. He was 25.

The funeral took place at the Coltness Parish Church in Cambusnethan, a grey, featureless town on the outskirts of Wishaw in the west of Scotland. A crowd of more than 1,500 had gathered; those who couldn't be accommodated in the church stood listening to the service being relayed on tinny loudspeakers. Reverend Graham Duffin's words echoed around the assembled: 'James Murray was a young man with so much to live for, so many hopes. There is pain, and a measure of disbelief – the dreams and hopes seem to have been stolen. James died doing what he loved; we hold on to that – the pride that he took in what he had achieved. Boxing was a sport that he loved and got so much from.'

At the end of the service, Murray's coffin was carried out of the church in silence. On top of the brass nameplate lay the dead boxer's Scottish bantamweight championship belt. People wept openly as the boxer's body was loaded into a hearse.

At the cemetery, expensive sports cars and four-wheel drives blocked the entrance; champions, ex-champions, promoters and managers had come to pay their respects. A strong wind caught the minister's vestments as he read prayers to the mourners. The crowd listened in coiled quiet. When the prayers ended, the lone figure of a Scottish piper stepped forward and played 'Scotland the Brave' and 'The Flower of Scotland'. Drew Docherty, standing a short distance from the graveside, stared in bewilderment as the coffin of James Murray was lowered carefully into the open earth. He was buried wearing his red robe.

Later, when the crowd had cleared, I stood at the side of James Murray's grave. Tattooed gravediggers milled around examining the floral tributes. One excitedly pointed out a delivery signed by Frank Bruno. A couple of displays were in the shape of boxing rings; another was in the shape of a glove. One wreath had been sent by the fight's co-promoter, Frank Warren; there was one from its televisers, Sky Sport. An Action Man figure adorned one tribute, dressed up as a boxer with his hands taped and raised in a victory salute.

Murray's grave was still open; the coffin was visible. I looked down and shuddered; the dead boxer was lying in the casket only feet from where I stood. I felt nauseous and uncomfortable. Behind me, two young girls walked away crying.

As I drove back to Glasgow through Wishaw I noticed the decay and creeping deprivation which has befallen the area since the nearby Ravenscraig Steelworks closed down four years ago. Shops were boarded up; only the amusement arcade appeared still to be doing business. When I got home I noticed there was mud from James Murray's graveside on my shoes.

James Murray fought Drew Docherty in the Grand Ballroom of the glitzy Hospitality Inn in Glasgow's city centre. There were six other bouts on the bill that night, but the British bantamweight title fight was the main attraction. About 700 people were in the room, those near the ring had paid £80 for their seats and a meal; further back were the £50-a-head tables; and, at the rear, the £30 'boxing-only' seats, where most of James Murray's fans were to be found...

Just before 10pm, the lights go down and the bagpipes start up. James Murray, hands up, eyes fixed, face tense, bouncing on the balls of his feet, moves through the audience towards the ring, accompanied by strains of 'Scotland the Brave'. Inside the ring he begins to dance, throwing short, stabbing jabs into the air. He's feeling the space of the ring, testing his reflexes and encouraging the blood to flow into his muscles. He looks ready to seize his big chance – the British title, the stepping stone to Europe and the World.

Within a minute of the first round, Murray floors Docherty with a left hook, his favourite punch. Docherty stumbles and falls through the ropes. But within seconds he's up, looking at the referee and shaking his head. By the end of the round, the bout has settled down into a hard, solid fight.

Both boxers give and take good punches and look evenly matched.

In the fifth, Docherty snaps a left jab into Murray's face; the blow cracks into the challenger's chin but does not stop him from advancing. Murray's trainer, Dave Douglas, yells encouragement from his corner. The boxer suddenly drops his hands in a cheeky, show-off gesture of defiance and grins through his mouthguard at Docherty. He's feeling confident and wants everyone to know it.

But by the eleventh round, both boxers are looking weary. Their shorts are bloodstained, their faces puffy – Murray has cuts on his eyes and nose. As the fighters retreat to their corners, their chests heave up and down as they gulp in air. Murray's fans are chanting: 'There's only one Jim Murray! There's only one Jim Murray!'

'Jim, you'll need to win this round out of sight, out of fucking sight! Do you hear me?' shouts Douglas. Murray stares straight ahead and nods. Douglas pumps enthusiasm into the boxer and Murray mouths the words 'Right, Dave' through his gumshield.

With just 45 seconds of the twelfth and final round remaining, Docherty throws a couple of light punches. The first, a left jab, catches Murray on the top of his head. The second blow, a straight right, is aimed at his chest, but before it even lands it's clear something is wrong. Murray is beginning to buckle; his hands, which at all other times would automatically have been up in a defensive position, are hanging limply at his sides. He falls forward, as if in slow motion, onto the canvas. Murray has collapsed and is now lying, half on his knees, with his hands stretched out and his head bowed down.

As the referee frantically calls to the ringside doctor for attention and Docherty heads to a neutral corner, James Murray starts to die. He stares at the floor, blinking intensely and shaking his head. He looks vaguely as if he's trying to clear his mind of something that's bothering him. He is unaware that he's already been counted out.

From this point on, Murray's instinct is to survive, to live. He falls to one side and his cornermen take out his gumshield. As his bloodstained chest moves furiously up and down, Sky's ringside commentator screams into his microphone: 'Friday the thirteenth couldn't be more unlucky for James Murray!'

There is a stretched tension in the air; something has gone wrong. Suddenly, Murray's left leg begins to shake violently; it jerks and kicks backwards and forwards spontaneously. A cornerman stops it and holds it down. Then the boxer's whole torso starts to shake and convulse. He's clearly in severe agony. His mother, Margaret Murray, rushes out of her seat and starts screaming through the ropes: 'Jimmy, get up! Please Jimmy, get up!'

Panic erupts inside the ring. As the doctor attends to Murray, a riot among the fans catches everyone unawares. No one is sure what to do. Docherty stands up, sits down, then stands up again. Officials scream at the audience: 'Pack it in. There's a boxer in trouble in the ring!' Finally, a stretcher arrives and Murray is manhandled through the ropes. With Douglas at his side, he's carried off through the crowd towards paramedics who've arrived at the scene.

As the ambulance speeds through Glasgow, across the river Clyde towards the Southern General Hospital in Govan, the riot takes hold. Glasses, bottles and chairs fly through the air; innocent bystanders are caught in the mayhem. Punches are exchanged. The scenes are played out live on Sky, and police officers watching at the nearby Stewart Street station grab their jackets and race to the venue.

The arrests that follow, and the subsequent British Boxing Board of Control (BBBC) investigation, suggest that the majority of the trouble-makers come from the 'boxing-only' ticket area. The report states that the situation 'would appear to have been exacerbated by alcohol'. To date, police in Strathclyde have made over a dozen arrests in connection with the riot.

James Murray's death was the result of a massive subdural blood clot that formed on the left side of his brain at some point during the fight. A blow (or blows) caused the brain to move around; delicate veins and arteries were torn between the lining, called the *dura mater*, and the surface of the brain itself. As the blood flowed, it compressed the brain at the base of the skull causing vital functions such as breathing to be interrupted and threatened. Only immediate intensive care and a surgical operation could have saved him.

Nearly everyone agrees now that Murray was dying when he collapsed. 'I saw him drop his hands in the twelfth round,' says Kenny Murray, James' father. 'Jim would never normally do that – he wasn't protecting himself properly. Then he fell. I saw his leg twitch ... My son died in the ring.'

'When I saw his legs go, I knew something was wrong,' recalls Alex Morrison, Murray's manager. 'I thought it was maybe hypoglycaemia [lack of sugar in the blood], then I saw his legs shaking ... I can't remember much after that – I was in a daze.'

Only Dave Douglas believes Murray was still alive when he was carried out of the ring. 'When we were in the ambulance, I held his hand and kept telling him we were going to the hospital,' says Douglas. 'The paramedic told me he was going to be OK because he was breathing by himself. I wanted to keep talking to Jim to keep him tuned in. The last thing he did was squeeze my hand.'

In the early hours of Saturday morning, surgeons attempted to save Murray's life by removing the blood clot from his brain during a two-hour operation. Despite their desperate efforts, it was not successful. At 8.50am on Sunday, October 15, Garth Cruickshank, the hospital's consultant neurosurgeon, pronounced the boxer clinically brain dead and Murray's life-support system was switched off.

I'd known about Jim Murray the boxer before he died. While our paths had never crossed, I'd noted from newspaper reports that he'd boxed in the places I'd trained in as a teenager. (I also knew the place where he was buried – I'd been in Cambusnethan graveyard once before, to attend the funeral of a fellow schoolboy at high school in Wishaw. He'd been kicked to death by local thugs after a school disco. I think I was about sixteen at the time.)

Learning to box was not unusual – lots of boys I knew did it. Going to boxing training was like going to football practice; it was accepted and enjoyed. But even then I knew that boxers died; I can remember listening to the radio on the day in 1980 that the Welsh boxer Johnny Owen passed away after lying in a coma for over six weeks. My mother worried about me sparring that night.

The boxing club I trained at in Wishaw was where Jim Murray started his fighting career. The gym is housed inside a wooden building behind a large council house estate; it looks the same today. The whole place has a home-made appearance to it – it feels like a large garage. The trainers used to chain-smoke cigarettes and shout at the boxers. I was fourteen at the time and hit the bags until my knuckles bled. I was one of the lucky ones, though; at least I had proper bandages and decent boxing gloves. Some of the other boys wore hard industrial mitts stolen from Ravenscraig Steelworks. When they had finished hitting the bags their knuckles looked like raw mince. The showers were freezing and the roof leaked. The place reeked of sweat and faded glory. It was also the first rung of the ladder to something better. It was a ladder the young James Murray eagerly climbed.

James Murray was born in Newmains in Lanarkshire, twelve miles south-east of Glasgow. He had an older brother David, and a younger brother and sister, Roddy and Janie. Like many people in the area, he left school at sixteen. He had no great ambitions; his first jobs were in the building industry and in pubs with his father, but he liked neither. Slowly, he edged his way into the local boxing scene. He fitted the profile of the classic Scottish boxer: a wiry frame with dense muscle mass and a chiselled face that looked older than its owner's years. And like many diminutive Scottish boxers – most notably Thirties' world champion Benny Lynch – he soon discovered that he packed a formidable punch.

At nineteen, Murray got a job as a council gardener in Motherwell, but his first love remained boxing. His heroes were the Puerto Rican fighter Roberto 'Hands of Stone' Duran and American Sugar Ray Leonard, men who had risen from humble beginnings to be world champions. Murray dreamt of these men at night as he lay in bed. He dreamt of buying his family their council house and his sister a new car for her birthday. He made plans on the back of his fists.

Like many boxers, he held down a full-time job in addition to training and fighting. He went on a four-mile run every morning at 5.30am – whatever the weather. In the evenings, after work, he'd train in the gym and watch video tapes of his fights. He became fitter, and his body harder. His style became more assured and confident.

It was a dedication that paid off. Murray won the Scottish ABA bantamweight title in 1992 and turned professional in March, 1993. His first fight was against a boxer named LC Wilson, and he won it convincingly. In November, 1994 Murray won the vacant Scottish bantamweight title, defeating Shaun Anderson on points. In March, 1995 he retained it by beating Louis Veitch with a third-round technical knockout in front of hundreds of fans in Glasgow's SECC arena.

A couple of impressive victories followed, one of which involved a spot on the Frank Bruno bill in Glasgow's Kelvin Hall. By now he was getting attention from press and promoters alike; he was a boxer whose time had arrived. He had a record that any fighter would be proud of – sixteen fights; won fifteen; KOs in five; lost only one. James Murray was ready for a crack at the British title.

In January, I drove out to Newmains to meet James Murray's family. His parents, Margaret and Kenny Murray, are not wealthy people; they live in a former council house in a housing scheme in a town lying in the curious hinterland between Glasgow's suburbs and the countryside. The French photographer Robert Doisneau had a phrase for such an area; he called it 'the vague terrain' . . .

The first person I meet is James's mother. She sits, still grieving, in the family living room, underneath a huge photograph of James. The neighbours bought it for the Murray family instead of flowers. We talk briefly and quietly, but she can hardly bring herself to answer any of my questions. James had been the apple of her eye. 'The whole family is in pieces,' she says. 'It'll take God knows how long for all of us to be able to really talk about it.'

I am taken by James Murray's 26-year-old brother David to a pub nearby to meet his father. Kenny Murray is sitting in the deserted lounge drinking a pint of beer. He is suspicious and cautious at first, but after a while he opens up. 'I always knew Jim was special,' he says. 'I don't mind talking about him ... it gives me pride. His council workmates worshipped him, you know. They still have pictures of Jim on their walls.' I sit talking to Kenny Murray for hours. We are interrupted only by customers from the bar who insist on buying Kenny drinks. I ask him how he's been since his son died. 'I have a wee cry to myself sometimes,' he says in hushed tones. 'Sometimes when I go home at night, when I'm sitting in the house by myself with just that big photograph of Jim looking at me, I find myself wondering ...' He rubs his head as the words trail off.

'The dog still looks for him,' he continues. 'It used to sleep on the bed with him. Now he's gone, it wanders about whining for him; it's as if it knows he's dead.'

We sit listening for a minute or two to the noise from the television in the next room. Kenny Murray is like many men I know from this area: proud, decent and not given to putting words to his feelings. He nods in the direction of the crowd next door.

'I talk about our Jim a lot: they probably want me to talk about something else. I can understand that,' he says. His eyes fill with tears and he shakes his head. 'But it's hard, you know ...' We sit in silence.

James Murray's trainer was Dave 'Gypsy' Douglas. Douglas had been a boxer himself; between 1978 and 1987 he fought 48 professional contests, becoming welterweight champion of Scotland. He enjoyed the distinction of being the only boxer to win the title and successfully defend it. Although Murray had other coaches when he was an amateur, Douglas worked with him for three years and was very close to him.

'He was a gentleman,' says Dave, sitting in his house above the Clyde Valley in Lanarkshire. 'Like a second son to me, too.' Photographs of the dead boxer hang on the walls; another sits on top of the television. Douglas fetches a video of Murray fighting Louis Veitch last year and puts it in the

VCR. Within minutes his daughter, Margaret-Ann, is in floods of tears and his wife is in despair.

'He was shadow boxing out there in the hall on the night he fought Drew Docherty,' says Helen Douglas.

Douglas drove Murray into Glasgow that night. Since he was Scottish champion and fighting at the top of the bill, he had been allocated his own private dressing room at the Hospitality Inn. Murray, however, insisted on changing with the other fighters, and Douglas says the atmosphere was good in the room before the fight. Murray had been lying on the bed cracking jokes; he was on good form.

'The day before the fight he bought new gear – boots and shorts,' says Douglas. 'Someone in the sports shop in Glasgow told me Jim had balked at the price, but the owner insisted that he take the best-quality gear for his big night.'

Like Kenny Murray, Dave Douglas seemed to enjoy talking about the boxer; only in the moments of silence that punctuated his conversation did he become sad and reflective. He tells me he had to take months off from training after Murray's death; the thought of going back to the dingy gym without his protégé hurt him too much. He'd briefly thought about giving up boxing, but he'd reconsidered. He's reconciled James Murray's death with the notion that death came from something other than a blow to the head from another boxer.

'Drew Docherty didn't kill Jim Murray,' he says. 'I think he had a weakness somewhere in his head – something that was there. He wasn't hit by any devastating punches.'

Alex and Katherine Morrison are the father and daughter who managed and promoted James Murray's fights. They operate from a workmanlike gym in a deserted area of Glasgow's East End. From the front it looks like just another brick-fronted garage, but inside, past the lorries and the mechanics, are the offices where the Morrisons run a profitable and successful boxing business.

The walls to their offices are lined with photographs and paintings of boxers. A life-size picture on the wall opposite me shows a young Muhammad Ali in his prime. Another photo shows a smiling Jim Murray standing with the Lord Provost of Glasgow and Drew Docherty at the pre-fight press conference.

'I'll never forget that fight,' says Katherine Morrison. She is small and pretty with big eyes and an earnest manner and is the only female boxing promoter in Scotland. 'I mean, I'm only 27 – I don't know many people who have died. It's hard when you're talking to a person one minute and they're dead the next.'

More than 500 boxers have died around the world since the Marquis of Queensbury Rules were introduced in 1884, including such recent casualties as American Gerald McClellan and 23-year-old Eastender Bradley Stone. I ask Katherine Morrison whether she considers boxing to be a brutal way to make a living.

'No, I don't,' she replies. 'If I promoted show jumping, it's still the same thing – it's a dangerous sport. I don't make anyone do it [boxing].' She wouldn't be drawn further.

Katherine's father, Alex, who managed James Murray, is well-known in Glasgow boxing circles. He's been in boxing – promoting, training and matchmaking – for the last sixteen years. When we begin talking about Murray, Morrison seems troubled and distant. He rubs his head and his gaze wanders around the room as he speaks.

'I had a premonition that something might happen in that fight,' says Morrison. He has a head of cropped silver hair, and wears a red jacket and matching waistcoat. 'I never felt good about it from start to finish. I'm not the same about boxing as before – I've lost heart.'

Outside, on an empty, silent Glasgow backstreet, a shaft of light from Morrison's office shines down on his prize possession: a Rolls-Royce. He opens the door and I dutifully look inside. I touch the seats, smelling the leather upholstery. 'Wearing a new suit, getting into one of these . . . there's nothing like it,' he says, softly. Anyone could see how a hungry young boxer like James Murray would have been impressed by a manager like Alex Morrison.

When the doctors at Southern General Hospital established that James Murray was technically dead, family members and close friends said goodbye to him in their own private ways. He lay in a hospital bed, linked up to medical equipment. Only a small medical swab on his head suggested he'd been through surgery.

One of the last to visit Murray was his trainer and friend Dave Douglas. 'I can't remember what I said,' says Douglas. 'I just kissed him and left him – he looked like he was sleeping.'

Alex and Katherine Morrison also went to see the boxer. 'When I went to say goodbye to him in the hospital he had never looked better,' recalls Alex Morrison. 'He had a great tan and the cuts he'd sustained had cleared up . . . he looked unbelievable. And yet it was the worst moment of my life.'

'His brother came out of the room where James was and threw himself at me saying, "He's dead, he's dead!"' says Katherine Morrison. 'We were in a room with his family. I can't forget the noises his sister was making; she couldn't say anything – they were all in shock.'

Shortly afterwards, Kenny Murray decided to donate his son's organs. It was, by his own admission, a spontaneous gesture. 'If a transplant could have helped Jim, we would have been grateful,' he says. 'I asked the family what they thought and they agreed. Several people benefited from Jim's organs.'

The family were paid the £5,000 fight fee and, in due course, will receive a £50,000 insurance fee Murray is entitled to under BBBC insurance agreements for professional fighters who die through injuries sustained in boxing. Kenny Murray says he wishes now that he had also taken the *Sun*'s offer of 'tens of thousands of pounds' for exclusive rights to his son's story. 'Jim would have wanted us to have done it,' he says. 'He knew how hard money is to come by.'

Local people in Newmains have collected nearly £6,000 towards a £10,000 statue which they plan to erect in the town. The bronze memorial will show a life-sized James Murray in full boxing outfit and will be sited at the town's main crossroads. Murray's workmates in Motherwell have also raised £8,000 for medical equipment at the Southern General Hospital.

The week after Murray died, Drew Docherty visited the Murray house with his manager, Tommy Gilmour. It was an emotional visit. As he left, Kenny Murray shoved a poem into Docherty's pocket to encourage him; it was entitled 'Don't Quit'. The last verse reads:

> Success is failure turned inside out,
> the silver tint of the clouds of doubt.
> And you never can tell how close you are,
> it may be near when it seems afar.
> So stick to the fight when you're hardest hit;
> it's when things go wrong
> that you mustn't quit.

The words echoed the advice Kenny Murray had given to young boxers at a press conference a few days after his son died. 'Keep boxing and stay off drugs,' he urged. 'Remember: Jim Murray did not die with a needle in his arm. He did not die up a backstreet.'

Three months after James Murray's death, I am sitting with his parents in the living room of a family friend watching a televised fight. Drew

Docherty is fighting for the WBO world bantamweight title against champion Daniel Jimenez from Puerto Rico. Docherty battles bravely over twelve rounds only to lose on a points decision. The Murrays are genuinely sad he hasn't won.

At the end of the bout, standing beside the ring, still sweating from the fight, Docherty is interviewed by a ringside commentator. 'I wasn't only fighting for myself tonight,' he says. 'I was fighting for ...' and then his voice breaks off. He starts to cry.

The Wild One

Alex Kershaw

August, 1993

Asked recently on BBC's *A Question of Sport* to name the activity in which Gary Havelock is world champion, Ian Botham grinned inanely, shook his head and fired off the standard obscurities: bowls, shooting, archery ... What? Speedway? You must be joking.

In the Seventies, when speedway captured crowds matched only by football, David Coleman could have expected a snappier response. But that was a golden age, when speedway's 'powder-hall heroes' dashed off columns for tabloids, when 100,000 packed Wembley to watch four men slide around a dirt track at 70mph without brakes. Back then, Gary Havelock would have been a household name, a regular fixture on Weetabix packets, a serious contender for Sports Personality of the Year. Today, the pigtailed 24-year-old with a penchant for Buddhist symbolism dominates a forgotten sport.

Since winning the National League tournament with Middlesbrough in 1985 when he was sixteen, Havelock has both enthralled and exasperated the decimated ranks of speedway's die-hard fans. In 1986, he became British under-21 champion. A year later, he was European under-21 champion. Then, in 1988, he smoked a couple of joints at a party. He was banned for five years for failing a random test a week later, and his career looked to be over before it had barely begun. His sentence was suspended on appeal, but Havelock still spent 1989 in the stands.

Then, in August 1992, Havelock made a remarkable comeback, becoming the first British rider since Michael Lee in 1980 to win the World Speedway Championship and the first to do so on his debut since Welshman Freddie Williams at Wembley in 1950. He mounted the winner's podium in Poland's Wroclaw Olympic Stadium with dreadlocks and beads in his hair. But there is more to the Gary Havelock saga than soft drugs, guts and gritty returns from speedway's wilderness. On the stooped shoulders of the young rider from Eaglescliffe, Cleveland, now rests the future, some insist, of a long-neglected sport as dangerous and compelling as IndyCar or Formula One.

Gary Havelock arrives to collect me from my hotel in a blue Escort festooned with ribbons. It's 5pm on a Saturday and he's fresh from his 26-year-old sister Lisa's wedding, sporting tails and a carnation. In three hours' time, he will captain Bradford's Coalite Dukes in the second leg of the 1993 Premiership Trophy against the Reading Racers.

Minutes later, I'm watching rugby league in Havelock's £73,000 Barratt-style home in Marton on the outskirts of Middlesbrough. A three-foot-high silver World Championship cup, engraved with names from speedway legend, takes pride of place near a carved wooden chair, a gift from Poland which Havelock calls his 'throne'. On the wall hangs a letter from John Major which praises Havelock for 'valiantly' overcoming an injury during the World Championship.

'There's the speed, the smell of the track, the characters,' says Havelock, explaining his 'life-long obsession' with speedway. 'There's no feeling like pelting round sideways at full-throttle, inches from the safety fence, with no brakes.'

Havelock has fractured more bones than he's had birthdays since his evenings as a dewy-eyed rider, fresh out of school with five O-levels on an Enterprise Allowance scheme, riding for Middlesbrough in the second division. Unlike his father, Brian, who first rode for the Newcastle Diamonds in 1971 at the age of 29, Havelock had barely finished teething when he first straddled a motorbike. 'As soon as I could walk,' he recalls, 'I was at speedway tracks with my father. I was three when I got my first bike.'

Waist-high, Havelock was winning grass-track events. But he was also crashing with alarming regularity. 'Mum was worried after I'd been in hospital a few times,' Havelock remembers. 'Dad had a word with me when I was eleven. He told me either I stay on the bike or stop racing.'

In 1984, at fifteen, Havelock applied for a speedway licence, saying his date of birth was September 4 rather than November 4, 1968, so he could qualify for the first full season with the Middlesbrough Tigers. Tim Swales, Havelock's first promoter and now chairman of the British Speedway Promoters' Association, remembers Havelock 'bursting onto the scene as a super-sub'. 'Gary was obviously special,' says Swales. 'He would play cat-and-mouse with other riders, sometimes waiting until the fourth lap to come from behind and win.'

After two seasons with the Tigers, Havelock signed for Bradford's Coalite Dukes, lured by the promise of first division purses and a wider, faster track – the size of arena he would need to master to become World Champion. 'I really struggled at first,' he says. 'The main difference were the starts and first corners. No one gave an inch.'

Just as 'Wonder Boy' Havelock began to scrape wins in top-flight speedway, in October 1988 he tested positive for drugs during the British League Riders' Championship. 'I'd had a couple of joints on the Monday before the Sunday race,' Havelock admits. 'I was nineteen. There were lots of people doing the same in speedway at the time. People said you could only trace it [marijuana] for three days. I didn't know it could stay in your blood for six to eight weeks.'

Attacked mercilessly by the *Speedway Star* as the embodiment of speedway's moral decline, and shunned by all but a handful of riders, Havelock was banned for the 1989 season. 'It was pretty bleak,' he says. 'I blew most of my savings. Only my family, the Dukes' fans and self-belief got me through. On reflection, the year made me stronger. I sorted out my values. Up until then, my life had been a walk in the park – everything had come my way.'

'It was very much a possibility that the authorities could have banned Gary for life,' points out Allan Ham, manager of the Dukes. 'He was perhaps unlucky in that speedway wanted to make an example of someone. But the Board of Control gave him a second chance and now he's highly respected. He's a classic example of a bad boy come good.'

In March 1990, Havelock returned to speedway – his face harder, his hair inches longer – and instantly recaptured the form that had made him the best prospect since Kenny Carter in the late Seventies. Only an electrical failure came between him and the British Championship two months later. And after ditching his under-powered Weslake engines, he saw the season out almost undefeated as captain at Bradford. 'The club's turned round since he became captain,' says Allan Ham. 'We've had success ever since.'

But as the 1990 season drew to a close, Havelock was back in the *Speedway Star*'s headlines, again 'facing action'. Hauled before the Speedway Board of Control following a complaint from a spectator, Havelock, it was alleged, had exposed himself in public. 'I wasn't even riding,' Havelock protests. 'We'd had a few pints. The meeting was over and we went for a piss against a fence. Next thing I know I'm being accused of running around with my dick out.'

Havelock was promptly banned for five years. While appealing against the Speedway Board of Control's decision, he received yet another summons. This time Havelock was asked to explain his alleged involvement in the wrecking of a hotel room in Czechoslovakia. Havelock protested his innocence and won his case. His ban, meanwhile, was reduced to six months, although he was forced to pay £2,500 in costs.

He returned to race again on May 1, 1991, a week before the British Championship semi-final. Two weeks later, he won the British final after picking up a maximum fifteen points from five rides. 'Winning was a fantastic feeling – a real two fingers to the Establishment,' grins Havelock. 'Afterwards I decided to become Mr Clean. It was obvious someone somewhere wanted me out of speedway. I knew I'd have to be a really good boy to stay riding.'

We leave for Bradford's Odsal stadium, home to the Coalite Dukes, in Havelock's touring van: a Ford Transit converted to accommodate a bed mounted behind the back seats. Scott Trigg, Havelock's blond, 21-year-old New Zealand-born mechanic, sits next to me in the back. Havelock, wearing red jeans, a black long-sleeved T-shirt and an earring, casually swigs from a Lucozade bottle. In less than a year, says Trigg, the Transit has done 50,000 miles. 'It's been 200 kilometres from Chernobyl,' adds Havelock, 'and did a total of 4,000 miles in five days, to Russia, Poland, Czechoslovakia and back.'

Above the van's bed, huge 300-watt Pioneer speakers thump bass. Further back, behind a partition, stand Havelock's three bikes. Methanol-fuelled, like Mansell's IndyCar Lola-Cosworth, they may look like souped-up scooters but are actually precision instruments, costing as much as top-range Harley Davidsons. Their 500cc engines are tuned to perfection by Neil Evitts, an 'expert tinkerer' who now rides for Wolverhampton.

'A good tuner can make all the difference,' says Trigg. 'Gary's bikes are modified, the tread on the wheels changed, depending on the surface conditions of each track. You need a lot of power but also traction to build up speed. Slick tracks without dirt can be dangerous – there's not much grip. Bradford's a good track because there's a lot of different lines and it's wide. The guy out of the gate first doesn't always win.'

As George Michael blares out, Havelock chats about Ying Yang Records, the label he set up last year. The Chinese symbol, he says in his adenoidal Teeside drawl, adorns the sleeve of his first twelve-inch rap single, 'The Champ'. 'I like the image. It's the contrast between good and evil – sort of sums me up,' says Havelock as he lights another Silk Cut and we veer into the A19's fast lane.

The pits at Odsal stadium are not much more than a 100-metre-long corrugated iron shed. Minutes before the first race, Trigg crouches over one of Havelock's bikes, a spanner in his hand, his face a study in concentration. Suddenly, the guttural whine of revving fills the pits. A few seconds later, several mechanics insert earplugs as the din of sixteen 500cc engines at full throttle becomes overwhelming. Methanol fumes begin to poison the chill evening air.

The Reading Racers were the most successful team last season, winning the League and BSPA Cup. In August 1992, their star rider, 27-year-old Per Jonsson, established Odsal's track record of 58.3 seconds for four laps. Tonight, Jonsson swaggers with confidence, his leathers a frenzy of Day-Glo colours and sponsors' logos. Runner-up to Havelock in last year's World Championship, Jonsson is, if anything, a more consistent league rider. The Swede's points average per meeting in 1992 was 10.30 compared with Havelock's 9.32.

Gary Havelock looks tense. As he pulls his face-mask and goggles on and lifts off his pink and black chequered saddle cover, I spot the acid-house Smiley symbol on his knee-pad. He then mounts his bike, threading his scarred right thumb through a loop of string attached to the throttle. Should he crash, the 70hp Giuseppe Marzotti engine will automatically cut out.

At the centre of Odsal stadium, a cavernous bowl of steep grey terracing, a troupe of goosepimpled schoolgirl cheerleaders shiver in the biting wind. A few minutes later, the 3,000-odd crowd stand for the national anthem and then, before the race, Havelock is sworn into the Bradford Dukes' Speedway Hall of Fame.

Pebbles of shale spray spectators as Havelock, riding number three for the Dukes, skids home inches behind Reading's Armando Castagna in the first of his five races. Cowering as near to the trackside as safety permits, I'm splattered by mud and struck by speedway's sheer velocity as Havelock blurs past me sideways at a corner, his agility and balance superb as he 'locks up' at 70mph, his left knee hovering only centimetres above the track.

Several races later, tempers are fraying in the pits. Havelock has just been edged into second place in the eleventh heat by the ice-cool Jonsson. Twenty-two-year-old Sean Wilson, riding number five for the Dukes, is beating a back wheel with a hammer, more in frustration, I suspect, than in an attempt to realign its bent rim.

His blond bob flopping into his eyes, 'Hard Core' splashed across his backside, Wilson is, after Havelock, Bradford's most colourful rider. After beating veteran Phil Crump at his home track during a Test match in

Australia in 1987, Wilson was accosted by Crump and knocked off his bike. The incident sparked a mass brawl in the pits, which has since entered speedway legend.

'Gary's a great guy,' says Wilson between drags from a cigarette. 'I've known him since I were six, I reckon. One of me best mates. He doesn't flash off. Got 110 per cent will to win. Good guy to have on your team.'

It's 9.30pm. The Dukes' first home meeting of the season has ended in defeat to Reading by eight points. Havelock has amassed a respectable ten points from his five rides, but Per Jonsson has racked up a maximum fifteen. While Havelock showers, his girlfriend, 22-year-old Jayne Cloney, raps her fingers on his Transit's dashboard, impatient to catch the last hours of Lisa Havelock's wedding reception. Cloney is wearing black leggings and a down jacket, and her eyes are soft, thoughtful and warm, her blonde hair pulled back.

'Living with a speedway rider is a lonely life,' says Cloney. Since she met 'Gaz' in 1985 at a race in Middlesbrough, she has dreamt vicariously, shared Havelock's highs and lows, sobbed her heart out, squeezed his hand on journeys to hospital, longed for his 1000-odd races a season to end.

'Of course, I worry all the time,' sighs Cloney when I mention the death of 23-year-old Wayne Garratt, whom Havelock had known well, after a crash in Newcastle in September 1992. 'But Gary says, "What else can I do? It's my life." After a meeting, I always wonder whether he's going to come into the bar or be in an ambulance.'

'If you take any group, say of three speedway riders,' Havelock had told me, 'you'd find they've broken twenty bones between them. We've all seen crashes and deaths. But hey, when your cork pops, it's time to go. Could happen any time ... All my life, my Dad's always instilled in me that I should win at all costs – that second place isn't good enough ... Fear is something that holds you back ... I once saw a documentary about Muhammad Ali. In his own mind he had the burning belief that he just could not be beaten. Ali didn't know the meaning of fear.

'I now have a few rules in life,' Havelock adds. 'Number one is that you should never underestimate the other guy. Speedway is about such short, sharp bursts, like sprinting, that, if you're not 100 per cent on the job, anybody can beat you. The second comes from the film *Roadhouse*. Someone said they needed to go to bed, and this guy said that you can get all the sleep you need when you die. The other rules I can't repeat.'

At its aptly located AGM in Tenerife last year, speedway's ruling body voted Havelock Rider of the Year. 'The accolade capped a breathtaking year in which Gary may well have been the most successful World Championship entrant of all time,' gushes 22-year-old Philip Lanning, editor of *Speedway Mail* and the son of celebrated Seventies speedway commentator Dave Lanning. Indeed, last year Havelock won the British semi-final, the British final, the overseas title and, of course, the world title. 'I was on the podium for every major speedway event,' he says. But had it not been for an astute physiotherapist and tight bandage-tape, Havelock would still be an unconventional rider with a shady past, earning less than a Bradford rugby league player. Nine days before the Commonwealth final in June 1992, for a split second, Gary Havelock thought he was dead.

Making a guest appearance in the Polish league, Havelock was hit from behind by a 'crazy Pole' at 70mph. 'My whole life flashed before me,' he recalls. 'I did about four somersaults, broke a bone in my hand and ripped my fingers up. My helmet looked like Freddy Kruger had taken a swipe at it. The Pole snapped his arm in two. Between screams he said sorry and that I'd be out for eight weeks. I said, "Not a fucking chance, mate. I'll be riding in nine days." '

His physiotherapist Brian Simpson recommended laser treatment for the swelling on his hand, and Havelock managed to pull through the Commonwealth final, a vital qualifying round for the World Championship, with two taped-up fingers and a thumb gripping his throttle.

Before the overcast morning of August 29, 1992, Gary Havelock was the 'Gazza of Speedway', his nickname 'Havvy', a synonym for wayward potential. By late afternoon in Wroclaw's Olympic Stadium, he was what he had always said he would be: the best speedway rider in the world.

'It was a fairy tale, the most dramatic win I've seen,' says Philip Lanning of Havelock's World Championship victory. 'If you turned it into a film, it'd be a blockbuster.'

'The morning of the final,' recalls Havelock, 'I just knew something was going to go off. I changed before the first race in a small room on my own where I put my dreads on. I knew if I went to the starting-line for the first race against Per Jonsson and he thought, "Shit, what's he look like?" then straight away his head wouldn't be right.'

Havelock's start was his best. Within seconds he had left Jonsson, the pre-race favourite, trailing metres behind. In the eighth heat, however, 'disaster struck'. Havelock's left leg was clipped by the debris of a spectacular back-straight crash between Zdenek Tesar and Slawomir Drabik. His calf muscle torn, Havelock hobbled back to the pits supported by his father and Brian Larner, a mechanic. Then, as he lay in agony refusing to go to hospital, the 'heavens opened'. For over an hour, a storm washed out Wroclaw stadium.

Inch-deep puddles had been pumped dry by the local fire brigade when Havelock finished second to Drabik in a re-run of the eighth heat. And then, suddenly, victory in his next race over Gert Handberg, a gifted Dane, put the World Championship within Havelock's grasp.

'I just sat very still in the pits, meditating,' says Havelock. 'It suddenly hit me – I only needed third place in my last race to clinch it. Scott [Trigg] told me to get my shit together. I walked to the bike in a daze. As they pushed me onto the track, I thought, "Get a fucking grip, kid." I was out of it. I nearly puked in my helmet.

'I was off gate two, the worst all night. The green light came on,' continues Havelock, tears welling in his eyes as he takes a deep drag from a Benson & Hedges. 'I dropped the clutch. It flew like a dragster – whoosh. I just thought, "Please keep going, bike, please keep going." And then I'd crossed the finishing line. Union Jacks were everywhere. It was too much. Joy, relief, ecstasy – too many different emotions.'

As Havelock completed a victory circuit, his family and pit crew wept in a huddle. Twenty-four-year-old Brian Larner was, says Havelock, especially 'choked'. Larner had been Yorkshireman Kenny Carter's mechanic in the early Eighties. Carter had been England captain and the great white hope of British speedway, and only the World Championship eluded him before he blew himself and his young wife away with a shotgun in 1985.

Havelock's victory in Wroclaw by three points not only pushed his arch-rival Per Jonsson into second place but also earned him a £3,500 winner's cheque and provided a much-needed fillip for the national side, eclipsed for much of the Eighties by the Scandinavians. 'At 24, Gary's now the oldest rider for England,' points out Philip Lanning, seated in the *Speedway Mail*'s drab offices on a grey industrial estate in East London. 'His victory gave every young rider hope. The Scandinavians had monopolised speedway, passing the World Championship around them for far too long.'

Ironically, Havelock's breezy surfer's image, his garish John Richmond designer 'gear' and dreadlocks, once the emblems of Speedway's Bad Boy Who Threw It All Away, are now being used to draw back the crowds. His cheesy grin has already featured in two million posters pasted up around Britain this season. 'Ivan Major, who was six times World Champion [in the Seventies], said that after I won the World Championship I should not change my character,' says Havelock. 'The last thing I needed, he said, was a suit and a haircut.'

'As long as Gary doesn't make another record and he stays on the bike, there's no limit to what he can achieve,' jokes Radio One DJ Adrian Juste, a lifelong speedway fanatic. 'He's nowhere near his best yet. One day, he could be the same sort of figurehead in speedway as Ian Botham was in his sport.'

But the efforts of GJR-TUSK, the promotion company behind the posters, and Havelock's undeniable appeal may be too little, far too late. The only underground organisation he belongs to, Havelock once joked, is the Save British Speedway Association. Recession has gnawed deep, with four tracks closing in the past year and a pay freeze imposed on riders by promoters.

Gary Havelock may earn £40 a point and could rack up £70,000 this season as World Champion, but most first division riders, says *Speedway Mail*'s Philip Lanning, 'will be lucky to take home £20,000 this year'.

Nor has Havelock's victory in Poland impressed television producers and sponsors as much as was hoped. 'In some ways, Gary's victory hasn't really happened yet,' concedes Tim Swales, chairman of the Speedway Promoters' Association. 'Even when he became champion, I was told speedway was still a minority sport and didn't matter.'

Havelock himself suggests that speedway's current problems stem mainly from promoters who 'got greedy in the Seventies', demanding money from television companies who then turned their cameras on snooker and bowls instead. For his part, Philip Lanning castigates 'second-hand car dealers who ripped the sport off', a 'crisis of credibility' following a 1985 *Sunday People* exposé of rigged races, and the 'changing nature' of leisure.

'People used to watch football on a Saturday and speedway midweek,' says Lanning. 'Now they stay in and watch the wrestling on the box.' Even in Poland, where 40,000 braved grimy Wroclaw to witness Havelock's heroics, speedway's woolly-hatted rattle-shakers are fast ebbing away.

It's 1am at MacMillan's nightclub in Yarm, a village outside Middlesbrough. A tipsy Gary Havelock sits at a Yamaha organ, his arm around Danny Nangolain, a Jakarta-born martial arts expert. Nangolain is crooning Phil Collins' 'In The Air Tonight' and his bride, Havelock's sister Lisa, a poisons expert at Guy's Hospital in London, beams with embarrassment.

'Danny's amazing,' Havelock confides later. 'He spent a year training in North Korea with a Master, running in snow with just his shorts on. He'll stub a cig out on his wrist and not flinch.'

Unlike his new brother-in-law, Gary Havelock does show pain. It's not a physical hurt that I see flicker across his hungover features the following afternoon over roast beef and Yorkshire pudding in a local pub. Nor a malignant resentment of 'just a couple of people high up in speedway' who, he insists, tried to scupper his career. 'Nigel Mansell became a World Champion last year. So did I,' says Havelock with some bitterness as he forks a roast potato. 'I've achieved as much in my sport as he has. But you'd never know it.'

Should Havelock become the first Englishman to retain his world title this August in Pecking, Germany, he will be the last to do so under the present system. From 1994, the World Speedway Championship will adopt a grand prix formula. 'People are talking about six events around Europe and possibly $100,000 as prize money for each meeting,' says Havelock. 'There's also the prospect of real television coverage.'

When I ask about the future, Havelock shrugs his shoulders and sips a Coke. He'd like to try a car out for size, maybe trade speedway, one day, for a different challenge. He just wants to get faster, grow, keep finding himself. In a week's time, he smiles, he'll finally make Bill Beaumont's team on the BBC's *A Question of Sport*. 'I believe in progression, in taking risks, in never getting stale,' he says. 'I'd love to see speedway back where it was when I fell in love with it as a kid. Apart from that, I'd like to get up to Ivan Major's record of six world titles.'

It's high noon on the first day of British summertime. Havelock is driving me to Darlington train station and talking about Bruce Penhall, the English rider who quit speedway after the last World Championship to be held at Wembley in 1981. As a public relations manager for Oakley leisure wear, one of Havelock's sponsors, Penhall now lunches with film stars in Los Angeles. 'Bruce once appeared in the American police show *Chips*,' smiles Havelock. 'His character was called away from a speedway meeting to catch some crook. Bruce made it back to the track just in time to win the day.'

As Gary Havelock leaves me waiting for a train, I notice his gait for the first time. It's that of a cowboy who, mounted on the back of a bucking 500cc engine, has performed more victory 'wheelies' than any rider of his generation. It's the saunter of a man who has finally lassoed his critics, of a reformed outlaw putting a Hollywood fizz of glamour back into a dying sport.

Belles of the Ball

Pete Davies

August, 1994

In the week before the Women's FA Cup Final, the Doncaster Belles joked that since they'd be live on Sky they'd better all get their hair done and put in time on the sunbeds, but there was nothing frivolous about the state of them in the dressing room at half-time. Their knees and thighs were mud-streaked and raw, their lungs hungered for air, and they stared at the floor with red, sweat-smeared faces looking angry and bewildered. They were 1–0 up but they were playing like zombies and they were disgusted with themselves, and their manager Paul Edmunds was disgusted with them too.

Three years a pro, so he knows what he's talking about, Edmunds stood tight-lipped and seething, voice cracked, half gone from shouting in the dugout. 'We've got out of jail there, I tell you, we've got out of jail, 'cause we've played *absolutely useless* out there,' he says. 'You've disappointed everybody – yourselves, me, all the people coming to support us – because we look as though we're *second best to everything*. It's *embarrassing*. We're standing, the ball's bouncing, and they're in and away, *gone*. We went fifteen minutes and we haven't won *one tackle*. All over the field. And *stupid free kicks . . .*'

Edmunds singled out only two players for praise, the two who'd kept them in the game: keeper Tracy Davidson and Louise Ryde at centre half. 'Louise,' he said, 'wants to win so badly, gets there, wins it, gets up and does it again, *and other people aren't doing the same*.' An attractive blonde police officer from Kirkby, Ryde had said the evening before that sometimes, being about the only senior Belle who'd never had a call-up for England, she had a confidence problem. But then her mother told her once, 'You never played for England, so what? You were British Tae Kwon-do Champion for seven years, weren't you?' She was playing like a champion today.

It was April 24, a bright, gusty afternoon at Scunthorpe's tidy new Glanford Park ground, and 1,674 people had come expecting the Doncaster Belles, the best women's football team in the country, to stomp all over Knowsley United from Liverpool. They were undefeated in seventeen games; they'd scored eleven once, scored ten four times (before the cup competition was seeded they once won a game 46–0); and when they met Knowsley in the league they'd beaten them 7–1. But Knowsley were fired up, after half an hour the Belles lost their captain and midfield engine Gillian Coultard with a calf-pull, they were out of shape and nervous – and anyone who says women can't dig in and battle should have watched that second half.

Both sides had a goal disallowed, both hit the woodwork, and when the final whistle blew the Belles remained 1–0 up. Afterwards they said it could only be good for the women's game. If they'd won by a hatful people would have dismissed it, said it wasn't competitive – and they were angry with themselves, sure, but they said they never did seem to perform well in finals 'because people expect so much of us'.

The Belles have been in eleven of the last twelve Women's Cup Finals, and won six of them. They succeed on an abundance of skill allied to unstinting hard work, but more importantly on a family kinship, a collective *joie de vivre* that's jubilant and infectious. In the other teams, they say, players move around, one club to another, always looking for something. But whatever it is, at the Belles they've found it. Once a Belle, always a Belle.

There are now some 12,000 women playing football in England, in approximately 450 clubs. The ten clubs in the Premier Division in the '93/'94 season were the Belles, Red Star Southampton, Ipswich Town, Stanton Rangers, Knowsley and Leasowe Pacific on Merseyside, along with Wembley, Wimbledon, Arsenal and the Millwall Lionesses in London. The Belles' strongest competition comes from Arsenal, a side widely held to be (surprise, surprise) a joyless bunch of robots – but standards of competition have risen all round in recent years. Compared to other countries – current world champions the US, or the semi-pro set-ups in Italy and Scandinavia – the women's game here is still played on a pitiful shoestring. But if commitment and ability were reckoned in pennies and pounds, these players could never be thought of as amateurs.

They are amateurs, of course – the nearest any Belle gets to the professional game is left back Chantelle Woodhead, who works for Leeds United and has her kit sponsored by Howard Wilkinson. Among the others, there's an accountant and an upholsterer from Birkenhead, two policewomen from Liverpool and Birmingham, two working in the potteries for Royal Doulton and Wedgwood, and another two who work in banks.

Gillian Coultard, who's played for her country 75 times (more than any other woman), and stands exactly five-foot-nothing tall, is a Bryan Robson figure with a shot on her from 30 yards that, if I was the keeper, would send me ducking for cover. She makes gas valves in a factory in Leeds for a living. Like other Belles she's had offers of money to go abroad, but she's turned them down. She says she has a good job and wants to keep it because there aren't that many going. And anyway she is, she says, 'a homely person'.

Work and weather permitting, the players travel to Doncaster twice a week for training on Wednesday night and for matches on Sunday. Striker Gail Borman comes from Hull. 'If I counted up how much I've spent over the years travelling I'd be rich,' she says. 'But if you love something you do it, don't you?' Right back Mandy Lowe, who spends her days putting lids and handles on dishes and bowls at the Eagle Pottery, says: 'I'd prefer to travel and play for the Belles than stay in Stoke and play for some other lot.'

Leading scorer Karen (Kaz) Walker (before whom the others regularly chant, with bowed heads and outstretched arms, 'We're not worthy, we're not worthy') works in Income Support for the DSS. 'It can be very stressful,' she says. 'It's a relief playing football. It's a relief coming home from work full stop. But I love playing football.' Including the winner in the Final against Knowsley, she'd scored 32 goals in eighteen games, and Andy Gray on Sky compared her to Mark Hughes. 'Nah. I'm better than him,' Walker cried out, mock-outraged. She said she sat next to an England international at a dinner once, and she couldn't believe it. 'He makes all that money and he's that *thick*.'

They had a crew from the BBC living in their pockets through the end of the season. In the Doncaster Moat House on the Saturday evening before the Final, the director, Paul Pierrot, gave them a camcorder so they could make some of their own documentary. They looned about using hotel room keys for microphones, running mock interviews.

'So, are you fit for the game?'

'Yeah, the back's fine.'

'Never mind the back, I meant your head.'

They went off to their rooms early to watch TV. 'Great, innit?' said Dave the cameraman, looking around. 'The women go off to watch *Match of the Day* and the men are left sitting about gossiping.'

In the morning, team jester Joanne Broadhurst took over the camera and said it was 'Anneka's challenge: you've got 24 hours to bring the Cup back to Doncaster.' On the coach coming back after the game, challenge accomplished, she interviewed 'the great Kaz Walker', and asked her to run us through the goal. Walker went into Neanderthal mode. 'I hit it. It went in. We won,' she grunted. And they sang until my ears were splitting:

> When we went to the FA Cup Final
> We really put on a show
> We showed them a brand of football
> They really want to know
> We're representing Donny
> And we're proud to do or die
> Arsenal couldn't do it
> 'Cause they didn't qualify

They had a party at Doncaster's Le Bistro. Women at a disco usually dance around their handbags; this lot had the FA Cup to dance around – when they weren't drinking lager from it, anyway. 'Right. That's one pot out of three,' said Paul Edmunds. Arsenal won the treble last season, and the Belles weren't having that again.

I asked Paul Pierrot why he was making his film, and he said that when he was doing a series about Sheffield United three years ago, he happened to watch a women's international match at Bramall Lane.

'It was really skilful, people taking people on – it brought a lump to my throat,' he said. 'So I went and saw the Belles, and I was captivated. It was at Armthorpe [a colliery pitch where the Belles play when they can't get Doncaster Rovers' ground] and it was lovely. You had the coal mine looking down and the mine was on strike, and there were these women playing super football and all the families coming to watch because it was the one good thing that was going, the Belles giving them a lift each week.

'And when they came off they were changing in the welfare club, and they still weren't allowed to play on the snooker tables, and I just thought that summed it up. Here were these women who for the most part are derided – like, it's not a *real* game – and yet they were bloody good.'

They're long accustomed to leering numbskulls asking if they swap shirts after the game. Before the Cup Final, Louise Ryde said that maybe they should, and give the idiots something to look at. 'But I better not suggest it with this lot,' she said, gesturing at her team-mates, 'because they probably would, too.' When she was at police training college she played in a men's game, cadets versus staff, and at one point, when she got the ball wide, she heard the opposition keeper say, 'Don't worry, it's only a woman.' So she cut in and belted it past him. 'I bent his fingers back all right,' she said, with considerable satisfaction.

Mandy Lowe plays football with men too, lads from her works, in a five-a-side on Friday afternoons at Staffordshire University. Slim, fast, feisty and strikingly good-looking, she juggled the ball round big men with a grin on her face. I asked one of them about her after the game. 'Before she started playing with us, we'd heard she was good, but we didn't expect her to be that good,' he said, with a sheepish smile. 'She's better than the lot of us by far. Fitness, strength, skill – she's got it all.'

Women have, in fact, always played football – a pioneering organiser with the deliciously apt name of Nettie Honeyball played in a North versus South fixture at Crouch End as early as 1895 – and during World War One, women who worked like men (and who wanted to play like men too) began forming teams from Plymouth to Sunderland. They played matches for war relief charities and the premier side of the day, Dick Kerr's Ladies from the eponymous munitions plant in Preston, raised over £50,000 in five years. When they played St Helen's at Goodison Park on Boxing Day, 1920, they drew a crowd of 53,000 – 10,000 more were turned away.

But with the war over, this success began to stick in male craws. In 1921, behind the cover of unsubstantiated and apparently malicious allegations that some of the charity money was going astray, the FA banned the use of league grounds for women's football. Without decent grounds to play on, the women's game was stifled, and they played on in unattended silence.

It took exactly 50 years for the FA to change their mind – they rescinded their ban in 1971. Meanwhile, two years earlier, a teenager named Sheila Stocks was selling Golden Goals tickets at Doncaster Rovers games and decided she fancied scoring a golden goal or two herself. With a group of friends she founded the Belles, her father became club secretary, they started winning five-a-side competitions, and in the club's 25th year, Sheila's still sitting on the subs' bench today. She's also married the manager; they have a beautiful four-year-old daughter, and Paul Edmunds says the only difference between coaching men and women is that in the men's game your players don't too often go and get pregnant on you.

The Belles won their first Cup Final in 1983; in the absence of an organised national side, they also represented England that year. Three

years ago, the Women's National Premier League was formed; last year the
FA agreed to take over the administration of the women's game. But on
the evidence of the first women's Final held under their auspices, the FA
still have a bit to learn. Despite the presence of Sky's cameras, neither club
got a penny for their efforts; they were given a mere 30 tickets each. More
risible yet, it was announced towards the end of play that Kaz Walker was
'Man of the Match'.

They have, in fact, no desire to be compared to men; they play a different
game, they play it in their own right, and anyone who sees it with open
eyes will become, I'm sure, an immediate convert.

The first women's game I watched was England beating Slovenia 10–0
on a bright Sunday morning at Brentford's Griffin Park. The result put
them into the quarter-finals of the UEFA Championship this autumn (if
they make the semis, they qualify for the 1995 World Cup), but it was the
effervescent style of it that won me over. One thoroughly impressed
Brentford man was moved to lean over to where the subs were warming
up and say: 'Here, you wouldn't mind turning out for our lot next Saturday,
would you?'

The attraction of it lies in the fact that, lacking the driven speed and
fanatic physicality of the men's game, women players who are every bit
as skilled have more time to apply that skill – so you get more passing,
more deftness, more grace and more goals. And second, they don't go out
to cripple each other. It's not soft and they're committed, but you don't
get the elbow, you don't get players leaving their legs in late; what you
get, instead, is people enjoying themselves.

A week after winning the Cup Final, the Belles were back at Belle Vue in
Doncaster playing Millwall in the league, and they enjoyed themselves no
end. Paul Pierrot miked up the referee and out in the middle Joanne
Broadhurst was giving it some lip, so the ref told her she better mind her
language because he was carrying the microphone. She smiled sweetly
and told him: 'So fucking what?' She's got a touch of Kathleen Turner
about the face, this girl, and her through balls are a dream.

Besides, the ref was irking them. The Belles' sweeper Michelle (Micky)
Jackson played Millwall neatly offside and the referee said to her: 'That
was good. Where d'you learn that? Arsenal?' Word of this reached the
dugout, and the man was dismissed as a patronising donkey. 'Does he
think we can't work out offside for ourselves?' And being, shall we say, a
tad portly, the next time the ref was near a voice rang out: 'Eat salad, fat
boy.'

After 30 minutes they were 3–0 up, at half-time it was 4–1, and in the dressing room it was mightily more cheerful than it had been at Scunthorpe. Sheila Edmunds worked over a knock on Tracy Davidson's knee; her husband looked about him and said: 'Right. Everyone else OK? Any knocks?'

Beside him Joanne Broadhurst grinned and said: 'I've jarred me snatch.'

'I can't do nothing about that,' Edmunds snorted.

'Now then, I'm very pleased to be 4–1 up, and as a contest the game should be over with. But don't go out and sit back. After 3–0 we just stood about. I'm sat up in the stand thinking, is the game over now? I couldn't believe it. So lift it, get hold of the ball, shout, encourage. We've done well, played some lovely football, so just lift it and enjoy yourselves.'

'Right,' said Kaz, 'let's lift it. Let's all shout like you want it. Even if you don't.'

Sweat dripped, studs clacked on tiles, hurried fingers checked laces and shinpads. Joanne Broadhurst chanted the mantra ('Enjoy yourselves. Stay on your feet. Watch the line') amid rising cries of 'C'mon yellows'. They bundled out and won it 6–1.

In the other dugout, Millwall's manager was a friendly bloke named Jim Hicks from the Football in the Community Programme. His team will be handy when they grow up – at the moment their average age is about nineteen, and the two subs he sent on were only fourteen. 'Whenever you play the Belles you're intimidated,' he said. 'It was pretty quiet in our dressing room beforehand, because they've got so much respect; at the moment there's no one to touch them.'

He stood on the sideline after the game in the May Day sun, and put the whole business in a nutshell. 'When you come to play the Belles, you could play eight across the back – I suppose you could try and stop them that way. But that's not what women's football's about, is it? They don't get paid for it, so what's the point? And it's very hard as a manager to get negative in this game. They're not playing for greed or ego, the skill element's high, and you don't have that brutal physical element.

'It is,' he said, 'just so enjoyable.'

One Track Mind

Richard Williams

September, 1991

You're 27 years old, and good-looking: that striking Sicilian mixture of intense blue eyes, thick dark hair and a nice build on a compact frame. You're rich: even after you've insured the £150,000 sports car you have on order, you'll still be a millionaire. There's a pretty blonde girlfriend called Lulu; you'll get married in September, if there's time. You have a loving family that gives you a place where you can always feel safe. And outside this motorhome where you're sitting now, just behind the ranks of giant transporters and the piles of tyres, there's a small red single-seater car with your name painted on the side, next to the yellow shield with a rearing black horse that proclaims to the world that this is a Ferrari. It's waiting for you to get in and win a race. This race. The San Marino Grand Prix, round three of the 1991 Formula One World Championship.

You are Jean Alesi, and it's hardly any wonder that everybody hates you.

Well, not quite everybody. Those 10,000 Italians camped out on the muddy bank above the long, sweeping right-hand bend called Rivazza, for instance. For the moment, you're all they care about. You're their boy.

In these parts, less than an hour's drive from the holy city of Maranello, anybody who drives a Ferrari is their boy. Some more than others, though. Take your team-mate, Alain Prost. He's been world champion three times – but driving for McLaren, your biggest rivals. Last year, in his first season with Ferrari, Prost won five Grands Prix but couldn't keep the championship out of Ayrton Senna's hands.

So the fans, known as the *tifosi*, aren't too sure about his ultimate commitment. They hear him complaining about the way the team is run, about the handling of the car, about the weakness of the engine compared to Senna's Honda, and they long for simpler days, when Gilles Villeneuve just got into the car and drove the hell out of it, whether it had all four wheels attached or not.

The *tifosi* like you, though. They like how you look, the fact that your name ends in a vowel, the way your driving reminds them of Villeneuve. Most important of all, though, they like you because you haven't had the chance to disappoint them yet.

You like that. You don't mind them tugging at your sleeve and begging for autographs. You can see why your older rivals find it a bore. Your best friend, Nelson Piquet – another three-time champion who right at this moment is making eyes at a nubile girl from behind the smoked glass upper window of his team's motorhome – can act as jaded as they come, while Nigel Mansell, whose seat at Ferrari you took, tends to make his progress even through an empty paddock with the bullocking head-down rush of a man taking on the All Blacks' front row. But you're young, and you're enjoying the warmth of stardom. 'It's not so 'eavy,' you say.

Actually, being a Ferrari driver has never been easy. One by one, Enzo Ferrari fell out with most of them. The great Juan Fangio won a world championship for him in 1956, but they never had a good word to say for each other. Phil Hill followed Fangio to the championship in 1961, but was shown the door a year later. John Surtees took the title for the team in 1964; less than two years later, in mid-season, he was making a hurried exit – another victim of the politics and jealousies that old Enzo encouraged as a particularly diabolical form of creative tension.

Look at the ex-Ferrari drivers hanging around the paddock here at Imola, on the morning of the race. How many of them left with laurels unsullied, with the team's thanks and valedictions ringing in their ears? Over there, talking to a TV interviewer in the McLaren pit, is Niki Lauda, who dragged Ferrari out of the doldrums in the mid-Seventies, permanently disfigured himself in the process and still left the team without honour. Trundling his wheelchair into the Williams team's motorhome is Clay Regazzoni, who brought Lauda to Ferrari but found himself unceremoniously ousted. Here are a couple of Frenchmen, René Arnoux, the quick Grenoblois who flattered to deceive, and courtly Patrick Tambay, who sorrowfully took the seat of the dead idol Villeneuve and immediately won a race in memory of his great friend before losing the job in another political reshuffle.

And talking to everyone, looking to pick up a drive even though we are now three events into the season, there's perky Stefan Johansson, a born racer, whose career has never recovered from a couple of barren years at Maranello during the Eighties.

Of the currently active pilots, three are ex-*Ferraristi*: Michele Alboreto won three races for them in five years, and now galumphs at the back of the field in something called a Footwork; Gerhard Berger, his confidence blown after a mere four Ferrari victories in three seasons, traipses around in the wake of his current team-mate, the near-divine Senna; and Nigel Mansell, who won his very first race for Ferrari to an explosion of joy across Italy, is permanently on the brink of calling the whole thing off if the press won't be nice to him. No, a seat in the Ferrari Formula One team may still be what you'd give yourself, with your eyes open and in full possession of the historical facts, but it isn't something that you'd put your only son down for.

Enzo Ferrari, after all, didn't really like drivers; and when he did take a shine to one he was apt to praise him not only for his 'progressive spirit' and 'the calm assurance with which he drove', but also for 'the equanimity with which he was prepared to face death'. Enzo Ferrari himself may be gone, but the morbid mood lives on.

Jean Alesi knows all this. He knows that the 10,000 fans up on the bank at Rivazza are thinking that no Ferrari driver has won the world championship since Jody Scheckter in 1979. He knows they suspect that Prost is a busted flush, his motivation gone. He knows they've camped out in the mud and spent billions of lire on flags, banners, caps, scarves, badges and stickers at concession stands since Thursday night in the expectation, not merely the hope, that you, Jean Alesi, will win the race and go on to take the title.

So, in the shadow at the back of the pit, you smooth the fireproof balaclava over your head, pull the helmet on, step carefully into the cockpit, wait as your mechanics pull your safety harness tight, and give the hand signal to fire up the engine. You nose car number 28 out into the pit lane, wait for the light and blast out on to the warm-up lap under a lowering sky. And then, two minutes later, just as you come round to take your place on the starting grid, it begins to rain.

At school in Avignon the little French boys and girls called him 'Spaghetti'. He hated that. He couldn't understand it. His father was as good as theirs, with a thriving coachbuilding business employing 40 people.

There was something he could do about it, though. He'd been christened Giovanni, the second son of Franco and Marcella Alesi, immigrants from the little Sicilian town of Alcamo, halfway between Palermo and Corleone. He was proud of that, but he was prepared to make a sacrifice. So, a few weeks short of his sixteenth birthday, Giovanni became Jean Robert. And the insults stopped.

They may have done the work, though, in helping to give the family an unusual closeness. After school each day, Jean and his brother José spent a couple of hours at the body-shop, learning their father's craft. Sometimes they'd help straighten out a car that he'd bent in a weekend rally. Occasionally he'd enter one of the big events – even the Monte Carlo. They couldn't help but be infected by his enthusiasm.

Alesi started racing go-karts at fourteen. Two years later, when he left school, he was taken on by his father as an apprentice. By the age of eighteen he had a certificate and his first car, a white Fiat 500. 'It was quite fantastic,' he says now. 'It was so small you could pass people everywhere. I modified the car, of course. I put in much stronger springs, and I changed the engine a little bit to get more horsepower. In Avignon, I had quite a lot of fun with that car.'

Bearing the dents and dust from Alesi's teenage autocross practice in the field behind the Carosserie Alesi, the Fiat 500 still resides in a corner of the shop.

Eventually the go-kart races were followed by the series for modified Renault 5s, by Formula Renault single-seaters, and by Formula Three. It was then that Alesi came to the attention of Eddie Jordan, the remarkable Irishman who manages individual drivers and now runs his own team of Formula One cars. 'I've always been interested in talent-spotting,' Jordan says. 'We have a computerised system of analysing drivers – what they're doing, what equipment they've got, who they're racing against. A form sheet, if you like. Nobody else does that. All I noticed about Jean in 1986 was that he was very erratic. Then in 1987 he was run by his brother José, who was a calming influence. He won the French Formula Three championship. Then he spent a year in Formula 3000. That was a disaster. There was a considerable difference of opinion with his engineer. It was a major problem.'

At the end of 1988, Jordan and the Alesi brothers bumped into each other at the annual Formula Three jamboree in Macau. Jordan had a budget from Camel for Formula 3000 the following season, and had booked Martin Donnelly for one of the two seats. José talked him into giving Jean the second seat. 'You have to understand that Jean is a special kind of person,' Jordan says. 'His speed is obvious now, but at the time he was very difficult. He'd always been surrounded by his family, and he was used to having things done for him, to getting his own way. Now I have a very strong sense of the way I want things done. I wanted the commitment. I wanted not just his control of his body but I wanted his mind too – because I believed that psychology is such a major part, probably 80 per cent, of current sportsmanship. And there, I felt, was an area in which Jean wasn't doing himself justice.

'He saw what we were doing. We were winning a lot of races. I was under a little bit of pressure from the sponsor to take another driver, but I stuck my neck out in the belief that Jean had the raw talent.

'He was very aggressive, quite arrogant, self-centred, but with a massively kind nature. It was like two different personalities pulling at each other. Jean is the kindest person you could meet, but in the car he's completely ruthless. And that's what you need.'

Two races into the 1989 season, with only a fourth place and a spin-off to show, Jordan lost his temper. 'I went fucking berserk with him. I said right, that's it. You're coming to England. You may be a star in your own environment, but the more you hear people saying, "Oh, you're fantastic," the more likely you are to get carried away.' So Jordan put Alesi up in his own family's house in Oxford, got him a trainer and subjected him to a regime of physical and mental toughening.

'I wanted him, among other things, to see the mechanics grafting themselves to death every day to make sure that he and his team-mate had the best cars. And when we got to the third race, which was at Pau, near his home town, he was refreshed and mentally aware, and he won it. There was no turning back then – he was dynamite after that. It was like turning a switch,' says Jordan.

Only a week or two later, Alesi's career was raised yet another gear. Ken Tyrrell, the veteran Surrey timber merchant who guided Jackie Stewart's career, had fallen out with one of his drivers, and a seat was going begging for the French Grand Prix at Le Castellet. Camel was also Tyrrell's main sponsor, and approached Jordan to borrow Donnelly. No, said Jordan. Donnelly was already down to substitute for another injured driver at the Arrows team. How about Alesi?

'Ken Tyrrell,' Jordan says, 'is the first to admit that he'd never heard of Jean. But I convinced him. And he was very straight with Jean. He said, "You must realise that it's very unlikely that you'll qualify for this race." So it was a great moment when he ran second and finished fourth.'

Naturally, Tyrrell wanted to hang on to such an impressive young man, but Jordan insisted that he complete the Formula 3000 series – which he won – and take the Tyrrell drive only when he had no clashing commitment. At the end of the season, though, Jordan sat down with Tyrrell and negotiated a three-year contract for Alesi.

Alesi began the 1990 season with one of the most audacious moves seen in Formula One racing. At the first Grand Prix of the season, in Phoenix, he qualified fourth and held the lead for almost an hour. On the 34th lap, though, Ayrton Senna caught up with him and went by on the entrance to a 90-degree right-hand bend.

Such is Senna's psychological dominance over the Grand Prix field that when he overtakes you, you are supposed to stay overtaken. Not Alesi, though; not this day. Within 50 yards the upstart had snapped back at the Brazilian, repassing him into the next corner. Senna, stung by such temerity, used his experience and the greater power of his engine to put an end to the duel, but the point had been made. Then, in May, Alesi took everyone's breath away when he slammed his Tyrrell inside Prost's Ferrari down the hill from Casino Square at Monaco, and again finished second to Senna.

Now, after only a handful of Grands Prix, serious people were talking about Alesi as a future world champion. Talking too much, as it happened. Soon, various team managers were queuing up to meet the young driver behind the Tyrrell motorhome.

Alesi himself was soon persuaded that, with its out-of-date engines and its limited resources, a Tyrrell was not the proper vehicle for a potential champion. And his lawyer told him that in his contract there was a clause allowing himself to buy himself out. So, unusually early in the season, he quietly signed an option to partner Riccardo Patrese in the Williams-Renault team for 1991. But then Ferrari came knocking at his door, and Alesi heard that Frank Williams had been talking to Ayrton Senna and Nigel Mansell. He panicked.

'It was very difficult,' he remembers now. 'Tyrrell said, "You can't leave me" – but it wasn't true, because I had just to pay the buy-out. But he tried everything to keep me. And Frank Williams at this time was not a gentleman. He signed with me, and afterwards tried to have Senna.' Pulled this way and that, Alesi made a bad mistake: on the eve of the German Grand Prix, he called a press conference to ask the media to stop speculating about his future. They thought that was a bit rich, coming from someone evidently capable of having his signature on three contracts simultaneously. 'Fortunately,' Alesi says, 'Ferrari found a solution.' By which he means that Marlboro and Fiat, who bankroll Ferrari's unlimited budget, came up with the several million pounds it cost to pay off both Tyrrell and Williams, and to provide Alesi with his retainer for 1991.

'Those three months were very, very hard,' he says of the period of uncertainty. 'Too hard, because there were no results for the rest of the season. Too much pressure.' Maybe so, but he came out of it a millionaire.

And what did he learn? 'A lot. I don't want to be rude but if I explained everything, some people would be a little bit angry.'

Ken Tyrrell's view is somewhat different. 'Jean became dissatisfied with us probably because large amounts of gold were being hung in front of him,' he says, 'and everybody kept telling him that he was going to be a star. To some extent it went to his head. The temptation was too great. He was a very impressionable young man. There was plenty of time for him to go to Ferrari or some other team that he might consider to be better than us.'

Tyrrell remains, though, generous in his opinion of Alesi's talent, unhesitatingly drawing on four decades of experience to compare him favourably with the very greatest post-war drivers. 'I don't know what it is that makes some people able to perform at the top of their profession. It's just a gift. Fangio, Stirling Moss, Jackie Stewart, Jimmy Clark, Alain Prost, almost certainly Senna – they didn't have to try. Life seems so unfair, doesn't it? Jean has exceptional skill and car-control. The physical and mental effort isn't a problem for him. He knew exactly how he wanted his car set up, and he could communicate that to the engineer. The only thing he really lacks is sufficient experience in Formula One racing. When he's got another season or two behind him, he's going to become a very difficult driver to beat.'

Alesi likes his car set up for oversteer, what the old-timers used to call 'opposite lock' or the 'four-wheel drift'. He brakes late, throws the car into the corner under power. It's an extremely exuberant style; a young man's style. Alain Prost, on the other hand, brakes early, feathers the throttle, opts for a softer setting in handling.

Alesi has sometimes said that he prefers the qualifying sessions to the races themselves, which sounds odd coming from such a sharp-toothed competitor. 'No,' he says, 'what I meant was that for me the pleasure is to play with the car. So I don't like to do a race, 70 laps alone, bbrrrrrr . . .' He makes a droning noise. 'But to race with another driver, to try to overtake each other, is another thing. It's fantastic, even if it's 80 laps. You can play, you know?' As he says this he puts his hands out, palms down and parallel, sliding back and forth like a couple of racing cars going neck and neck. 'So qualifying is the same thing. With the qualifying tyres the grip is good, and the special engines are so strong. It means that you can play with the car.'

Is he ever frightened? Some of his top rivals, after all, have said that without constant fear it is impossible to reach the highest level. 'No. Not at all. Well, only when I know that I'm going to go off the track and hit something. *Ça me fait peur, pour un instant – le dernier instant.'* (That frightens me, for an instant – the last instant.) So not when you're sitting it out wheel to wheel with someone, say at 150mph into the fearful Peralta curve at Mexico City, or Silverstone's Copse Corner? 'No! Then I'm happy! That's the difference!'

When he does leave the track, though, the consequences are bleak. 'For one minute afterwards I'm incapable of doing anything at all.' But later he'll go back to the family home in Avignon to hide and take comfort in long cross-country runs.

Alesi has a lot of charm, and it seems unforced. In his suede jerkin, polo shirt, jeans and loafers, he's more like one of the dozens of kids parading in the soft early evening through Imola's Piazza Caduti per la Libertà than a millionaire sporting idol. But you can tell that he really hasn't had an easy time of it lately from the ready way he speaks of getting friendly with Nelson Piquet through mutual need.

'He's a little bit like me. Last year, he was all the time alone in his hotel. He eats alone, he has no friends.' (Hardly surprising, given the widely publicised allegations the Brazilian had made about Senna's sexual preferences, and his remarks about Mansell's wife and other topics.) 'And me, I'm just with my brother. It's difficult for me to have friends because drivers like Ivan Capelli, for example, with four years in Formula One, expect to go to Williams or Ferrari now, and I came after just one year and I take this seat. All the drivers of my age are a little bit jealous. So I can't have a friend. And Piquet was alone, and he spoke a little bit with me, and I had a lot of respect for what he did, and now we're close. We spend a lot of time together.'

The rain lashes down on the starting grid. Mechanics are everywhere, hurriedly fitting heavily grooved wet-weather tyres in place of slicks. But when the 26 cars move off on the parade lap, the Ferrari team-leader, winner of seventeen more Grands Prix than anyone else in history, simply falls off the track, sliding across the grass and stalling his engine. To the dismay of all Italy, Prost unbuckles himself, gets out and begins a weary trudge back to the pits.

The race starts without him. Patrese takes the lead, followed closely by Senna. But on the third lap there is further disaster. Alesi, challenging hard, takes fifth place from Stefano Modena. But just a few seconds later, braking for a left-hander, he gets a wheel on the greasy kerb and slides gently off into a sand-trap.

Less than five minutes into the race, both Ferraris are gone. In the pits, Ferrari president Piero Fusaro puts his arm round the shoulders of his nervy, histrionic team manager, Cesare Fiorio, and leads him away. Fusaro looks like there's something on his mind; in a week's time he will announce the removal of Fiorio, replaced by a three-man committee with Piero Lardi Ferrari, Enzo's son, at its head.

On the bank at Rivazza, the *tifosi* begin to pack up. By the time Ayrton Senna has stroked his McLaren halfway towards his third consecutive victory of the season, all you can see is grass and litter.

Up Hill and Down Dale

Chris Hulme

January, 1996

The chairman of Rochdale Supporters Club is standing inside the giant refrigerator where he prepares the deceased for their final journey. A stainless-steel trolley, a surgical hose pipe and two bottles of bleach sparkle under the bright lights. The walls and ceiling are lined with white plastic, and a drain borders the brown, tiled floor. 'You get some awful cases in here,' says Frank Duffy, 53, grimacing. 'Some that's fallen and cracked their heads. Some whose backsides have fallen out with all the haemorrhaging. Awful. You have to wash it all off.' Duffy, a short, friendly man, is the first to admit that funeral directing is the kind of work that can get you down. If nothing else, the dead are a constant reminder of the Grim Reaper's wanton impartiality – striking us out regardless of the sense of loss we might inspire or, indeed, our own wishes to remain in business.

Duffy copes with the stress of the job by involving himself in the affairs of Rochdale Football Club, four miles down the road. 'The football has always been great for me. When my sons were growing up I could take them to Rochdale. They were able to play football on the terraces while I watched the match – there weren't that many spectators.' He took over running the supporters club five years ago. Over 400 members raise money for the team and travel to away fixtures together. By any reasonable measure, they are a dedicated bunch. Stories of fans who have their ashes scattered at the celebrated theatres of soccer, such as Anfield, are quite commonplace. It happens at small clubs too. 'There was a chappie who died last year,' says Duffy. 'He'd hung on for us to get promotion. He would not die. When he eventually passed away, the club agreed to have his ashes. They wouldn't let us scatter them on the pitch, so we dug a hole and put them under the penalty spot at the home end.' Duffy breaks into a smile. 'The vicar was brilliant. He was one of those who would stand in the pulpit and say: "You should be supporting Rochdale!"'

The Pennines provide commanding views of Rochdale. The hills that landscape much of northern England surround the town on three sides. Rochdale was once an important centre of textile manufacturing and, in 1844, gave birth to the co-operative movement. The history seems long gone, with the centre of town now slowly metamorphosing into a Stepfordesque shopping precinct.

There has been a professional football club here since 1907. The team attracts around 2,000 of the 100,000 people living in the immediate area, though its existence is otherwise scarcely acknowledged. No road signs point the way to the club's stadium, Spotland, and none of the shops sells replica Rochdale kits. Remaining in business in the basement of the Football League has never been easy – but it is especially difficult in this part of Lancashire. Within a radius of 30 minutes' driving, local people can currently reach five Premier League clubs – Manchester United, Manchester City, Blackburn Rovers, Leeds United and Bolton Wanderers. The gates of Liverpool and Everton are just one hour down the M62. To say nothing of Oldham Athletic in the First Division, Burnley in the Second Division, and Bury in the Third Division. Rochdale stands at ground zero in Britain's soccer metropolis.

The club's financial health has been under siege for some time. Changes in the economic structure of English football over the last few years have removed all but a small percentage of a once healthy subsidy. Rochdale fought back by broadening their financial base – launching a lottery and scratchcard business. This revenue, however, has been hit hard by the National Lottery. The fiscal goal posts have been rattled in other ways. In September, the European Court passed the Bosman judgement (due to be confirmed in January 1996) that makes it illegal for clubs to demand a transfer fee when players reach the end of their contracts. In effect, this presents a club like Rochdale with an unpalatable choice. They can put the entire first-team squad, plus all the youth players, on long-term contracts and so guarantee that they will always be in a position to receive a transfer fee – an impossibly expensive option. Or they can keep footballers on one-year contracts, the norm at smaller clubs, but risk losing them for zero compensation. That, too, is a costly option as the club will often have spent several years developing a player. At a stroke, the judgement has destabilised a traditionally valuable source of income, throwing into yet harsher relief the continuing viability of many small clubs.

There are other problems – but perhaps nothing to forewarn visiting reporters about Rochdale's chairman, David Kilpatrick. Approached for an interview in the directors' lounge at Spotland, the chairman looks at the tape recorder and promptly walks away. He is not upset about the opening match of the 1995/96 season, Rochdale's 3–3 draw with Cardiff City, which has just finished. No, Kilpatrick simply loathes the media, apparently because someone has been making patronising remarks about his club.

After a few moments, Kilpatrick paces back. He is 52 and tall enough to have to lower his head during most conversations, habitually running a hand through his grey hair to keep it off his spectacles. He has contempt for outsiders who criticise the administration of the club. If they are so clever, he says in so many words, they should put their money on the table and see if they can do better. He is open to offers. There is no money in the town. No one should expect them to be like Manchester United. Rochdale is a success on its own terms. The old main stand was horrible, decrepit (we are standing inside its £1.5 million replacement). Kilpatrick shakes his head as if to say, 'You don't know the half of it.'

A group of Asian gentlemen, known in football circles as the Kumar brothers, interrupt to say their goodbyes. (They acquired Cardiff City in July, having previously owned Birmingham City, a club they sold to David Sullivan after losing millions in the collapse of BCCI.) After they leave, Kilpatrick peers from a window at the car park below. 'They've all got Rollers,' he laughs. 'The directors here have only got XJ6s.'

Later, the chairman buys me a drink. Kilpatrick accumulated whatever fortune he possesses in the granite business. He refuses to say how much his involvement in Rochdale costs, but is clearly exposed to a few quid. In today's programme, team manager Mick Docherty writes: 'When you are a close-knit family like we are at Rochdale, everyone knows everyone else's business. The club has suffered financially over the last six months and during the summer it is no secret that David Kilpatrick and his fellow directors paid the wages of all Rochdale Football Club players and staff out of their own pockets. We need to double our gates. I ask that you not only attend next Tuesday's [match], but please bring a friend.'

Thursday, July 27. Rochdale are leading Manchester United 2–0 and are about twenty minutes away from a memorable victory – even if this is a pre-season 'friendly', played behind closed doors at United's training ground. After all, Rochdale have not beaten one of England's leading sides in living memory and only ever fleetingly stepped off the bottom rung of Football League. The team's manager, Mick Docherty, has seven players on the bench, all longing for a taste of the action. Late in the game they take to the field, but McClair, Irwin and Pallister give Alex Ferguson's team a 3–2 victory. Afterwards, Ferguson buys the Rochdale squad lunch, and everyone goes home happy, unaware of the tremendous fuss the work-out will cause. Cantona's appearance seems to have contravened the Football Association ban he is serving. The Frenchman reacts by asking for a transfer. Ferguson has to fly to Paris to persuade his touchy superstar to return.

At least the goodwill generated by the fixture has not worn off in Rochdale. Two weeks later, and with the new season kicking off the next day, Mick Docherty smiles at the recollection. 'Fergie is terrific, a very nice fella. We talked about the season, what players I've got, what I'm looking for. He couldn't have been more helpful. The lads absolutely loved it, too. They were watching the United players running by and going, "Him, fifteen grand a week. Him, twelve grand." Just having a laugh.'

The Rochdale manager has a windowless office in the main stand at Spotland. He shares it with his assistant coach – and with the home and away kits, which are stored on pine shelving along one of the white-painted block walls. Docherty is 5' 7" and in great shape for a 45-year-old. He has spent his entire working life in football, playing for Sunderland, Manchester City and Burnley. So much soccer, but he was still impressed by the visit to Manchester United. 'You look at their training facilities – this wonderful complex, with an indoor and outdoor pitch, a big gym, showers, meeting rooms and upstairs there's food in the canteen. It's another planet. After training, our lads go for a butty at the corner shop.'

Rochdale do not have any training facilities. 'We go where we can … schools, parks and council fields. The weather plays a big part. You come in some mornings and it's pissing down; you've got to look for a gym somewhere because all the pitches are waterlogged. Sometimes we can't get anywhere and just end up going for a little road run, or do circuit training under one of the stands.'

The club employs nineteen professional footballers. 'That's not many. If you get a couple of injuries, or a suspension, you're down to the bare bones,' says Docherty. 'We can take a player on loan. But you're only allowed five a season. You've got to use them sparingly because it's a long season and towards the end you might need someone.' Rochdale's top players earn around £20,000. Win-bonuses can add about £2,000 to this figure. Five of the first team were in a strong enough negotiating position when they joined to receive a cut of the transfer fee – adding another few thousand over the length of the contract. The players are not sufficiently famous to be supplied with complimentary boots, let alone paid for endorsing brands. Their perks do not even extend to larking around in hotels. The expense involved (between £800 and £1,000 each night) means that for all but a handful of fixtures, Rochdale trundle to away matches in a hired coach that has to be returned the same day.

Docherty is open and good-natured, apparently none the worse for growing up in the shadow of a famous father. Tommy Docherty managed Chelsea and Manchester United in the Sixties and Seventies. Within four weeks of leading the Old Trafford side to victory in the 1977 FA Cup Final, 'The Doc' was sacked over an affair with Mary Brown, the wife of the club's physiotherapist. Tommy Docherty achieved little with the numerous clubs that furnished the rest of his career and today works the after-dinner circuit. 'My dad was always the first to cross the line,' says the Rochdale manager, smiling. 'I'm a bit steadier. We do have the same values. I like a laugh and a joke, at the right time. My life has mirrored his to a certain extent – playing and then management. I have also been divorced in my forties. I drive over to see him and Mary when I can.'

Mick Docherty has not inherited his father's Glaswegian accent – he was born in Preston. He does, however, share a penchant for short, quick sentences. Docherty only slows down when discussing the recent collapse of his marriage. 'Twenty-four years,' he says. 'There was no one else involved ... simply pressure brought to bear on all fronts. My good lady couldn't handle it any more. I tended to put a lot of my energy into the game. It's sad for me. A sore point.'

Living alone in Burnley, Docherty spends most of his time working. 'I go to as many Premier League matches as possible. Maybe ten a season. I know a lot of the managers because I played with and against them. You can be in and out of a job in such a short space of time in this game. You need to put yourself about. I'm not under contract here. They could sack me tomorrow.' It has happened before. 'I've been hard done by, in my opinion, when I'd felt I'd been very loyal and very hard working.' Docherty pauses briefly, his eyes flaring. 'I left a good job and Burnley to coach at Hull City. I thought I was bettering myself. Going to a Second Division club, with better money, better security. I felt it was the right move for me and my family [Docherty has two grown-up daughters and a teenage son]. It proved not to be. The manager was sacked within six months. His replacement, Terry Dolan, brought in his own people. So I was out of a job.'

Having spent four years as assistant coach, Docherty took over managing

Rochdale last January. The most expensive footballers at his disposal both cost £25,000. A much-discussed deal on the day we meet is Andrei Kanchelskis' transfer from Manchester United to Everton for £5 million. Kanchelskis' wages are reported to be £13,000 a week. The entire wage bill for the 42 people employed by Rochdale amounts to only £11,000 a week. Not that any of the Rochdale players are complaining. Docherty has a pile of documents two-inches thick on his desk, detailing the footballers that clubs want to off-load.

The pile may become thicker in the wake of the Bosman judgement. 'It is still early days but if it comes into effect, a lot of clubs will go to the wall,' says Docherty. 'I don't think we'll feel the consequences of the decision until next summer. A lot of players will be out of contract and I think myself and all the managers in the Third Division will be vying for the same fifteen or twenty footballers. Some will already be on our books, some won't. It's going to be very hectic.'

Alan Reeves was the last Rochdale player to depart for the big time. Rochdale acquired him on a free-transfer from Chester City in 1991. Reeves was sold to Wimbledon three years later for £200,000, plus £1,000 for every appearance he makes up to 100 games. The money would be petty cash at most Premier League clubs, but it was a bonanza at Rochdale, representing around two seasons' worth of gate receipts.

The idea that money cannot buy success makes Docherty laugh. 'If you gave me two million quid, I could guarantee you two promotions. I would get you in the First Division with that much brass.' Most of the 72 professional clubs outside the Premier League are, he believes, capable of reaching the top flight. 'If you can get from the bottom division right to the top, you've pulled off a miracle,' reflects Docherty. 'It requires massive investment over about ten years. You need the right backing, the right players and a stadium you can fill. The clubs that have done it, like Carlisle and Swansea, have generally come straight back down again because of money. The players they had were good enough to get them to the top division, but not good enough to keep them there. If you want to stay in the Premier League, you have to pay the best possible wages for the best possible players.' Why bother reaching so high, when Rochdale have never won anything? 'Have you no ambition? I want to do well in this job. If we can create a successful side, it will generate more public interest, which will give the directors more money. They'll give some back to me for new players and off we go.'

Saturday, August 12. Cardiff City have arrived for the opening game of the season. Their fans have a reputation for wrecking stadiums (even their own) and one Welsh radio journalist confides that there might be trouble. 'They were relegated last season and probably think, "We're a big club, we shouldn't have to play in a dump like Rochdale."' An hour before kick-off, a coach packed with Welshmen appears, but empties peacefully into a pub.

To step through the Rochdale turnstiles is to find a clean and well-maintained sporting arena. The four stands face an immaculate green pitch and perimeter advertising along the lines of Jordan's Poultry and Frank Blakes & Son Ltd Engineering helps create the impression that this is all something taken from a model railway of the steam era. If the football is too much for you, the smart main stand, thirteen rows deep, offers views of the Pennines. A season ticket costs £155. The remaining spectator areas are single-storey terraces. The stand behind the 'away' goal is closed, awaiting funds for redevelopment.

People have been watching football here for nearly 90 years. As if to prove that there really is nothing new under the sun, Rochdale's official history, *The Survivors*, tells the 1938 story of how the club tried unsuccessfully to persuade Gracie Fields, the town's most famous daughter, to perform a concert to raise funds for a new stand. At the time, Fields was one of Hollywood's highest-paid actresses, having made her name in British music hall. Steve Warmsley, commercial manager of the current Rochdale administration, wants another local, Lisa Stansfield, to do a benefit at the town's Gracie Fields Theatre. Warmsley grumbles about one recent missed opportunity. 'Lisa Stansfield was sat outside a pub around the corner just the other day. I said to the landlady: "Why didn't you come and *tell* me?"'

Warmsley and Docherty are two of the three people who run the club on a daily basis. Keith Clegg, Rochdale's secretary, completes the simple anatomy. They operate independently and report to the board of directors, headed by David Kilpatrick. Match day is the busiest time of the week. Clegg, 55, a retired Barclays Bank manager, is responsible for financial administration, as well as liaising with the police, the Football League and other clubs. He also checks the toilets are clean. 'It's the kind of job that encompasses a tremendous amount of detail,' says Clegg, modestly.

Gate receipts do not even cover the wage bill at most clubs. In a mediocre Rochdale season, they amount to around £100,000. Handouts from the Football League bring another £150,000 into the business. The biggest source of revenue, however, is Warmsley's commercial department. In the last financial year its lotteries and scratchcards provided nearly 40 per cent

(£370,000) of the club's £1-million turnover. The department has been so badly affected by Camelot that the future of Rochdale – and its commercial manager – has been put in some jeopardy.

'The last eight months have been the hardest of my life,' says Warmsley, 41, loudly, and jabbing a finger as often as he blinks. 'In January and February I was really cracking up. The National Lottery has had me in tears. It's made me ill. We lost so much so quickly I thought the whole lot was going to collapse and myself, and my staff of six, were going to be out of a job. We've been out canvassing every night, we've worked and worked. We can't fight against the Lottery.'

Asking Rochdale employees about the future generally elicits silence. There is an understandable reluctance to contemplate the end of the road as a professional club. Everyone knows the club's finances are being stalked from all sides. All hopes are vested in the team finally coming good. Gordon Taylor, chief executive of the Professional Footballers Association, is, however, able to contemplate the worst. He identifies the way money from television is shared throughout the game and the changes to the transfer system as the key issues facing the oldest football league in the world.

'It is sad but somewhat inevitable that the majority of teams in the Third Division will be fortunate if they are still functioning on a professional basis at the end of the decade,' says Taylor. 'That may change if there is some shift in the distribution of income from television rights. But I'm not holding my breath.'

The FA Premier League currently generates £78 million each year from television rights and sponsorship. Only £3 million is passed down to Football League clubs. The Football Association and the Football League are due to re-negotiate this agreement in 1997, but no one is expecting an outbreak of philanthropy. In the meantime, the Football League has been attempting to improve on the £10 million a year it receives from ITV (with two offers on the table that promise to at least double the money). However, the question of how this revenue is shared out remains key. During negotiations, the First Division clubs are reported to have demanded as much as 90 per cent of the income, leaving Second and Third Division teams little better off in relative terms.

Exeter, Hartlepool and Northampton have tottered on the brink of extinction in recent months, while only the eleventh-hour appearance of sugar daddies saved Gillingham and Leyton Orient from joining Aldershot, Maidstone and Newport County in the great football league in the sky. Should this trickle become a flow, history will probably shake its head at the greed of England's leading clubs. The Football League was founded in 1888 on the principle that clubs operate on a mutually supportive basis, sharing a percentage of gate receipts and, later, sponsorship and television revenue. In 1992, the top clubs abandoned this idea with the formation of the Premier League. Their poor cousins in the lower divisions have been left to the law of the jungle.

Taylor believes it is in the interest of everyone in British football to try to lessen the impact of the Bosman judgement. He wants to negotiate with the European Commission next year. 'I hope change will be based on evolution and refinement. I'm quite convinced that complete freedom of contract will lead to a contraction in the numbers of clubs in existence, and therefore to a loss of my members' jobs. The smaller, weaker clubs must be protected.'

So who else cares? The disappointing reality is that our national game has few champions beyond the players' union, some loyal fans, and the people in the lower divisions who stand to lose their jobs. Amid the orgiastic public relations that characterise Sky's coverage of the Premier League, and the rampant consumerism of most of the leading clubs, it is at least worth remembering that more money to the top clubs does not necessarily equal better footballers. 'The Premier League has been great for the clubs that are in it,' says Taylor. 'But without the full-time status of the clubs in the lower divisions, the players coming through into the English game will not be of the same standard. How could they be? It's like asking Nick Faldo to be a great golfer when he's training two nights a week, instead of every day. Over 60 per cent of the players at the top clubs come from the lower divisions and often return there to finish their careers or to get their first jobs in management. It is an absolutely vital breeding ground. We can't take that for granted. We also can't say that the Premier League has raised the standard of football. English clubs are still failing in the benchmark competition, the European Champions League. The English game used to be admired for the standard of competition, the spice and variety. It's our heritage. That's not the case in Italy, Spain, Germany and Holland, where only one or two clubs dominate. I fear we may be going down the same road.'

The Rochdale players are pacing around the dressing room, waiting for the big kick-off. Take That's 'I Want You Back' blares from a ghettoblaster. The music feels good. Everybody wants the positive vibe. Jason Hardy, 25, is one of the few players not dressed for action. He is slim and tanned – a picture of good health. Hardy exists on the fringes of the football world.

'I'm on trial, me. I was at Halifax last year, and know Mick from years ago at Burnley. I rang and asked if there was any chance of a trial. Mick said: "We'll see how things develop." ' Halifax fell through the trap door at the bottom of the Third Division two seasons ago, relegated to the semi-professional GM Vauxhall Conference. 'It was a nightmare,' says Hardy. 'You didn't know when your pay cheque was going to arrive. They got a part-time manager. It was like a youth club.' Hardy lives in Manchester and has been a footballer since leaving school. 'I've got no qualifications. If it doesn't work out here, I'll be goosed. I don't know what I'll do.'

John Deary, one of Rochdale's leading players, is also still in his clothes. 'I'm suspended. It's held over from last season. Use of the elbow, they said.' Deary is 32 and looks disappointed to be missing the game. 'This is a very enjoyable way of making a living. I love being out there, playing. I just try to make the most of it. I commute in from Southport every day. There's five of us in one car. It's a great laugh.'

Deary has never played top-level football, but knows Paul Stewart and David Bardsley. 'We were at Blackpool together. They've done very well, both playing for England. Obviously I'd like to have done that, but it's not something that keeps me awake at night. You just get on with it. I've probably got a couple more years playing, then I'll pack up. I've had a double-glazing business for the past four years, which is going well. Most of the older players have got something else. Graham Shaw, one of the forwards, wants to be a lawyer. Steve Whitehall, who also plays up front, is training to be a physio. Dave Thompson is doing a history degree.'

Someone turns off the music. Mick Docherty braces himself for the first team talk of the season. 'It's important to get three points,' he says, standing hands on hips in the centre of the room. 'They're a side that's come down, spent a few quid, people expect them to do well. It means fuck all. How you approach this game individually and collectively counts for everything. You work hard for one another. You fill in for one another. You have a go at one another. You take criticism in the right spirit. Now get out and do yourselves credit.' The players make their way from the dressing room, buzzing with adrenalin. Someone shouts: 'Come on then, we're a good side!' Another voice says, 'Come on lads, we are Rochdale.'

The Best of Barnes

Simon Barnes – GQ Sports Columnist

Simply the worst

November 1994

There came a moment when I had a revelation about Chris Eubank. He is, in fact, Madonna. Perhaps I had better elaborate. Eubank is a boxer and a world champion, though how any boxer manages to avoid becoming a world champion these days is a mystery. Eubank is, in fact, WOCB (or is it the BWW? or maybe the OWB?) light-cruiserweight world champion, or maybe super-upper-middle-bantamweight – well, whatever it is, it is one of the most meaningless baubles in boxing, and the details need not detain us. He refuses fights with anyone who might beat him, and outrages every boxing purist who will listen to him by saying that there is no point in fighting people who might beat you, that boxing stinks, and that he is only in it for the money.

Boxers are traditional losers: manipulated, exploited, and milked of every penny they earn by fighting until their brains turn to mush and they are cast aside to become shambling drunks and appallingly bad gamblers. Boxers are victims. So, for that matter, are rock chicks: exploited by a brutal male world and chucked out when their looks go. But Madonna and Eubank both claim the same achievement: they are victims-turned-victors. They have seized control over their own sleazy, remunerative world. They control their male consumers. Eubank has exploited boxing. What is the next challenge, Chris? 'For me the challenge ith alwayth finanthial,' he answers, in his phony-posh, Inspector Morse voice, garnished with an incongruous lisp. Who do you want to fight next, Chris? 'Anyone I can beat.'

Madonna claims to be the sex goddess who exploited the masters, who seized control of her own destiny, who used the power of her sexuality as an offensive weapon to win her own battles and to make a fortune for herself, not for handlers and middlemen.

Another similarity between Eubank and Madonna: the spectacular modesty of their talents. Madonna became a colossal singing star and a global sex symbol, despite the handicap of being a poor singer lacking any unusual degree of physical attractiveness. Eubank has held on to his bauble and made a fortune – his latest agreement with Sky TV is for eight fights within a year, earning £10 million – without being much of a boxer. 'No one understandsth my limitth like I do,' he has said. Boxing writers find acute pain in all this, but he says they're talking at cross-purposes. 'I'm not looking for glory. I'm not looking for titleth. I'm not looking for the hall of fame. I'm looking for money.'

Further similarity with Madonna: the extreme tackiness of their acts. This demonstrates hatred of their audiences mixed with profound self-love. Both fell in love with themselves at an early age. Eubank turns up to important events in riding boots and a monocle; Madonna also thinks highly of elaborately costumed public appearances. Both rely on appearance rather than substance.

And the odd thing about both is that the more clothes they take off, the tackier their acts become. Madonna's poses have achieved the remarkable feat of making sex unattractive. The lady's private parts are the most public things about her. Eubank's poses in the ring have the same quality of self-parody. His exhibition of body builder's muscles doesn't inspire you with his confidence and strength any more than Madonna's crotch shots make you dream of her beauty and desirability. But they aren't trying to sell these things. They are selling the victory of the poseur, the victory of someone who has conned the world.

Thus Eubank inflates his chest at the end of each round and then takes a few silly, mincing steps back to his corner – his version of the Madonna crotch grab. But he moves beyond her range in the matter of intellect: he's a genius; a cracker-barrel philosopher making speeches about ethics and the meaning of life, full of malapropisms and self-serving nonsense. 'I'm trying to get into Cambridge Univerthity to thtudy pthychology,' he once announced.

Fleet Street Glendas despise him and the boxing establishment loathes him. So he can't be all bad. He is an intelligent man. Somebody once described the cricketer Phil Edmonds as 'a senator who thinks he's an Emperor'; Eubank to a tee.

His finest aphorism was to announce that he would willingly fight a corpse if he was paid enough money. This is a chilling remark when we remember that Michael Watson came close to death after fighting Eubank. But then boxing is human cock-fighting, nothing less. Eubank, as cocksure a man as you could wish to meet, believes it is time that the cocks had their say.

To surf them all my days

September, 1996

I was sitting on a beach in Cornwall, and beside me was a chap wearing glasses. His name was Chris Hines. He was gazing out at the sea. 'The wave has come to you across 1,000 miles of ocean,' he said softly. 'No one will ever ride it except you. Surf it, and it's gone. You have a relationship with a wave, a complete involvement with it, and then it's broken. You know those insects that mate once and die? It's like that.'

'Oh-ah,' I said, giving the sea a bit of a look myself. Was this man beside me very, very sane? Or was he in fact completely barking? 'Only a surfer knows how it feels,' another surfer told me, adding helpfully, 'I read that on a T-shirt.'

Surfing is a mystical matter, an out-of-body experience. It is also a lifestyle, whatever that is, much adopted by male bimbos in those plastic glasses that wrap all the way round your head. But it is also a sport, played out for marks and mere victory, and the August Bank Holiday brings us the British national surfing championships at – where else? – Fistral beach, Newquay, Cornwall. It is part of an event called the Ocean Festival, a gathering of the clans, a chance to buy a new wetsuit, an opportunity for looking cool and eyeing the surf-babes and, perhaps best of all, there will be Dick Dale 'twanging his surf guitar'. But perhaps that's a euphemism.

The entire event is masterminded by a group called, with admirable directness of purpose, Surfers Against Sewage. Its members are surfers, you see, and they are all against sewage. 'And if you've ever been hit in the face by a panty-liner, you'll understand how we feel,' said Nick Green, their events organiser. Quite.

He explained that surfers have a particular reason to dislike raw sewage and infected waters. 'It's not just that you swallow water,' he said. 'It gets fired into your system at some velocity.' There is a raw sewage outlet at St Agnes, near the surfing Mecca of Fistral, and SAS – it likes to be known by these pungent initials – has records of water-users who have contracted hepatitis, gastro-enteritis, all kinds of ear, nose and throat problems and viral meningitis from swimming about among the turds.

The environmental concern is an aspect of the surfing 'lifestyle', and SAS has 24,000 members. British surfers range from professional competitors, through permanent beach bums, down to weekenders from places like Crawley. Surfing is the fastest growing sport in Britain, I was told – but then, ain't they all? Britain has higher-ranked surfers than it does tennis players. Spencer Hargreaves, for example, is the Jeremy Bates of the world of radical manoeuvres. Or Martin Potter, nominally an Australian, but more British than Greg Rusedski, anyway. And the Brits may not be the best, but they are the bravest. British surfers never complain about the cold. They can't afford to. They only complain when the ice that forms about the cuffs of their wetsuits starts to cut into their wrists. And when you get the best seas off Cornwall in January and February, what can you do but freeze and surf?

Surfing is not really about competition. Surfing is about surfing: the idea of competition has been spatchcocked onto the pure pursuit of riding the wave. You get marks for style, and for the radical nature of your man-oeuvring on the wave-tip. It is just a little bit like – for God's sake don't tell them I said so – synchronised swimming.

'There is a lot of anti-competition feeling,' Hines told me. Hines would sooner get up in drag than surf in a competition. 'People feel the idea of competition detracts from the whole reason you are out in the surf anyway.' To such as Hines, a surfing competition is something like a praying-contest, or a love-making race. But then all minority movements have all kinds of sects, scions and dogmas – you should hear bird-watchers talking about the twitching tendency. And anyway, they will all be there for the Ocean Festival, some to win, some to pose, some to gather in patronising groups, and all of them to look cool. If you want to make the scene, be seen with a Billabong label on your clothes, or perhaps a Quicksilver. Gorgeous, dumb blondes are highly acceptable, and they come in both sexes. Never take your shades off, best thing is to sleep in them. And if you can actually look good while surfing – a *very* difficult thing to do – then you will have the time of your life.

Oscar Wilde said that a cigarette was the perfect form of pleasure: it is exquisite and it leaves you unsatisfied. Oscar was not much of a surfer, but he caught the nature of surfing. Each wave is exquisite; but it never satisfies. It always leaves you wanting just one more. It is an endless pursuit of impossible perfection. Like all sports.

Wimbledon commoners

August, 1994

A t the start of the Grand National, 40 horses line up across the track. Every one of the jockeys, no matter how little fancied his horse, is thinking about victory; every jockey, no matter how lavishly backed his beast, is also thinking about disaster. The race is a handicap, which means that the better the horse, the more weight it has to carry. The aim is parity of competition: in perfect theory, all 40 horses will reach the finish in a single line.

As the football season starts once again, 22 football clubs line up along the start. How many of them believe they have a chance of winning the championship? Two or three. Perhaps half a dozen. A further half-dozen are in contention for the rather wet booby prize of 'a place in Europe', reward for a finish near the top of the league. You hope one of the big clubs at the top wins the Coca-Cola Cup, opening a further place 'in Europe'. It is a feeble business: even leading clubs must be resigned to failure right from the start.

But as for the rest, they are playing in a totally different competition. They play against Manchester United, but they share nothing of United's hopes and dreams. They are playing for different prizes, with different ambitions and different fears. These clubs compete not to win, but to avoid relegation. The only ambition available to them is wholly negative.

Sport is élitist by its nature, but in the Premiership élitism has run riot. And the élitism has been to the detriment of sport and spectacle. For like the Grand National, the Premiership is a handicap, but the handicapper has done the job upside down. The stronger your chances, the more help the handicapper gives you; the weaker, the more difficulties he heaps on your back. Football's legislators have set out to destroy parity of competition; they have succeeded. And football is, for that reason, a lesser game than it should be.

Naturally, I am talking about money. In the mid-Eighties, football changed for ever. Before that, when two football clubs played a league match, they shared the money. That made a trip to United or Liverpool a significant point of the financial season. Now it means nothing. Legislation was introduced to allow the home clubs to keep all the gate receipts.

It sounds innocuous enough, perhaps even fair. But its results have been disaster. The rich get richer, the poor get poorer. The top clubs now all have second teams that are infinitely stronger and more valuable than the first teams of the weaker clubs. In such circumstances, what can the weaker clubs aim for, save survival? One recognised survival ploy is the finding of footballing talent. You encourage, you nurture – and you choose precisely the right moment to sell. The player then goes off to play in United's second team, or maybe as Liverpool's sub.

But one of the truths of football is that any team can beat any other team over 90 minutes. The problem is that turning the odds upside down is seldom possible over a sustained period – unless, of course, you are Wimbledon. Ah! Wimbledon, defiant of the system, heedless of football's law of averages, and of many other of football's laws besides. Football purists curl their lips at Wimbledon. But Wimbledon are in fact the last bastion of the old order: a throwback to the days when teams with consistently poor attendances, or from obscure corners of cities dominated by bigger clubs, could cut it with the mighty week in week out. Wimbledon are without doubt the greatest team in the Premiership. Season after season, they defy the handicapper.

And they get vilified for doing so. 'Wimbledon attract a crowd of 6,000?' asked Howard Kendall, the former manager of Everton. 'I can't for the life of me see how they get that many each week. The fans would be better off shopping.'

'Personally, I take special pride in our low gates,' said Sam Hammam, the eccentric Wimbledon chairman. 'And the fact that we continue to fight against the odds. This we will continue to do as long as we are supported by one person.'

In football, underdogs occasionally win Cup ties. Wimbledon play 42 Cup ties a season, and that's just in the league – overturning the odds is a routine. They do it through defiance, team spirit and cherishing their oddity.

Wimbledon call themselves the 'Crazy Gang' and love to live up to their nickname. Their manager, Joe Kinnear, was asked to comment on another manager's rules on players' dress. 'They can wear jeans and earrings for all I care,' he said. 'But I draw the line at stockings and suspenders. Until after the match.'

That is the spirit of Wimbledon. Their chief delight is cocking a snook. Every time they win three points, it is two fingers to the football establishment, and they love it. They defy logic: they are, despite their flamboyant poverty, fearsomely competitive.

Odd to think that in the US, sports administrators bend over backwards to ensure parity of competition. Every obstacle is placed in the way of successful teams. Whereas the Liverpool of the Eighties acquired a magnificent hegemony over all of English football, in American sport a team that manages sustained success must demonstrate qualities beyond mere excellence. In American football, the worst team of the season gets first pick at the college draft; the Super Bowl winners get the last choice. But in English football, the first shall be first and the last last. Wimbledon may be a glorious exception, but alas that is the rule. It is a system based entirely on self-interest, and the ironical thing is that it actually works against the interests of football. The league season provides fewer and fewer significant encounters, fewer and fewer surprises. It is a system that saps the strength of the top clubs: fewer and fewer matches test them to the limit. Fewer and fewer England-based players are capable of dominating international football. Remember when they called this the world's greatest league.

Cape crusaders

June, 1994

The more the years pass, the odder it all seems. One of the most serious, intractable and deadly conundrums in global politics, one of the nastiest messes of greed and intolerance that the world has come up with in recent years, has somehow got all tied up with sport.

And not just any sport. The hatred and vengeance and forlorn hopes of South African politics are, it seems, inextricably entangled with tea and walnut cake and 'oh well played sir'. While the run-stealers flicker to and fro and God's in his heaven, all's right with the world.

Perhaps it is. On June 22, a team of South African cricketers will take to the field with, of all things, the Earl of Caernarvon's XI, and go on to play three Test matches against England. They do so with the blessing of a cricket enthusiast named Nelson Mandela, who in 1950 cheered every stroke of Neil Harvey's great innings of 151 in Durban – an innings played by an Australian *against* South Africa. It was an immemorial South African tradition, after all: the non-white section of the ground always cheered for the opposition, as well they might.

Of all the extraordinary things about South Africa, the most extraordinary thing of all is that the situation there is not worse. The endless predictions of anarchy and civil war have still, somehow, failed to come to pass. Dare one ever, even for an instant, talk about forgiveness?

One dare not. That is far too enormous a thought. But in the infinitely trivial field of sport, you can look for forgiveness, and you do not look in vain. What is more, if ever a sport needed forgiving, it was cricket. The succession of rebel tours was used by the white government as an unabashed propaganda weapon. The idea of boycott-defying cricket tours showed the world that South Africa was happy, contented, or at least stable: that apartheid worked. Lavish sponsors of tours gained lavish tax relief from a grateful government.

The last rebel tour was led by Mike Gatting, and it brought riots everywhere it went. 'As far as I was concerned, there was a few people singing and dancing and that was it,' Gatting famously remarked. Ali Bacher, the tour organiser, shocked by his country's response to the tour, said wearily: 'He has said nothing more stupid than a lot of white South Africans do every day.'

The extent of the opposition stunned cricket people in South Africa. The tour was abandoned. It seemed that South African cricket, like South Africa itself, had painted itself into a corner. The only way out was going to be messy. It looked a lot like the end. In a way it was, but only in a way. As Gatting's boys returned home, so did Nelson Mandela. As Gatting's tour was cast into the stinking cesspit of history, so were 317 racial laws.

And cricket emerged smelling of roses. Despite the dangerous and provocative debacle of the Gatting Tour, cricket has prospered. The cornerstone has been the trust established between Bacher, former promoter for rebel tours and now managing director of the United Cricket Board of South Africa, and Steve Tshwete, chief spokesman on sport for the African National Congress.

During the long years of isolation, England's right-wing cricket fans – which is not quite a tautology, even if it sometimes seems that way – clamoured for the return of South Africa to international cricket in the name of a colonial and imperial past: in the name of apartheid. And now a South African team is preparing to tour England in the name of a multi-racial future. A sport of oppression has become a sport for liberation in what must be the most extraordinary U-turn in sporting history. Nothing less.

Cricket has never even been South Africa's national game. It was the game of English-speaking whites and, therefore, naturally, despised by the Afrikaners. As for the Africans, they had little to do with it. They played, and play, football. It is football, not cricket and not rugby, that was and is the true national game of South Africa.

But changes in cricket have gone beyond pious speeches and window-dressing. The cricket-in-the-townships project began as a photo opportunity; it continues, not just as a development strategy, but as the bedrock of policy in the United Cricket Board. Grassroots cricket, not rebel tours, has become the priority: 'Suddenly, almost without realising the transition, Bacher and his colleagues were thinking as real South Africans for the first time in their lives,' says Donald Woods, the renowned South African émigré.

A cricket team that truly reflects South Africa's racial diversity would need to be three-quarters black. That time lies a long way ahead. But there are now genuine prospects leaping up in junior cricket, even if they are unlikely to be clobbering the English about the park this summer. But when South African cricket people are conjuring with names like Mase-mola, Mahuwa and Mabena, you know that more has changed in South Africa than cricket.

Bad kids on the block

December, 1995

Drugs. Just when you thought it was safe to get back into the water. Yes, drugs are back, as the world short course swimming championships stretch before us in Brazil. It is a row that will not go away. What's more, it seems that no one wants it to.

Louder and louder the cry goes up: some of China's swimmers are being aided by a state programme of performance-enhancing drugs. From childhood onwards they are stoned out of their little gourds on state-sponsored steroids. Can this be written off as xenophobia?

'You ask me questions about doping because of misunderstanding and jealousy,' says the Chinese assistant-head swimming coach Zhou Ming. 'The sports world has always been the domain of Western people. They just can't tolerate Asian people being good at sport.'

All good stuff. But then seven Chinese swimmers tested positive at the Asian Games last year, which rather knocked the Zhou theory out of the window. The row has grown ever since.

This year yet another anti-Chinese barrage was let loose. It came from the coaches, and was voiced at the Swim Symposium in San Francisco. Phil Whitten, anti-drug campaigner and editor of the leading American magazine *Swimming World*, summed up the feeling: 'After two years of denying there had been cases of doping in China, the Chinese now admit to the fact, but insist these are the actions of individuals. What we're asked to believe is that some naive, mostly rural teenagers from all over a vast nation decided to go into the local village to obtain illegal substances, pay for them and learn how to administer them, all at the same time. It's just not possible.'

Curiouser and curiouser: this year a delegation from the international swimming body FINA went to China, by invitation, to inspect a Chinese dope-testing station. One report reads: 'Practically every testing station was occupied, but they were working with no samples in view. Computers were all on, but no data appeared to be tested. The printers were not printing, the entire staff filed out of the building as soon as we left.' Perhaps they were taking the piss.

The Chinese swimming authority has issued an open invitation to Western journos to come and see for themselves. Whitten took this up. An almost unending correspondence was set in motion. Itineraries and dates changed and changed again. Last word from China to Whitten: 'I'm very sorry to notify you that your planned visit, which has been repeatedly postponed, will have to be cancelled altogether.' Two reasons were given: the busyness of the Chinese domestic season, and the impossibility of meeting all of Whitten's requests.

'I guess it's OK if you agree to be shepherded around, like the IOC [International Olympic Committee] and FINA,' says Whitten. 'That way you relay the message that people want to hear. China never intended to let Western journalists take an honest look at her so-called training methods.' Familiar territory, so far: Western xenophobia meets Eastern xenophobia. But the row gains dramatic intensity with the extraordinary suggestion that there are those who actually *want* a dodgy non-Western superpower at the Olympics.

The 1996 Olympic Games are almost upon us, and vast sums have been paid for the American television rights. The ball continues to roll: NBC have now agreed to pay $1.25 billion for the Olympics of 2000 and the winter Olympics of 2002. And TV is dying to have the Chinese at the Games. Not in the interests of global brotherhood but to play the xeno-phobia card. 'This is not speculation,' Whitten insists. 'With the demise of the Cold War, in the United States at least, we need a bad guy. We need somebody whom our good girls can go up against – the fight of good against evil and so forth. The Chinese female swimmers fit the bill just wonderfully. It would be great for ratings.' So we not only need Chinese swimmers – we also need dodgy Chinese swimmers. We need the cloud of suspicions, the suggestions of the state-sponsored doping programme.

And as always, of course, there is also the question of Juan Antonio

Samaranch, IOC president. Samaranch is strongly pro-Chinese. One of the more remarkable achievements in the power-broking world of international sport was to bring China back into the Olympics without losing Taiwan. That showed nifty footwork.

He also very nearly got Beijing voted in as hosts for the 2000 Olympics. The people of the IOC have pretty strong stomachs, but only 43 of them were able to go along with that one. For the other 46, the memory of Tiananmen Square rather stuck in the craw. Sydney got it instead.

Some believe that for his Chinese exertions alone, Samaranch should get the Nobel Peace Prize. All of which goes to make the Chinese issue still more intractable: the most problematic subject in the permanently problem-plagued Olympic Games. Dope and politics. Politics and dope.

Heigh-ho. Remember when sport was only bothered with things like who could swim the fastest? No, neither can I.

Gentlemen
and
Players

Hill Start

Jessamy Calkin

October, 1993

Silverstone, July 1993. There is a question mark over Damon Hill's sideburns. They seem to have been severely modified after looking mean and promising the previous week in France. There is a theory being advanced by drier members of the motor racing chattering classes that Hill won't win a race until he sports a full set of sideburns. Russell Bulgin, a keen observer of Grand Prix racing haircuts and a brave advocate of the theory that Alain Prost has a perm, is troubled at the no-show of the 'burns. 'If a man doesn't have confidence in his own sideburns, has he enough confidence to win a Grand Prix?' asks Bulgin. 'When he's properly bristling, I guarantee he'll win.'

As it transpired, it was not lack of confidence that finished Damon Hill's Grand Prix at Silverstone, a race which he was widely tipped to win after the excellent form he had shown in France. After leading all the way, his race finished on lap 42 with a puff of smoke from a blown engine, and the heart of the whole country went out to him as he got out of the car and walked sadly away.

It is no secret that attendances were down considerably at Silverstone this year, but feelings still ran high. There was not the patriotic hysteria of last year, when 180,000 fans came to witness the annihilation of the opposition by Nigel Mansell; people who, it seemed, had come to celebrate a British victory rather than watch a good race. The recent controversy that has surrounded Formula One has detracted from the sport and left doubts in the minds of the viewing public, already depressed by talk of team orders and confused by technical debate. Nevertheless, excitement was palpable because there was a new British hero in the making.

So there was a healthy sprinkling of baseball caps, T-shirts and Union Jacks bearing the rather formal moniker of 'D Hill', which read more like a new boy's school nametag than the affectionately aggressive home-made 'Our Nige!' and 'Senna, Fuck Off' banners of last year.

Hill, sitting in his Williams car on the front row of the grid, was oblivious to the expectations pressing down on him from all sides. They were nothing compared to his own expectations; this was the most important race of his life. Silverstone is his Wembley, his FA Cup, his Grand Slam. His father competed in the British Grand Prix seventeen times and never won. Nonetheless, to the British public, Damon was under pressure to take up Mansell's mantle, to fulfil the promise of his glamorous heritage and to justify his position in the most competitive team in Formula One.

He made a lightning start, pulling away from Alain Prost – who was being held back by Ayrton Senna – to build up a lead of some eight seconds. When the safety car came out on lap 38 and levelled out the field, Hill was throwing himself into the race of his life against his team-mate, and this was the only real contest. On lap 41 Hill set a new lap record, and then, unbelievably, smoke started to pour out of his engine, and that was that. Not two weeks before he had done three days' testing at Silverstone, covering three Grand Prix distances, and before that twenty days of testing, and in all that time there was no sign of an engine failure.

But in everyone's minds Hill had silenced the critics, justified his selection by Frank Williams, and acquitted himself superbly. 'He drove wonderfully well at Silverstone,' says Jackie Stewart. 'The race was his and he handled the pressure of leading the field in his home Grand Prix beautifully. I think he would have won.'

There had been a big build-up to the British Grand Prix, both in the media and on the track, not least in the previous day's qualifying. Prost had pole, then Hill, then Prost, then Hill. 'Congratulations, Damon,' said an extremely over-excited Murray Walker in a live TV link-up with the cockpit of Hill's car. 'You're on pole position for the British Grand Prix.' Hill's delighted response was interrupted by a crackle of static. In his usual fashion, Walker had spoken too soon, and had the unenviable task of breaking the bad news to Hill and millions of viewers: Prost had just turned in a faster lap. 'I was live on the BBC,' Hill said later. 'It was the opportunity of a lifetime. I should have said, "Murray – you're a cunt."'

Georgie Hill, Damon's sexy, pragmatic, 30-year-old wife, was watching the race from the pits, listening with a headset linked to Hill's car. 'I heard Damon swear, and I thought, "I don't believe it." I saw this tiny puff of white smoke then it just . . . I couldn't believe it. We'd got through all the hoo-ha that led up to it and everything was hunky-dory. Then a puff of smoke and it's all over.'

While Hill walked laconically into the British Racing Drivers' Club for a pint of beer, Georgie burst into tears in the subdued Williams pit. Suddenly, the garage was filled with camera crews and photographers. When Hill got back it was pandemonium, everyone shoving and fighting each other to get pictures. 'Darlin', darlin' – look over here.' 'My name is not darling,' snarled Georgie, but by then they had pushed her out of the way to get to Hill, and the regular motor-racing press were getting pissed off with the tabloid press, and all hell broke loose.

Hill was bemused by this menagerie. 'That side of it is just as fascinating to me as getting a drive in the top team. I've never seen people behave like that. It shocks me every time. I can't see what all the fuss is about.'

At the moment when Damon Hill was born in Hampstead, in 1960, his father was racing at Snetterton. Two years later, Graham Hill won the world championship for the first time. Damon's early exposure to motor racing did not excite his interest. 'From the moment I was born I was going to motor races and I was chaperoned around the place and told to sit there, don't move, don't touch that, and everyone came up and patted me on the head. Very tedious.'

At the time, Hill didn't appreciate his father's achievements because he wasn't aware of them. 'I just believed he was a better person than most people because a lot of people seemed to be saying that. Growing up as the son of Graham Hill, I could go round and just be normal; but when my father was around, people would behave differently towards each other, and towards me, and after a while I tended to be sceptical of people.'

His father wasn't home much, and motor racing, Hill found, interfered with time that could have been spent with his parents. 'Everyone was telling me how wonderful my dad was, and I was thinking, "Is he? I don't know. I don't see much of him." I don't think we as a society fully appreciate to what degree our lives are shaped by our relationship with our parents in our early years. Before my father died I wanted to have much more of him than I actually got. Whatever it is you're missing in the early days, you end up striving for the rest of your life.'

As a father himself, Hill is extremely sensitive to this. He has noticed that one of his own sons, Joshua, who is only two-and-a-half, starts over-reacting in certain ways if Hill is away a lot. 'I have to be available to him as much as possible in order for him to get the confidence to go out in the world and feel that I'm there for him. If I had spent more time with my father I would have been much more confident in myself, socially.'

It does not seem to have affected his confidence in his ability, or his motivation. 'Well, I wonder how much of my drive comes from some sort of insecurity. Everyone competes for different reasons. Prost is very short. Maybe that's his cross to bear . . .'

And Senna?

'God knows. Senna is South American.'

Graham Hill was part of our national heritage. Apart from his remarkable achievements in motor racing (he was the only man to have won the Formula One world championship, Indianapolis and Le Mans), he was articulate and charming, the perfect ambassador for the sport, and widely loved by the British public. When he retired, he started his own Embassy Hill team. But in November 1975, Graham Hill was killed, along with other members of the team, in a plane that he was flying. It affected Damon deeply, for a very long time. It transpired, too, that the plane was not properly insured, and after a series of lawsuits on behalf of the families of the bereaved, the Hill family found themselves with no money.

Inevitably, his father's death substantially altered Hill's view of the world. 'Things just happen – I don't think there's any rhyme or reason to it. There was no reason for what happened to my dad – after years of being perilously close to death, he'd given all that up and was looking forward to the rest of his life. And then he has a plane crash. What's the logic in it all? There is no logic, it's just fate, and at any minute something could happen that will completely change your life.'

When Hill was young he wanted everything his own way, and he wanted to do everything himself. Not wishing to emulate his father's career, he chose motorcycle racing as his particular avenue of excitement. On his 350cc Yamaha he was, as any Brands Hatch marshal who was around at the time will tell you, magic, scoring more than 40 wins and becoming Champion of Brands.

Bored of bikes, Hill was sent by his mother to racing car school in France and he made an inauspicious debut at Brands Hatch in FF2000, qualifying at the back and coming off at the first corner. 'My first race,' says Hill, 'was the prime example of how not to start motor racing. The best way is quietly to pick the easiest race you can possibly find and just enjoy it. Instead, I started in a very competitive championship, in a car that wasn't very competitive, with a lot of attention.'

He did fairly well in Formula Ford 1600, where his main rivals are still his contemporaries today – Mark Blundell and Johnny Herbert. In 1986, he graduated to Formula Three, competing in the Lucas Formula Three championship for three seasons, firstly with Murray Taylor Racing and then with the Cellnet Ricoh team, with former Lotus driver Martin

Donnelly as his team-mate. Jim Wright, who was consultant to Cellnet for their motor sport programmes, remembers Hill as a very intense, if erratic, driver. 'In those days Damon was quite sporadic and inconsistent in his performances. Some days he was unbeatable, other days he clearly had other things on his mind. You could tell as soon as he arrived if it was going to be a good day or bad – you'd get a cheery hello or a grunt. To be honest, back then he had more poor days than good ones.'

1988 ended badly. Although he'd come third in the Lucas Formula Three Championship, and second in the Macau Formula Three Grand Prix, Hill found himself without a drive for the following year. He had been led to expect the Jordan drive in F3000, but Martin Donnelly had got it. Meanwhile, he had just got married and bought a house, and Georgie was pregnant and had given up her job. 'I didn't know what the hell I was going to do. I began 1989 with a mortgage, no money, no job, and interest rates were going through the roof. Then Oliver was born with Down's Syndrome.' Georgie has spoken of the 'unchallengeable love' with which he greeted Oliver's arrival. 'My reaction,' says Hill, 'was that Oliver was the most important thing and everything else was irrelevant; so that helped as much as it might have made things difficult.'

It changed his perspective, but it didn't stop him racing, even with no regular drive. He ended up having one of the best years he'd ever had. 'I drove whatever I could get my hands on, whenever I could, as hard as I could, because I knew that any opportunity was precious. I think I learned at that time that you've got to drive to enjoy it, and that's the way you get the best out of yourself. If you're not enjoying it, you shouldn't be doing it – it's too dangerous.'

In one season he competed in Formula Three, UK Formula 3000, in the British Touring car championship in a Cosworth Sierra and at Le Mans in a Porsche, and finished up in a hopelessly uncompetitive F3000 Footwork. Since it had not previously qualified, Hill did well to get the car onto the grid in each of the remaining six rounds, which made a big enough impression for him to secure a drive in 1990, with the Middlebridge F3000 team.

He competed in the FIA International F3000 Championship, but never actually won anything. It was a very frustrating season because of electrical problems with the car, which kept stopping for no discernible reason. But it was, as they say, character-building. 'Damon really inspired Middlebridge and moulded it into a very good little team,' says Jim Wright. Then it became known that Frank Williams was seeking a test driver. Mark Blundell, Williams' previous test driver, had left for Brabham. 'We were looking for someone to test our active ride programme,' says Patrick Head, Williams' technical director, 'and we gave Damon a test and he did a very good job, so we carried on.'

'Damon is very intelligent and articulate,' says Wright. 'Patrick Head needed someone like that to cope with the electronic drive aids he was utilising.' Hill's job was to test and develop the car to be used in 1992. 'And it was vital for me,' he recalls, 'because the F3000 car I drove that year was completely uncompetitive and I had a dreadful year. But every time I went testing in the Williams, I could prove that I could compete in F1 and come up with good lap times.'

In 1992, Hill took over from Giovanna Amati in the Brabham F1 team halfway through the season. The Brabham was not an easy car to drive. 'It was too small, under-developed, two years old and had no horsepower. Apart from that it was great.' Hill qualified for his first Grand Prix at Silverstone in 1992, finishing sixteenth. Brabham's last race of the season was at Hungary, where he finished eleventh.

Meanwhile he was turning in excellent lap times as he tested for Williams. But he had no expectations of being awarded the Williams drive. He knew that if Riccardo Patrese or Nigel Mansell got flu, there was a chance that Williams might stick him in the car, but there was no clue that they might not be driving the following year. 'In the middle of 1992,' says Patrick Head, 'Damon started deliberately pushing himself a lot harder, getting better and better lap times which were similar to – or better than – those of Mansell and Patrese.'

Then, as the season progressed, there was chaos in the Williams camp. It became clear that Prost had signed for Williams, that negotiations with Mansell had broken down, and that Patrese was going to Benetton. Suddenly there was a drive available, in the car that every Formula One driver wanted.

Martin Brundle was up for it, Mika Hakkinen was up for it, and, orbiting around like an astral presence, offering to drive for nothing, was the threatening genius of Ayrton Senna. Hill remembers it as a very tense time. 'Not least because I came close a few times to everything being settled, and then it didn't happen.' Hill had had an offer from Ligier, and had to juggle carefully. He wanted the Williams drive above all else, but he didn't want to be left with nothing. Ligier were pressing him for an answer. It required delicate negotiating.

Meanwhile, life was hell at home in Wandsworth. 'It was excruciating,' says Georgie. 'Damon was so completely preoccupied with the Williams thing. Neither of us could sleep; it consumed us 24 hours a day. And on top of that I was trying to run a house and look after two children and give them attention.

'I just wanted to run away, it all got too much. I wanted to tear my hair out and scratch my skin off, we were so completely stressed out. I remember saying to him, "If you get this drive, you've got to really enjoy it, for however long it lasts, and you're going to be happy and make up for all we've put up with over the past few months . . ." '

As it transpired, Senna was effectively vetoed by Prost; Brundle was turned down, and Hakkinen already had a contract with Lotus, which Williams wasn't prepared to contest. (The contract was later shown not to be binding.) It was getting very late, and a decision had to be made.

In the end, it was Hill who held the trump card: he was very familiar with the car, he could put down formidable lap times, and he was testing all the time. 'It came to the point where they were going to make a decision over the week of an Estoril test. Frank came down and saw me drive and thought I was doing a good job, and had coped well with the pressure of it all.'

But Hill hadn't won a race since 1988. He may have had uncompetitive equipment, but the fact remained that he had little experience of leading a field. 'Yes, that bothered us,' said Patrick Head. 'Testing is quite a different thing from sitting in the hot seat at Monaco next to Ayrton Senna. So it was a bit of a risk. But after you've assessed a guy's skill and commitment and all those rubbish words, then you take a look at his character – and we decided he was one of those odd bastards who can do it . . .'

On the evening of Friday, December 11, 1992, Hill got a call from Frank Williams, asking him to come up to the factory. 'I said, "Look, it's Friday night and there's tons of traffic and I'm not going to come all the way up to Didcot if you're going to tell me I haven't got the drive . . ." ' Williams replied he wasn't going to tell him over the phone, so Hill got in the car and two hours later Williams offered him a contract. 'I said, "I'm not signing that!" No, I'm joking. After a bit of wrangling we had it all sorted out. I would have been happy to sign anything that was put in front of me, to be honest.'

That was that. Hill called Georgie and went home and they drank champagne and had a party and video'd the contract coming through the fax and tried to keep their mouths shut until Monday, when the official press announcement took place. At eight o'clock on Sunday night the faxes went out, and at five past eight the phone started ringing and it didn't stop for four days. And when Hill went to the press conference held for the announcement of his drive, he had a shock. The excitement generated was enormous – here was Damon Hill, son of Graham Hill, who'd only raced in two Grands Prix and never won a championship, stepping into the drive that both Senna and Mansell had wanted. It was incredible!

'Frank had naturally taken a gamble on me,' says Hill. 'It was a case of him sticking his neck out, and I was also sticking my own neck out, but I wasn't going back on it.' There were the inevitable sceptics, but the selection made sense. Hill didn't have an outstanding track record, but nor had Mansell when he signed for Williams in 1985. Hill was getting on a bit, too – compared to Schumacher (24) or Barrichello (21), 32 is quite old for a driver – but, on the other hand, he had paid his dues and his maturity was reflected in the cool and untemperamental way he handled the pressure.

There were also many factors in his favour: not least, that he had been testing the car for two years and was familiar with the suspension system; he was British, which would soothe angry Mansell fans looking for a replacement hero; and he was good, but not yet so good that he would present a major threat to Prost, whose ego had already asserted itself when he had been teamed with Senna at McLaren and Mansell at Ferrari. Hill also came cheap ($400,000 is his estimated salary, as opposed to the $10 million Mansell had demanded) and, lastly, he was intelligent, handsome, with an admirable temperament and an impeccable heritage.

There was another bonus, it later transpired. Hill had a link with Sega, the multi-million-pound computer game company, which had been sub-stantially courted by Formula One. From Sega's point of view, too, Damon was a young, fresh, attractive prospect with no existing 'image'. At the first Grand Prix of the season, Williams announced a sponsorship deal with Sega. 'I think,' says Damon carefully, 'that Sega was encouraged to sponsor Williams because I'd got the drive.'

It's not easy being a racing driver. It can entail having to pose for photographs with a giant replica of Sonic the Hedgehog. This is usually a role adopted by an unfortunate member of the Williams team. ('Come on, who's going to be Sonic today . . .?') Sonic is supposed to be 'the hedgehog with attitude', and there is a marked difference between the Canon hos-pitality suite and the Sega one. At Sega you might come across Betty Boo, Harry Enfield or Paul Simonon. For Hill, one of the high points of being famous (apart from Gene Hackman buying his crash helmet at a charity auction at Gleneagles) was meeting Joe Strummer. 'He wished me luck and I suddenly recognised the voice. That was a big kick for me because I can remember slogging around to Clash gigs in the early days.'

Hill began 1993 surrounded by a fair amount of envy and scepticism. Is he any good? Does he have the lightning genius of Herbert or Schumacher, or the grit of Blundell? He'd got the drive and now he had to prove himself.

And the Canon Williams FW15C is no picnic. It weighs 200lb less than a Citroën AX, and has twenty times the power. It has computer-controlled active suspension, electronic traction control, revolutionary anti-lock brakes, and generates so much downforce that at 120mph it could drive across your ceiling. It travels at well over 200mph, requires 150lb of pressure to work its brake pedal, and when cornering, the G-force is so great that the driver can feel his internal organs move. To drive this car requires more than skill. It requires The Right Stuff.

South Africa's Kyalami Grand Prix was not an ideal debut. Damon spun on the first corner, recovered, and then got taken off by Zanardi. 'That was a low point, definitely,' sighs Hill. 'As a Grand Prix driver you have the Sword of Damocles hanging over your head at every moment.' 'It was on the cards, really,' adds Georgie. 'It was a relief when it happened, because it got it out of the way.'

The incident's only real effect was to compromise Hill's performance in the next race. Like a second serve, his only objective in Brazil was to finish. But he did more than that, he finished second, and – a high point in his career – overtook Ayrton Senna in his home Grand Prix on the Ayrton Senna curve. 'I did think, "Yahoo!" He was a sitting duck really, but I did a quite brilliant manoeuvre on him.' 'I watched it,' says Ken Tyrrell. 'I was very impressed. I was also impressed when he started to ease off when it got wet and let Senna pass. He was criticised for that, but I thought it was a very mature thing to do.' Senna was at home in Brazil, and adrenalin was running high. It would have been a major disaster for Williams, and Hill, if they had tangled.

After Brazil, the jury was still out on Hill. Was he enough of a charger to win? He came second in the wet at Donington (beating Prost); in San Marino he was leading for eleven laps before retiring with a brake problem; in Spain he again started from the front row of the grid, behind Prost, and led for eleven laps before retiring with engine failure. There were no team orders, Prost told *Autosport*, although they agreed that they wouldn't fight during the last ten laps.

Hill came second in Monaco and third in Montreal. In France, he had his first pole position of the season, led for a third of the race and finished three-tenths of a second behind Prost. There were the inevitable murmurs. Were there any team orders in France? 'France was . . .' Damon hesitates. 'France was a good result for the team. It was the first time we had first and second, and there is the possibility that if I had raced harder against Alain only one of us, or neither of us, would have finished. That would have been a disaster, bearing in mind that we have French engines and Elf sponsorship, and Alain's a French driver in the French Grand Prix. I haven't yet got a contract to drive for next year, and it's my first season in Formula One.'

Work it out for yourself, he implies. But after France, the real excitement began; a Hill victory seemed imminent. 'Obviously, I don't want to be second to anyone after a period of cutting my teeth in Formula One,' says Hill. 'And I think that time is getting close. If it's not already here.'

It's here. 'He's obviously ready to win a Grand Prix,' says Ken Tyrrell. 'He'd better let Williams know that he is capable of beating Prost. In the last quarter of the season, he needs to let it rip.' 'I think he's done well,' says Ligier driver Mark Blundell. 'Obviously, he's got a lot of pressure on his shoulders but now he needs to win. I've got no doubts that if I had that machinery I would have won a race by now.'

'Damon's appointment was a calculated risk,' says Frank Williams. 'With every race he impresses us further with his performance both in and out of the car.' Alain Prost, too, has frequently paid tribute to Hill, acknowledging his superiority at getting off the grid first. In his first full season of F1, Hill's goal, says Prost, is not, like his own, to win the world championship. This makes for a healthy balance in the team. 'We get on perfectly well and I am happy to have a team-mate as quick as Damon. He can back me into a corner, which is good for my motivation.'

'Any team atmosphere is good if one driver is ahead of another,' comments Patrick Head. 'But now that Damon is catching up I suspect it might become a little more frosty at race-time. There's not much, "After you, Claude . . ." in this business.'

The general view is that Damon Hill has responded to the challenge, in typical Hill manner. 'Give Damon a challenge,' says Jim Wright, 'and he will work and work at it – he's very much like his father in that way.' 'I've known Damon since he was a wee boy,' says Jackie Stewart, 'and he's a chip off the old block. He has the same dry sense of humour, and the same dedication and total commitment.' Commitment is essential. There are probably more obstacles to success in Formula One than in any other sport. You cannot just get in a car and drive. 'My father,' says Hill, 'felt that he wasn't going to get anywhere unless he tried very hard and never gave up. I think that he probably overworked that side of it; I think he would have enjoyed just as much success if he didn't have the view that it all had to be a slog.

'He used to keep little books, with a record of all the gear ratios from all the races he ever did, and which springs and roll bars he used. He worked and worked and I think that maybe the effort he put in was over and above what was really needed, but he felt that he had to be pushing himself in order to achieve any success because it wasn't going to come to him in other ways.

'The important thing is to realise how much effort to put in and to be efficient with your effort.'

Wandsworth, July 1993. A week after Silverstone, Damon Hill is at home doing the housework. 'Do you think Ayrton Senna empties the dishwasher?' he muses. Georgie mentions her forthcoming appearance at a charity event, at which she will drive a heavy goods truck to raise money for the Tommy's campaign (for foetal research). A poster on the wall announces Damon as patron of the Down's Syndrome Association, and there is a huge colour photo of Damon and Oliver in a swimming pool, next to one of Damon in a pool with his father and sisters. On the table are fan letters addressed to 'Damon Hill, Racing Driver, South London'. We are discussing the price of fame. Yes, they have been asked to appear in *Hello!* magazine. 'But we turned it down because I don't think we're ready to get a divorce yet,' says Georgie. 'We're having a fab time,' she adds. 'The trouble with Damon is that no matter what he's doing, he'd still be like this. He's quite a serious person, but he likes to think about things too much. He's quite funny, sometimes, but more inclined to deep-thinking paranoia. I'd never describe him as happy-go-lucky.'

Georgie has dimples and dark hair. She is articulate and practical, and cuts through all the bullshit. She is quite bossy with Damon, but he is used to it, having been surrounded by strong women – his famous mother Bette and his two sisters Brigitte and Samantha – all his life. 'Damon when he's driving is completely different from Damon when he's at home,' says Georgie. 'I'm not allowed to order him around. For three days over the Grand Prix, I have to do exactly as I'm told. I spend most of the time biting my lip.'

In some ways, she says, their life is much the same. They have perks – Canon cameras, Renault cars, Sega games. But Hill still spends most of his time at the track and Georgie still spends her time cooking fish fingers and changing nappies. They still live in the same modest house and there are no private jets. 'So most of it hasn't changed, but a little bit of it has changed beyond all recognition.'

Georgie remembers a Renault event, where the three British Renault drivers – Mark Blundell, Martin Brundle and Hill – were signing autographs on a card printed with their photographs. Each driver signed in a different colour pen – Brundle signed in blue, Blundell in red, and Hill in green. 'There were these two girls there, and one of them said, "Come on, we've got to go now," and her friend said, "Hang on a minute, I haven't got the green one yet." ' It brought Georgie down to earth. 'You have to remember, when things get too much, that to most people he's just the green one.'

Hockenheim, July 1993. The sideburns are coming along nicely, the track is a fast one and, once again, Prost and Hill are on the front row of the grid. Another fantastic start, and Hill is in the lead, which he loses briefly twice, but by lap 25 he has built up 21 seconds between himself and his team-mate. Prost carves away at this but can do little about it, and two laps before the end, photographers are assembling in the pits and the Williams mechanics are finally allowing themselves to get excited. And then the news comes through. On his penultimate lap, Damon Hill has had a puncture.

Five hours later, on the plane, Damon Hill is friendly and pragmatic as ever. Bitterly disappointed, he recognises that nearly winning is not enough, it doesn't count. 'What do I have to do to win a race?' he asks, but there is no whining, no paranoia, no shifting of the blame. He came very close, and the important thing is that Frank Williams and Patrick Head are still impressed, and basically it's all onwards and upwards from here.

Damon Hill has no doubt that he will be a winner. His determination is more steely than ever. The famous father's son is now famous in his own right. The name, at times a millstone, now underlines both natural talent and inherited traits. In 1969 Graham Hill broke both legs in an accident but recovered enough to drive the following year. He simply refused to accept defeat. 'And I'm very much the same,' says Damon. 'If someone tells me I can't do something, for whatever reason, I just can't accept it. I also think I have a natural talent for driving, because sometimes I amaze myself.'

Two weeks later, at the Hungaroring, Damon Hill won his first Grand Prix.

Fast and Loose

Russell Bulgin

April, 1992

The way Eddie Jordan tells it, the dream ended at the Villa d'Este, a wedding-cake hotel of linen sheets and sepulchral charge-card decorum, perched snugly on the shore of Italy's Lake Como. Jordan, founder, guiding light and irrepressibly garrulous force behind the fledgling Jordan Grand Prix team, knew it was over when he saw German racing driver Michael Schumacher walking across the lobby. It was Thursday September 5, 1991, the day before practice began for the Italian Grand Prix at Monza. At the previous round of the FIA Formula One World Championship, at Belgium's daunting Spa-Francorchamps circuit, the 22-year-old Schumacher impressed even the cynics in the Grand Prix paddock by qualifying a Jordan-Ford seventh on the grid in his first Formula One race.

Schumacher had proven himself both composed and quick. Quick enough for Jordan to want to sign him up long-term. Quick enough to invite comparisons with Ayrton Senna and the late Gilles Villeneuve, two other racing drivers who adapted instantly to the mercurial power and epoxy-resin grip of a Formula One car. And quick enough for Jordan, at the Villa d'Este thirteen days after Schumacher rolled out for his first qualifying lap at Spa-Francorchamps in Belgium, to lose his new driver to another team.

'He'd just been flown in by helicopter and I went to say hello,' Jordan recalls, dropping the pace of his Dublin blarney. 'He talked and, you know, just whispered to say how sorry he was.' At that moment, Jordan knew Schumacher was no longer his. 'And then he was whisked away.'

The following afternoon, Schumacher would practice at Monza for the Italian Grand Prix as a driver for the rival Benetton Formula team. He would qualify seventh and finish fifth in the race on Sunday, scoring his first World Championship points in what was only his second Grand Prix.

Schumacher had been a dream-ticket for Jordan. He was fast, very fast. He was young. He spoke good English. He gave precise feedback to his engineers. He displayed high levels of mechanical sympathy. He was even the right size to fit comfortably in the cramped cockpit of a Formula One car. He was everything a Formula One team owner craves. That he was German seemed a bonus, too: German public interest in a new star could generate a serious amount of Deutschmark sponsorship for the team which employed him. In short, Schumacher would have proved a valuable asset to Jordan both on and off the track. But it was not to be.

If nothing else, Schumacher's arrival in Formula One at the end of August 1991 is a microcosm of how Grand Prix racing, its powerbrokers and its sponsors go about their hundred million-dollar global business.

The public perception of what happened at Monza is that Michael Schumacher was spirited away from the Jordan Grand Prix team by its rivals at Benetton Formula.

The truth is, in the inevitable way of motor racing, more complex, involving Schumacher, Jordan, Benetton's new team leader Tom Walkinshaw, Mark McCormack's International Management Group, the Swiss Sauber-Mercedes sportscar racing team, a company manufacturing peppermints and, for Mercedes-Benz, former racing driver Jochen Neerpasch. It also involves a tortuous web of offer and counter-offer, obfuscation and old-fashioned bullshit.

Schumacher is at the tiny go-kart racing track in Kerpen-Manheim, west of Cologne. Above the trackside café is a sign which reads 'prop: E Schumacher': his mother pulls the pils. A tubby, bearded man in a blue boiler suit does odd jobs around the corkscrew circuit: his father looks after the place where his son learnt his craft.

The toytown track, and his parents' enduring links with kart racing, represent what Schumacher's life used to be. The silver, AMG-customised Mercedes-Benz 300CE – chubby-tyred, spoilered, car-phoned and with a fax from the Mercedes-Benz press office lying on the passenger seat detailing today's duties – highlights perfectly what his life is like now. Schumacher is tanned, mid-size, wears a green polo shirt, jeans and a pair of Timberlands. He chats easily, but there's a suggestion of toughness: the more he talks, the more he sounds like Ayrton Senna, without the Brazilian's narcissistic edge. He and Senna both began racing in go-karts: did he, like Senna, drive every day after school? 'Not every day, but when I started to do go-karts I was four, and I remember when I was about seven or eight my father started to work for the [go-kart] club and every afternoon

when he came from work, we went to the go-kart circuit and rented karts.'
Ayrton Senna, too, first sat behind the wheel at the age of four.

Every racer recalls when he first realised that he was quick, a cut or a
corner above the rest. Schumacher allows himself a brief smile: 'I can
remember when I was five I got my first real go-kart and when I was six I
was, for the first time, club champion.' And how old were the kids he was
racing against? 'Nobody was my age – they were between ten and fourteen.'
Schumacher was German junior kart champion at fourteen. And at fifteen.
At sixteen he finished third in the German and European kart championships at senior level: in 1987, he had won both titles.

Karting was Schumacher's life. He didn't think of moving up to motor
racing. His career would centre on squiggling around Europe's kart tracks
contesting the purest form of racing. To listen to Schumacher, the hardest
part of his career came in the transition from karting to Formula Ford:
skinny-tyred single-seaters powered by Ford Cortina engines. Schumacher
moved up for the most pragmatic of reasons. He had found a sponsor who
was prepared to pay the bills.

Formula Ford might sound prosaic, but the racing is close and this is
where young drivers with an eye on a professional career pay their dues.
Schumacher graduated from Formula Ford and took second place in the
German Formula Three series in 1989, before securing the title in 1990.
Along the way, Willy Weber, boss of Schumacher's WTS Formula Three
team, became his manager. Weber was a friend of Eddie Jordan. A contact
had been made. Weber, in fact, discussed buying Jordan's Formula 3000
team and relocating it in Germany around Schumacher for 1991.

Then an unlikely suitor came on the scene. Mercedes-Benz, concerned
about losing image to home-grown rivals Audi and BMW, both of which
had successful motorsport programmes, had returned to international
racing for the first time since 1955. Guided by former BMW and Talbot
competition boss Jochen Neerpasch, who had also worked for the IMG
sports management operation, Mercedes-Benz joined forces with the Swiss
Sauber sportscar team to build a Mercedes-Benz-powered Le Mans winner.

Sportscar racing was, in the late Eighties, where old Grand Prix drivers
often found themselves: when Britain's Derek Warwick or Italy's Mauro
Baldi were no longer on the Formula One shopping list, they went Group
C sportscar racing. Neerpasch wanted to use sportscar racing for another
purpose: to groom young drivers for topline international racing. Implied,
but never openly admitted, was the suggestion that Mercedes-Benz, at
some unspecified time, would go Grand Prix racing with its own car and
drivers plucked fresh from the factory kindergarten.

Neerpasch had noticed Schumacher. 'First of all he has got the talent.' Neerpasch raced in the Sixties for the factory Ford team. His speech is clipped, concise. 'Secondly, he is so strong in the intention to become a professional driver: that's where his priority is. That is his strong side.'

'The first meeting we had with Mercedes was in 1989,' explains Schumacher. 'Neerpasch asked to have a dinner together. Then he told us the situation and what he wanted to do. And I signed the contract in September or October in 1989 for Mercedes-Benz. I was surprised. I mean for a 20-year-old guy to do something like this, it was quite surprising: I couldn't believe it when it was fixed.'

Schumacher was going against racing lore: young hotshots must stick to single-seaters, go Formula Ford, Formula Three, Formula 3000 and then Formula One. 'Everybody told me it was wrong to do it. Everybody said if I do this then Formula One is far away.'

But Schumacher tested for 7,500 kilometres during the off-season, and got used to driving a high-downforce sportscar for a professional team. It was irreplaceable experience; Schumacher also began to understand Mercedes-Benz, to build up a relationship with Neerpasch and IMG. At the same time Jordan and Willy Weber were talking – talking Formula 3000, talking racing, talking Schumacher, talking about the future.

Then on the day in December 1990 when Eddie Jordan was due to make a sponsorship presentation in front of a group of Pepsi-Cola product managers – a compelling spiel-and-slides display which would lead to the company's 7-Up brand becoming the title sponsor of the Jordan Grand Prix team – Belgian racing driver Bertrand Gachot sprayed CS gas into a taxi driver's face after an altercation in traffic at Hyde Park Corner in London. Gachot, already signed to Jordan Grand Prix with a bagful of personal sponsorship, was due to go to the presentation with Eddie Jordan, but police intervention meant that he failed to show. The feeling within Jordan was that Gachot, as a foreign subject and first offender, would receive a suspended sentence and a hefty fine. But when the case finally came to court in the week before the Belgian Grand Prix, Gachot – who had by now driven ten Grands Prix for Jordan – was sent down for eighteen months. Jordan needed a replacement driver, and quickly.

Eddie Jordan notes the progress of young drivers on a computer at home: this is, he says with a grin, his hobby. Schumacher was already occupying hard disk space when the number two Jordan seat fell vacant. 'Gerd Kramer of Mercedes – who's on the PR side – is a big fan of Schumacher's and any time I met him he would always remind me about Schumacher,' says Jordan. 'And he approached me with Willy Weber in

Brazil, the second race of the 1991 championship. I told him over the winter that it wasn't possible for Schumacher to join the team, that we needed some people with Formula One experience, particularly in our first year.'

So Mercedes-Benz, through Neerpasch and Kramer, was steadily pushing Schumacher towards Jordan – and to gain more single-seater experience, Schumacher had a one-off Formula 3000 drive in the extremely competitive Japanese F3000 series. He finished in second place at Sugo.

'I didn't believe Gachot would go to prison,' says Jordan now. 'I didn't really do anything.' Nonetheless, there was a sportscar race at the Nurburgring the weekend before the Belgian Grand Prix, which meant Schumacher would be back in Europe, racing for Mercedes-Benz. Jordan approached Weber about the possibility of Schumacher driving for Jordan and was referred on to Neerpasch. Weber himself was enthusiastic and asked Jordan to send a draft contract, which he did, even though at this stage he still thought Gachot would be released on appeal. But Gachot's appeal was turned down, and Jordan got Schumacher. The young German tested the Jordan car three days before practice started at Spa-Francorchamps.

'The first three laps were incredible,' Schumacher says, smiling at the memory. 'I sat in the car and I thought, this is crazy. Because everything happened so quickly and I was so nervous and I thought it's going to be really, really hard to be used to this thing and, at Spa, it would be not so easy. But after three laps, then it started to be OK.'

Jordan is a quintessential Formula One businessman. His teams have won the British Formula 3 series and the International Formula 3000 Championship. Schumacher might have been the next Ayrton Senna, but he would still have to find £150,000 to race for Jordan at Spa-Francorchamps: such is the way of Formula One, where raw economic necessity is frequently all that matters.

In return, Schumacher would receive a specified space on the Jordan car and on his race overalls to display his sponsors' logos. The money was not a problem. Mercedes-Benz would fund his first Formula One drive: Mercedes-Benz would even pay for him to drive a Ford-Cosworth-powered Grand Prix car. The money would be dispatched via the Swiss base of Sauber-Mercedes.

'Under normal circumstances,' Neerpasch says, 'a young driver doesn't have the potential to slip into these possibilities. So that was what we could do. We took the financial risk away and within two days we could refinance ourselves.' In the parlance of the pit-lane, Mercedes-Benz 'sold on' the sponsorship space on the car and Schumacher's overalls to Tic Tac mints and Dekra, a German organisation responsible for the technical checking and control of road vehicles. Ultimately, Schumacher's Formula One debut would cost Mercedes-Benz nothing: it might even have turned a profit.

Schumacher qualified seventh at Spa. He was fast, and classy. He even talked of triple World Champion Alain Prost blocking him on a quick qualifying run. On the grid he felt calm, composed: 'I was surprised that I was so relaxed. I sat there in the car and I controlled my pulse: I would say it was about 100 or 120. I was so surprised because I saw the red lights, then the count – one-two-three – and I said, "Oh, it's gone green . . ."' But Schumacher barely made it around the first corner. 'The clutch was OK after the start, but then I changed down to the first gear, went around the corner, changed into third gear, and when I changed into third gear I had no more drive.'

Schumacher's Grand Prix debut may have proved one of the shortest in history, but Jordan, Schumacher, Weber and Neerpasch had continued talking deals. Jordan would be paid £150,000 a race to run Schumacher in the five remaining 1991 Grands Prix, and $3.5m to provide him with a car for the entire 1992 racing season.

Schumacher remembers: 'I didn't sign a contract before the [Spa] race. He [Jordan] just wanted to have that paper signed: "After the race you have to sign the contract we give you, like this." He wanted that I should sign. This I don't sign. Neerpasch called him and said, change this and this and this. He did and then I signed. And I signed just this: [an agreement] that after Spa we sit together and talk about the contract, and if both sides agree, then we sign the [long-term] contract.'

In the space of one weekend Schumacher had gone from being a respected young driver to an almost-superstar.

Then Jordan made what he admits was a tactical error: he told the world that he was taking a week's holiday: the first time off he had had since October the previous year. In fact, Jordan headed for Japan to discuss the possibility of his team using Yamaha rather than Ford-Cosworth engines for 1992: at this time Yamaha was still the contracted engine supplier to the Brabham team.

While Jordan was away, Schumacher tested for Jordan at Silverstone on the Thursday after the Belgian Grand Prix. He was characteristically quick. He was also uncharacteristically outspoken. 'He expressed some doubts to [team manager] Trevor Foster as to why we were changing from Ford to Yamaha engines,' says Jordan. 'We thought someone had been putting thoughts in his head.'

Jordan's contract had been viewed by both Mercedes-Benz, which would continue to fund Schumacher's programme through Sauber-Mercedes, and IMG: Neerpasch had brought his former employers in to check the fine print of all contractual matters. 'On the day of the Silverstone test,' Jordan says, 'Neerpasch confirmed to [Jordan commercial manager] Ian Phillips, without question, that the lawyers at Mercedes had OK'd the contract for 1991, 1992 and 1993. It would be with us in a few days, we would get his signature and everything would be sorted out. Neerpasch made an appointment for ten o'clock on the Monday before Monza. He would have with him the signed contract, the agreement.' And Eddie Jordan would have Schumacher.

The following day, Friday August 30, the deal turned complicated. Jordan learnt that there was, as he puts it, 'some movement at Benetton with lawyers and Neerpasch in particular'. Weber phoned Phillips with a simple message: 'Something's going on. Watch Neerpasch.' Over the weekend, Jordan goes on to suggest, Neerpasch approached Benetton and offered the team Schumacher's services for 1991 and 1992 with an option on 1993, 1994 and 1995. Both Neerpasch and Schumacher claim that Benetton had approached them after Spa-Francorchamps. Benetton will neither confirm nor deny this.

Benetton's Tom Walkinshaw, who had only acquired a 35 per cent share of the team some six weeks before, is a no-nonsense Scot, a successful saloon racer turned £100 million businessman: he operates the Jaguar sportscar team, builds Jaguar road cars, creates special vehicles for Holden in Australia and owns a chain of car dealerships. His move into Formula One, mooted for some time, was typically forthright and was widely expected to presage changes at Benetton, which was in some disarray after the departure of designer John Barnard earlier in the year.

Walkinshaw, who has a reputation of playing hard but fair, declined to be interviewed on the subject of Schumacher. He did, however, comment to *Motoring News* that: 'I was only interested if the Mercedes lawyers could give me clear legal evidence that Schumacher was not committed elsewhere. I would want my head examined if I didn't go after a driver of his calibre.' According to Jordan – and confirmed by *Motoring News* – on Sunday September 1, Walkinshaw had asked Benetton team manager Joan Villadelprat to source some Pirelli race tyres and prepare for a seat fitting for Schumacher.

Whatever did or did not happen over the weekend, at 10am on Monday September 2, Jordan Grand Prix, which is based at the Silverstone race circuit, was expecting Schumacher, Weber, Julian Jakobi from IMG and

Neerpasch; Schumacher would be officially signed to the team. But on the same morning, at Witney, Oxfordshire, a 30-minute drive from Silverstone, a Benetton-Ford was being readied for Schumacher to test prior to the Italian Grand Prix. Benetton's intention was that Schumacher would replace the team's number two driver, Roberto Moreno, who ironically had come an excellent fourth at Spa-Francorchamps and had also set the race's fastest lap.

But no one from the Schumacher camp arrived at 10am that day. By noon, Eddie Jordan had tracked Neerpasch down through IMG: Neerpasch was in London. 'Eventually he called me back,' Jordan says, 'and everything seemed to be OK. And he then said, "I can't come to you, you'll have to come to me," and I said, "Sorry, I've already made other arrangements, where is Michael?"

'When we found where Michael was,' Jordan continues, 'I said, "Michael, please level with me. What is happening, have you signed the agreement, where is Willy, why are you not here? For heaven's sake we had a test on Thursday. You spoke to us, you're very happy." He cried, virtually, telling Trevor Foster that he wanted to be here, that he didn't need to be in a big team.'

Then Jordan telephoned Walkinshaw at Benetton. 'I said,' Jordan recalls, ' "Tom, I need to know what's happening. I've got these contracts and I've got these letters." ' Walkinshaw agreed to helicopter to Silverstone the following morning. At 5.40pm Neerpasch and Julian Jacobi from IMG finally arrived at Jordan HQ. There was a discussion. Neerpasch and Jacobi said they would return the following morning. They didn't: Jordan believes they went from his premises directly to Benetton Formula. Schumacher says now that he was told Jordan wanted to change the terms of the contract for 1992 and beyond, apparently insisting that Schumacher's sponsors use different, smaller advertising space on the car for the same $3.5 million annual fee. Jordan dismisses this as 'absolutely preposterous', saying he had no reason to change either the sponsorship space or the fee.

Then there was the contract produced by IMG. Schumacher contends that Jordan refused to sign this: Eddie Jordan concurs, yet suggests that the IMG contract was not so much a refined version of the original, but a completely new document which he wanted some time to scrutinise.

There were, it seems, various sticking points on the IMG contract, which had been quickly drawn up by IMG's Andrew Hampel while he was on holiday in Italy. One was that the contract was made out in Schumacher's name, not Mercedes-Benz's, thus making Schumacher directly responsible for paying Jordan: as Eddie Jordan points out, that meant Schumacher would have to provide bank guarantees to Jordan Grand Prix. And this he could not do. Another concerned the year in which option clauses came into effect. Jordan wanted to sign Schumacher for the remainder of 1991, 1992 and 1993 and on an option for 1994. In other words, if Mercedes-Benz decided to enter Grand Prix racing in 1994, it and it alone had first option on Schumacher.

But there was already gossip that sportscar racing was looking unsteady for 1992: attendances were declining, media interest was low, race entries were pitiful. Jordan thinks that Neerpasch wanted to be able to pull the proposed Mercedes-Benz Formula One programme forward by a year if sportscar racing went soft. 'I said,' Jordan explains, 'that I would negotiate on that issue, and that at the end of 1992, because there was no money for 1993, I would allow him to make the decision: Michael Schumacher and Michael Schumacher only. And it would either be a new team at Mercedes-Benz or at Jordan. I would concede on that issue only. I felt quite confident that if the boy didn't want to be with us then he's better off leaving us.'

Jordan's reluctance to sign the IMG contract appears to have proved too much for Neerpasch, who signed Schumacher to Benetton later the same evening. A fax was sent to Jordan from IMG informing the team that the deal was off.

According to Eddie Jordan, Schumacher's destiny was effectively out of the young driver's hands as Neerpasch allegedly forbade him from attending meetings concerning his racing future. 'Why did they keep Michael Schumacher away from the story? Why did they not let the driver make the choice? That was my argument. If Benetton are better and the driver wants to be with Benetton, I can live with that.'

'That's completely untrue,' says Neerpasch, who nonetheless admits that Schumacher was not present at all of the meetings. 'Part of our strategy is to keep the drivers out of these problems. The success for Michael Schumacher when he was the first time in the Eddie Jordan car was because he was prepared to do this without having had the pressure from the outset. When a driver gets the opportunity to drive, if they have an opportunity like Michael had in Spa, for him then it's everything or nothing. Because of this strategy we tried to keep him out of the very difficult financial and business situation.'

On Thursday September 2, Jordan Grand Prix failed in taking out an injunction in London to prevent Schumacher driving for Benetton in the Italian Grand Prix at Monza: on the same day Roberto Moreno took action against Benetton in a Milanese court, which ruled he did have a valid contract with the team. That allowed Moreno to settle out of court – for, effectively, being dumped in favour of Michael Schumacher – with Benetton for an estimated $500,000.

On the evening of the same day, Italian Formula 3000 driver Alessandro Zanardi visited the Benetton pit at Monza for a seat fitting: if Schumacher was unable to drive, he would deputise. (Ironically, while Roberto Moreno raced the second Jordan in Italy and in Portugal, Zanardi – 'a terrific young prospect,' according to Eddie Jordan – got the drive in Spain, Japan and Australia. This was, quite simply, a game of musical chairs played with million-dollar stakes.)

Then, later in the evening of September 5, came the meeting at the Villa d'Este, arranged to arbitrate the dispute between Jordan and Benetton. IMG representatives, including Andrew Hampel, Benetton lawyers, Jordan, his lawyers, Moreno's lawyer and Formula One supremo Bernie Ecclestone were all gathered in one room. There was one surprising absentee: Jochen Neerpasch.

'I think he was hiding from the flak at that stage,' says Jordan. 'I'd say he was advised to stay away: he had placed Schumacher with IMG before anyone realised what was going on.' Jordan had two letters of intent, one in English, the other in German, and the contract rewritten by IMG, awaiting signature. That, to Benetton, meant Schumacher had been a free agent, seeking to be signed up. Neerpasch subsequently claimed the letters of intent were merely 'an agreement to talk'. Discussions became heated. Ecclestone had to intervene before it was confirmed that Schumacher would drive for Benetton with immediate effect until 1995, with a roll-over option at the end of each year. If Mercedes-Benz wanted Schumacher for Formula One, it must give Benetton six months' notice and also pay the token sum of one dollar.

Whatever the truth, Schumacher's first two Grands Prix, so inch-perfect on the track, were sullied by the off-track politicking. The British motor-racing press ran critical editorials: this was hardly the way to attract sponsors in a time of financial belt-tightening.

Now, Jordan can sit back and take a pragmatic view of the affair. 'This is business at a high level, and I suppose in certain ways it makes the intrigue of Formula One. I have to perform in this situation. Tom Walkinshaw is a hard-nosed businessman: I respect him because he's been successful in his business. I think that he is fair.' As for Neerpasch, Jordan simply says: 'He's not a saint by any means.' Schumacher, by contrast, stresses how indebted he is to Neerpasch and Germany's most conservative car company: 'They showed they believe in me . . . I have to say a big, big thank you to Mercedes-Benz.'

There was a triple irony to the story of Schumacher and Mercedes-Benz, too. In late November, the German company announced it would not be entering Grand Prix racing for 'environmental reasons'; Neerpasch had a driver with the necessary abilities – Schumacher took one fifth and two sixth places for Benetton before the end of the season – but no team. Then, in early February 1992, a brusque statement from Switzerland announced that Sauber would go Grand Prix racing in 1993. And Sauber's nominated driver? Schumacher. 'Michael Schumacher is contracted to Sauber,' reiterated Neerpasch. 'Schumacher is released under certain conditions to go Formula One racing [with Benetton]. If Sauber needs Schumacher, Sauber gets Schumacher back.' On February 7, Benetton issued a statement: Schumacher would stay put; the team would only release him to race with Mercedes-Benz. Neerpasch duly disputed this, claiming that what he described as 'the co-operation between Sauber and Mercedes' entitled Sauber to run Schumacher. Enter, once again, serried ranks of lawyers on all sides . . .

Jordan walked out of the meeting at the Villa d'Este knowing that he had lost Schumacher. 'The guy was everything that I thought he would be. It doesn't really matter now but there's not another person in that paddock who would have chosen him. As it happens, if he hadn't driven for me he would not be in Formula One and, with the uncertainty surrounding Group C, he could be sitting on the scrapheap now.'

Jordan stood, frustrated, tired and angry, in the palatial understatement of the Villa d'Este. He saw a face he knew, that of Ron Dennis, boss of McLaren, Formula One's most successful team. 'I think he was dancing with his wife,' Jordan says. 'It was a bizarre situation. There was lovely music playing outside, and there was all this shouting and roaring going on inside. But this was quite late at night and Ron came over and talked.' Eddie Jordan looks up. 'Oh yes, and the other thing he said was: "Welcome to the Piranha Club."'

Captain Sensible

Matthew Engel

March, 1994

I n English cricket, the quest is not so much for the Holy Grail as for King Arthur himself. The men who run our native game engage in a perpetual hunt for our mythical leader of men, parfit and gentil in every way, but capable of smiting the Australians and West Indians to smithereens at a blow.

They never do quite find the king. And most of the time, the England selectors have to entrust their team to someone they know is really only a knight, a senior pro like Mike Gatting or Graham Gooch who is not at all parfit and gentil, and may indeed be regarded as rather oikish. They just hope to blazes he will have some idea about the game's strategy and niceties and, most especially, how to comport himself in the company of barmaids without getting his name dragged through the gutter press.

Once every couple of generations or so, there comes along a figure who seems to be something more than that; someone who rises to the top as if quite untroubled by force of gravity. Early in the century, there was CB Fry, who could otherwise have been King of Albania. In the Fifties there was Peter May, who could on-drive perfectly at the age of twelve and, when he was 25, assumed the captaincy of the England team as if it were his inheritance. May was handsome, May was dashing, May was everything a Fifties schoolboy could ever want to be; and he led the last England team that could justifiably claim to be the best in the world. It was only 30 years later when he himself became chairman of the selectors that it became obvious he was also a bit of a twit.

Now there is Mike Atherton, who is just 25 and is about to captain England in a Test series in the West Indies, perhaps the most thankless job in world sport. It has been obvious for years this was going to happen. It has actually happened sooner rather than later.

I first met Atherton in a heavy metal club in Manhattan, not the sort of place one would ever have found CB Fry or Peter May. It is not quite Atherton's sort of place either. The occasion was a bizarre, not-quite-official, not-quite-rebellious cricket tour of North America and we'd been dragged to the club by Derek Pringle, a cricketer who had himself been earmarked by May as a potential captain until it became obvious that he had far too subversive a cast of mind to be any such thing.

Atherton has got there without being subversive, without being establishment, without really seeming to try, without facing much of a setback, without life ever kicking him in the teeth. If there is a time when you are likely to be kicked in the teeth, it is as captain of England in the West Indies, probably by a short-pitched ball from Curtly Ambrose rearing up and smacking you in the mouth. But Atherton has coped with life so far. He looks at ease with himself, in a heavy metal club or in the Lord's pavilion. He is, above all, young, which is pretty unforgivable. And, in his case, youth is not so much a stage of life as a fixed belief.

It was not a coincidence that when the touring party for the West Indies was announced the players were just about all Atherton's approximate contemporaries. 'Wouldn't you say,' he asked me, though I was the one supposed to be asking the questions, 'that in business it is an advantage to have youth at the top?'

I ruffled my grey hair and floundered. 'Um, um, well . . .' I replied. 'You tend to believe in yourself most when you're young,' he went on. 'When you're older, the doubts creep in. Your drive to success must be greater in your first Test than in your hundred and first.'

To those of us who have grown up with the last generation of cricketers, there is something frightening about Atherton's youth. For about fifteen years, English cricket has been based around a handful of players – Botham, Gower, Gooch, Gatting, Lamb. The first two have retired; none of the others will be playing this winter. And everything has always gone back to one benchmark match: the Leeds Test against Australia in 1981 when Botham turned round an impossible situation and England won, having been 500 to 1 in the betting tent. Atherton remembers that match, too.

He was actually there, the one and only time he had been to a Test match before he was selected to be there. Unfortunately, he was there on the Friday, when Australia were winning and it was dead boring. Everyone with the slightest interest in cricket has a Kennedy's assassination or Thatcher's resignation recollection of where they were when they heard the news of what happened on the Tuesday. Atherton knows exactly where he was too. He was playing for Lancashire Schools. He was thirteen years old.

Fry went to Repton, May to Charterhouse. Mike Atherton was not born with a silver spoon, though it was not quite plastic either. He comes from the northern edge of Manchester and grew up in a nice-ish kind of four-bed detached with a path up the middle of the back garden that was just big enough to provide a decent pitch, if you started your run-up down by the willow tree.

His father, Alan, is now the headmaster of a comprehensive in Bolton. But before that he tried and failed to become a professional footballer. In fact, he was Manchester United's very first apprentice, though only because his name came first in the alphabet. He played a lot for the youth team, when the captain was a lad called Nobby Stiles, a few times for the reserves and once made it to be the actual first team reserve, though that was in the days before substitutes were allowed on and he thinks it was more of a pat on the back than anything else.

Alan Atherton knew Mike was never going to make a footballer, because he never had the pace. Cricket, though, was different. 'I never really coached him,' he says. 'He played a pretty straight bat from the start, at six or seven. And he was a natural leg-break bowler.' Briscoe Lane Junior School in Newton Heath, with Mike Atherton playing just about every role except pavilion cat, won the Manchester Schools Cup four years running.

Then he got into Manchester Grammar School. Nobody from Briscoe Lane goes to Manchester Grammar any more than boys from Moston Brook, the comprehensive where he would normally have gone, get in to Cambridge. It is an extraordinary hothouse school, an intense, competitive place ('They work your bollocks off,' says Atherton) which only moved out of the state system shortly before his time, when both educational theory and Labour government policy had taken against sink-or-swim schooling.

The boys wear blue blazers with an owl on the crest. Most of them come from posh prep schools like Altrincham Prep (Alty Prep) where they are specially prepared for the experience. It could have been traumatic for an 11-year-old from the wrong side of town, two long and lonely bus rides away.

'Traumatic?' says Mike. 'I'm not the kind that ever thinks of things as traumatic. I just accepted what was happening and got on with it.' But there were problems. One is that the school is near several others that have children with different priorities. 'The local kids round there made their feelings pretty clear,' he recalls. 'I remember several occasions when we were coming out of school and there'd be kids with axes and chains and we'd have escorts on to the buses. I remember a lot of times when there were police around. It used to be hair-raising if you played football and had to walk across the field to the bus stop.'

Atherton rapidly put the other Briscoe Lane kids behind him, not consciously, I think, or snobbishly, but because that was the way it was. They went to Moston Brook, he went to MGS and he has never seen them since. One of the Sunday papers did find all his old team-mates from the Cup-winning side, and Atherton himself was chuffed that they were so generous about his success. Indeed, nearly all of them were: they said how he was nice and polite and a good captain then; and how they knew he would succeed. Mike, being straightforward himself, may have missed the subtext of one of his classmates' comments. 'All I ever seemed to do was field,' said Simon Cropper. 'There wasn't much else left to do after Mike had finished batting and bowling.'

At Manchester Grammar, the rest of his life began. By coincidence, or perhaps not by coincidence, 3 out of 24 in his class are now playing county cricket – Atherton, his Lancashire team-mate Gary Yates, and Mark Crawley, now with Nottinghamshire. Mark's younger brother, John, who is regarded by a lot of judges (Atherton not excluded) as a future Test player, was a couple of years behind.

Atherton was able to play cricket on a flat, well-tended wicket. As a second-former, he was given a couple of games in the first team, in the third form he was a regular. His statistics, preserved in *Wisden*, are almost ridiculous. In 1985, he averaged 187. But old *Wisden*s are full of the statistics of promising schoolboys who are now holding down steady jobs at the bank, if they are lucky.

Atherton, however, knew his destiny as soon as he got to Cambridge (two As and a B at A level, Downing College – which is a midway sort of place, not too academic, not too thicko). His first cricket match for the university was against Essex, then the county champions and playing Cambridge at full strength. The students were 27 for seven. Atherton pulled them round by scoring 73 not out.

At the time, he had never even played county second XI cricket, never been near county players. When he walked out to bat in the second innings, Keith Fletcher, the Essex captain, told his team-mates: 'Let's get this little smart arse out.' That was a very high compliment. Cambridge were 71 all out in the second innings; Atherton made 33 of them.

He knew then he was going to play cricket for a living and was going to be very good at it. 'If I thought I wasn't going to play for England,' he says, 'I don't think I'd have bothered.' Who would have guessed then that

Fletcher and Atherton would one day be flying off to the Caribbean together, as manager and captain of the England team? Well, just about everyone actually. It was pretty obvious about Fletcher, too.

Atherton discusses all this with a serenity that is almost frightening. While he was still at Cambridge he had not merely a car – normally undergraduates are only allowed bicycles – but a sponsored one. The only controversy surrounding him was that Lancashire did not rush him at once into the first team every season when he came down from Cambridge. Some of the Lancashire members, who are famously impatient and intemperate, were furious on his behalf.

'I recognised the ability and the class of the bloke,' says David Hughes, then the captain, 'but I wanted to make sure that he felt and everyone else felt that he'd earned the right to play in the first team.' Only one person was unruffled. 'There was no doubt I was going to play eventually,' says Atherton. He finally made his debut against Warwickshire at Southport and scored 53. Everything was just a matter of time.

Atherton still managed to be quite an ordinary undergraduate. He read history, generally when no one else was about because he had to make up for the time he lost leading the Young England team overseas. His special subjects were the Black Death and the gentry in the fifteenth century. Was he interested in them? 'Oh yes. But not slavishly interested,' he says.

He played college football ('left side of mid-field. I was laborious and sluggish but I got stuck in') and water polo. Did he act? 'Only after about ten pints.' But being good at cricket gave him a confidence that affected everything he did, even playing pool in the bar.

There were some who felt that at Lancashire either Hughes was giving him a hard time or that the two hard-school senior players, Graeme Fowler and Paul Allott, were. He never saw it that way. 'Lancashire, more than most, is a hierarchical club. "You're playing for Lancashire, and you should know you're playing for Lancashire," was underlying everything they said.'

By 1989, he was playing for England. His first appearance in an England dressing room was as twelfth man in the Old Trafford Test. England were losing the Ashes that summer as well, even more abysmally than in 1993. And halfway through that game, they announced the names of the players who were leaving for the last of the prop-up-apartheid rebel tours of which cricketers were so fond in the Eighties.

Atherton was watching the names come up on Teletext in the back of the dressing room while everyone at the front was denying the whole thing. David Gower, then the captain, and Ian Botham were left to keep

England going. Gower, Atherton recalls, 'was under constant pressure and on a fairly short fuse'. But he had no problems with him or Botham. 'If Both respects you, if he thinks you can play, you're fine,' he says. Atherton was fine.

By 1991, he was vice-captain. But that was when things started to go wrong for the first and only time in his life. He lost form against the West Indies; he needed a back operation. 'I lost my invincibility,' as he puts it. 'My confidence in a whole range of things, on the golf course, everywhere, went as well.'

Alec Stewart jumped ahead of him as heir-presumptive to the England captaincy: Stewart of Surrey, who was seen – in the tired old way that people in cricket look at these things – as the hard-faced professional while Atherton was regarded as the jolly old amateur. This is primarily because Atherton went to Cambridge and Stewart did not.

By the Indian tour of early 1993, Stewart seemed the natural successor to Gooch as captain, while Atherton was struggling to get his place back. When they were batting together in the Bombay Test, they got involved in a horrific run-out mix-up. It was not entirely clear which one was out. This debacle ended with Stewart leaving and Atherton, who had been mysteriously excluded from the previous Test when Stewart had led the team, standing his ground.

The mix-up was seen, in the same tired old way, as Atherton striking back and finally deciding to play hard himself. He denies it all. 'It was a cock-up. I've just written an article for Stewie's benefit brochure, touching on it in a fairly satirical way,' he says. They are friends, both insist; and, indeed, when Stewart lost out to Atherton he was as graceful about it as CB Fry could have been. But the incident did change people's perspective on them.

At the time, Atherton was no more than third favourite to succeed Gooch, behind Stewart and Gatting; a seven-to-one shot according to the *Guardian*. Slowly, subtly, by degrees, the odds changed. By his cricket, by his demeanour, by the fact that people in the end could not find a reason against picking him, Atherton eventually came close to picking himself.

Less than four weeks after he was appointed captain, he had led England to victory in the last Test at The Oval, which meant they only lost the series to Australia four–one. By now, even men like the old Pom-basher Ian Chappell, one of the toughest Australian captains of all, were talking glowingly about his leadership. It was clear, most of all, that he knew what he wanted, who he wanted and how he wanted things done. David Gower was as near as Mike Atherton ever got to having a hero. He was watching

TV with his father when Gower played the pull for four against Pakistan in 1978 that constitutes the most famous first-ball shot in the history of Test cricket.

Quietly, he thinks it was a mistake to leave Gower out of the tour of India last year. Equally, he thought it would be a mistake to bring him back to go to the West Indies. Some 75 per cent of the letters he received in the three months after his appointment screamed at him on this subject. He never wavered. Gower retired.

Atherton has firm ideas too about those who can play and those who can't. This suggests a possible end to all the dreadful mucking about by selectors, as long as he can maintain his beliefs and sustain his authority. But there has never been a surer cure for invincibility than captaining the England cricket team in the West Indies, except perhaps for managing the England football team. Atherton knows that good, clever men have been brought down by this job before. This summer, he rejected the opportunity to captain Lancashire, knowing that you ought to take on one challenge at a time and that the Lancashire job may well be there again if, or more likely when, the England job goes sour.

'Sooner or later, you're going to lose the England captaincy, probably in circumstances where things are going wrong,' he says. 'The probability is this will happen to me. I'm not going to be looking over my shoulder. If things go wrong, so be it. You have to stand up and have the courage of your convictions.'

It may go horribly wrong, sooner rather than later, if the West Indies tour lives up to form. But I have never known a time when there was a greater sense that an England captain might have a chance of getting it right, or greater goodwill for him to do so.

On the face of it, Mike Atherton is a very ordinary, very likeable young man. He lives in a tucked-away Manchester flat, stays discreet about his long-standing girlfriend (a medic he met in Cambridge), maintains equanimity and good humour in the face of bores and ruffians, and still drinks a few pints.

I dare say he might still slip into a heavy metal club if he was passing that way, and Pringle insisted. We just have to hope that underneath it all he really is King Arthur.

Captain Beefheart

Mick Imlah

September, 1990

Britain hosts the second Rugby Union World Cup in the autumn of 1991, and everyone will be watching. Everyone will be talking to Will Carling, the man who, two years ago, was given the job of captaining the England side through the most exciting period in the game's history. He was 22 at the time, the 'baby' of the team and the same age as Paul Gascoigne is now – which goes to show that men mature at different rates. His speed, his strength and the skill of his distribution guaranteed his place at centre for the foreseeable future; in addition, there was a quiet intelligence, a self-discipline and a decency about Carling that marked him out as an ideal man to lift the World Cup above his head.

Until March this year, all went well under Carling and Geoff Cooke (the manager who appointed him). England had won their first three games of the Five Nations Championship by emphatic margins, and they travelled to Edinburgh ready to be hailed as a great side by beating Scotland to win the Grand Slam. Such was England's perceived superiority that only two Scots would have got into a composite team (chosen by Englishmen). And one of these, crucially, was their captain, David Sole.

Rugby teams traditionally sprint and scatter onto the pitch like men fleeing the gunfire of their own nerves. But on Grand Slam day, Sole had his players walk slowly out, which was somehow terrifying. You could almost hear the pipes: you *could* hear the pipes. And sustained by what Carling describes as 'the most emotional atmosphere I've ever experienced at a rugby match', Scotland's aggressive defence knocked England out of their imperious rhythm. With twelve minutes to go, and England six points down despite continual pressure, there occurred one of those moments which turn a game as decisively as any score. England won yet another scrummage five yards out. Scrum half Hill picked up and ran laterally, then flung out a long pass to his inside centre, Carling, who took it turning inside, or – in effect – standing still. Scotland's tacklers converged again: Lineen cuffed Carling's legs, Chalmers clung to his body, then Jeffrey, Turnbull and Calder hit the spot in fierce succession. Carling was engulfed and thrown back; the ball popped up like a sweetie and Armstrong thumped it 30 yards up the touchline to safety. The crowd seized on this symbolic tableau of the reversal of Carling's fortunes: England were destined to fail.

It was Carling's bad luck to be the target of the most spectacular of the many tackles which denied his side in that frantic last quarter. But there had been incidents in the first half that prompted much wise muttering about the efficacy of his leadership. There was the indiscipline of the forwards who conceded six points from offences committed when the ball was dead: Skinner for talking, Probyn for stamping after a collapsed scrum. Then there was the running of three easily kickable penalties, a decision which seemed to emanate from the headless chicken of the English pack rather than from the mind of the young captain. For the second of these, pack leader Brian Moore was clearly seen to indicate to the referee *his* choice of a scrum – looking for the boost of a push-over try – before belatedly looking across field to Carling to have the option approved. However it happened, poor Carling got the blame: either he let his team-mate override him with the wrong decision, or he made the wrong decision. England lost their most important match for ten years, and holes were revealed in the myth of the 'great side' being assembled for the 1991 World Cup – an ancient loose-head, an imbalanced back row and an apparent lack of leadership. The first two problems are for the selectors to solve: the last is for Carling, as he enters his third season as captain.

There's no doubt about Carling's qualifications for captaincy: he has, after all, already made a career of it. Like Mike Brearley, the best England cricket captain of the modern era, he studied psychology at university (Durham), where he was sponsored by the army. His military career was doomed the day his regiment denied him leave to play representative rugby (the army's short-sightedness can be measured against the hours of glamorous free publicity the RAF has had from its flying winger Rory Underwood). Now, after a short spell with Mobil, Carling operates what he calls a 'motivational consultancy' of his own, called Inspirational Horizons. The consultancy sends top sportsmen to lecture to captains of commerce and industry on topics such as leadership and teamwork (and occasionally, one suspects, on How We Beat the Welsh). It affords him a spacious office off Bond Street, where he sits with the purposeful ease of a man precociously at home with responsibility.

He is probably sick of How We Lost to the Scots, but he tackles the question head-on and counters criticism of his own role with an alternative notion of captaincy adapted from his own strengths and possible weaknesses. He could never be an inspirational leader on the lines of Ireland's Ciaran Fitzgerald, whose loud exhortation, 'Where's your fucking *pride!*' is said to have won one match at Twickenham. He doesn't believe a captain can have much influence after the kick-off and points out that players generally take the field for internationals with their bloodstreams brimming full of adrenalin, and are more likely to need calming down than psyching up. Preparation is all, and in Edinburgh, he admits that both he and England got it slightly wrong. Carling sees the captain's most important role in today's set up as a link between the management and the players, establishing trust and laying down long-term objectives.

And then there are the media duties which he considers with a frown. Carling calls himself introspective – he likes to have a quiet hour to himself in his room after an international – and press conferences and speechmaking don't come easily to him. His anticipation of the World Cup is blighted by dread of the phone and the microphone, and he expects to have to prepare as carefully for the barrage of interviews ('Will Carling, do you think England can bounce back from this triple sending-off?') as for the physical demands of the tournament. It won't help him that rugby is currently shaping up for all sorts of controversy.

Among the issues in line to give the administrators grief, in 1991 and beyond, are the rules of the game. Rugby is imperfect, and its defects are concentrated in the elaborate set pieces – the scrum and the line-out – which contribute so much to the game as a spectacle. (Rugby League has seen fit to get rid of one and devalue the other.) These two phases of play preserve – for the moment – the beloved stereotypes of the fat prop and the towering lock, but from a legal point of view they are close to chaos: the scrum can only be refereed by guesswork, the line-out by degree (*i.e.* penalising an elbow in the face but not a push in the ribs). So matches are won and lost by goalkickers converting penalties for that small proportion of offences a referee is able or willing to detect. Carling partly attributes Scotland's victory over England to the fact that 'they played the referee better than we did', which is not to accuse them of cheating, but to commend them for a superior selection of which laws to break and when. All the talk on the trains back from Edinburgh to London that weekend was of Scotland dropping the scrum to nullify the advantage England had through the work of Probyn. Others say Probyn's angles are such that he should be penalised at every scrum – whatever that means. Don't ask Will

Carling – he confesses to having 'not a clue' about front-row play. When crucial areas of the game are conducted in this legal shadowland, frustrations creep in which contribute to rugby's other recurring headache – violent play.

Every three or four years, rugby stamps firmly on its own head, then has to beat its breast for a while. Over the past couple of decades, the most notorious big games have been Canterbury v The British Lions in 1971 (when two halves of punching broke both Sandy Carmichael's cheekbones); Australia v England in 1975 (when each of the Australian forwards celebrated the first maul by laying into the nearest Englishmen); Bridgend v New Zealand in 1978 (when John Ashworth ground his studs through JPR Williams' cheek); England v Wales in 1980 (a general roughhouse; Paul Ringer sent off); France v New Zealand in 1986 (when a concussed Wayne Shelford was carefully carried off to have his scrotum stitched); and England v Wales in 1988 (when England came out fighting and Wade Dooley broke Phil Davies' jaw with a punch). This pattern shows that the rotten games are fairly rare and no more frequent than they used to be; it also suggests that we are due for one about World Cup time, which would darken everything.

Meanwhile, players in this country have a running battle with the conservatism of the rugby establishment, and the England captain is at the forefront of the fray. He knows that to appeal to the best young sportsmen the game has to free itself from the grip of the Old Boys. In the face of superstition, he has invited video cameras into an international changing room before a game; and in the face of a new wave of defections to the professional ranks of rugby league, and the increasing demands made on the time of top players, he expresses impatience with union's anachronistic amateur code. 'I never want to be paid for taking the pitch – I still play for fun, and I don't want a sort of rugby employer telling me when and where I have to play, but I think the RFU must relax the rules in other areas. I don't see any harm in a few players being able to make money out of endorsements or advertising. It will only involve a handful of players – Rob (Andrew), Jerry (Guscott), Rory (Underwood) – and me, I suppose – and it won't change the game for the guys at Esher Thirds or whatever. The trouble is that different rules are operating in different countries. Look at the New Zealanders. Companies make them PR executives – they turn up at the odd lunch here and there, and the rest of the time they train. That's professionalism. It's their attitude which makes them world champions – they have a mental and physical toughness we have to learn. But we've had to compete against them with guys who have to decide whether they can afford to play rugby – not how much they're going to make out of it.'

As things are, in the cycle of sacrifices and rewards, it is the players' social lives that come out bottom. Ask Carling about his interests outside rugby and the atmosphere goes slightly glum. In this respect (only), injuries like the shin trouble he had in Australia can be a blessing. Usually, he trains two nights a week with his club, Harlequins, and other evenings he's in the gym with his personal programme. In a couple of years his upper body has zapped itself up two or three sizes and looks impatient for more. 'The whole week is geared,' he says, 'to getting it physically right on Saturday afternoon.' And Saturday night? He shakes his head. 'We just have a couple of drinks and drift away. You can't hope to compete at the top if you're getting hammered every weekend.'

There are those in rugby – even at the top level – who are less watchful of their fitness than Carling. Ireland's forwards, offered a version of the white meat diet their high-tech English counterparts followed throughout the championship, rejected it. Serge Blanco, the greatest of all running full-backs, smokes as many Gauloises a day as he has international caps – 60. And on a Friday night in a pub in West Wickham in Kent, Brian Parsons, the diminutive skipper of Old Beccehamians Fourth team, is limbering up for the next day's grudge match against Westcombe Park. Like Scotland's former captain Colin Deans, 37-year-old Parsons is a double-glazing salesman during the week. At weekends, he enters the comfortable plunge-bath of his club and pub, and sketches out various fantasies about this year's Fourths: one week, they're a class of raw but pacey colts, willing to run all day for their static skipper; next, as players go up and down, a bunch of blokes who've been around, who know all the tricks, who can take the piss out of the opposition's pacey but raw colts. Such formulae give him endless delight, and his winter life revolves no less than Will Carling's around the game.

Next night, in the same pub, and Parsons is the worse for wear. There's an egg-sized bulge on his forehead where a Westcombe Park flanker has 'boshed' him. Old Becs have gone down 17–9, thanks to three second-half penalties; the referee has done them no favours. But the muted percussion of his match analysis is suddenly drowned out by a sudden roar from the bar, as a group of younger Old Becs – good-looking lads with gel in their hair – sing *You've Lost That Loving Feeling* with brutal togetherness. The local football team look on in dismay; a pair of hockey boys leave. This is tame stuff as yet, but enough to raise, once more, that most difficult of rugby questions: why do so many of the nice, intelligent individuals who play the game feel driven to huddle in a circle chanting about tampons and so on until landlords show them the door?

Meanwhile, a million miles away, Carling studies the personalised wall-chart donated by the England management, which maps out his training schedule for the next thirteen months. Getting to the top in his game – for all its hard-held ethos of playing for fun – is now a gruelling and strangely solitary business. He may be the last amateur of his kind. As Carling is fond of saying: 'There's much more to life than playing rugby.' But not yet.

Village People

Andrea Waind

September, 1993

Church bells are ringing as 'PD' runs in to bowl. A ringed dove coos above the lush Ashby Folville pitch. Two balls to go, the last two men in, and five runs needed.

PD (Phil Lane, after his first two initials) is hit for a soaring six over the horse chestnut trees. The bails fly, the captain swears and Ashby Carington Cricket Club and its three supporters clap off the opposition's batsman, who has his hands down his flannels rearranging his box. What the England team play and are and do isn't cricket. *This* is cricket.

When members of this team are given out by the blind, deaf, 90-year-old umpire who persistently cheats, they don't stand and argue. They wait until they have crossed the boundary marker before they lose their tempers, and rage and stamp around the locker room amid the ancient bats and ripped umpires' coats and dried-up cans of linseed oil. And when they are out and the blind, deaf umpire doesn't notice they are out, they walk.

'I'd walk,' says the wicketkeeper.

'I'd walk,' says the captain. 'I think we'd all walk.'

The Ashby captain is 'Slates' – Richard Slater, 26, whose hobbies are smoking and drinking, and whose other nickname is 'Rigsby' because he takes in lodgers. 'And because he's a scruffy bastard,' says wicketkeeper John Whiting, whose own nickname (they all have them) is 'The Lightning'.

'God knows why,' says Rigsby, wearily.

Ashby Carington CC, whose pitch is a Leicestershire sheep field and whose headquarters is the Carington Arms, where its trophies are on display around the bar, all say the England team is a disgrace to the name of cricket. Mike Gatting putting his fist through a glass door because he didn't like what the umpire said. Players shambling through India unshaved, without blazers, swigging from cans. Players who never walk.

'Would I like to be on tour with this England team? No I bloody wouldn't,' says Rigsby.

Their president, Wing Commander John Smith-Carington – 'Winky' to his friends – is dismissive of the whole international scene. 'Womanising, drug-taking, glaring at umpires – that sort of thing doesn't go on here,' he says. 'We play a civilised game.'

The Wing Commander's ancestors came from Carentan in Normandy: '1066, the usual thing,' he says. They arrived in Ashby Folville in 1352 and now occupy the tombs in St Mary's church overlooking the cricket pitch.

The ground is Arcadian. Ancient chestnuts circle the boundary, and if you hit the oak near the gate, it's a four. (At some local grounds, you can catch off cows.) The river is just visible beyond third man. The team keeps a large net and a pair of waders for when the ball lands in the water (a six). If the vice-president's collie isn't about, they send in 'Pecker' because he's the smallest. Afterwards, the ball is spongy and hard to grip, and the Ashby batsmen grin at each other across the crease, Ashby being a batting side.

The only other building is the black-and-white village hall where the team serves ham teas. But the more meaningful assembly point is the Carington Arms, where the Quorn, Prince Charles' favourite hunt, meets. In the cricket season, and out of it, they hold meetings, play skittles, run books and get blind drunk. 'With two weekend league matches, two evening league matches, cup matches, and knocking up and mowing the wicket on Fridays, we can be playing and drinking seven nights a week,' says Nigel Hubbard ('Hubcap'), who captains friendlies.

The Wing Commander's red-and-black coat of arms, the Smith peacock and Carington unicorn, is up outside. 'I own the pub,' he says, standing by his study window in the Manor Gate House. 'I'm lucky enough to own the village. And the land about. It means the village remains unspoilt.' John Smith-Carington is sturdy, resolute and dressed in an immaculate blazer and navy tie. His study is alive with paintings of flying Blenheims and Mitchells and Mosquitos. In the Second World War he was a Pathfinder in Bomber Command. 'We led night ops by planting flares on targets.'

Before sorting out the Hun, he played for the team. Now he uses it as a test of character. 'When I was looking for joint tenants for one of my farms, the Smith brothers attracted my attention because they play cricket.'

David and Alan Smith are reliable opening batsmen who live twenty yards apart and are both known as 'Smiggy'.

The Ashby Carington wicket is safe and true, and favours batsmen. 'We haven't got any bowlers,' says Rigsby, who is a bowler.

'Well, he runs up and turns his arms about,' says Hubcap.

Early friendlies are called off to protect the pitch. Twice last winter the river flooded the field and road. The sheep were swimming and calves waded across the ground.

'I did point out the risk of flooding when the club chose that field,' says the Wing Commander, whose grandfather diverted the river in front of the Manor last century. Another of the Wing Commander's ancestors won a duel with spears at the top of the hill: 'The usual argument about land. Of course, he had to go into exile for a time because, even then, killing your opponent wasn't considered quite cricket.'

Groundsman David Favell ('Plum' because he is five-foot-four and seventeen stone) adjusts the wheels on the sightscreen, tries out the roller the team got from the council in exchange for a bottle of whisky, and checks the outfield for signs of moles and the opening batsmen's sheep.

Later, in the Carington Arms, he raises his pint of bitter. The team is celebrating its first league victory of the season: seventeen points without playing a ball because its opponents couldn't raise a side. Robert Woods (woodpecker, thus 'Pecker', he insists) reckons the team is top of the table.

Pecker wears a gold chain under his leather jacket, has spiky black hair and is a welder. When he heard the match was off he went to Garthorpe point-to-point with six of the lads and lost his money. 'My record is 22 bets without a win,' he says.

'Beer and gambling is all these lads think about,' mumbles one of Ashby Carington's fourteen vice-presidents (you only have to buy a round to be elected a vice-president). Five of the team once bought a greyhound, but it didn't win much. Hubcap has still got it.

Pecker and the 43-year-old chairman and emollient solicitor PD (or 'Petal' – 'because he's so nice and refined') are discussing practice.

Pecker: 'We don't do any. We did nets once and we didn't get any better, so we stopped.'

PD: 'The beginning of the season's a lottery with soft wickets and the ball not coming through. When we did nets we were all out for nought first game.'

Pecker: 'Nets gets you looser, but the ground's hard in nets. So I don't think practice is good for you.'

'*This* is practice,' says Rigsby, raising yet another glass of Guinness.

He is at a corner table playing three-card brag, a Benson & Hedges fug above him. Rigsby is discussing the team's switch to the Rutland League with umpire Mike Home, who, although in his fifties, still turns out as a player for the side.

'I only make up the numbers these days,' says Mike, 'but I'm younger than "Zimmer".' Zimmer, 54, is Bob Cooper, who also umpires. (Bob is father of another player, Ian Cooper – 'Cutie', because somebody thinks he looks cute.) Mike is also younger than 'Denzil' (Derek Cooper, no relation) who bowls and umpires and is the current holder of the silver Duck Trophy for most ducks in a season.

Ashby Carington umpires are never accused of cheating ('except by us,' says The Lightning, 'because they try to be so fair'). But the village cricket can be brazenly incestuous. 'There's a Rutland bowler,' says PD, 'who has been known to shout "Howzat, Father?" To which the invariable reply is "Out, Son".'

This is their first season in the Rutland League. They resigned from the North Leicestershire League (where they were the Wimbledon Football Club of their day, rushing up through the divisions) because they want to play village cricket and compete against village cricket teams.

'A lot of good village sides moved out [of the North Leicestershire League], leaving just park and recreation-ground sides,' says Rigsby, who is pulling his own pint. 'Townie grounds are diabolical, not to mention dangerous. One of them's by an aerodrome with remote-control aircraft flying about, and there's usually another game going on behind you so you can get brained by somebody hitting a six.'

Rigsby doesn't like townies. 'Most of 'em wouldn't even have a drink with you. And they never field the same side twice.' (Most of the Ashby team have been playing together for six years, some for fifteen, PD for twenty.) 'They only play for league points, say "Thank you very much", and sod off.'

'They don't start hitting you or anything, but you can feel the aggression,' says The Lightning. 'Some of us can be aggressive, but they are different people. They think we're country bumpkins. Do we think of ourselves as country bumpkins? Yes. Yeah.'

One of the Ashby vice-presidents thinks village teams are more tolerant. 'At least two local country teams have players who are what you might call a bit slow, and the lads accept them.' Another vice-president says: 'If you mean village idiots, we've got eleven playing for us.'

An evening league match at Wymondham on the edge of the Vale of Belvoir is under way. Last season Wymondham won promotion to the first division of the Borrough League for teams around Melton Mowbray. 'Six years ago all our matches were friendlies,' says Rigsby. 'Then all the teams we want to play signed up for leagues, so we had to as well.'

Around the ground, the hawthorn is thickening and making bursts of flower. The Wolds villages are ochre brick with greens tended like Ashby's wicket. 'Beeks' (Stuart Beeken), the evening league captain, is polishing the inside of his box with his elbow. Beeks takes his cricket seriously: he hates losing more than anybody. 'Perhaps he's sulking because he's lost the toss,' says a voice from the locker room.

It's eighteen overs a side – more or less a thrash. Pecker, off to open the batting, breathes deeply of the chilly air, and slips on a fourth jumper. The only sounds are the breeze in the oaks and four boys knocking a ball about. 'Just beautiful. Leather on willer,' says Pecker in broad Leicestershire. On Sunday he was out for six in a friendly against Houghton-on-the-Hill.

A few minutes later, he is walking back to the pavilion, out for two. 'I chased a wide 'un again,' he says.

Rigsby, at the door, takes a long pull of his cigarette. 'Two, Robert,' he says.

'Yeah.'

'Total eight, Robert.'

'Yeah.'

'Average four for the season, Robert.'

'It'll pick up.'

'It better.'

Fifty goes up on the scoreboard. 'Deals' (Steve Dealey) says his girlfriend moans about the time cricket takes up. 'I just tell her, if I'm playing, I'm playing.' Someone says the Smiths' wives do not allow them to play twice in a weekend. 'When I was courting it was difficult to get to all the matches,' says Rigsby. 'Now I've no problem.'

'YEAH!' Miff, the Wymondham umpire, holds up his index fingers and both teams cheer Beeks' six. Miff has been playing and umpiring at Wymondham for 39 years. Someone points out 'WG', from a rival village team, by the pavilion. WG has been flattered by his nickname for years, not knowing it means 'Whingeing Git'.

Later, Beeks, bowled for 41, scowls like a melodrama villain during his long walk to the lockers. Not hearing the applause, his only consolation is the traditional post-innings scratch down the front of his flannels. Pecker scratches violently in sympathy in an unusual two-handed style.

Tall and bearded Nigel Hough, nicknamed 'Rough Hough' because his language gets crude when he's on Hofmeister, is the team's slogger. 'I'm noted for going out and getting a lot, or getting nothing at all,' he says. Tonight he gets out first ball. So, in the next three balls, do three more batsmen, falling victim to Wymondham bowler Andrew Ruddle.

'If three out in three balls is a hat-trick,' calls a gleeful fielder, 'what do you call four out in four?'

'Crap batting,' mutters Rigsby, pulling out his crumpled Benson & Hedges.

'Just prod it about a bit. Get a few singles,' Beeks tells Deals, off to bat. 'People who play because it's a game have no idea,' he says with sudden disgust. 'If you don't play to win, it's a waste of time. I never play friendlies unless they're desperate. YEAH, AND BACK!' he yells to Deals as a fielder misses the ball.

Ashby makes 97. Despite the team's bowling – Rigsby, in a T-shirt which shows off his windmill action, bowls a lot of wides because he has not had enough practice – it is enough: Wymondham only makes 90. Undefeated in both leagues, Ashby celebrates with its opponents in the Berkeley Arms.

It is still an easy social mix, on and off the field. Zimmer says that when he was a boy, the squire played, the blacksmith, the baker and, on occasion, the vicar. The mix is as egalitarian today. Zimmer is a factory manager, Plum a farm worker. Beeks is clerk to the works with the council. Rigsby a lighting sales director. Rough Hough drives a school bus, Nigel is an accountant.

Even the Wing Commander's grandson plays occasionally. 'He took five wickets once, and had to buy a jug,' says Rigsby. (You also buy a jug – $5\frac{1}{2}$ pints – if you score 50.) 'And we've got a boy wonder who's at public school. He's going to be a fantastic player if he keeps away from booze and women.'

Bert Slater, 87, a Smith-Carington tenant farmer and former team member, remembers when Teddy Gutteridge, the odd-job man at the Manor, and the chauffeur, Hake Baker, started the team in the Thirties. 'We played at the bottom of the hill then,' he says. 'Twenty-three of us worked on the estate – bricklayers, farmers, gardeners. It was strictly a village team.'

Bert Slater thinks village cricket is dying. 'Twyford, South Croxton,

Barsby – none of them have teams now,' he says. In his tweed jacket and knitted waistcoat, he sips on his Manns bitter and remembers such great England cricketers as Jack Hobbs, Maurice Leyland and Billy Gunn. 'Even county cricket isn't what it was. Goggles and mouth shields! Least we're still in pads and gloves.'

Zimmer says village cricket is becoming more professional. 'The surviving sides are better, and the grounds are better quality,' he explains. Poaching is rife. Rough Hough left his home village team because a lot of money came into the club.

'I was brought up in Barkby, but now they don't want local lads,' says Rough Hough. 'Ashby is on the up, but there's a good atmosphere, we have a laugh. At Barkby you've just got to win. I don't call that cricket.'

Two days later, Ashby comes up against semi-professionals in a cup game against the hamlet of Pickwell. Pecker is wearing five jumpers because this is the highest, coldest ground in the country. It has an astonishing view of the Wolds.

Pickwell bats. It is soon obvious Rigsby, Cutie, and PD (who wears a floppy hat and bowls deceptively fast off five paces) will have a hard time shifting the opening batsmen.

'The lad batting at the far end plays in the Bradford League alongside Vinod Kambli,' says the third Pickwell bat. Vinod Kambli scored a double century for India against England. At the other end of the crease is the best batsman in local cricket, borrowed from Billesdon. The third bat settles comfortably for a long wait. When the Billesdon man is out for 60, there's no griping from Ashby. Both teams cheer him off.

'We don't get many spectators,' says Hubcap. 'More dogs really. On sunny days we get "Handtrap Sam" [a former player who called corsets "handtraps" when he was a lad], and a chap who lies on a sunbed, puts a hat over his face and goes to sleep.'

Pickwell sets an unobtainable target and puts Ashby in. Steve Barnes ('Salty the Sea Lion' because of his clapping action when catching) is run out. 'Run out on his first game of the season without facing a ball,' says Cutie, gleefully. Salty is a run-out merchant.

Rigsby is sitting on a log, smoking. 'Everybody has a go at everybody,' he says, 'but there's no ill-feeling. The odd time somebody goes mardy, but it don't last long. We don't let it.'

The rest of the team are keeping warm in the pavilion, trying not to get too despondent at the prospect of a heavy defeat. 'Looks like we've qualified for the Wankers' Cup again,' says Pecker. Last time they won it, Hough drank the pub out of Hofmeister and Plum opened his bedroom window to throw up, forgetting he had double glazing.

At an acrimonious club meeting behind velvet curtains in the Carington Arms, the team is discussing the Ashby pavilion. Beeks came across a Portakabin going cheap; Plum has installed a kitchen.

'Now the team have extended their field of operations by joining the senior league, we have to provide facilities,' says the Wing Commander, who is chairman of the parish council and has a particular interest in planning. The club has bought a second Portakabin to house some showers and toilets.

Beeks complains that pillocks like him are doing all the pavilion fund-raising, while others, the ones at the front when the team photographs are taken, are doing sod all. The Lightning says people have to decide whether they want to play for a poxy village side or if they want to improve standards and have a shower after playing. But he isn't knackering himself raising 'a poxy ten quid' on a sponsored bike ride. Someone says if Mike Home joins the bike ride, he'll have a sponsored heart attack.

'Where is the second Portakabin anyway?' asks the chairman through a giant sausage cob. On Sunday, Handtrap saw it going the wrong way up Ashby Street, but now it is in David Smith's farmyard, which Pecker says is a long way to go for a wash.

The new pavilion faces the ramshackle old pavilion by the river, where rats recently ate a pair of wicketkeeper's gloves. After that the team got changed in a henhouse. The Wing Commander remembers the old pavilion appearing on Easter Sunday twenty years ago: 'I stepped out of church and there it was, so Christ wasn't the only one who rose early that day.' There will be no problem with planning permission. 'I'll class it as a temporary building, like the last one,' he says. 'I'd say twenty years is pretty temporary.'

The other item on the agenda is the tour. Nigel wants to go to the Harrogate Cricket Festival, but Pecker says the object of the tour 'let's face it, isn't cricket'. On the last tour, Rigsby lost two front teeth – playing golf. Most of them want to go to the seaside: 'Ain't there some dossy oily beach somewhere?' says Pecker. Nigel says he will investigate dossy oily beaches.

Ashby is in the Carington Arms 'preparing' for a match at home to a Northamptonshire side. The team is in high spirits – last week it lost by only six runs to one of the strongest sides in the new league – but, as yet, its members haven't had many drinks. 'They're never drunk at lunchtime,' says one of the vice-presidents. 'It takes them all day.'

Rigsby, though, sitting at the bar, is looking forward cheerily to another day's village cricket. 'Two pints before, two pints after,' he says, summing up the Ashby philosophy. 'We're going to have a good time.'

Swings and Roundabouts

Ben Webb

August, 1993

The first day of the BMW International Open in Munich was blindingly hot. Liam White, already sweating, took careful aim down the narrow fairway. His focus switched to the little white ball that was perched on a tee in front of him. Slowly, he brought the club head back, then accelerated it down towards the Maxfli. He heard the crack as the ball flew, ruler straight, down the centre of the first fairway.

The thin line of spectators applauded. The desultory clapping, so typical of the early tee-off times during the first two rounds of a tournament, had little impact on him. His face was set.

He picked up his bag of clubs (a caddie costs money: playing without one saves £300 a week, but means there's no one to consult before each shot or to provide a boost after a bad one – you are on your own). Eric, White's usual caddie, would be hanging around at home in Nottingham waiting for good news. White yearned for a win, but he was pressured now, rushing his bag around and tending the flag himself.

A naturally confident player, his mind was fixed on one thing – making the cut: qualifying for the final two days of the four-day competition when the prize money is shared out. Only players placed in the top 65 make it, but all are guaranteed a part of the pot – if only between £600 and £1,500 for coming in 65th. The rest count their losses. Top players assume they will make the cut and aim for the higher positions and the big money. The lesser players often just judge the score required to make the final two days, and aim for that. White knew that if he did make the cut, then he could push himself to climb the leader board, assured that he was, at least, guaranteed a cheque – and enough cash to play another event.

And he desperately needed a win. The season had started out well – brilliantly even for a rookie on the European circuit. He had beaten Sevvy

Ballesteros twice in early tournaments and pocketed earnings of more than £7,000. But a sequence of missed cuts had eaten into his cash reserves. He was under pressure to win some money – not the sort of money that buys Ferraris, but enough to cover his expenses and a bit more so he could afford to get to the next event. And he owed his father £800 already, cash he had borrowed just to get to Munich. He didn't like to borrow his parents' money, or gamble with their savings. They weren't well-off, and while he knew they didn't begrudge it, he wanted to return their trust and generosity by winning some prize money to repay them.

White knew the Munich course was not difficult and that he would need a sub-par score to make the cut. In practice, he had been playing well; he was hopeful. As the holes passed, he got into a rhythm and scored two birdies. But the pressure was turning the round into a leaden ordeal instead of an enjoyable morning's golf. He finished the final holes and returned to his hotel with a 69 – three under par. Tired but relieved, he flopped onto his bed and gazed at the ceiling. 'So far, so good,' he thought.

Later, he went to the bar. Two other young players congratulated him on his score. But, as the other golfers rolled in, White realised that the scoring had been low. It had been a day of birdies, and more than 65 players had scored 69 or better. He would have to do it all again the next day. His nerves fluttered, replacing the ebullience that had filled him all evening.

Despondent, he phoned his parents. He didn't want to give the impression he was down. 'Mum, I played really well,' he said. 'I shot 69, and it could have been a lot better.' His mother, Margaret, was excited. 'Fantastic,' she said. 'Do you think you'll make the cut?'

'I think so.' He tried to sound confident. 'If I play as well tomorrow as I did today, I can make it.'

'Good luck,' she said. 'Fingers crossed.'

White returned to the bar and ordered a beer. It didn't taste as good as he had hoped. The second round was going to be make or break. One bad hole, one bad shot even, and, instead of a fat pay cheque, he would face the lonely flight home. He estimated he needed three birdies to make the cut.

That night he slept poorly. He woke early and went to the course. The pressure mounted: a gut-twisting, mind-wrenching tension. So far, his swing was standing up to the strain. He knew that just one tense muscle in the hundreds that must co-ordinate to create an effective swing could send the ball hurtling into a bunker or the rough. Every shot was potential disaster. He had to relax.

He started the round well and, at level par, was in contention as he approached the ninth, a par five – and a birdie chance. His drive had left him on the fairway, 265 yards from the flag. It was at the limit of his range, even with a wood, and it was into the wind. He had a choice: one risky shot and two putts for a birdie, or two easy shots to the green for a par. Should he? Shouldn't he? He pulled the driver from his bag.

The sparse line of spectators noticed nothing unusual. A player was selecting his club and confronting a dilemma typical for a par five. But for White, it was a decision that might determine whether he played another competitive round that season. He was all alone, without a caddie to offer reassurance. Characteristically, he gambled.

To drive the ball accurately from the fairway is tough. He tried to wipe his problems from his mind. He thought back to recent rounds on his local course, when he had tracered similar shots to the pin. He swung and made good contact – but the club head was a couple of degrees off dead straight. He had hooked it. The ball flew towards the green, began to curve away, cracked into an advertising board and ricocheted six inches out of bounds. A two-shot penalty. White, knowing his chance was gone, salvaged a double bogey seven.

He went back to his hotel and packed quickly. A series of 'if onlys' flitted through his mind: the putts that had grazed the hole, the unkind bounces, the dire ninth hole. All he knew was that it was too late. He returned to his parents' home in Nottingham.

That night, instead of analysing his third round with the pros, he had a few drinks at the club with his mates. He said to a close friend: 'It's a nightmare. My dad went and earned the money and I've gone and spent the bugger.'

Liam White is a natural. He first picked up a golf club at sixteen, when he was caddying for his father. He sprinted after his father's ball, put down a spare, and cracked it 180 yards onto the green. His bemused dad – a veteran of years spent endeavouring to perfect his own swing – asked him to try the same shot again. His son swung the club a second time and sent the ball fizzing towards the flag.

Since then, White has joined the golfing fast track. Three months later he had reduced his handicap to twelve and a year later was scratch. In 1991, at 22, he fulfilled every amateur player's ambition when he played in the biannual Walker Cup, the amateur equivalent of the Ryder Cup – a match between the British and Irish team and the traditionally cocky Americans.

The precocious White grabbed the headlines. The *Daily Mail* splashed 'THE CHARGE OF THE WHITE BRIGADE' after he won a gruelling battle with the top American, Phil Mickleson. The two players were all square at the par five sixteenth. Both reached the green in two. It was the young rookie who broke the stalemate. Stooping over his ball, he knew that if he could sink the 25-yard 'monster' putt it would be a killer blow. He stroked the ball, and the spectators erupted as it curved across the subtle contours and dropped into the four-and-a-quarter-inch cup. White leapt into the air, fists clenched – a pose that dominated the *Daily Mail*'s back page. And White had still never had a golfing lesson in his life.

His manager, Anthony Hoffman, was so impressed when he first met White that he immediately gave him £3,000 of his own money to play in Monte Carlo. Hoffman, who works with sports personalities every day, raves: 'He is electric on the course. He has an aura which few sportsmen have – charisma and a remarkable talent.' White has that hair-prickling ability to hit the difficult shot with apparent ease that attracts the spectator. Like his snooker-playing namesake, Jimmy White, he attacks. A birdie and bogey man, he likes to entertain.

But Hoffman feared White might waste his talent because he had never struggled to play the game. He lacked the steel and self-awareness to maximise his potential. Hoffman didn't want him to join the litany of wasted sporting talents, the mavericks who didn't train hard enough or lost themselves in drink. He explains: 'I had to get involved because he needed someone to keep his feet on the ground, not a bunch of backslappers around him.'

After White's Walker Cup success, it was a natural step for him to turn professional and join the circus of players who circle the globe, playing on the Volvo European Tour – the series of events run by the Professional Golfers' Association (PGA). It is a big-money, high-glamour life for the successful. But the pressure to win week in and week out, away from home and family, with only fellow professionals as company, is draining. While thousands dream of success on the circuit, only tens make a fortune.

Playing professional golf is not simply about turning up at a tournament and having a go. It is a huge financial and physical commitment. Just to play the year will burn a £35,000 hole in a competitor's pocket. One week the army of professional golfers and their caddies invade Dubai, the next Spain, the next Rome. The events are sponsored by huge companies like Mercedes, Lancôme, or Johnnie Walker. It is an arduous trek through hotel lobbies, airport lounges and stuffy golf clubs. Simply to survive on the tour a player must win £1,000 a week to fund the nomadic quest for a share of the total £22,300,000 prize money. As PGA tournament director Mark Stewart says: 'It is a different world. The pressures are vast.'

In a typical week, the players will often arrive in droves, ferried by tour operators who offer package deals to the players. Everything is laid on, from hotels to the daily transport to the golf course. Players can save money staying in cheap hotels, but, after sweating around the course all day, a good dinner, a cool beer, and satellite TV help stave off the ennui. If players are not in prime physical and mental condition, the £20 saved each night could cost hundreds in dropped shots. Competitors practise at the beginning of the week and walk the course. On Thursday, the tournament starts. On Saturday and Sunday, the players who survive the cut play for the prize money.

The stars, the ones who swan around in private jets, can pick and choose their events, confident of winning enough to take time off should they need it. They are often paid just to turn up; they flourish on huge sponsorship contracts. Last year, Nick Faldo, the world's best player, and a golfing automaton, took home roughly £1 million in prize money and probably five times that amount off the course.

At the other end of the scale, first-year professionals need to win money just to survive on the circuit, as well as find the cash to pay for a roof over their heads at home. It is survival of the fittest.

White's first step, in 1991, was to go to the tour school with about 600 other hopefuls to compete for a tour card, essential in order to be part of the European tour. He had to undergo two qualifying stages, after which the numbers had been whittled down to just 40.

White qualified in fifteenth place; he was one of the highest ranked first-year professionals, or rookies. It was a good sign. Previous highly placed rookies have made an immediate impact on the professional circuit. Steven Richardson, for example, made more than £100,000 in his first year, 1990. A year later, he made £393,000. White hoped for a similar record.

Because it is expensive, many players are wary of trying out for a card. White had no doubts. 'I was on such a high after the Walker Cup that it was an easy decision to go professional. Getting my card in my first year – no bad achievement – proved it was a good one.'

White's next goal was to start the 1992 season well, to ensure that he could get into the more popular, big-prize-money events later in the year. The problem for White, as with other young and lower-ranked professionals, is that there are more players than spaces in each event. The 40 qualifiers, added to the number of pros who already have cards, swells the pack of cardholders to more than 200. And there are only 144 places available in each tournament.

A complicated system of ranking and categorisation determines which players have priority. Everyone is ranked according to how much money they have earned, or how well they did in qualification. The more you win, the higher your position in the pecking order. The list is updated twice during the year and, to guarantee entry, White needed to climb the table until he was higher than the 140s.

White had another overriding reason to climb the rankings. At the end of the season, the top 120 players retain their cards and can come back the following year; otherwise, it's back to the tour school.

With his newly acquired card, White flew to Thailand for his first chance to rub golf bags and discuss the run of the green with tournament-winning personalities. It was the Johnnie Walker Asian Classic in sweltering Bangkok – a chance to compete against Faldo, Ballesteros and Ian Woosnam, everyday people hurled into the public domain by golfing talent. He was nervous but optimistic. His six-year-old goal had been achieved.

He first encountered Ballesteros on the practice ground. White was cocooned in a private world of concentration, grooving his swing, when he heard clicking cameras and the jabbering of a gallery of fans. Ballesteros, a man with an almost tangible aura, began playing a bare six feet away. White felt weird; he couldn't concentrate. For the next twenty shots, he felt as though he were trying to hit a marble with a stick. But the feel came back to his swing. He could hardly wait.

In the tournament itself, White kept to the fast track. He played solidly, concentrating on his own game. He didn't want to be intimidated by the roar of the crowds as the stars scored birdies and eagles. After two rounds, he was four under par, and just made the cut. It was an eye-opener; in amateur golf the cut is often at four over par. In the third round, he shot a 71, which put him among the big names. On the tense final day, he scored a 68, after starting with an eagle, and beat Ballesteros (69) and Woosnam (72). White recalls the confusion and exhilaration: 'I thought: "What's happening? It isn't right. I've done something wrong here." ' He hadn't. White had won his first serious prize, a cheque for £3,400, in his first week on tour – not at all a bad pay day.

A fortnight later, he played in the Turespana Masters in Malaga, Spain. On home soil, Ballesteros is always determined not to let down his adoring fans. But again White beat his hero. In appalling conditions, he started with a disastrous 81. He wrote off his chances and went for a drink in

Torremolinos. Relaxed, on the second day he shot a 68, making the cut easily. He went on to score 73 and 67, one of the best final rounds. He came seventeenth, and scooped £3,600.

A few weeks later, while practising bunker shots, he hit the pin and heard a shout of 'Olé! I like it.' Ballesteros strode over and gave White a few tips on how to play from the sand. 'I'll never forget that,' White says. He began to feel at home.

The gregarious White swiftly gained a taste for the touring, the hotels, the evenings that turned into early mornings spent leaning on bars with the seasoned pros. White, who enjoys a good time, remembers Richard Boxall – who 'likes his pop' – sinking a few beers the night before the final round of a tournament he went on to win.

The high-profile life suited White. If he ever had doubts about being a professional, they were swiftly quashed. 'What I really like is the glamour side, to be up there in the public eye, signing autographs,' he says. 'It makes me feel good. To be the best on a given day; that makes you feel fantastic.'

The chance of making a few bucks also motivated a young man who likes Boss jeans and apologises for his ageing Vauxhall Astra. 'You can't avoid the big numbers,' he says. 'The money's dangling there like a huge carrot, and you want to grab it.'

But life on the tour is not always jolly anecdotes of success. A few poor performances, and the high life becomes a struggle to cover the costs of a caddie. Every year, only about a third of the 40 qualifiers make the top 120 and keep their cards. In doing so, they can shunt as many as fifteen other pros off the list – players who may be lumbered with mortgages and families. For White it had started well. 'Twice in my first three weeks I had beaten Sevvy. I was on top of the world.' He had proved he had the ability to win money. He was on the verge of establishing himself in the professional ranks.

But he soon experienced the tug of gravity. Missed cuts began to erode his bank balance. And the harder he tried, the worse he played. Short of cash, he began to miss tournaments. In practice, he was playing as well as ever; on the course, his game went into decline. He was experiencing the downside of what he calls 'golf's rollercoaster'. Searching for funds, and withdrawing from events for which he was eligible, sapped his resolution. His self-belief evaporated. 'I knew I had to play well to get to the next event. I couldn't just play twenty tournaments and have a good bash. I was playing one week, and then not for six weeks. I started getting nervous.'

Robert Green, editor of *Golf World*, had seen it happen before. 'The pressures depend massively on the level of financial backing,' he says. 'If you play knowing that missing the cut means you have wasted £1,000, and that the bank manager has only given you a £5,000 overdraft, then that is real pressure.'

After Munich, White's life returned to normal. He spent a lot of time practising at his home club, and played well. But frustration began to replace the swagger. His practising became sporadic. He was stuck at home, unable to compete on the tour. His card was redundant. Bullishly, he had gone headlong into the cauldron of professional sport, had proved he had the ability, and it had all gone wrong. Heel-kicking at home for the first time in his life, he almost gave up.

Etched on the oak panelling of the plush Wollaton Golf Club in Nottingham are lists of the winners of the club trophies. The name of Liam White is prominent. The lists represent exploits he has consigned to the sunny days of his past.

White himself is gazing at the deer which roam over the course, and plotting his campaign for this year. He has just finished one round and is relaxing before embarking on a second eighteen holes in the afternoon. Recently, he has been practising harder than ever. He has just gone round the course in 63. His manager is delighted. White is annoyed it wasn't a 59.

He talks with a maturity acquired from the shock of failure. He has, he feels, recovered from the rise and fall of 1992. His preparation for this year has been professional, the cavalier spirit of the newcomer banished. 'It's got to be a reassurance year,' he says. 'I've got to get my confidence back to where it was.'

He sips tea in the club lounge. He is surrounded by mostly middle-aged men. He doesn't conform to the traditionally staid image of the sport. His stockiness, which belies a smooth coordination, suggests rugby is his game. And his bleached hair would blend easily into football's Premier League. He is brusque, sanguine almost to the point of cockiness, a function of finding a difficult game easy. But he is amiable, too. One of the lads.

It is easy to envisage White strutting around the green with a broad grin, chatting and chortling with fans. He is more a Lee Trevino character, chirpy and full of natural vigour, than a Nick Faldo, ordered and contrived. His attitude is straightforward. 'Coaches work for some people, but I like to keep the game simple,' he says. He has, however, turned to psychology.

In an attempt to unravel the reasons that lie behind last year's troubles, White has been reading Timothy Gallwey's *The Inner Game of Golf*. 'It's very interesting and helpful,' he says animatedly. He leans forward. 'The book helped me understand things that had happened to me – about how I had lost confidence and become anxious through self-doubt.'

White is convinced the book has already made an impact. 'I am aware of how you must programme yourself to be concentrated on what you can do, and not to allow fear of the unknown to creep in. I don't feel I did myself justice last year, but I learned what pressure is about. I have not come across it before, and I can tell you it's not a nice thing.'

Golf is not like most other sports, where surging levels of adrenalin and nervous tension help athletes run faster, rugby players tackle harder, and cricketers bowl quicker. There is less palm-bashing self motivation in golf. It is about control. It's good to be keyed up, focused, and determined. But if tension creeps into the swing, shots will be dropped. Many immensely skilful players who fail to win major trophies are dubbed 'chokers', because their games fall apart when the pressure is on.

White, not content to train his mind, has also subjected himself to a strict diet. His weakness for a few beers – 'I love to party' – has been controlled by the rigours of his new fitness regime. Already, his stout frame has shed a stone. The new Liam White may neither be entirely teetotal nor a ten-hour-a-day practiser, but he is certainly a lot more committed. 'It was obvious I had to make some changes,' he admits.

Anthony Hoffman has noticed the transformation. 'Liam's dedication to his game and personality changed after last year, but the change is still not as big as I would like.' Hoffman has pulled together a couple of deals which should make life a little easier. He has signed a contract with Nike, which started on January 1 this year. He is negotiating with Imperial Tobacco and with a business consortium who, he hopes, will sign a few cheques. White is guaranteed a good run this year.

He will play in at least seven invitation tournaments on the Volvo European Tour, and he will be competing in the Challenge Tour, a satellite series for those bubbling under that sought-after top 140. A top-ten position in this year's Challenge Tour, brought about by coming 180th in the Volvo order of merit, was a stroke of luck for White. One position lower, and he would have missed out, and then 1993 would have been a total waste of time. 'It was a bit of an omen for me,' he says.

Back in the Wollaton club's old changing room, with wooden benches and lockers varnished to a dark patina, White pulls on his studded golf shoes. Over the years, the boarded floor has been worn down by the trudge of golfers marching in and out. Casual players, untying their laces, nod at White and comment on their rounds, their babies and the weather. White is a gregarious man and has an answer for everyone. His chirpiness is back, a sign that the pain of 1992 is overcome, if not forgotten.

'I ended up at a stage I never thought would happen to me,' he says. 'I got very disheartened. I almost gave up. It was a total all-time low. I pitied myself. "Why me?" I asked. At times like that, you get a bit selfish.'

The well-documented saga of Ian Woosnam's struggle to succeed helps White to keep faith in himself. Woosnam spent his early professional years living on cold baked beans in a camper van. Ten years later, Woosnam was probably still eating beans, but in the comfort of the private jet he now flies around the world. And fellow rookies Jim Payne and Gary Evans, who both played in the Walker Cup with White, did well last year. Payne, who qualified behind White at the tour school, was Rookie of the Year, winning £148,352 on the Volvo European Tour, and has just bought himself a BMW. Gary Evans made nearly £150,000.

'I couldn't be more pleased for them,' White says. 'It gives you a boost.' The rehabilitation is almost complete. Hoffman has no doubts: 'I'm over the moon about Liam. Once he realises how good he is, then someone better look out.'

White looks around the changing room he knows so well. He is pleased to be back on track again, albeit a slightly slower one than before. 'My heart lies in golf; it is what I love, what I want to do, and what I will do,' he says. 'One day, I can't say when, I will be back on the tour and doing well. There's no way I am going to let myself fall by the wayside; it means too much to me.'

He hoists his bag onto his shoulder and leaves for the first tee. Last year, he would have been sinking snooker balls on the club table, a pint of bitter sitting under the scoreboard.

The Mark of a Man

Dave Hill

November, 1990

I n the end, it was all a false alarm – we should get that straight from the start. But for a while it seemed that this encounter with the team manager of Glasgow Rangers Football Club was going to be more perfunctory than I had hoped. Something had come up, a personal matter: and given that Graeme Souness is, by his own description, basically a private person, due consideration lies behind the decision to relate the story at the beginning of this piece. However, what follows is an attempt to capture the spirit of a man. And, given that our subject is all too frequently portrayed in a stereotypical way, the personal matter in question seems a reasonable place to start.

It concerned Souness' eldest son, nine-year-old Fraser, and a spot of trouble he was having with his hip. A conscientious doctor had rung with the news and expressed the opinion that there might be complications. Young Fraser and his stepsister Chantelle, fifteen, attend a boarding school in rural England. On receiving the message, Souness beckoned me into a chamber of Ibrox Stadium's inner sanctum. He was sweating, doing sit-ups, squat-thrusts and other things that involve pain. Without stopping, he explained, politely, that he was already booked on the first available plane south. He could give me only an hour – maybe we should make another date? This was a disappointment. But it bolstered the assessment of his own priorities that Souness would subsequently make: Rangers is his *near*-obsession (his qualification, my italics), but in the end 'the most important thing in my life is my family'.

A cynic could be forgiven a scoff. The received wisdom about Graeme Souness is that he is totally ruthless. As a player, his ferocity in the tackle was famous. As a manager, he marshals his teams with an apparently remorseless lack of sentiment. As a human being, he is often described as inspiring – but among opponents, what he frequently inspires is fear.

It is a reputation that has seeped into the tabloid story of his private life, a tale that has all the ingredients of a modern soap opera: husband with high-octane temperament and awesome will to win puts work before all else; beautiful wife reaches end of tether and slings hook with children in tow; husband fights (not 'pleads') for reconciliation and access to his beloved babies (there is a third, Jordan, aged five); wife's horror story of a man possessed by the demon football appears in the *Sun*; there is talk of an expensive, though amicable, divorce. Would the next episode be the story of Fraser's dodgy hip and his daddy's dash to his bedside? Well, no, not in the end. Moments before leaving for the airport, he received an update from the doctor, Fraser's ailment was minor and perfectly routine. Normal service could be resumed. The paradox of his character thus established, the manager of Rangers Football Club breathed a sigh of relief and invited me into his office for tea and a plate of baked beans.

Baked beans, indeed. What has this least-elevated dish done to merit being served in surroundings that ooze a sumptuous gravitas, befitting the biggest, richest and, arguably, most venerable institution in British football? The carpets are a gorgeous azure. Just the thought of walking round the manager's handsome desk gives me visions of oxygen tents. The beans seem slightly out of place. But there is a lesson in this. Researchers at Strathclyde University have commended the baked bean for its value in lowering cholesterol levels. As such, they have a value to the playing-side staff of Rangers Football Club. And Graeme Souness is not the sort of man to care if they clash with the furnishings.

Souness joined Rangers four years ago, when the board invited him to leave Sampdoria of Genoa and take up the post of player-manager. His mother, Elizabeth, the parent who influenced him most during his Edinburgh childhood, had once told the youngest of her three boys, 'there'll never be a dull moment when you're around, son,' and so it has proved. When Souness returned to Scotland, Rangers was a moribund organisation, a truth that could no longer be concealed by clinging to the emperor's old clothes. Souness' declared aim was to compete with the best in Europe. He took the place apart.

Rangers have always had money, but Souness made it talk. Dissatisfied with the players he inherited, he committed his first acts of sacrilege by signing a series of Sassenachs. Chris Woods, England's first-reserve goalkeeper, came in July 1986 for £600,000; Terry Butcher, England's centre back, arrived the following month for £750,000 million. The robust former Tottenham Hotspur Graham Roberts arrived in December for £450,000. Souness planted himself in the middle of midfield, and, at the end of his first season, Rangers won the Scottish League. All told, the manager has purchased more than 30 players, about half of them Englishmen, plus a couple of Israelis and a Dane. As I write, he is trying to complete the defection – not literal – of a Russian, Oleg Kuznetsov, from Kiev.

But cosmopolitan though these acquisitions have been, two of the new Rangers stars represented a breach of barriers even more profound than those of nationhood. In December 1987, Aston Villa received just over £500,000 in exchange for a deliciously skilful winger called Mark Walters; he became the first black player ever to wear a Rangers shirt. Walters quickly acquired a nickname which shows why the second of Souness' most controversial recruits had even more iconoclastic import. 'Jaffa Cake' was what they dubbed the little Brummie: chocolate on the outside, orange in the middle.

Unmoved by the long-standing ecumenicism of Celtic, their traditional Catholic rivals, no man open to the derogatory epithet, taig, had ever carried his kit through Ibrox's wood-panelled corridors of unofficial Scottish Protestant power, or warmed up beneath the portrait of the Queen that adorns the wall of the home team's dressing room. So, when Souness raided the readies yet again last summer to buy striker Maurice Johnston from Nântes in France, it was like passing holy water in a roundhead's swimming pool.

And what a Roman conquest Johnston was! Not only a Catholic, but a former *Celtic* hero who had been negotiating a possible return to his erstwhile employer just a few weeks before. Souness admits the club took 'an enormous risk': sectarian Rangers diehards burned their season tickets, the only time Johnston was seen parted from his security guards was when he ran out on the pitch; the 'Gers chorus would never summon a refrain of 'we are the Billy boys' with quite the same conviction ever again. Catholics, baked beans, Jaffa Cakes – where will it all end?

'I'm an optimistic person,' Souness says. 'Whatever I've gone into, I've approached it in a positive manner. I was prepared to fall on my backside, which you always must be. I was prepared to fail.' These observations are made with the comfort of hindsight. Following that first League title, Rangers have taken the championship twice more and won the Skol Cup three times (the prestigious Scottish Cup still eludes Souness). But this procession of domestic domination has not always been glorious, and it says much about the make-up of this frustrated family man that not all his public deeds have been fit for family viewing. Sent off twice in the first season – most memorably during the match against Aberdeen in which Rangers finally clinched their title – Souness was accused of ostentation, arrogance and a pathological recklessness in his desire to win. Dovish introversion has not exactly been a characteristic in the career of this handsome man of 37 who pines for the times when he gets to bounce his two wee laddies on his knee. At Liverpool, with whom he enjoyed six great years before heading for the lucrative Italian league, he built a kind of composite reputation – half Flash Harry, half Hard Man, a beautiful, measured passer of the ball who could scrap with the best of them, an assassin with velvet feet.

You get a sense of this duality when you meet him. The first look is not very friendly: a stare of curt appraisal. Yet the brogue is accommodating, almost mellifluous. Though he denies he suffers from self-doubt, he concedes the pressure to prove himself at Rangers may have contributed to his failures of discipline. 'I would say that is possibly correct. But that never concerned me. It wasn't a case of my coming back to show these naive Scotsmen how it's all done. But the thing I have found here, and I have found hard to handle, is that there is a fair bit of bitterness and jealousy, bordering on hatred, from people within the game towards this club. I think I increased that hatred and I admit I should have handled myself better. But there were a few people trying to make their mark. I would respond with no worse a tackle, then get booked or sent off. I felt I was set up slightly,' he remarks, but adds hastily, 'not that I would ever ask for special treatment.'

There is a great deal of pride about Souness, the sort manifested in a desire to make light of life's reverses and see triumph as the just reward for commitment and hard labour. Souness' rise from rags to riches – his fortune is estimated at £5 million, his salary about £150,000 a year – has been dramatised by the fact that he was brought up in a prefab, but Souness does not describe a life of denial: 'It was a very happy childhood. I seemed to get everything I ever wanted.' He says there was none of that traditional working-class parental pressure to get out and improve himself – his decisions were his own. 'There were several clubs I could have gone to as a boy, including Rangers. They left it up to me, so any mistake I made was my mistake.'

Souness chose Tottenham and had his nose put out of joint. Simultaneously obstreperous and homesick, at nineteen he thought he should have been in the first team. Manager Bill Nicholson, a short-back-and-sides type and a legendary 'boss', was not impressed. Souness transferred to Middlesbrough, a second division team about as far removed from the London glitz as you could get. It did him good. Jack Charlton became his manager there, and, true to legend, laid it on the line: 'Basically, you can go far in this game, or you can piss it down the drain.' Souness admires Big Jack. 'He's very much like that, very harsh. There's a lot to admire about him.' There is a pause. 'He's a *man* – you either do this or you don't. Truthfulness, that's what it was.'

To be called 'a *man*' by Graeme Souness is a substantial compliment. I asked him about his reputation as a hard man and his celebrated duels at Liverpool with Leeds United's Terry Yorath. There is a story about how Souness once honoured Yorath with one of his most cultivated fouls, bent down to the Welshman prostrate in the mud and said proudly: 'That was me!' Souness corroborates the episode without shame: 'He was one I admired. We had great games together. I honestly believe that's part and parcel of the game. He and I were as friendly as anything [off the pitch]. I could phone him right now and chat with him for an hour. He never hid behind anyone. You know, he's a man.'

He bestows the same honour on David Murray, Rangers' young chairman. Murray's buy-out of the club last year was completed with Souness' help, including £600,000 of Souness' money (he owns 7 per cent of the shares). Since then, improvements to the stadium have proceeded apace, as has the manager's spending on the fabric of his team. On the face of it, they make unlikely partners. Murray, whose business interests are wide and varied, lost both legs in a car accident when he was still in his early twenties. 'I very much doubt if I could approach life in the manner he does,' Souness says, his admiration plain. 'He's on sticks, he's never in a chair. It's an inconvenience to him, and that's all it is ... He's larger than life.'

Souness is rightly seen as a new breed of football 'gaffer' (as his subordinates call him). Modern values and a changing code of soccer economics have dissipated some of the uglier post-war criteria for assessing a player's worth. Crude superstitions about race and religion are a hindrance to the meritocratic ideology of someone like Souness (this extends beyond football: his wife is a Roman Catholic divorcee). He defines his responsibilities simply – 'to produce quality football' and, most of all, 'being a winner. That's all I'm interested in.' Unlike managers of earlier generations, Souness has no financial need to work again. His footballing desire, therefore, is remarkably uncluttered. He does it for no other reason than the very thrill of competing.

But isn't there more to it than that? In his office stand photos of his children – one of the three altogether, another of a smiling dad with a lad cradled in each arm. That's one image. Yet the word 'arrogant' has pursued him through his career, and he was never the most popular of players either on Merseyside or in a Scotland shirt. He dedicated his autobiography – *No Half Measures* – to his mum.

Top football is a demanding business. To glimpse the reflective, even sentimental streaks in Graeme Souness – and the expression partly denied them by his marital problems – is to wonder at his apparent equilibrium. Is it real?

'I've mellowed a lot in the past four years,' he declares, pounding on the pedals of an exercise machine. But it was only in May the Scottish Football Association fined him £5,000 for his second breach of a touchline ban originating in a verbal set-to with a hapless referee. Souness denies he is 'a Billy Big' or unduly confrontational. He doubts, though, he will ever learn the art of strategic retreat. As a player, he always shook hands with his opponents when the final whistle went, but 'I've always found it hard to socialise with people I was competing against. In the bar afterwards, I felt I couldn't go over to the other players ... Don't exaggerate that point. I wasn't unfriendly, but I wasn't *over*-friendly. It's only half an hour after the game, your adrenalin's still pumping. It was a bit too soon.'

Still, today's Rangers wait for no man, and the Ibrox revolution rolls on. Ground renovations to the tune of £14 million are underway and should render the stadium close to the best continental standards. Forthcoming European Cup games will tell us whether Souness' team can do it justice on the field.

As for the manager himself – and, for the record, I liked the man – he is impressive in his capacity to rationalise his own fallibility; and to do so armed with an eloquent understanding of football's enduring power to engage the passions of men, for better or worse. 'I would not approach the job any differently if I had the chance again,' he says, ' 'cause I had to show a certain amount of aggression. I never went out of my way to upset people – I'm like that anyway. I'm twenty years past caring what people think of me.'

'Football ... it's basic. It's like opening yourself up to a psychoanalyst. I can tell people's characters by watching them play football – the way they react to a foul against them, or to the referee or when they score a goal. You can't tell everything, but you can tell a lot. I can ... I think I can.'

Heavy Duty

Ian Hamilton

May, 1993

When I first met Lennox Lewis he was dressed up as Father Christmas and he had a gold crucifix hanging from one ear. A six-foot-six man-mountain, he was encircled by a small congregation of admirers: a dozen or so disabled infants from the Freddie Mills Boys' Clubs, each of them kitted out in a T-shirt made by SPX, the clothing firm that sponsors Lewis and exclusively supplies his gear – though not, one guessed, the ill-fitting scarlet cloak that he was sporting on this day, nor the cotton-wool whiskers that he was having such trouble securing to his chin. As Lewis moved among the damaged kids, sparring up to one or two of them, tousling hair, dropping the odd word, his expression was properly Santa-like. But it was also detached and self-aware. Lewis looked as if he had been doing it for years.

The occasion was the 1992 Sky Sports Christmas Party, being pre-recorded on November 29, less than a month after this same Santa had savagely clubbed Razor Ruddock to the canvas at Earl's Court – clubbed him not once, but three times; Razor Ruddock, who once went the distance with Mike Tyson!

It was on that day, November 1, that Lennox Lewis had become a bona fide British star. A one-time Canadian Olympic champion, the London-born heavyweight could now be safely hailed as a phenomenon not granted to this country since the last years of the nineteenth century: a genuine world championship contender, a puncher who could hang in there with the New Yorkers and the Philadelphians. To us, it no longer mattered that Lewis had learned to box in Canadian gymnasiums and been groomed in the hills of Pennsylvania. He was still the holder of a British passport and 'with one hammer blow, lethal Lennox – the kid from London's East End – had punched his way into the hearts of the nation'.

So said the *Sun* on the morning of November 2. And there was Lennox over two pages, wielding a champ-sized Union Jack and managing to look both gratified and faintly scornful, as if to say: you lot may be surprised, but I'm not. Lewis knew well enough that if he had lost to Ruddock, it would have been a different story; words like 'carpetbagger' and 'flag of convenience' had already been whispered, and there was never much chance that Lewis would fit into the loveable-loser bracket that we reserve for the likes of 'Enery Cooper and Dame Bruno.

Close up, he has little about him of the pug: no broken nose, no vulnerable scar tissue. His skin looks more pampered than pummelled. At first, the stare he greets you with seems meant to disconcert, but it's actually quite neutral. It's a celebrity stare, the stare of one who expects to be stared at. At the same time, though, the eyes are rather kindly and amused. The message seems to be: Relax, shorty, I only *use* all this muscle-power when I'm at work. Off-duty, I'm just another extraordinary guy.

Lennox Claudius Lewis was born 27 years ago in Forest Gate, east London. His parents split up when he was six, and at the age of twelve Lennox's mother Violet took him and his older brother Dennis to settle in a small town just outside Toronto. His mother has recalled: 'Things got difficult and I couldn't manage to have the boys with me, so I sent them back home to their aunt in London. It was a very difficult decision ... All my friends called me the weeping mother – I used to cry all the time when I was apart from the boys. I phoned them every day ... [but] when Lennie returned to Canada, he was angry with me. Somehow that anger always seemed to be in him.'

Lewis' anger found an outlet in the playground. He was a big boy and was growing fast. At his school in Kitchener, Ontario, he came in for a lot of teasing: he was the school's only black and he had a Cockney accent. 'I was at an awkward age,' says Lewis, 'I was an outsider. They didn't treat me badly but I did run into, you know, certain different cases there, and I used to get into a lot of fights. My school principal, after the third time giving me the strap, we got on pretty well because of the fact that he understood, you know, my language thing and that I looked at things differently. So we became good friends and he encouraged me to go into a contact sport, which is boxing. He told me where to go. It could have been basketball – that's a sport at which I always thought I would go far – but I excelled so much at boxing.'

Lewis was coached at the local Police Recreational Center and was soon winning local and then national tournaments. At sixteen, he won the World Junior Championship in Santo Domingo and 'after that, I thought,

I'll see how far I can actually go'. Under the guidance of Romanian coach Adrian Teoderescu, he progressed to become the world's best Intermediate (under-twenties) and represented Canada at the Los Angeles Olympics. He lost there in the quarter-finals, but four years later, after lifting the 1986 Commonwealth Games title, he won the gold at Seoul. His opponent in the final there was Riddick Bowe.

The offers to turn professional poured in, but Lewis already had a money problem. In the run-up to the Olympics he had no income apart from a niggardly $450 a month stipend from the government agency Sport Canada, and in order to finance his training, he entered into a punishing loan agreement that left him with a debt of more than $150,000 by the time he won his medal.

On his return from Seoul, Lewis hired a lawyer and put his services to auction: 'I wanted to not take any chances. I wanted to get involved with the right people, 'cos a lot of people don't know how to bring up a champion with the pedigree, or how to bring up a boxer.'

Even before his triumph at Seoul, Lewis had toyed with the idea of returning to England. There was the British title to go for, and also the Commonwealth, the European. In Canada, he felt neglected. In the States, he feared that he would be exploited, then neglected. England 'just seemed like the best place' from which to make a start. Happily, it turned out that the English offer, when it came, topped anything that had been tabled from the States. Bankrolled by the Levitt financial services group, which was then, according to the business press, 'moving aggressively into sports management', the deal guaranteed a $200,000 signing-on fee (enough for Lewis to dispose of his Canadian debt), a company house, a company car and the hire of a tutor to help Lewis with his reading, never his strong subject at school. The split would be 75–25, but Levitt would cover all expenses, including the salary of a full-time trainer. And, most important of all, says Lewis, 'they also gave me control of my own career. I realised that I would be used in professional boxing, but I didn't want to be used a lot. I wanted to be the founder of my own destiny.'

By the time the Levitt group collapsed, in December 1990, Lewis had already moved to England and had won some fights. He is now backed by a London accountant whose speciality is liquidation and, says the *Independent*, 'by another backer who doesn't even like his name mentioned'. His brother Dennis serves as his financial adviser, and his mother also seems to have a formidable say. And Frank Maloney, his original Levitt contact, has been retained as manager. A former amateur flyweight, this amiable hustler runs a pub in Crayford and had contacts in the murky world of 'small-hall' boxing. He has worked for Frank Warren and Micky Duff, both of whom presumably now view him with some envy. Duff is said to have sneeringly predicted that Maloney would do a Cecil B DeMille on Lewis, in reverse: he would take a star and turn him into an unknown.

Maloney may be inexperienced but he has sense enough to recognise that: 'I'm only in the position I'm in because of Lennox Lewis ... I work for Lennox, Lennox doesn't work for me.' He has been mocked for giving Lewis too much control, but looking at the pair of them, the eagle and the sparrow, Maloney all fuss and bother and Lewis so lordly and composed, it is pretty obvious who is, and has to be, the boss. Maloney's account, to *Boxing Monthly*, of the build-up to the Ruddock fight, well captures how the power seems to be balanced:

'I walked over to Lennox's hotel and went up to his room and he was just sitting there, laughing. I said: "In a minute you're going to have the hardest fight of your life." But he just shrugged his shoulders and said: "I'm going to win, don't worry. Relax. Meditate."

'I stayed with him for about twenty minutes then I went to the arena. When I got there you could sense the build-up and everything, people coming up and asking how Lennox was. It was tense. But the atmosphere in Lennox's dressing room was so calm. I've been in a lot of big fighters' dressing rooms in America, but I'd seen nothing like this. It was just like sitting in someone's front room. Lennox was just sitting there with his dark glasses on and the camp were just talking among themselves. That's what Lennox injects into people. Calm. You can't have all this excitement around a fighter's dressing room. I tend to stay away from him because I'm a bit excitable, to be honest.'

Lewis knows about this 'calm' and values it. He calls it 'being focused' and speaks of himself as a 'foreseer'. Before the Ruddock fight he was, he says, tuned into the 'low heartbeat' of Bob Marley's 'Crazy Baldheads'. By the time he got into the ring, even his movement was linked to Marley's bassline. 'That's what you call rhythm,' said Lewis; or did he mean: 'That's what *you* call rhythm'?

Watching Lewis go about his saintly business for Sky Sports, I could more or less see what Maloney meant. His smile was never more than a half-smile, but he did what he was told. He fooled about in a bouncy rubber boxing ring, he exchanged blows with a legless robot, he bantered in near-Cockney with one or two of his 'old mates' – including Arsenal's pugilistic Ian Wright – and he was politely indulgent to John Conteh and Billy Walker, two bruisers from the past, who were brought on at the end as mystery guests and may well have been as mysterious to Lewis as they were to most of the audience. He was required, as a climax to the show, to fun-fight one of these illustrious has-beens in the bouncy ring, and it was rather sad to overhear a now less-than-husky-looking Conteh getting ready to do combat: 'Maybe,' he said. 'I'll catch him with a lucky punch.'

He didn't, but then so far no one has. Lewis has had 22 fights as a professional and has won all of them, eighteen by KO. It is true enough that his opponents, pre-Ruddock, have been more nuisances than threats, but even a Mike Tyson can get knocked out by a nuisance. Lewis, however, is no brawler; he leaves nothing much to chance. At school he was nicknamed The Scientist – 'because I'm the kind of guy who likes to sit back and observe things' – and he still relishes the label. He speaks of his adversaries as 'puzzles to be worked out', and to date he has had no trouble coming up with the right answers.

In the ring, Lewis uses his high-speed, high-precision left to keep his opponent at arm's length, to wear him down with stinging jabs and also, while he's at it, to measure him for the kill. There is a marvellous arrogance in the way Lewis now and then freezes the action, shoves a squashy left into his victim's nose and holds it there for just long enough to take a glance along the length of his own arm. It is as if he is rechecking the arithmetic. And the sums usually look good. Lewis has an 82-inch reach.

The kill is likely to happen when the other man presumes to land a punch, or a near punch. Flicked by an opponent's hopeful glove, Lewis appears to snap out of a studious half-dream: who is this guy that he should so interrupt my calculations? He has been riled by an impertinence, but mostly he seems keen to get this last, messy bit settled quickly. A ferocious three-punch combination tends to do the job. If it doesn't, and Lewis has to batter his opponent on the ropes, there is no discernible blood-hunger. The attitude seems to be sorrowing contempt: can this man see that the puzzle has been solved?

It was probably this failure of blood-lust that led people to assume that Lewis, for all his stylish ringcraft, had no killer punch. The guys he knocked over were dismissed by pundits as journeymen, bill-fillers, Mexican road-sweepers and the like. By contrast, the 40-year-old Mike Weaver, the punchbag Tyrell Biggs (who beat Lewis at the Los Angeles Olympics, when Lewis was nineteen), the immobile Gary Mason: these were name-fighters, names enough, anyway, to generate real money from TV, but none of them was reckoned to be hard to floor. Pre-Ruddock, Lewis' cerebral approach was still thought of as a liability – OK for the Olympic Games, but unlikely to upset a mongrel pro.

For a time, under his former trainer, the American Marine John Davenport, Lewis was encouraged to exhibit more animal aggression, to rush out from his corner at the bell and act very, very angry. In this role, he looked – and no doubt felt – a bit ridiculous, and against the short, squat, flailing Levi Billups he came close to getting caught. It taught Lewis a few lessons: 'I did more fighting than boxing. I should have boxed more, moved backwards, analysed it. That's why I changed my trainer, because he was making me get into a fight when I didn't need to. I've got enough mobility in my feet to stay on the outside and just work it out that way.' Under his new coach Pepe Correa, who used to handle Sugar Ray Leonard, he is always urged to 'work it out', to have a 'gameplan' and to be ready to make 'sacrifices' in the interests of a chosen strategy – in other words, to take no notice when the critics accuse him of being passive or switched-off.

The other lesson Lewis learned from Billups is that he should never go into a contest without having done his homework on the opposition. Billups was a late replacement for Tony Tucker, and Lewis had but three days' notice and no videos. Today he would refuse to take this kind of risk. Before Ruddock, Lewis says: 'I watched so much tape on Razor that I had it all stored in my head. I could see him box in front of me, exactly the way he boxes. So when I went out there and presented him with something he wasn't used to, he starts doing things that he *doesn't* do, and then I take advantage.'

Like Mike Tyson, Lewis spends a lot of time watching boxing videos, but Lewis believes his interest in the past is more constructive than Tyson's: 'Tyson is not a student of boxing, he is a student of boxing *history*. When I watch an old Ali fight, for instance, I try to incorporate his style into my style.'

Against Ruddock, this kind of scholarship certainly paid off. Lewis and Correa worked it out that Ruddock had one genuinely fearsome weapon, his big left, but that when he wasn't using it, he kept it hanging low. The gameplan seems to have been for Lewis to keep moving clockwise, to avoid the left, and force Ruddock to attack his body. It was this that Razor 'doesn't do'. To body-punch, Ruddock was obliged to bend into his opponent and thus set himself up for Lewis's pulverising right, which – when it came – must have seemed to have dropped down on him from the sky. 'Razor wasn't expecting me to be so quick. He threw a couple of hooks and I wasn't there. Not only my anticipation was good, but my balance was, too. Ruddock was too sure of himself. The press believed he was going to knock me out. They didn't realise that I thrive on the thrill of competition.'

Certainly, Lewis doesn't seem all that competitive. His Christmas video is subtitled 'I'm British and I'm Bad', but he doesn't usually pitch as the snarling type. When it comes to the routine pre-match slag-offs, he prefers on the whole to let the other side spit venom. 'My insults,' he says proudly, 'are reality insults. When I said Gary Mason had a big head, I meant that he had a big head. My insults are meant.' But why bother with that sort of thing; why not say nothing? And why all this preening and parading that goes on before a fight? 'You say those things to pester, to get under a guy's skin. It's part of the psyche game. And the parading is an animal instinct that comes out in us, in the almost ape-ian side of us. All animals do that. The human animal is not known to do that and yet it is, if you want to look at it in true respect. We all kind of parade. We want to impress, what do we do? We've gotta walk right, whether we model or whether we're athletes in front of our audience. You have Chris Eubank that does this (he mimes the Eubank strut), or you have the Lennox Lewis who does a little dance before the fight.'

Many sports heroes speak of themselves in the third person, but Lewis does it more than most, as if to acknowledge a discrepancy between the real man and the packaged star. He talks unblushingly of Lennox Lewis' marketable attributes: the looks, the personality, the mid-Atlantic accent. 'People find me easy to talk to. I don't look like boxers are supposed to look like – rough guys that cause trouble and fight all the time. In one sense, I'm an ambassador of my sport in the best way I know how. Plus with the help of my mother bringing me up the right way.' And what about his life when he retires? 'It should be filled with me touching people's lives in different ways. Whether it's as a sporting champion or whether it's as a businessman. I think I spread a certain kind of positive energy around. I want when people talk about me for them to say: "yeah, he's a good, solid person." '

It is this kind of piety which has led Lewis' enemies to deride him as a softy, a 'hairdresser' – and it must be said that his flat-top is almost pedantically well groomed – or to chuckle about his pet poodle (name of Tyson), his tropical fish, his mother love. When asked about his 'outside interests', Lewis is likely to assume that the question is about money: after all, he once took a course in business studies. And when he does name his hobbies, there is always a sense that the list is meant to sound impressively unboxerlike: he plays chess a lot (because it teaches him to be 'cunning') and when he reads, he reads usefully: 'I don't read fiction. I like things that educate you, that you can learn and put to work. I'm studying black history because a lot of things weren't taught to us in school. You read about Christopher Columbus and all of those things, but you don't read about Africa, where we originated from – those kind of things.

'After a time, you have to start educating yourself – for instance, when I get married and have kids I'm going to be part of the programme of educating my children.'

Get married? Lewis is not known to have a girlfriend, and if he does he's not telling. When the *Evening Standard*'s Daisy Waugh tried to cajole him into a confession on this topic, the exchange went as follows:

Wasn't his girlfriend jealous of his relationship with his mother?

Lewis: 'I guess a girlfriend would get jealous.'

Was he ever teased for being a mummy's boy?

Lewis: 'Would you tease me?'

Violet is often in residence at Lewis' small, mock-Georgian house in Bexleyheath, but on the day I visited she was away. It was easy to tell this because the living room was a shambles of scattered videos, remote-control guns, tracksuit tops, newspaper cuttings, mail. There was no tea or coffee left, and Lewis was touchingly triumphant when he unearthed a bottle of Asti Spumante from the fridge. Violet, we know, is a stickler for tidiness and a terrific cook. There are photographs of her on the walls and Lewis invariably speaks of her with reverence. When I ask about his father, he cuts me short: ask mother. Does Violet mind him being a boxer? 'No. She sees me travelling the world, not getting hurt, and she knows where I am.'

Will Lennox Lewis get hurt? Quizzed about Mike Tyson, he is uncharacteristically tentative. He has seen the bull-man dismantle quite a few well-trained defences and he knows that Tyson's headlong style would be difficult for him to cope with. 'If ever I was to go against Tyson, what old fight would I turn back to? Ali-Frazier. But I believe I can knock anybody out, including Tyson. If they just stand there for one second and let me generate all my body mechanics.'

Before Tyson – if that ever happens – Lewis' body mechanics will presumably have to apply themselves to Riddick Bowe. When I met Lewis, the haggling over Lewis-Bowe had just begun. The insults were flying: Lewis was calling Bowe a 'chicken', Bowe was calling Lewis a 'faggot', and so on. Bowe contemptuously surrendered his WBC belt – in a waste-bin. Lewis picked it up, the press cheered – a world champion at last! – but everybody knew that it was really Bowe who held the crown: he was the man who beat the man who beat the man.

The fear was that by isolating Lewis and the WBC (Bowe held on to his three other titles), the Bowe handlers had outmanoeuvred Frank Maloney. Certainly they seemed to have achieved what they wanted: an indefinite postponement of the Lewis-Bowe match (thus freeing Bowe to milk his title against a procession of no-hopers). How could Lewis as WBC champ go up against Bowe, who had denounced the WBC prize as 'dishonoured, a piece of tainted trash'? Must Lewis relinquish *his* title in order to win Bowe's?

If these doubts have substance, Lewis can look forward to some domestic entertainment but not to a real breakthrough in the States, at least not yet. There will be Lewis-Bruno, Lewis-Foreman, Lewis-Stewart and, this month, Lewis comes up against Tony Tucker.

For Lewis, though, the big one is still to come, and the big one is Riddick Bowe, the *real* world champion, the man he has already floored. As so often before, Lewis believes he has the psychological advantage: 'Yeah, Bowe's gonna have to second-guess himself. I don't. He has to remember. I don't have anything against Riddick Bowe. He's just someone I'm competing with. Whether he wants to turn it into a grudge match and call me names, that's his prerogative, but it's a waste of energy on his part.'

At this, Lennox Lewis sprawled back, gave a contented yawn and then hoisted his massive size-fifteens onto the coffee table. He has wasted enough energy today. 'I'm only saying something that is reality, you know. I don't think he has enough heart to hang with me. All the things I say I believe.'

Bat Out of Hell

Matthew Engel

January, 1991

One of the most recognisable faces in British sport was at that moment about as incognito as it could get. Graham Gooch had had a shave and, for the second time since starting his cricket career, he had, on a whim, shaved off his moustache. The most persistent designer stubble in the known world, ranking alongside George Michael's and Yasser Arafat's, had temporarily vanished. He seemed to look younger, thinner ... different, anyway. Even some of his team-mates started to walk past him before doing a double-take.

There was another reason for Gooch's anonymity. He was perched on a rolled-up mat of Astroturf in the Exhibition Stadium, Toronto, where an unofficial, but almost full-strength England team was playing the West Indies on an artificial wicket in a sort of one-day international for the benefit of Toronto's substantial West Indian immigrant population.

The authorities back home at Lord's had disowned the enterprise, saying they were fearful that the players would get injured immediately before the Ashes tour to Australia. But Gooch was, aside from the wicketkeeper Jack Russell, the one significant absentee from the England team. He was already injured; the best year of his career also brought him three separate hand injuries, the last of them, in Australia, leading to serious infection. But Gooch had come along to Toronto anyway, taking advantage of the chance of a free holiday for himself, his strapped-up thumb, Brenda and the three kids. They were on their way to Disneyworld the following day.

The setting was strange, but what Gooch was doing somehow summed up his career as much as anything he could have done on the field. He was antagonising cricket authority in a small way and he was putting his family first. Our conversation in the dugout was delayed because he was taking little Hannah to the lavatory.

As England captain, Gooch is heir to the greatest names of cricket's golden past. Did Douglas Jardine ever spend his time on a cricket ground taking his daughter to the lavatory? Did the Hon FS Jackson ever sit in a baseball dugout? Did CB Fry ever have designer stubble? Gooch is not quite in the mould of the ancients.

But he is unusual among the moderns as well. In the past ten years, ten men have captained England. Only one was considered a success: the cerebral and enigmatic Mike Brearley, who was in command when Ian Botham played two of the greatest innings in Test history (against Australia in 1981) and managed to be elsewhere whenever England played the West Indies.

Excluding Allan Lamb, who only got the job as Gooch's deputy, every one of the others was sacked, David Gower twice. Yet they virtually all came in amid loud hosannas and high hopes ... Ian Botham, Keith Fletcher, Bob Willis, David Gower, Mike Gatting, John Emburey, even, for heaven's sake, Chris Cowdrey, who was appointed primarily on the hereditary principle. Except one.

No one expected much of Gooch. When he was first appointed to the job, in the summer of 1988, the cricket correspondent of the *Sunday Mirror* wrote that he felt as though he had been slapped in the face with a wet fish. By the autumn of 1989, the same correspondent, one Ted Dexter, had mutated into the chairman of selectors and was obliged – in the absence of any other viable candidate – to make Gooch his captain for the tour to the West Indies.

By that stage, every cricket follower in the country felt as though he had been slapped by a trawler-full. The England cricket team has always been a bit of a joke. That is its fascination. If we always beat the foreigners at the game we invented, there would be no point in playing them. But by that stage the joke had gone too far.

Players had been caught up in various scandal-ettes (Botham and the cannabis, Gatting and the barmaid) that had been made infinitely worse by the fatuously hysterical reaction of the game's administrators. There had been five captains in one year. The team had been not merely beaten but humiliated by both the West Indies and Australia. Half the established players had opted out and signed up for a rebel tour of South Africa. The remnants were going off on the hardest tour of all, to the Caribbean, with everyone expecting them to be on the receiving end of the biggest shellacking of all time.

And the rest is history. England spectacularly won the opening Test in Jamaica, were diddled out of victory in Trinidad and only lost the series in the last two games when Gooch was absent injured. They came home and won series against both New Zealand and India. The win over India at Lord's was achieved after Gooch had scored 333, the sixth-highest score ever in a Test match.

As he sat in the Toronto dugout, no one knew what might befall Gooch next. He had learned better than most that a cricketer's career has downs as well as ups. But at that moment he was more pre-eminent, as a player and a leader, than any Englishman in three decades. And nothing could ever take away the fact that he had presided over the return of English cricket's self-respect.

This little jingle kept going round my head. It was composed by Clement Attlee, perhaps Britain's most improbably successful Prime Minister, about himself:

> There were many who thought themselves smarter
> Few thought he was even a starter
> But he ended PM
> PC and OM
> An earl and a Knight of the Garter.

I might have mentioned it to Gooch, but he would probably feel insulted to be compared to a Labour politician. The *Sunday Telegraph* called him cricket's Thatcher: 'forceful, plebeian, undeferential, a winner'. That is more his mark.

Gooch is 37 now. He has spent his life in that Thatcherite tract of land where east London and Essex meet. He was born in Leytonstone, hard by the old ground at Leyton where the Essex cricket team used to play, before, like much of the population, it moved farther east to a posher, less metropolitan address. He grew up among those places that only Ian Dury has ever bothered to celebrate.

His father Alf played a lot of club cricket. Graham worked briefly, but he was playing first-team cricket for Essex before his twentieth birthday and inside two years he had won an England cap. In one of their regular desperate moments, the selectors plucked him from obscurity, sensing unusual talent. They were right about his talent, wrong in their timing – Gooch got two noughts in his first match and was sent back to his country for three more years to learn his craft.

Cricket's first great rebellion – when the Australian Kerry Packer set up his rival cricket circuit in 1977 – gave Gooch his opportunity. He was a powerful hitter of a cricket ball but with enough inhibitions to succeed as an opener. He established himself as Geoff Boycott's opening partner and looked set to be a fixture of the England team indefinitely. 'Those of us who enjoy exciting and entertaining cricket,' said *Wisden* in 1980, 'will be grateful for that.'

Gooch himself, however, proved less grateful. Those of us who will never play cricket for England assume that anyone who gets the chance to do so should have no other ambitions in life and play as often as he is invited. But modern Test cricket, with its relentless schedule and long months spent far away from home, is a uniquely stressful way of living, one that is carefully crafted to kill anyone's sense of romance, both about travel and the game itself.

All of England's great modern players have felt the need to climb off the madly spinning whirligig at some point. But for much of the Eighties, Gooch's absence was as frequent as his presence. His form has come and gone, like anyone's. But since 1978, no one has doubted that, all other things being equal, he is one of the best two opening bats in the country and since Boycott retired (well, more self-destructed), his pre-eminence has been beyond dispute.

But he always seemed to be somewhere else. In the spring of 1982, he joined the first rebel tour of South Africa. When the players refused to accept Boycott as captain, the mantle fell on him, and it became known as Gooch's tour. At the time, he was palpably clueless about cricket tactics and ill-equipped to be the leader of any enterprise above a shopping expedition, particularly one as high-risk as that tour. He was banned from Test cricket for three years, along with the rest, and nursed his grievances with a pathetic injured innocence, as he still does: 'I was just taking up a private offer to go and earn some money,' he will intone, if he has to.

Insecurity led Gooch to South Africa. And all along, insecurity seems to have been the prime motivation. No one could really dislike him. No sportsman has ever been quite so publicly and touchingly obsessed with his family. And from that butch and usually hairy visage comes this surprisingly reedy voice; WG Grace apparently was just the same. Most players mimic him affectionately. But among black activists on five continents, who knew nothing of the man, he became an absurd hate-figure.

When he was allowed to tour again, in the West Indies in 1986, he was abused by politicians, chanted at by demonstrators and burned in effigy in Trinidad, while Allan Lamb, a real South African, walked around unnoticed. Gooch tried to go home instead of returning to Antigua, whose deputy prime minister Lester Bird had been more than normally unpleasant; the Test and County Cricket Board, whose chief mission often appears to be to stop anyone saying anything, declined to let him reply. He made it clear he would not be back.

After two seasons, he gave up the captaincy of Essex, saying the pressure had affected his form. He refused to tour Australia the following winter: 'My twins had just been born. I got slated for it. I put my family first. It was very hurtful.' The next year he would do only half the tour to Pakistan and New Zealand. In 1988, he signed to play provincial cricket in South Africa but was talked out of it when, having again taken charge at Essex, he was offered the England captaincy. However, he was now regarded as such a bulwark of apartheid that the Indian government refused to accept him; the tour was cancelled and the following summer Gower displaced him. By now Gooch seemed to wear a permanently hard-done-by look. When another South African tour was rumoured in 1989, it was generally assumed Gooch would be the first on the plane.

But he wasn't. Had he been bribed with the captaincy again? Or did he feel that all his mucking about had tarnished his career, that he still had something left to prove? The truth remains unclear. 'I want to play as long as I can,' he insists, 'as long as I'm good enough. It's an honour to play. I've worked an apprenticeship, I enjoy this.'

Really? Whatever might be said about Gooch's cricket, enjoyment has for some years not obviously been part of it. Throughout the Eighties, the strokes were played less frequently, while the determination became all the greater. An American watched him face down Malcolm Marshall at his fastest in desperate light at Lord's in 1988. 'You could hear his brass balls clanging,' he remarked, awe-struck.

When Gooch did play, he felt like the boy on the burning deck. One began to sense his growing impatience with the likes of Gower and Botham, who were much more ready to turn up physically wherever in the world they might be required, but often seemed only half-there in spirit. The doggedness of Gooch's batting and his obsessive concern with his family rather than cricket began to build into that mysterious quality known as professionalism.

He began to prepare for a day's work with a quite extraordinary meticulousness: box-briefs, chest-protector, thigh-pad, helmet, visor, arm-protector, pads . . . everything in its place and put on with an air of one going out to war. A soldier's life is terrible hard, says Graham.

But when he took his raggle-taggle army to the West Indies, the troops responded to this set of attitudes. They quickly realised there was no hypocrisy in the man. He expected nothing from his players he would not give himself. 'Gatting would sometimes bollock players for not wearing a jacket and tie to a function,' said one county captain, 'then a week later you'd see him doing the same thing himself. Gooch would never make that mistake.'

There was also the matter of fitness. Micky Stewart, the frustrated PT instructor who became England manager, found in Gooch the perfect soul-mate. When the Australian party went to the National Sports Centre at Lilleshall last October to have their fitness tested, Gooch, even with his broken thumb, came out as far sharper than men ten and fifteen years younger than him.

This did not happen by accident. In Toronto, he was, in effect, on holiday. But both mornings he was there, he went for a half-hour run down by the waterfront. Then he went back to the hotel and ran ten times up the fire escape between the mezzanine and the sixth floor, taking the lift back down again – sort of skiing in reverse. 'What I say is, if there's no pain, there's no gain.'

Old-time cricketers – and cricket writers – are still pretty scornful of this. We all look back to the more relaxed days of Denis Compton, who would wander into cricket grounds still wearing his dinner jacket, and Colin Ingleby-Mackenzie, who led his county Hampshire to the County Championship in 1961, reputedly on a regime of wine and women, though he insisted he never let them sing.

On being told by the county secretary that all the players should be in bed by eleven o'clock, Ingleby-Mackenzie said that was bloody silly because the game started at half-past. The philosophy, if not quite the timings, lingered on in English cricket until last year. Now, anyone not willing to play it the Stewart way is keeping quiet.

It may have helped both mentally and physically for England to be fitter. Certainly the connection with Gooch's own performance can hardly be ignored. Traditionally, marathon batting has been the preserve of very young men; weight-for-age, Gooch's 333 at Lord's last year was an absolutely astonishing performance. 'You're as old as you feel,' he says. 'I felt very tired at the end of the first day, because we'd had a hard game against Lancashire at Colchester the previous day. It was hot and we'd had a run chase. But I wasn't tired at the end of the 333. Your reactions do get slowed, your arms get tired. But that's why you train.'

His team-mates could not criticise a man who led so spectacularly from the front. And he is now surrounded by players who were not part of either the old England set-up or the clique that usually surrounded the leader. Gooch's only clique is his family. And for him, the lads will run the extra half-mile. They will even tell you what fun he is.

It is a side of his character that hardly ever transmits itself to the wider public. Just as much of the joy of the young Gooch's strokeplay has been lost under the weight of worry, so the lightness of his character has seemed to go too. He used to do wonderfully comic impressions of other bowlers to enliven those wretched dead afternoons when matches are doomed to be draws. He is more prepared to make fun of his new lugubriousness – 'I know I look a thoroughly miserable sod on telly but I can't help it' – than change it.

In 1990, he went from being mildly famous to very famous. If Goochymania never quite took off like Gazzamania, it still made him feel uncomfortable: 'Everyone in the streets walks up to you. You can't disappear into a corner without someone bothering you. That's the price you pay. It used to happen quite a lot. Now it's every time.'

And he has never learned to cope with the press. All captains of England prefer to be at arm's length, even the most affable; Gooch would rather use a bargepole. A journalist who asked in the autumn whether the beard had gone for good was told it was none of his business. At home, he only gets the *Mail on Sunday*, yet somehow he always seems to know when he is being criticised. 'My job is to captain Essex, captain England and concentrate on the cricket. They can write what they like. But if they write what they like, don't expect to come to me. And if they write something libellous, I'll sue 'em.'

If he was paid a baseball salary – three or four million dollars a year – then, he says, he would be more cooperative. Gooch, by employing a cold-eyed agent and putting himself about, can perhaps earn £100,000 a year as England captain. But his poisoned finger in Australia could easily have ended everything. Even a bad run with the bat could put him back on a county pro's pittance. Gooch, without the financial insecurity and his fears for his family, might be a happier and more cheerful man. He would probably be a far less effective cricketer.

The nation will probably never take such a withdrawn man to its heart. But if he can complete England's turnaround from shambles to champagne, the Attlee rhyme will apply. An earl and a Knight of the Garter? Baubles have been handed out for less.

Baized and Confused

Julie Welch

August, 1995

It is half past seven in Northampton and Ronnie O'Sullivan is on his way to play Jimmy White in the Doc Martens European Snooker League. O'Sullivan has two rules of the road: 1) set off late; 2) go very fast. He drives a black convertible BMW M3 and a few days earlier he was all over the tabloids, nicked for giving in to the temptation of a cloudless night, empty motorway and brute horsepower. The only other car on the road was driven by the cops who clocked him at 135mph.

He's still 19 and already has a fairly good record with cars, cutting swathes with them through car parks, wrapping them round lampposts: 'Ain't got no mortgage – I don't take no drugs or anything. All I like is a few clothes and bits and pieces and a car.' But though you might not want O'Sullivan to drive your grandmother home from bingo, you should go anywhere to watch him play snooker. As sure as you can be of anything in these times, O'Sullivan has the hands, the eyes, the genius and the lack of fear to become world champion. Clive Everton, the *Sunday Times* snooker correspondent and the editor of *Snooker Scene*, describes him as a 'bloody brilliant player whose very best is better than Stephen Hendry'. Anything else? 'There's not enough of it yet. But I think he's realising now what he needs to do.'

The Doc Martens is an event promoted by O'Sullivan's agent, Barry Hearn, and is being broadcast on Eurosport. It's bread and butter snooker; the tournament doesn't affect world rankings, but there's £50,000 waiting for the winner. The event is run on a league system between seven of the world's top players – O'Sullivan, Hendry, Ken Doherty, Steve Davis, Jimmy White, Alan McManus and John Parrott. There are eight frames in this match, but a draw is no use for O'Sullivan. He needs to be beat White if he's going to make the play-offs.

In the Diamond Club, Nene Park, 200 Northampton necks crane as O'Sullivan prepares to enter the auditorium. He wears the snooker player's uniform of plain black waistcoat, bow tie, white shirt and evening trousers. But despite the formal attire, O'Sullivan looks young and graceful with a fringe that flops over his forehead, giving him the look of a young Paul McCartney. He's tallish, slim, late-bedtime pale, hairy-armed but with the delicate, pianist's hands that all great snooker players have and no one notices. He chalks his cue, gives his slow easy smile and steps forward. The MC turns up the volume. 'One of the most explosive young stars … full of self-belief and attitude … From tomorrow's world – the Rocket himself – Ronnie O'Sullivan!'

God knows if the 'Rocket' nickname will stick. Luke Riches, the laconic PR at Barry Hearn's Matchroom outfit, says they'd been racking their brains for a suitable handle for months: 'All the barometric names – Whirlwind White, Hurricane Higgins – have gone.' Then just as someone said, 'Eureka – Rocket!', Ronnie Rosenthal unleashed three goals for Tottenham against Southampton in the FA Cup 5th round and there he was in the headlines the next day, 'Rocket Ronnie the Spur'. 'We were really cheesed off,' says Riches.

But the kind of snooker O'Sullivan plays is definitely turbo-charged – expressive, fluent, adventurous, above all instinctive. What he possesses, perhaps more than any other player in the game, is the most extraordinary natural talent, that fabulous hand/eye co-ordination that can't be learnt. There is also a whiff of danger about him. You get the impression that he has only one speed, flat out, which is the way he tends to live his life – Rocket Ronnie, 135 miles an hour.

Back at the Diamond Club, O'Sullivan clears the table briskly to win the first frame. Second frame, White gets a break of 39 but then O'Sullivan's in there again, walking and chalking at the same time. He's really flying, 61, 64, 68, 70, blue, pink, 79, black, two frames up. Third frame, White stops at 47. Here we go again. O'Sullivan's three frames up and it's only ten to eight.

Crowd voices swell: 'Go on Jimmy, go on Jimmy.' The MC intones: 'This is a very important frame, please cease the comments.' White takes it all the way through to win the frame: 3–1. O'Sullivan takes the next: 4–1. But then White starts to play at the top of his game and squares the match at 4–4. O'Sullivan's pay-day is cancelled.

Owning such prodigious gifts has its drawbacks: O'Sullivan can play so brilliantly and effortlessly so often that he can't understand why he can't do it all the time. He is still finding out that what wins matches is absence of mistakes on shots *within* your normal ability range, more than spurts of brilliance. But the signs are that he is learning. In the UK Masters at Wembley earlier this year, he really concentrated in the crunch match, the semi-final against Peter Ebdon, who played out-of-this-world snooker and still lost. In the final against John Higgins, O'Sullivan really stuck to it, not trying to take the match with spectacular one or two-visit frames, but applying himself to the slow grind.

'Ronnie is a bit inclined to think "I don't deserve it, let it go," when he's not playing well,' says Everton. 'It's not in him yet to try and drag the other guy down. He's like Jimmy White when he was 19, very cavalier. People to whom sports come easily are different. They think differently. No cunning. They almost think they don't need it. But look at Steve Davis. He can still beat Ronnie, even now.' So what's O'Sullivan got to learn to do? 'Crush the ego. Make dents in it.'

Ronnie O'Sullivan junior was born in 1976 under the sign of Sagittarius (likes a bet) to an Italian mother ('my fiery temperament') with some Scottish/Irish on his father's side. He first saw light of day in the Midlands but is essentially an Essex boy. 'Funny old story. My dad didn't have any money so he had to live in Birmingham. Job on the ice-cream vans, couldn't handle it so he went back to London and, when he could afford it, brought me and my mum down to join him.'

At first they were crammed into a little flat in Dalston but three years later his mother Maria, 'a brilliant saver', played her ace. 'She'd saved up £11,000, brought it out from underneath the floorboards, the fireplace ... My dad couldn't believe what he was seeing. It got us our first house, in Ilford,' says O'Sullivan. Now he lives in posh Chigwell with his mother and younger sister Danielle.

He played his first snooker at the Ambassador's club in London's West End. They had five tables, and Ronnie junior was soon making a name for himself. 'My dad used to finish work and take me in for a couple of hours. It was difficult at first because I was only eight or nine at the time but they'd get to know me dad and he'd leave me there all day.'

At thirteen, he spent weekends travelling on his own, coming home with 1,500 quid in his pocket. Alone at an early age, a child prodigy among adults, O'Sullivan developed the open, confiding manner that stays with him now: 'If someone's nice to me, I'll talk to them,' he says. But his early life was not without strangeness. 'I didn't have my first real girlfriend till fifteen or sixteen. Only in the past two years I've realised there's other parts of life than snooker.'

There is one part of O'Sullivan's life away from snooker that threatened to overshadow his success at the table. Ronnie O'Sullivan senior, the father he worships, is serving a jail sentence for stabbing to death a former driver of the Krays. When Barry Hearn first became O'Sullivan's agent, he went public with the information straight away, knowing that was preferable to the boy carrying round a dark secret the tabloids were bound to dig out. Further devastation was to follow – his mother is under investigation for VAT fraud. 'When they took me mum in, they wanted 200 grand bail,' says O'Sullivan. 'I rang Barry and he said, "I'll be twenty minutes," and he got on a train and stood up in court and said he'd stand bail. Lots of people come up and say, "He [Hearn] ain't doing enough for you." But it's only because they want to upset the applecart.'

Does he miss his father? 'Cor, yeah. Sometimes I just wish I could be in there with him. He says to me, "Just crack on and do your bit. This place isn't for winners." I don't know how he copes with it, he must be very strong. I know how hard it is for him.' He phones his father every day and says O'Sullivan senior is managing to keep the family together. 'He's there. He's given so much to me and when I do something wrong I don't feel bad for myself, I feel bad for him.' At tournaments, O'Sullivan senior's always ringing the press room, sometimes twice within the same frame. He buys *The Times* for its snooker coverage, taking pleasure in being the only inmate who reads it. Two days after Northampton, O'Sullivan is off to play the Thailand Open in Bangkok, one of nine events that dictate the world rankings. He should be trying to acclimatise, practising, resting in his hotel room, frowning over chess or Scrabble like Steve Davis, but decides he can't be bothered. His first round opponent is Doug Mountjoy, whom he treats with complete and utter disrespect, taking outrageous risks when there is no need. This lack of awe for older, fading players is nearly to undo him later in the season but for now he gets away with it, and goes on to his crucial second-round bout against Stephen Hendry.

Blank-faced and chilly at the table, Hendry is a different man when he isn't playing. Over the last year, the Scottish world champion has become a good friend of O'Sullivan's, who describes Hendry as 'a bit shy maybe', but 'one of the only ones [snooker professionals] who's halfway decent. I've never met a nicer fella in my life. What a diamond. I went up to Scotland to play and he picked me up at the airport, took me for a cup of tea. Some of them get jealous of him, of what he's got. He's got, what, ten million, and it hasn't gone to his head, he's more dedicated than ever. People like him are the best, because they play the game for love, even if they've got bundles.'

But what do you do when your friend is also your biggest rival? In recent matches, the warmth with which O'Sullivan regards the Scot has got in the way of the need to destroy him at the table. In Thailand, O'Sullivan sits in his room, stares in the mirror, tells himself to be as hard as granite, to hate Hendry as long as the match lasts and give him hell.

It works; he beats Hendry 5–2. This is his first important tournament after the UK Masters and, as he goes through the ensuing rounds, it looks as though he's on the brink of a fabulous win double. But then tiredness and jet lag begin to erode him. He needs to sustain momentum one more match and he can't. He loses in the final to local hero James Wattana. 'By the semis I started to feel really knackered,' he says later. 'I was petering out and by the final I felt really weak.'

By this time, he's also brushed with the *News of the World*, which has sent a team over to Bangkok there to work on a story that the organisers naively believe is about the explosion of snooker in Thailand. At first, they trail Cliff Thorburn, Dennis Taylor and Tony Drago, who, disappointingly for them, all lead blameless existences. Then they nail Jimmy White with two girls, pictures, the lot. O'Sullivan is implicated with a 'raven-haired temptress'. He gets a bit upset with the *News of the World* guy and before leaving pours a jug of water over him.

When he gets back home, he sets off to play the Benson & Hedges Masters in Dublin and the *News of the World* is still on his back. After going out of the tournament early to John Parrott, O'Sullivan returns home and the hacks get their story: 'Cue's A Bad Lad,' reads the headline. 'Snooker Kid Ronnie in cells after boozy row with cabbie.'

O'Sullivan had been to celebrate a mate's birthday in the West End and there was a taxi driver who didn't fancy taking him back to Chigwell. Was it a Dennis Wise job? 'Nah. You're joking!' he says. 'Can't even remember what happened, I was enjoying myself so much.' He got a formal warning for being drunk and disorderly, then the police gave him a ride home. And the *News of the World*? 'I suppose I'm an idiot. I know they're waiting for me. I don't even like the taste of drink but if I'm in a club and on water all night, everyone else is having a good time and I just feel like an ice-cream stand, a doorman.'

A few days after he gets back from Dublin, O'Sullivan and I meet for lunch at La Famiglia (he likes Italian food) in west London. He arrives with three mates in tow, asks if it's all right if they sit at a nearby table; we end up eating together. He introduces them: 'My friend Jamie. My mate Ricky. My mate Nicky.' Nicky Thurbin is a boxer, light-middleweight; he looks slightly older than the others, tough, well-sorted. 'Going to be British champion one day soon,' says O'Sullivan who's in jeans, dark T-shirt and black loafers. He looks rosy and relaxed; they've been doing an hour's circuit training and running. At the moment, fitness is his thing. 'I was finishing the snooker at midnight and going straight down the curry house, doing myself no good. So these boys are helping me get fit. They're natural fit boys. We don't drink. Except on Friday nights.'

The feel-good buzz of fitness can only be good for O'Sullivan. 'He's such a bright kid in the here and now, but has no talent for introspection,' says Everton. 'He's had a background in which introspection and repose don't come into it. But what does he do with the rest of his time? He can't practise sixteen hours a day. He's realising what he wants to do, and on the other hand he wants a good time. He can't shut himself in a house and practise. He's got to practise in a club.'

Everton also wonders if O'Sullivan suffers from what he calls 'a depth of depression'; the symptoms are quite pronounced, he says. Last year he won the UK Open and got to the final of the European Open straight after. Then he came down to earth and couldn't lift himself off it. He lost in the 1994 Masters, couldn't string three balls together, could have lost to anybody. Dennis Taylor was tripe and he won 5–0. In November, he lost in a big quarter final to Ken Doherty and announced he was going to pack it in. But then Ronnie O'Sullivan senior changed his mind.

'There's nothing worse than going to a tournament and not being prepared,' says O'Sullivan. 'There's been times when I've not put in enough work and it's been my turn to win and I haven't been up to it. If you ain't prepared, you're going to miss the boat. I was getting to quarters and semis and not winning. I was prepared to give up and then my dad said, "It's your turn." And it all happened in a month. I won the UK, the Benson, got to the final in Thailand.'

It's half past seven, another month, another city. Plymouth is where the British Open takes place, in The Pavilions, a grey brick roundhouse blending into the greyish dusk. In the press centre – that has, as ever, become an unofficial players' lounge – Jimmy White sits in silence by the window, having a smoke. Stephen Hendry is parked in front of the TV set, watching John Parrot suddenly doing not very well against a 500–1 bottomweight, Suriya Suwarinasingh. Next to him are James Wattana, Tony Drago and a man from Bolton.

O'Sullivan pulls up a chair. On a table in front of them stand three glasses of Budweiser and the menu from a nearby tandoori takeaway.

'Whoo-hooo! Through the gap, through the gap,' says Hendry, eyes on the TV. 'There's only 40 in it.' He's getting quite excited. 'This would be a dish. In the gap between the black and the red, that's it!' Steve Davis joins the game: 'This looks intrestin'.' Ronnie leans forward, grinning, and lays a twenty note on the table next to the bottle of Bud.

You suddenly realise what snooker is really like, behind the iridescent highs. A lot of grind, several terrible curries, endless hanging about. The most poignant thing O'Sullivan says is when I ask him if there's anything he doesn't like about the life. 'Sometimes, being stuck in a room. You watch a football match and see them running out in the fresh air and you think, "I'd like to do that."'

Instead, he has two days to kill until his match against Dennis Taylor, a former world champion. Taylor needs to win in order not to suffer the ultimate indignity, having to qualify for the world championship in Sheffield. And it's here that it happens, what you might call the revenge of the ageing gunslinger.

O'Sullivan's such a candid guy that he sometimes can't hide his real thoughts; sit him at a press conference and he's meant to come out with something deferential about older players he's just trashed, and he tries, but you can tell he thinks they've played rubbish. But Taylor doesn't play rubbish. At one stage Ronnie trails 4–3 and at 0–57 in the eighth is resigned to going out. Taylor only needs one more black and he'll have got his place at Sheffield sewn up. It will be the worst career humiliation that O'Sullivan will have ever been handed.

Taylor rolls the black towards a pocket. It goes in. But the white goes in after it, taking with it Taylor's chance of a shock victory. O'Sullivan goes on to win 5–4. So it isn't the worst thing that's ever happened to him in snooker after all.

That was the time when, as a 16-year-old, he was beaten by Cliff Wilson, an old pro at the end of his career. The match was in front of a big betting crowd, O'Sullivan was 12–1 on, not a profitable bet in itself but they all had him in their accumulators, £10,000, £50,000 riding on O'Sullivan. 'Drove me mad,' he recalls. 'Wilson was going blind. He beat me 9–8, must have pulled every stroke in the book. Clunk, he'd spilled the ice bucket. Clink. Filling his glass with ice. Wouldn't sit in the chair, he stood in the middle. They let him get away with it because he was old. I'd won eleven rounds to get there and I had Stephen Hendry in the next round and I got fuckin' beat. Anger – anger – in me chest. Then I went back to my room and started crying. He went round saying, "Ronnie O'Sullivan, he's no good," for months after.'

And the best moment? 'Winning the UK and the Benson. There was about a hundred people there who I knew. And, when I won, Nicky and Jamie came running down the stairs and the steward had to stop them.'

You start imagining the scenes when O'Sullivan finally wins the world championship ... Whoo-hooo! Now that *would* be a dish.

Goals to Newcastle

Alex Kershaw

January, 1993

'I didn't want to come back into football,' insists Kevin Keegan. 'Sure, I'd been offered loads of jobs. But Newcastle was the only club I would ever have considered.' The former Liverpool and England footballer is sitting in his spartan office at St James's Park, Newcastle United's ground, an hour before the club's first game of the 1992 season. Wearing a bespoke suit and what look like Gucci loafers, he has every reason to be nervous, but appears relaxed, bullish even. The last time Keegan was on Newcastle's payroll it was as a player nearing the end of his professional career. Now he is midway through his first full season as manager, and if he succeeds in taking Newcastle back to football's top flight he will have defied all the odds. Already worshipped with the kind of religious fervour normally associated with Latin American saints, he will again be heralded as the Messiah who restored pride to a North-east for so long engulfed in gloom as thick as Tyneside fog.

Since the North-east's industrial base collapsed in the early Eighties, there has been little else save Newcastle United around which Tyneside's hopes of regeneration can crystallise. Yet Newcastle United is no ordinary football club. It has always thought itself a cut above, and its fans have always demonstrated a unique loyalty: the club is, as Keegan has said, 'the heartbeat of a great city'. But its rapid decline has stretched even the tolerance of its long-suffering fans a defeat too far. And the longer the fans have had to wait for a revival, the more savage their despondency has become.

When Keegan returned from football exile on the Costa del Sol to manage the side in February 1992, he found a club languishing at the bottom of the Second Division, technically bankrupt and dazed by years of divisive boardroom battles. There had been so much blood spilt on the boardroom carpet that Keegan's first managerial decision, joked the fans, would be to add red to the club colours of black and white. Many pundits wondered whether Keegan, now 41, had downed one too many sangrias under the Spanish sun. Despite his popularity and astuteness, he has taken on a Herculean task – to save the club in its centenary year from what looked like certain relegation. Others predicted King Kevin's reign would end before it had barely begun.

When Newcastle avoided the 'drop' by just one place last April, the sighs of relief on Tyneside could be heard in the basin of every dry dock. Although Keegan's record in his first season in football management was one of the worst of any Newcastle manager, he had, as far as Tynesiders were concerned, performed a life-saving miracle; relegation to the Third Division would have been the death of the club. Not for nothing, quips Jack Charlton, himself a previous incumbent of the St James's Park hot seat, have Geordies since nicknamed Keegan 'Golden Bollocks'. 'If Keegan fell in the Tyne,' says Charlton, 'he'd come up with a salmon in his mouth.'

Now the talk on the terraces is of promotion to the Premier League. The beautiful game has at last, claim the purists, returned to Gallowgate. Not since Newcastle won the FA Cup in 1955, their last domestic honour, has there been such expectation at St James's Park. With eleven successive victories, Newcastle have never started a season so well.

But is it all another false dawn? Despite three successive defeats in late October, many think not, among them John Gibson, the engaging sports editor of the *Newcastle Evening Chronicle*. We are sitting in the early hours at the dimly lit bar of Edinburgh's Royal Hotel after Newcastle's pre-season friendly at Hearts. Keegan had played for twenty minutes before substituting Lee Clark for himself in a lacklustre 1–0 defeat. His touch, however, had been as good and his crosses as accurate as when, as a Liverpool player, he picked up every winner's medal in football.

In his prime, Keegan was as famous for splashing on the Brut as for scoring sensational last-minute goals. Almost everything he did seemed to 'come off' – the most impudent flick, the most courageous diving header, the most acutely angled shot at goal. At his best, Keegan won balls, particularly in the air, which players a foot taller could not reach. 'I just try and exploit what is there,' he said.

Gibson saw Keegan score twice for Liverpool against Newcastle in the 1974 FA Cup Final. 'And I've only just forgiven him,' jokes the North-east's most respected football commentator. As a lad, Gibson was one of the 50,000 who would regularly turn out in the Fifties to watch Jackie

Milburn net 200 goals. He says he could reminisce until dawn about the greatest of all Newcastle managers, Joe Harvey. Since Harvey resigned in 1975, Gibson has seen eight others, some just as talented, pass through the revolving door at St James's Park. He can recall the playing debuts of Malcolm 'SuperMac' Macdonald, Peter Beardsley, Chris Waddle and Paul Gascoigne, he says, a passionate glint returning to his blood-shot eyes, 'as if they were yesterday'.

'Without a doubt,' says Gibson, 'Keegan's job is one of the most difficult in football. He's expected to achieve success almost overnight. As Jack Charlton says, it takes three seasons to build a side. But at Newcastle the fans, after waiting so long, expect success today, not tomorrow. And success at Newcastle United doesn't mean mid-table respectability. A job well done means winning the championship and the European Cup.'

Along with self-delusion, Newcastle United has always had a talent for under-achievement. At board level, it has for years been a case study in how not to run a football club. For too long, it has been afflicted with that classic English disease, short-termism, the kind of financial myopia that closed the shipyards on the Tyne and led to home-grown talents such as Chris Waddle and Paul Gascoigne being sold 'to save the club'. Every Newcastle manager's greatest problem, agrees Gibson, has been bridging the gap between reality and aspiration at a club which still thinks of itself as a Liverpool or Manchester United. In fact, Newcastle has no more glorious a past than Stoke City. But such is the prominence of football in the city's psyche, there is no greater chasm between success and failure than at St James's Park.

'Keegan has many of the qualities of great football managers,' says Gibson. 'He's a great man-manager. Players want to play for him. That hasn't always been the case at Newcastle. And his enthusiasm and personality were, some say, the only reason why Newcastle avoided relegation last season.'

As he downs his last drink, John Gibson tells me that Real Sociedad manager and former Liverpool player John Toshack supports his view of Keegan as a manager who still exploits 'whatever there is'. 'He's not the type to bet against,' Toshack told the *News of the World* last August. 'Kevin has always been able to climb to the top.'

Kevin Keegan, OBE, has, of course, scaled the heights at St James's Park before. In 1982, in the twilight of his career, he moved from Lawrie McMenemy's Southampton to Newcastle and less than two years later inspired the side's promotion to the First Division. For sheer instant and explosive impact, English soccer's first millionaire was United's greatest signing. Keegan joined a club then, as now, rich in promise. In Keegan, manager Arthur Cox had secured for just £100,000 the perfect front man for a side which ranked alongside the best to have donned the black and white shirts: the Newcastle eleven that won promotion in 1984 boasted Terry McDermott, Peter Beardsley, Chris Waddle and David McCreery.

Before retiring from professional football in 1984, Keegan appeared one last time at St James's Park, scoring against his old club Liverpool before 36,722 emotional fans. And then, almost as dramatically as he had arrived, 'Special K' was gone, whisked away, apparently never to return, by a helicopter which swooped onto the hallowed Gallowgate turf and left as fireworks lit up the Geordie sky.

The brilliant but wayward Terry McDermott's departure from St James's Park a year later, following a dispute over pay, was less ostentatious. But Keegan has brought him back as assistant manager. 'It's great to be back,' says Terry 'Mac' as he leads me through the players' tunnel, past the 'Howay the Lads' sign and onto the pitch. His scouse drawl seems to echo around the eerily silent ground. The ankle-length Gallowgate grass has yet to be mown and lovingly chalked, and the steep grey terraces are oppressive with the air of expectation. 'I'm telling you,' McDermott adds, 'when this place comes alive, there's no place in football you'd rather be. A good home crowd is like a goal's head start.'

McDermott and Keegan signed three-year contracts last May. Known as the 'Twin Perms' to some of the fans, the pair have since forged an inspiring partnership. 'The place was like a morgue,' says McDermott. 'Kev brought me in to put a spark back in it.' In McDermott, Keegan knew he had an ally of unswaying loyalty and commitment. In Keegan, says McDermott, he had a 'great mate', one of the few people in football for whom he would 'bust a gut'.

Keegan, jokes McDermott, has had to turn to the bottle – Grecian 2000, that is, not booze – since coming back to St James's Park, and indeed, he needs to: the trademark perm that spawned a generation of shaggy Seventies lookalikes looks distinctly more grey. But rumours of Keegan returning to football had been rife since he was found brutally beaten in his Range Rover near the M25 in April 1991. He had been attacked by a young man with a baseball bat as he slept. The story in Spain was that he had been on his way to talk to a club about a comeback.

If his wife Jean had not agreed to the move, Keegan swears he would still be wintering in Spain. 'She knew before I even met the board that I'd take the job. Jean knows me better than myself,' said Keegan of the woman he met at the St Leger in 1970 and who remembers being surprised by the young player's modesty. Keegan didn't admit on their first dates to being a professional footballer. That, he thought, was too flash. The Cortina parked in the drive, he blushed, was his Dad's.

Keegan's first game as manager was a dream start. Newcastle beat Bristol City 3–0 before an ecstatic home crowd of 29,000 and Keegan, choked with emotion and relief, struggled to remember his players' names at the post-match press conference. But Keegan's honeymoon was to last just 39 days. After a 3–1 win over Swindon at St James's Park in late March, fans were stunned to see their tracksuited saviour storm out of the club, jogging through the ground's main entrance as he headed for the 5.30pm London flight. Promised £1 million for new players, Keegan had tried to buy David Kerslake, Swindon's £500,000-rated full-back, only to be told there was actually no money.

'You can't sign a manager and expect him to produce miracles out of nothing,' snapped Keegan. 'There was only one man who did that. And he wasn't in football. It's not like in the brochure.' But before the week was out, Newcastle's chairman handed Keegan, whom he claimed had 'held a gun' to his head, a personal cheque for new players.

'The first months were a baptism of fire, to say the least,' smiles Keegan. 'It was a nightmare start to a management career.' Indeed, the struggle to avoid relegation only ended when a Steve Walsh own goal gave Keegan's emotionally drained side a 2–1 victory in the last minute of the last game of the season against Leicester City.

John Toshack, for one, had predicted all along that if anyone could save Newcastle from 'the drop', it would be Keegan. He had shared many a round of golf in Spain with the homesick former European Footballer of the Year during which they would talk about their glory years at Anfield, about Keegan's race horses and football management. A couple of days after Keegan's return to St James's Park, Toshack rang his old team-mate. 'I suppose you're calling to welcome me to the funny farm,' replied the novice manager.

Newcastle reveres its footballing heroes like no other employment black spot. Even those who desert the club in search of a greater honour than wearing a Magpie shirt are treated as prodigal sons, one day to return to a forgiving Gallowgate. In the many pubs and working men's clubs of Newcastle's depressed Wall's End, unemployed fitters and turners still splutter into their pints at the very mention of Peter Beardsley, Chris Waddle and Paul Gascoigne. They have still not forgiven the 'board' for selling all three. As far as they are concerned, it was as if the 'gaffers' had supped too long on their sponsor's special brew – Newcastle 'Broon' Ale, the 'loony broth' that fuelled many a pitch invasion in the Seventies.

In retrospect, success at the club seemed not to disappear with Beardsley to Liverpool nor even when Terry Venables bought Gascoigne for £2.3 million, but on that balmy night in 1984 when Keegan made his operatic exit. But things looked different, of course, back then, even when Arthur Cox resigned in 1985 as manager, complaining of contractual disagreements with the board.

Tyneside's mourning of Cox had turned to joy when Jack Charlton replaced him. Although he had never played for the club, Charlton was a Newcastle man born and bred. He hailed from the same clan in Ashington that reared the club's most prolific number nine, Jackie Milburn. Jack's mother, Elizabeth Charlton, was in fact 'Wor Jackie's' cousin. Legend has it that when Jack, as Leeds and England centre-half, made Elizabeth a grandmother in the Sixties, a neighbour asked how her grandchild was. She replied: 'Ee, the bairn's lovely. And his feet are fine, too.'

But Charlton's time at St James's Park, like that of so many before him, was destined to end in bitter disappointment. For all his Geordie pedigree, Charlton's approach to the game quickly alienated the fans. His early conversion to the long-ball game infuriated a crowd soon yearning for the flamboyant United of the previous season. Charlton's abrasive style also frustrated the blossoming talents of Waddle and Beardsley. And when Waddle moved to Tottenham at the end of the 1985 season, the fans were inconsolable. The local press dubbed his transfer not the sale but the 'crime of the century'. 'Joe Harvey once told me, "If the fans get on your back it's time to leave." So I did,' recalls Charlton, who quit in 1986 after a dismal pre-season friendly against Sheffield United.

Under Charlton, Newcastle had finished tenth in the league, the club's highest placing since the Thirties. It was a post-war zenith to which Newcastle has yet to return. Just three seasons later, despite the emerging genius of Paul Gascoigne, the club was relegated for the second time in less than a decade.

In 1988, the fog of despair that seemed to have settled on the city was about to become a pea-souper. Local tycoon Sir John Hall began ruthlessly to purchase shares in Newcastle United, initially offering £500 for each of the 2,000 50p shares, then upping the ante to £1,000. The son of a Northumberland miner, Hall had been the developer behind Europe's largest shopping complex, the Metro Centre in Gateshead, one of a series of property deals that had amassed him a personal fortune estimated at

£50 million. Last year, Hall was knighted for his contribution to the region's faltering regeneration, and for him, a successful Newcastle United had always represented the last piece in the jigsaw of his plan to revive the North-east.

Hall was backed in his takeover bid by a coterie of local business associates calling themselves the Magpie Group. Newcastle's then chairman, 63-year-old Gordon McKeag, led the boardroom counter-offensive. Well respected in football's inner circle, McKeag was the son of an ex-mayor of Newcastle and came from a family of solicitors. An enthralled city watched as Hall the meritocrat took on 'gaffer' McKeag in what the *Sunday Times* called 'the richest poker game in football'.

'Hall meant business, all right,' says a former aide-de-camp. 'He hired private detectives to track down shareholders as far-flung as Alice Springs. Motorcycle couriers were dispatched with blank cheques to OAPs in Gateshead who suddenly discovered a Newcastle share certificate was worth as much as a winning Pools coupon.'

Inevitably, as the stakes got higher, some participants were tempted to throw in their hand. When the share price peaked at an incredible £7,000, two directors in the McKeag camp folded to Hall. One of them, vice-chairman Ron McKenzie, then retired to the Costa del Sol with £640,000 as a lump sum – a healthy return on shares worth £200 at most two years earlier. But McKeag somehow held out. By 1990, after spending more than £2 million, Hall still hadn't acquired control of the club. Stalemate followed, broken only in August 1992 when McKeag, now president of what remains of the Football League, finally capitulated.

The takeover battle left McKeag, according to one source, 'beggared by the ordeal and physically broken', and it brought Newcastle United to its knees. Playing veterans of the 1987–8 season testify that the most immediate effect of the Magpie Group's bid was to make relegation the next season almost a foregone conclusion. And the Group's unsuccessful attempt to float Newcastle United on the Stock Exchange in 1991 only capped a disastrous half-decade. On the field, the club's drive for promotion had been just as ill-fated. In April 1990, Jim Smith's side had finished third in the Second Division, only to lose to local rivals Sunderland in the promotion play-offs. Eight months later, hamstrung by lack of money for new players, Smith resigned in abject frustration. 'I just felt I'd had enough,' he said. 'If you make a mistake here, it's not just a mistake – it's a disaster.'

Smith's legacy was a flourishing 'grow-your-own' youth policy which has nurtured Lee Clark, the slightly built 19-year-old local lad now hotly tipped to fill Paul Gascoigne's boots. And great things were expected of Smith's replacement, Ossie Ardiles. Within months, though, Ardiles' young side crashed to the bottom of the Second Division.

In January 1992, with Ladbrokes making the club odds-on favourites for the Third Division, Sir John Hall was still standing publicly by Ardiles despite Newcastle's worst run of results since 1938. The club's new chief executive, bluff Glaswegian Freddie Fletcher, was less loyal. 'I felt the club was going down,' recalls Fletcher, who had earned a reputation as a financial hard man under Graham Souness at Glasgow Rangers. 'Much as I admire Ossie, no one person is ever bigger than a club. It was a case of doing whatever had to be done to survive.' Fletcher phoned former Newcastle Breweries executive Alasdair Wilson, who had brought Keegan to St James's Park in 1982, and asked him to contact Keegan on his stud farm in Hampshire. The next day, Keegan met the Newcastle board in London. By Wednesday, Ardiles, the Argentine 1978 World Cup star, had cleared his desk.

Six months on, the sun is shining again on the funny farm. The training ground has been fumigated, the club given a lick of paint. 'You're now sitting in potentially the biggest club in Britain,' says Keegan, the Yorkshireman who began his football career kicking widgets around a Scunthorpe brassworks and who has now moved into a cottage with stables on the estate of Hall's nineteenth-century home, Wynyard Hall. 'I honestly believe that when we hit our targets this club will be bigger than Liverpool. If we clinch a Premier League place next spring, it will make St James's Park a more exciting place to be than Anfield. This club's greatest asset is the fans. Through all the disappointments, they never stopped believing that one day the golden era would dawn again. I never stopped believing it either. This club will go back to where it belongs.'

During the closed season Keegan spent £1.5 million of Sir John Hall's money on new players, snapping up John Beresford for £650,000 from Portsmouth, Barry Venison for £250,000 from Liverpool and Paul Bracewell for £250,000 from Sunderland. This inspired defensive troika has proved an inspired buy and has shown Keegan can play the transfer market with the best.

On a hot Wednesday lunchtime, a fortnight before the first game of the season, Keegan and McDermott are putting their summer signings through their paces at the club's Durham training ground, whose car park is crowded with BMW coupés. Bracewell's fabled dodgy knee seems to be holding up. 'Goldilocks' Venison looks as sharp, his hair as peroxide-blond as when he used to make the Liverpool first team on a regular basis; he still wears Versace suits and Mexican heels. A sweating Beresford, the star of Portsmouth's FA cup run last season, glistens with promise.

'You really want to know why I joined Newcastle from Liverpool?' asks Venison, fresh from a shower. 'Because of Keegan and only because of him.' Born-again Christian Gavin Peacock, the side's top scorer with 22 goals last season, is equally enthusiastic about the 'boss', having turned down 'serious' offers from Middlesbrough, Chelsea and West Ham to stay. 'Keegan's a man you want to stay around,' says Peacock. 'His ambition and vision are infectious. He made me feel like I'd be mad to leave.' With Lee Clark, who has also decided his future lies at St James's Park despite being approached by 'several agents' over the summer, Peacock has formed the most effective goal-scoring partnership since Beardsley and Waddle.

Saturday August 15, 1992. It is 5pm and Keegan is surrounded by a huddle of local reporters looking for good quotes for Monday's papers. Newcastle have beaten Southend United 3–2 in the first game of the season. Bracewell, the ex-Sunderland captain, has scored on his debut with a spectacular fifteen-yard strike.

'Yeah, we gave away two silly goals,' smiles Keegan chirpily. 'But then again, as you know, I've never had an easy game here. We've proved one thing – we can play as good a game of football as anyone in the country with the players we've got. Sorry it couldn't be 8–1, lads. But, hey, all dreams have to be shattered at some stage.'

For the time being, the Geordie faithful's reverie has yet to be disturbed. At times vindictive and brutal, as Jack Charlton well knows, the fans have seldom been deceived. In Keegan, they see resurrection personified. It used to be said that they would turn up just to watch the Gallowgate grass grow. That may still be the case. But with receipts of more than £250,000 every home game and the highest average attendance in the country this season, the club's financial survival depends on them more than ever.

'Clubs with our debts but without our support would be almost impossible to turn around,' admits Freddie Fletcher. The club's shortfall this season is budgeted at £1 million, to which have to be added a £5 million debt and mortgages on a £10 million ground redevelopment. 'On the credit side,' says Fletcher, 'the boardroom conflicts are over. We're busy restructuring debts. Newcastle Breweries are as supportive as ever and gate receipts have exceeded our wildest expectations. Keegan alone has considerably eased the financial crisis.'

Sir John Hall, who now owns three-quarters of the club's shares, also has the money to revive Keegan's promotion drive should it need resuscitation. He may have spent as much as £6 million – or half what the club was worth in 1988 – acquiring control, but Cameron Hall Developments, despite the recession, is still cash-rich. 'Hall's no Jack Walker,' says the *Evening Chronicle*'s John Gibson, referring to the Blackburn chairman who spent millions building Kenny Dalglish's new side. 'But he's not a miser either. There's no other man with as much money, with as good a name at the bank, in the North-east. Without Hall, there would be no Newcastle United for Keegan to revive.'

Hall is in many ways the quintessential football director derided by Arthur Hopcraft in his study of Sixties soccer, *The Football Man*. He's a superfan anxious for success because it gives him enviable social cachet, because it nourishes his own ego and, crucially, that of the local community. Nonetheless he is also too shrewd, believes Gibson, 'to allow his heart to dictate to his head. He sees Newcastle as a business with huge potential. With the best support in the country, he knows it could be a gold mine. He's here to finish the job, all right.' The question the impatient Gallowgate end now asks is whether Hall, as far as ever from his dream of democratising the club, will put enough of his money where Keegan's mouth is. It will need Jack Walker-style wedges to realise Keegan's recent claim that Newcastle can 'do a Leeds' and win the Premier League title within three years.

As for Keegan, there seems little doubt that he can succeed in his first management job where Arthur Cox, Jim Smith and Ossie Ardiles failed. He has claimed he has 'a better chance of success than any post-war manager at Newcastle'. But he is also the first manager, certainly since Joe Harvey, who cannot cast the board as scapegoats for failures on the pitch. Hall, likewise, is the first Newcastle chairman with no self-made Geordie to blame for the club's precarious financial position but himself. It is said that when Sir John seeks divine inspiration, he wanders into Wynyard Hall's baroque chapel and stands beside the tomb of the third Marquis of Londonderry, who fought alongside Wellington. Both Hall and Keegan may yet find themselves kneeling together before the marble grave on Saturday mornings before the season is out.

Centre of Attention

David Jenkins

November, 1992

At what he does, Jeremy Guscott is the best in the world. And what he does, time after time, is contrive the irregular, inventive, breathtaking back-play that electrifies the rugby aficionado. He scores three tries on his debut for England. He celebrates his promotion to the British Lions with a try-scoring gem of impudent spontaneity that changes the course of the match. He drops, from nowhere, a crucial goal against Scotland. He floats through indiscernible gaps. He is an automatic selection for any putative World XV. He has what George Bush calls 'that vision thing'. 'He is,' enthuses Will Carling, his England captain, 'the best centre I have ever played with. When he gets the ball, you see the panic on the opposition's faces.' He is also black, good-looking (he does a little modelling on the side), presents a television show and has rugby league clubs waggling gargantuan cheques in front of him. He was, he says, 'born to play rugby'.

Which should be fine and dandy. But the British mistrust flair. Politicians are damned for being too clever by half; cricket and football selectors opt for biddable diligence over God-given genius. 'People in this country are so *down*,' Jeremy Guscott complains, a fleeting petulance marring his fine-boned features. 'If you're American, it's everybody's dream to be a sporting hero, a Joe Montana or a Michael Jordan. No one goes around saying you've got a big ego – *of course* you've got a big ego.'

And that, in rugby's blokeish milieu, has been Jeremy Guscott's problem. *Sprezzatura* – effortless superiority – may be the Italian ideal; over here, we call it cocky. 'He was impetuous,' says Gareth Chilcott, his Bath club-mate and a former England pack member. 'Jeremy's not everybody's cup of tea,' observes Simon Halliday, Guscott's friend and England team-mate. 'He came across as conceited in his early days,' remarks Richard Hill, the erstwhile England scrum-half. 'You've got to have some arrogance,' says David Trick, the Bath and England winger, 'but he had too much. "You're a great player," I told him, "but you're a prat to yourself."'

But Guscott, they agree, has matured. 'He's like a fine wine,' says Chilcott. 'He's got better with age.' He may keep a lot to himself; he may be difficult to know; but he's a team player now and they all really, really like him. Guscott has bitten the bullet. Or has he? 'I'm not,' he says, 'as outspoken as I was. You've got to be more devious.' And being devious involves being one of the lads.

Bounding through the bar at the Lansdown Golf Club, Bath, no one could be more of a lad than 'Jer'. Seal on the stereo, Ray-Bans on the dashboard, a wodge of Wrigley's Spearmint perpetually on the go, he has roared down from a marketing conference at the Excelsior Hotel, Heathrow, in his white, sponsored, Rover 220 GTi. Pastel yellow shirt, discreet tie, dark slacks, brown suede brogues – he's the model of a young British Gas executive. Six-foot-one, with a 42- to 44-inch chest, a 33-inch waist and a 32-inch inside leg, he moves with the low-slung stride of the dangerous athlete. The handshake is confident, the eye contact full, and he's off like a startled pheasant to find partners for his medal round.

Golf is his new big thing. Celebrity brings with it trunkloads of invitations to pro-am frolics. Jeremy enjoyed 'just trying to melt the ball down, to send a vapour trail as far as I could hit it. There's not a lot changed.' Now his handicap is down to fifteen and he was off at the weekend for a return visit to the Terry Wogan golfing jamboree in Dublin. 'Lots of fun, lots of Guinness – which is not what the coach ordered. It's great to see the stars close up. We got friendly with Hale and Pace last year, had a real laugh.'

He likes to have a laugh, a great raucous, roaring, libidinous, bar-room laugh. His humour, say his friends, is coming through. Well ... 'I wish,' says one of his golfing partners, 'my lawn were like this green.' 'If my lawn were like this green,' quips Jeremy, 'there'd be no work for the wife.' Which, I suppose, is marginally better than Richard Hill's memory of the Leicester v Barbarians match: 'We were in this hotel and they were trying to warm the disco up. And this woman comes up, she's not the best looker in the world, and asks Jeremy to dance. And he turns round and says to her, "I didn't know it was Halloween tonight."'

Well, that's rugby and that's laddishness. Out on the golf course, there's plenty of breezy banter and a façade of seeming casualness. But when he has tried to kill the ball and sent it scuttling out of bounds, you see it: the tightening of the features, the controlled wrath of the very gifted at perceived inadequacy. For gifted he is, caressing chip shots and soothing balls from the bunkers in a display as delicate, as silken and as satisfying as his running on the rugby field.

He more than satisfies his colleagues. Critics assert that Guscott was last season muted by tight marking, but for Will Carling: 'It's his balance in attack, not only physical, but mental. And his tackling! People think he's just a pretty boy centre, but he's a terrific tackler, tremendous.' To Simon Halliday: 'He's a special, massive natural talent. In terms of complementing each other, Will and Jerry are marvellous – Will has the power, Jerry the grace. No one holds a candle to him.' According to Gareth Chilcott: 'He's proven he can do the nitty gritty, play in all weathers, get under high balls, defend. But it's the way he expresses himself. So many players in his position are stereotyped. They play to a team pattern and that's all they can play. He can play to a team pattern *and* turn on that bit of magic.' And as for Richard Hill: 'Jeremy can take two or three players out of the game with his *presence*. And he's still got talent to fulfil. We'll see an even better Jeremy Guscott these next two years.'

That's devoutly to be wished for. Right now, Jeremy Guscott is fiddling with his food and sharing the knowledge.

'Scoring a try. That's my greatest satisfaction. It's a split second ... it's just ... it ... it fills all your body and every time I score, it comes in, *zap*, and it goes away. It's a rush. It's totally unlike anything else, anything else I've experienced.' Jeremy Guscott is struggling to articulate his gift. In general, he is self-possessed, authoritative, practised in his patter. Suddenly he's tentative, even metaphysical. 'It's not an aesthetic pleasure. You can't enclose it like that. There's this gap and you can actually feel yourself ... *glide* through it. It's there, I've *got* to go through it.' He pauses. 'Why *shouldn't* I go through it?'

Go through it he does. Score tries he does, in abundance. And, since that British Lions try against Australia, 'things have been very different for me'. So different, in fact, that he now has little time to call his own. Last year's World Cup brought 'media, media, media'. And rugby, although nationally an amateur sport, is voracious of its stars. Guscott helped his club, Bath, win the Pilkington Cup (rugby's FA Cup) in May. Five weeks later he was back lifting weights and enduring the agonies of running up and down countless Jacob's Ladder steps with Richard Hill, the archetypal bullet-headed glutton for training punishment. 'I wouldn't say he enjoys it, but it has the desired effect,' says Hill. 'His gifts are speed and power – which for his position is fine. But for the England squad, we're also tested on stamina – not that he needs it. But England demands it now.'

England demands. Exactly. For years, England demanded a forward-orientated game, and all we got were guttering glimpses of Guscott's brilliance. The game plan, he says, revolved around 'steamroller ... grind the opposition into the ground'. He endorses it: results count. Last season England opened up and dazzled in their defeat of Ireland. 'Yeah, that was incredible. But we set ourselves such high standards that what stands out now are the faults. At our meetings, it's not going to be, "Gaw, look at that, rewind the tape, look at the way the forwards are interpassing and then it's out to Dewi Morris, on to Rob Andrew, and Rory Underwood ends up scoring in the corner" – we don't watch *that*. The coach says *these* are the mistakes you made and everybody's head drops. In modern-day rugby you tend to forget about the good things you have done.'

Which prompts the question – why not get paid for this? Guscott admits he would adore the money Steffi Graf and Nick Faldo get for doing 'what they love'. But he's realistic enough to know that rugby is, relatively, a minor sport. The bucks will never be big enough. They are, though, in rugby league.

'How much did they offer you?'

'It was a lot of money.'

'Quarter of a million?'

'More than that.'

'Half a million?'

'A bit less than that, but with what could have been made from sponsorship ... let's say it was very *substantial*.'

His wife, Jayne, fancied it, Jerry didn't. 'Had I gone, I would have missed out on things like World Cup Finals, Grand Slams, the British Lions Tour in 1993. Rugby for me is entirely enjoyment. I'm so happy with what's going on at the moment.'

The garden cannot always have been so rosy. He lives just two minutes from where he was born in Bath in 1965, the son of a Jamaican immigrant and a local girl. They met, he claims, when his mother knocked his father over with her bike, 'but I've never checked'. School was a frost: 'I did not take to education, and education did not take to me.' He was constantly in trouble, and was expelled for walking off in protest at a football referee's decision. He was a South-west Judo champion but had a 'personality clash' with his coach. Cricket? Replay that personality clash. It was at this period, says his drinking buddy Peter Blackett, that, even on the rugby field, 'he sometimes seemed like he couldn't be bothered'. He drifted from job to job, 'working on building sites, stacking shelves, log chopping, selling logs, then building sites a little longer'. But rugby was going well and 'a lot of influential people are involved. Anyone with half a brain could take advantage of the contacts.' Now he is a rising executive with British Gas. 'There's nothing better. You come back to earth with a bang. On Saturday, you're in the World Cup final. On Monday, you're in the office. Back to reality.' Should his TV work lead to Jim Rosenthalean grandeur, splendid. But 'ordinary is everything'.

Ordinary means a terraced house with two bedrooms, a car for him and a car for Jayne. Ordinary means jaunts to Bali, Australia, America, Jamaica. Ordinary means underwear from M&S and 'stuff' from Blazer and The Gap. Ordinary means a fondness for telly and having Jayne plop dinner on his lap. (They met when he accused her of kicking him. It was, in fact, her friend who wanted Jeremy's handsome attention. Still, it was Jayne's number that he took. They've been together seven years.) Ordinary means still having to save. Ordinary means a predilection for pissing around with the forwards when the lads are playing away. ('Jerry likes hanging around with the donkeys, as we call ourselves,' confirms Gareth Chilcott, a prime and portly specimen of donkeyhood. 'Forwards tend to be streetwise, they know where things are happening. Jerry enjoys that.' It makes a change, at least, from rooming with Rory Underwood, the illustrious winger: 'Rory,' Guscott exclusively reveals, 'was so homely, always making tea.') Ordinary does not ring true of the man Simon Halliday dubbed 'the future of British rugby'.

Over dinner – smoked mackerel, fettucine, lager – Guscott is as composed and as elusive as he is on the field. Politics? 'I voted for the first time in the last election.' For whom? 'Not saying.' Well, was he pleased that Chris Patten (then MP for Bath) was defeated? He roars with laughter. Being black? He's been lucky in being around people who do not have a problem with colour. Yes, it is true that Scott Hastings, the Scotland centre, did say 'something relating to me and something I wasn't too keen on ... But it was during the 1990 Grand Slam decider and the Scots, and the English, were pumped up to a level I've not seen since. There's nothing I'll ever hold against anybody unless they really mean it.' Criticism? Guscott has no dark nights of the soul. He can fall asleep anywhere, any time. He is charming, fluent, full of fun – and canny. 'There's an ongoing joke between me and rugby journalists. They don't know how to take me. And that's the way I like it.'

Guscott runs his life the way he likes it. 'This,' he says, 'is the happiest time of my life.' His first child, Imogen, was born back in the summer. He has played for England 22 times. He has scored fourteen international tries. He relishes the communality of his club and sport. He relishes his skills and the showcases he adorns. 'We have redemption through his blood,' shrieks a rooftop sign in Bath. Jeremy Guscott's redemption has come through rugby. Conceit has become confidence, big-headedness, balance. He is the cynosure of the decent chap.

And the cost? '*Of course*, you've got a big ego.' Rugby, and the British, allow him to temper his basic instincts, not to flaunt them.

More's the pity.

The Pawn King

Dominic Lawson

February, 1989

The King's Head pub in Bayswater is a good example of the sort of low-life hangout in which that part of London has always specialised. At the bar, an attractive black girl is being chatted up by a not so attractive and much older white man. A stag's head on the wall stares down on this episode with a 'seen it all before' look. Through the fug of smoke and alcohol it is possible to observe a few men playing chess. It is that sort of a pub.

In the corner of the room sits the pub champion. He looks like the classic chess bum. Untidy hair. Big beard. His possessions in a white polythene bag by his feet. The chess board is also made of polythene, and the pieces of plastic. The 'table' is an up-ended keg of beer. The pub champion is playing some kid genius from out of town who has just won a London grandmaster tournament. He is called David R Norwood (I know. The boy wonder, all of 19, gave me his business card. It said 'David R Norwood. International Chess Master'). Now David R Norwood is, as he will be the first to admit, one of the hottest properties on the international chess circuit. But something funny is happening in his games – played at the rate of about one every ten minutes – against the champion of the King's Head pub. David R Norwood is not winning any. And he is not merely losing. He is being taken a-p-a-r-t. In the argot of the chess player, he is being 'busted'. But David R does not seem too worried about this denouement. Occasionally he will say, with a smile, 'Hey, you're not such a bad player.' His opponent, Jonathan Speelman, the King's Head champion, only laughs and sets up the pieces for the next act of slaughter. It is a joke, of course. He is not merely 'not a bad player'. He is possibly the best player in the Western world. He is officially world-ranked number five. A month before, he had won through to the semi-finals of the world chess championship, the first Briton ever to reach the last four in an event which makes the Olympic marathon appear an afternoon stroll by comparison.

It is, needless to say, odd to find a chess player of such eminence playing what can only be described as ping-pong chess in a pub, and ... for no money. The other chess players of this rank, who are called 'super grandmasters', play only for money, and then only in well-appointed hotel rooms where the public, if they are allowed to breathe at all, are certainly not allowed to smoke while doing it. But Jon Speelman shows up night after night at the King's Head, and takes part in all its chess events, including the 'drinking chess championship', a knock-out event in which it is necessary to consume two pints of ale while winning each game.

After Jon had finally exhausted David R Norwood's enthusiasm, I asked whether he would mind playing me. Not at all, he said, and played game after game against me until I became more bored by losing than he did by winning. Why, I asked, do you put up with playing chess jerks like me? 'Because I like to play with the pieces,' was the instant and unanswerable reply. My impression while playing Jon was slightly different, namely that the pieces enjoyed playing with him. He gives them the time of their life. These plastic pieces, property of the King's Head, had probably never before experienced more than the intellectual equivalent of being cooped up in a shed. With Jon, they were roaming free across vast expanses.

Last August, Jon was in the uncomfortable position of having to play another Englishman, Nigel Short, in the quarter-final round of the world championship. Uncomfortable because they are friends, and fellow residents of West Hampstead. Nigel Short, a prodigiously gifted 23-year-old, nine years younger than Speelman, was the favourite. He was ranked third in the world, behind only the world champion Gary Kasparov and his predecessor as champion, fellow Soviet Anatoly Karpov.

In recent games, Nigel Short had handed Jonathan Speelman some severe beatings, and some grandmaster pundits had given the older man about as much chance as Pee Wee Herman arm-wrestling Arnold Schwarzenegger. But Speelman's chess drinking partners from the King's Head made the unfamiliar journey to the hygienic wasteland of the Barbican to cheer their man on. After crushing Short by two wins to nil, Speelman declared, 'I need a drink,' and was dragged off back to the fastnesses of Bayswater by his friends, who, unlike the grandmaster chess journalists, had never doubted that Jon would win.

His friends, incidentally, do not call him Jon. They do not call him

Speelman either. They call him 'Spess'. This stems from a report in *The Times* about ten years ago of a chess tournament in which Speelman was taking part. But, *Times* sub-editors being *Times* sub-editors, his name came out as 'Specimen'. In view of his rather weird appearance, fellow chess players decided that this was, if not his real name, at least descriptively accurate, and so Specimen, and then later Spess, he became.

In those days, he had much longer hair. But it is still hardly short, and now, as then, he has an unruly beard and a manic grin. He still dresses in what might be described as chaotic student mode: T-shirt bearing legends in a foreign language, age-old corduroy trousers, boots that are made for walking. (In the first game of his match against Short, Jon wore a suit, stretched most uncomfortably over his six-foot-two-and-a-half-inch frame. 'That's the first time I've seen Jonathan in a suit since his bar-mitzvah,' said his mother with evident astonishment. By game two, the jacket had disappeared, and by game three, the old scallywag had returned.)

But most striking of all are Jon Speelman's eyes. When he takes his spectacles off they are revealed as a penetrating bluey grey. But Jon Speelman rarely takes his spectacles off. It is easy to see why. They are thick, like glass bricks. I once sat next to Jon – near enough to touch him – and asked him to take off his spectacles. I held up a hand with three fingers extended. 'How many fingers?' I asked. 'Two,' he guessed. Now Jon Speelman is not so short-sighted that he cannot play chess without the aid of spectacles. But problems with his eyes almost finished his career, and the end of those problems has much to do with his sudden breakthrough into the elite of world chess.

Until two years ago, Speelman suffered from haemorrhaging in his eyes. The blood vessels would burst regularly, and during games, so that the blood would flow in front of his eyes. The result was that he played many quick draws against players he really should have beaten. Only a few friends knew of his problem, and his foreign opponents simply put it down to laziness on his part or good fortune on theirs.

As recently as the Hastings Grandmaster Tournament of January 1987, a distressed Speelman, eyes bleeding, told the organisers he would have to withdraw. They gave him the good practical (if not medical) advice to agree a series of quick draws, and try harder when the problem eased. This he did to such effect that he almost won the tournament.

Knowing of their great expertise in eye surgery, Speelman sought advice from the Russians – he is a fluent Russian speaker. He was told that the bursting blood vessels were not part of some degenerative condition, but simply the result of the extreme nervous stress which he suffered in the early stages of a chess game. Speelman, greatly relieved, responded by attempting to relax more before games, and, true to the Russian doctor's prediction, the haemorrhaging has stopped. 'Ever since then,' says Ray Keene, a chess grandmaster and friend of Speelman, 'Jon has been unbeatable.' Speelman himself does not like to talk about the matter. 'Let's just say that I have an idea what it's like not to see. I was scared.'

On this, as on many other personal matters, Jon Speelman is difficult to interview. He is very self-conscious, a keen practitioner of self-psychoanalysis. The result is that he is only too aware of the implications which might be drawn from anything he might say. Worse, he was so concerned about what I was writing down that he would stare at my pad when I noted anything, attempting to read my scribble upside-down. In an effort to counter this awkward turning of the tables, I began deliberately to write in messier and messier scrawl. Afterwards I was quite unable to read many of my own notes. Later I surmised that the chess player in Speelman had calculated that his scrutiny of my notepad would have this effect, and that it was a deliberate attempt to reduce the number of personal details I would be able to decipher.

If that sounds convoluted, it is quite in character with Speelman's way of playing chess. Some great chess players reveal their greatness through the simplicity of their methods. This is true of Nigel Short, and it is true of Karpov. Others, more unusually, have a genius to confuse, an ability to generate chaos, out of which only they can perceive a clear path to victory. This is Speelman's method.

In the eighteenth century, the equivalent of the King's Head pub was the coffee house. And chess players there tended to thrive in complex positions, being gamblers by nature rather than scientists. This way of playing thus became known as 'coffee house chess'. But when I told Speelman that he played 'coffee house chess', he replied with one of his manic grins, 'my style is closer to another South American export.' Now it should be explained that Speelman is a fanatical devotee of *The Times* crossword, and frequently speaks in crossword clues. What he meant is that his chess games are so bafflingly surreal that they sometimes appear to have been played under the influence of narcotics. Yet operating on adrenalin only, his chess is like Coleridge writing 'Kubla Khan' without recourse to an opium pipe.

But such a style is, as the Russian doctor must have noted, one which makes enormous demands on the exponent's nervous system. When he plays, Speelman is all nervous twitchy movement. His hands play with his beard, his glasses, anything they can reach. He makes strange clicking noises. He will get up from the board and stand over it and his opponent, nodding his head as if checking through the variations. ('He goes there, I go there, he goes there...')

I asked Speelman how many moves he can see ahead. 'It's a silly question,' he replied, 'but it's not too difficult to imagine a position in which one could calculate 25 moves ahead.' 25 moves on each side, he means. That is 50 moves in total. Try saying 'he goes there, I go there' 25 times. Now you get the picture.

William Hartston, the former British chess champion, told me that playing Speelman was like playing 'an old fridge, one of those where the door shuts with a big clunk. You can't see inside, but the thing is whirring and shaking and something is certainly going on in an undirected sort of way.' The fridge is, of course, an innocent and harmless object of domestic pleasure, and Hartston chose that metaphor quite deliberately. The point is, as Jon Speelman explains, 'I do want to win at chess, but I don't want my opponent to lose.' (How very different from the home life of Bobby Fischer who declared on coast-to-coast US television 'I like to crush the other guy's ego.')

Speelman does not view chess primarily as a competition. 'It is like meditation,' he says, 'a way of attaining a higher state of consciousness. It is a bit like making love.' The last time Speelman said something like that he ended up in *Private Eye*'s Pseud's Corner. But he is unrepentant. 'I'm not saying that chess is mental masturbation, but a lot of libido is involved. Chess involves the emotions, and anything which involves the emotions involves sexuality.'

Sex is clearly something Speelman thinks a lot about. According to friends, his biggest passion outside of chess is writing poetry, and by all accounts his poems contain the most lurid sexual imagery. There is, at the moment, no one person with whom Speelman shares his sexual drive. He has had many girlfriends but few long relationships. 'Chess players can be hard to live with,' he admits, 'but so, I imagine, can bankers.'

If Jon Speelman ever does manage to persuade a woman to marry him, then one of her tasks could be to prepare vegetarian meals for Jon when he finally gets home after closing time at the King's Head. For years, Speelman has been a vegetarian, with a particular emphasis on the aubergine as the basis of his diet. This faddish regimen is also very much in tune with his character. For not only does he feel sorry for his opponents when they lose, he hates to do or say *anything* which might hurt or offend. And this seems to extend to all life forms. 'There is enough blood spilt on the chess table,' he told me. 'I don't see why I should extend it to the food table.' In fact, Speelman does not appear to take great pleasure in the food he does eat, and when I told Bill Hartston that I thought Speelman was a reluctant vegetarian, he replied, 'Jon eats his food like that because he feels sorry for the vegetables he is biting into.'

I invited Speelman to my home in order to interview him at leisure, and to provide a meal which I knew he would not feel betrayed his dietary principles. He arrived about a quarter of an hour late and explained, 'It took longer to walk from West Hampstead to Highgate Village than I thought.' It is, as it happens, the best part of an hour's walk, and I was incredulous that Jon had not paid the £3.50 it would have cost for a short taxi ride. (Needless to say, Speelman is not the type that could ever pass a driving test.)

But Jon Speelman likes to walk everywhere, in rapid massive strides. When I asked a friend of Jon's about this habit, he replied that 'Jon is incredibly tight with money. He's a sweet man. He'll always remember your birthday. And he'll always give you some book which no one would ever want to read, something you just knew had been remaindered.'

I prefer to think that Speelman is simply the perpetual student, and that he has not yet realised that he is making enough money (probably over £25,000 a year) to abandon some of the privations of the student's life-style. I remember when we were at university together, both playing for the Oxford chess team. We both had long hair, both wore corduroys and T-shirts and both walked everywhere. Now I – and probably every other member of that chess team – wear a suit, short hair, and jump into taxis. But Jon Speelman, who now has the possibility of earning more than any of us – if he beats Karpov in the final he will pick up a prize of at least £500,000 – will continue to behave as he did when an undergraduate at Worcester College, Oxford. This rather endearing trait caused some consternation during the quarter-finals of the world chess championship. It was held at the Barbican, and the manager at the Barbican Hotel asked Speelman if he would like a room in the hotel rather than have to trek back to West Hampstead to bed. 'Don't bother,' said Speelman. 'My assistant already has a room here. If I feel like sleeping, I'll crash out on the floor in his room.'

Jon Speelman is, in fact, the very sort of chess player who, 20 years ago, would probably have stayed at university and remained, quite literally, a perpetual student, commonly called a lecturer. In Speelman's case, as with many other chess players, the subject would have been mathematics. But Mrs Thatcher, quite accidentally, is probably the main reason why Britain –

or rather England – is now the strongest chess-playing nation in the world after the Soviet Union, with three players in the world's top ten. Grandmaster Jonathan Mestel is the type of chess player that Britain always used to produce. Mestel is admissions tutor at Christ's College, Cambridge. He is also the reigning British chess champion – actually the British chess championship was one of the very few tournaments he was able to play. Although he has the talent, he will never – by choice – be a world-beater.

By contrast, the career of Dr John Nunn, Britain's third-strongest chess player, and the tenth-strongest in the world, is more up-to-date. A mathematics prodigy, the youngest undergraduate at Oxford University since Cardinal Wolsey, Nunn completed his PhD just at the wrong time, as Mrs Thatcher's cutbacks began to bite at Oxford. He was unable to get a permanent lectureship, and after some teaching in Kent, left the academic world for good. The result of his full-time devotion to chess was astounding. From being merely yet another competent international master, he turned into a ravening grandmaster who has regularly subjected the world's best to humiliating losses. (John Nunn failed to qualify for the finals of the world championship by only the narrowest of margins.)

But if this budgeting serendipity accounts for the new professionalism of British chess masters, it is less clear why Britain turns out such an array of individuals, like Speelman, Short, Nunn and Mestel, with such freakish ability. With the Soviet Union, it is easier to work out its extraordinary strength at chess. In part, it is the result of organised state sponsorship. In part, it is because Russia is a slow-moving country, and people therefore have time for slow-moving pursuits. But the real point is that chess is one of the few areas in Soviet life in which intellectual endeavour is not – cannot – be constrained by ideological proscriptions. There is no such thing as a socialist way of playing chess. There is only good chess or bad chess.

Perhaps the alternative British advantage is geography. We are a small country largely lumped into one or two massive conurbations. Few places in Britain are so remote that a chess-playing child's parents cannot take their little prodigy to London, where all the top players live. Speak to any American chess player, and he will talk with envy of London as the new chess centre of the world, an intellectual melting pot that simply does not exist in his own, hopelessly extended country.

Beyond that, it is difficult to explain the British chess phenomenon. Except to speculate that we have always been a great nation of inventors, and in even earlier times, of piratical adventurers. The second trait is now most clearly seen in the success of our merchant banks, who can offer nothing but their wits and their opportunism.

Now if there is a better description of chess than a game requiring invention, opportunism, and just a bit of piracy, I should like to hear it. It may be that this is the real reason for our chess success. And it may be too that, despite all his fads and eccentricity, Jon Speelman is only another in a long and very traditional strain of buccaneering British heroes.

Race Relations

Richard Williams

March, 1996

He had barely lifted himself out of the cockpit of car number 27 in Victory Lane at the Indianapolis Motor Speedway last May, when a microphone was thrust at him and a voice asked how he'd felt as he crossed the finish line of the great 500-mile race, just 24 years old and the winner at his second attempt.

'Were you thinking about your father?'

'No! I don't see why I should have been thinking about my father! I don't race for him. I race for me, and for my team.'

The words came fast and even. And they didn't stop.

'Sure he'd be proud of me, and it would be neat if he were here, but I don't see why I should be thinking of him. I know a lot of people would like me to think of him now and say to him, "I won it for you." But that would be ridiculous. It's not right to live in the past. If I'd started to race during his lifetime, maybe it would've been different.'

'And to have won with the number 27?'

'The number doesn't matter. What counts is that the team is good enough to win. For some people, the most important thing this season is that I'm racing with the number 27. But that's just coincidence. Last year, I had the number 12, and my father finished second in the world championship and had some of his finest hours with that number. People only concentrate on 27 because that's the one he had when he was killed. They'd like to see him brought back to life through that number. But that's not what I'm racing for.'

It wasn't Jacques Villeneuve's first win of the season, and it wasn't the first time he'd been asked these questions. Four months later, after he wrapped up the IndyCar championship, becoming the youngest man ever to win the series, they'd stopped asking about his father. But by then Villeneuve knew he was on his way to Formula One in 1996, which meant he was in for another year of telling people that, no, he doesn't carry his father's memory around with him like a holy relic every time he steps into a racing car.

He was in the Williams factory at Didcot, small and quick and bright-eyed, having a fitting for the customised seat of his 1996 car, when I asked him more or less the same question, prefacing it with a sheepish disclaimer to the effect that maybe in a year's time we would be able to have a conversation without the subject coming up.

'Yeah, but it's OK,' he said politely, in his strange polyglot accent. 'I'm used to it. It's been more positive in that respect since I started winning races. The first time I was asked, it surprised me. The thought just hadn't occurred to me. I mean, I think about my father when I'm with my mother or my sister or with people who knew him when he was alive. But when I'm working, there's no room for that. I wouldn't be thinking about him at that moment if he were alive, so why should I think about him just because he's dead?'

It makes a great story, of course, and an even better one for this coming season, when the son of the late Gilles Villeneuve takes his place in the Williams team alongside the son of the late Graham Hill: two highly professional young men forced – well, maybe not forced, exactly, but finding themselves with no choice other than to measure themselves against the reputations of their charismatic fathers. For Damon Hill, this inner struggle appears to have been at least as intense as the external one he has been waging for two years with Michael Schumacher, and it may have been largely responsible for the frequent and well-publicised disturbances in the balance between his skill and his self-belief. For Jacques Villeneuve, it would seem that such self-examination has barely begun.

'Look,' he told me later, 'for sure I'm super-proud of my dad. Of course I am. But what exactly do they want me to do? Burst into tears at the thought of his memory every time I see the chequered flag? Ridiculous.'

The trouble is that his dad was the most beloved of all recent Formula One stars. Not by any means the most successful – Gilles Villeneuve won only six of his 67 Grands Prix – but undoubtedly the most spectacular, and held in universal affection throughout those parts of the world in which Formula One has an audience. It was Gilles, a baby-faced little French-Canadian, who drove an unforgettable lap on three wheels after his left-rear tyre had exploded at Zandvoort in 1979 and who, in the same year, banged wheels with René Arnoux for the last three laps at Dijon in a bare-knuckles battle for second place that had the crowd in ecstasy and the two drivers saluting each other's courage and chivalry on the slowing-down lap.

Whatever the race, and whatever his position in it, Gilles drove with his heart and soul. Born to race, brought up competing in snow-mobiles on frozen lakes, he loved the feeling of machinery sliding underneath him; even in Formula One his car would spend most of its time in lurid power-slides that were usually caught at the last minute but that often took him beyond the limit of control. He was fearless, but he was also undoubtedly foolhardy, and he was killed at Zolder in 1982, still in a hot rage two weeks after his team-mate Didier Pironi had tricked him out of an important win at Imola. It was Gilles' doomed flamboyance that did much to create the modern legend of Ferrari as a team condemned to endure a permanent agony of promise betrayed, and the number 27 has since assumed a weirdly iconic significance; you see them still at Imola and Monza, the *tifosi* with 'Forza Gilles' and the sacred number on their banners, daring his successors – Arnoux, Alboreto, Mansell, Prost, Alesi, Berger, now Schumacher and Irvine – to wrestle with his inviolable memory. Such a fuss did Enzo Ferrari make of him that it is almost a surprise to enter the tightly guarded Ferrari family tomb in Modena and discover that there is no place within it for Gilles' mortal remains. Only Senna's death, twelve years later, evoked similar emotions, similar visions – even in cynical hearts – of an unvanquished spirit racing on through the heavens.

When it became clear, in the middle of last year, that the great romantic hero's son was heading for Formula One, Ferrari's interest was immediate. Jacques, however, knew better than to fall into the most obvious of honey-traps. He and his manager, Craig Pollock, went straight for Williams, the class of the field, with the encouragement of Bernie Ecclestone, the Formula One ringmaster, who sees Villeneuve as perhaps the only man capable of mounting a real challenge to Schumacher's pre-eminence (and, perhaps, of reawakening North America's dormant interest in the series). A Silverstone test proved the young man capable of jumping straight into a Formula One car, mastering its complex driver aids, and lapping within a second of an established ace (Hill, in this case). Both sides took little time to make up their minds, which sent Williams' existing number two, David Coulthard, off in the direction of a McLaren drive.

For Villeneuve, it was the next in a series of logical (although not always obvious) career choices that began soon after his father's death, when he decided that he, too, wanted to be a racing driver. After burying Gilles at home in the town of Berthier, 40 miles north-east of Montreal, Jacques and his mother and his little sister Melanie returned to their home in Monaco, where Gilles had made his base after signing with Ferrari. Jacques, then aged twelve, was sent to school at Villars in Switzerland. There in the Bernese Alps he honed a talent for skiing that had been sparked by his father's friendship with the downhill champions Steve Podborski and Ken Read, the 'Crazy Canucks'.

A natural on skis, it could well have been skiing that provided Jacques his destiny. But in his sixteenth year, on a visit to family in Quebec, he took a summer course at the Jim Russell Racing Drivers' School at the Mont Tremblant circuit, where his father had briefly been a pupil. His mother, who had spent several years travelling North America and Europe in a motor home while her husband built his career, was not keen. 'She didn't really want me to race,' Villeneuve said. 'She was hoping I'd do something else. I don't know why, really. I don't think it's because she was scared that I'd get injured or anything. After all, for her it was a normal world. I think it's more that she was afraid I wouldn't succeed, and that the pressure would be too much.'

Two years after the course at Mont Tremblant he was out of his Swiss classroom and racing Formula Three cars in Italy, an apprenticeship which lasted three seasons before he accepted an offer to spend a year contesting the parallel series in Japan. 'That was like my university year. You know, like when you see a movie and kids are just having fun. In a way, outside of the racing, I was living a little bit like that, like you do at university, which I hadn't done because of the demands of racing.' It was in Japan that he bumped into Pollock, a half-Scot, half-Swiss who had been his ski instructor at Villars. Pollock had moved into the commercial side of motor racing, and Villeneuve persuaded him to take over his management. Together they devised the timetable that took the driver to North America for a reconnaissance year in Formula Atlantic followed by two seasons of outstanding success in IndyCars with a Reynard-Ford. Named 'Rookie of the Year' for his second place at the 1994 Indy, last year he ran a brilliant race to scoop the million-dollar pot, despite a two-lap penalty for a technical infringement.

That opened the gates to Formula One, and he saw no point in delaying his entrance, although well aware that the last man to attempt a direct graduation from IndyCars to Formula One did not succeed. Michael Andretti was the US series' golden boy when he joined Senna at McLaren in 1993. Despite being the son of a former Formula One world champion, and widely tipped for similar distinction, he never came to terms with the technology or, more particularly, the culture of the Grand Prix paddock, and was humiliatingly dismissed in mid-season. Villeneuve shows no fear of a similar fate. 'The difference is that he'd lived all his life in the US, and even when he was racing there he was still living in Pennsylvania and taking the plane Sunday nights to go back home, so there's no way he could adapt to Europe. He couldn't get all the testing he needed, so he wasn't ready. He couldn't reach his own standard.'

Villeneuve, on the other hand, is completely acculturated to the Grand Prix world. 'Look, I've lived in Europe since I was six,' he said. 'Deep inside, I feel very Canadian, I'm proud of it. It's something you belong to, not something you can chop and change. But that doesn't mean my culture or my mentality are Canadian, or North American. I'm happier in Europe, I know it better. I feel better here.' His business affairs are being handled by the London-based Julian Jakobi, once Senna's right-hand man, and his own centre of operations will be a newly acquired apartment in Monaco, not far from the home in which his mother is bringing up a second daughter, three years old. (Melanie, her daughter by Gilles, is now 22 and lives in New York studying composition at NYU: another link with their father, who loved music and was a recreational trumpeter. Music, too, is Jacques' chief off-track interest: 'It's my drug,' he said. Lately his listening has encompassed 10,000 Maniacs, the Cranberries, Erasure, and various Japanese and French-Canadian bands.) He met his girlfriend, Sandrine Gros d'Aillon, in the principality. Another French-Canadian, she is currently studying communications and TV production at university in Montreal.

Europe was where his father was best known, and it is where Jacques himself will come under far greater scrutiny. Already people are saying that although the son might be fast, he hasn't inherited the irresistible recklessness that lifted Gilles beyond statistics and into immortality. 'On the driving side,' Jacques said in a coolly appraising tone, 'I think we're very different – from what I've seen on tape and from what I've heard people say. Although, of course, the cars were different then, and maybe if he were driving now he'd be more similar. I don't know, and I don't really care to know. It's not important to me. What is important is that he was one of the best, and now he's a legend. That will always be there. Now I'm on my own road, and I want to do it in my way. If that's like him, great. If it's not, it doesn't matter.'

Too young to have known much about what his father was doing in the cockpit, later on he admired Senna and Prost, 'for different reasons because they were entirely different drivers, but they were both impressive. It's difficult to judge from the outside, so I could be totally wrong, but Senna seemed to be very aggressive and very in control and sure of himself, and he seemed to get more out of the car than the others. I'm not saying that includes Prost, because he got a lot out of the car as well. But Prost seemed to be a little bit calmer and more strategic than Senna. He could be aggressive and set a quick lap in qualifying, although he wasn't aggressive at all times – whereas Senna was aggressive from the first lap to the last. Even with a 40-second lead he would still be doing qualifying laps.'

So you don't just take the example of one person, your hero, and fall in love with everything about him? 'No. Even heroes will do something that isn't good in your eyes. Everybody has good sides and bad. Even the best drivers make mistakes.'

Somehow, at this point, the impression begins to form that perhaps giving entertainment is not as important to Villeneuve as it was to his father. 'Not being sideways just for the sake of it, no. When you can see that a guy is coming back through the field, or he's riding a good strategy, yes. But when a guy's got a 40-second lead and he's still going sideways just for the sake of it, I don't think that's any use.'

Jody Scheckter and Patrick Tambay, respectively Gilles' team-mate and his successor at Ferrari, had helped Jacques' mother through the early years of her widowhood, advising on schooling for her children and so forth. Had Jacques sought or received advice on his driving from members of the earlier generation? 'I spoke with Tambay a little bit, before I started racing. But I don't think you can really learn from the others, because everybody's situation is different. The only way you can learn is by your own experience and making your own mistakes. Someone can tell you something, but once you're in the car, how can you transfer what you've been told? Everything happens so quickly. You have to be able to under-stand your own mistakes, to feel what you can do to correct them. That's the only way to progress to the next level. Anyway, I hardly ever do what I'm told just because I'm told.'

His father was often criticised for losing races through rashness, for spending too much time entertaining the crowds and not enough time winning. 'I don't think he was doing it to entertain people. He was doing it to entertain himself. And he didn't care what people thought. He was doing what he wanted to do. So, he would just go out there and go over the edge, and when he crashed a lot of people would blame him but he didn't care. That was the way racing was for him.'

I told him that my own best memory of his father was of his least characteristic race, the 1979 Italian Grand Prix at Monza. Villeneuve and Scheckter both had a chance to win the championship; Scheckter if he won that race, Villeneuve if he won that and two subsequent rounds. Team orders dictated that whichever of them took the lead should hold it to the end. Scheckter got ahead at the start and Villeneuve, while clearly the quicker of the two, never budged out of his slipstream. It was perhaps the most outstanding display of sportsmanship in Formula One since Stirling Moss testified on behalf of Mike Hawthorn at a stewards' inquiry in 1958 and thus handed the title to his chief rival.

Jacques was eight at the time, but he knows the story of Gilles' unselfishness. 'If my father had overtaken him, he could have won the championship. But he was a real racer: very clean, very straight. That's the way it was. He wasn't ever going to cheat. Not to copy my father, you know, but that's something I believe in as well. There's nothing to compare with being straight. What goes around, comes around. I still believe in those virtues.'

I replied that it's a bit hard to imagine a place for that kind of sportsmanship in the Formula One of the mid-Nineties. Only the day before we met, his new team-mate had been holding forth in the newspapers about the need for the team to put its effort behind a designated number one – by which he meant Damon Hill – rather than dissipating it on two drivers with equal status.

'There's no way I would race as a number two,' Villeneuve responded with some briskness. 'Although I don't want to be a number one, because I think the two drivers should always be treated at the same level. If you think you're the best then you don't need the other driver to be a number two in order to beat him. If you believe in yourself, why should you bother with stuff like that?

'I don't want to be a number two driver. First of all, everybody compares you to your team-mate. And everybody expects you to be slower because you don't get the same treatment. But if you're slower, everybody blames you. It happens all the time. The only reason I'm going to race next year and in the future is because I want to win. I want to be able to fight. So I want everything to be on my side. That doesn't mean I want more than the other driver; I don't really care, as long as I don't have less. That's all.'

But Senna, of course, and now Schumacher, began the business of establishing an advantage by insisting on the best equipment, the most attention, the newest modifications. 'Of course, if there's only one piece that's made, you'd rather you had it than your team-mate did. And if one of you is leading the championship and the other is nowhere, it's obvious who should get it. But if there are two pieces, you don't want to keep them both for yourself.'

All this stuff was much less political in Gilles' day. Or so we can tell ourselves until we start examining the circumstances leading up to his death, and the never-to-be-resolved rift with Pironi, himself killed in a powerboat race five years later. All sorts of memories are distorted by the passage of time, or erased altogether.

People tell Villeneuve that his relationship with his father was a troubled one even in its brief span; that the adult put pressure on the small boy and made him so nervous that he could barely function when they were together. Villeneuve doesn't remember that. 'I know it because my mother told me, but personally I don't remember. Maybe it's a blockage, or maybe it's something I just forgot.' What does he remember about the relationship? 'Not much. There wasn't much of a relationship. I looked up to him because he was my father, but the few times I was seeing him it was holidays or in the mountains for Christmas, stuff like that. And at Christmas when you're a kid you have presents, and that's all that matters. A few things that I did with him, when we went out on his boat or in a four-by-four or on skis, it was a lot of fun. Always out over the edge, I remember that side, and that's all I remember.'

Damon Hill, whose father died when he was fifteen, once said that he's spent the years afterwards getting to know him, which might seem to be something the two 1996 Williams drivers will have in common, besides the colour of their driving suits. 'Yeah, probably true. My father died when I was twelve. What do you know at that age? All you see is Father Christmas. The rest of it is very important, but you just don't pay attention to it – unless it's really terrible, of course, and I can't say much on that. I know more now because I've been told so much. It's as if people talk three or four times more about a person after he's dead. But I honestly don't know my father.'

There's a fine posthumous biography of Gilles Villeneuve, written by a Canadian journalist, Gerald Donaldson, and published five years ago to widespread admiration for its honesty and accuracy. People who knew Gilles say that it gets him right. Jacques has never read it.

'No – well, the first couple of chapters. But since then I've been reading other stuff. It's not because I'm against him or anything like that. I just haven't read it. It sounds stupid. I know I should have, I've never brought myself to read it, that's all. I've been wanting to for a while. Perhaps I should, so that when people ask me questions about it, I'll know ... But maybe I don't feel like reading a book about racing. You have so little time to do the things you really want to do.'